Vue.js 3 超入門

Tuyano SYODA
掌田津耶乃 著

秀和システム

サンプルのダウンロードについて

サンプルファイルは秀和システムのWebページからダウンロードできます。

●サンプル・ダウンロードページURL

https://www.shuwasystem.co.jp/support/7980html/6373.html

ページにアクセスしたら、下記のダウンロードボタンをクリックしてください。ダウンロードが始まります。

ダウンロード

はじめに

「フロントエンド開発」の時代がやってきた！

Webの開発では、Webブラウザ側の処理を「フロントエンド」、サーバー側の処理を「バックエンド」といいます。ほんの少し前まで、Webアプリケーションの開発といえば「バックエンドのプログラミング」が中心でした。

が、Webが進化するにつれ、「実際にユーザーとやり取りするフロントエンドこそが重要」と意識が変わりつつあります。いかにWebのユーザビリティを向上させ利用する側に「このWebサイト、いいね！」と思ってもらえるか。これこそがWebの開発においては一番重要なのだ、ということが理解され始めたのでしょう。

この「フロントエンドの開発」において、現在、もっとも注目されているソフトウェアの一つが「Vue.js」です。本書は、このVue.jsの最新版である「Vue3」の使い方をマスターするための入門書です。

……なんて説明しても、「そもそもフロントエンドの開発って一体どういうものなんだ？　Vue.jsを使うと何ができるんだ？　そのへんまるでわからないぞ」という人もきっと多いはずですね。そこで本書では、フロントエンド開発がどういうものでどんなことができるのか理解していくため、以下のような事柄について説明をしていきます。

- Vue3利用のアプリの作成と実行の基本的な手順
- 「コンポーネント」と呼ばれるプログラムの作り方
- Composition APIという新しいコンポーネントの作り方
- Veuxという様々な値を管理する機能の導入
- axiosというネットワークアクセス機能の使い方
- Firebaseというサービスを使ったデータベースとソーシャル認証

何だか難しそうですが、実際に操作してプログラムを動かしながら説明していきますから心配はいりません。「よくわからないけど、こう書けばちゃんと動くみたいだ」ということを体感しながら学習できるでしょう。実際に動かしてみれば、頭で考えるよりずっと理解が進みます。よくわからなくても、何度も実際に動かしてみると何故か不思議と理解できるようになっているのです。

これらすべてをマスターできれば、フロントエンドの開発は完璧です。とはいえ、本書で取り上げるのは、これらの基本的な部分だけですから、これだけでは完璧までは程遠いのも確かです。けれど、本書の内容が一通り頭に入れば、簡単なWebアプリの開発ぐらいはできるようになります。そしてそこまで辿り着ければ、ここで学んださまざまな技術について更に掘り下げ自力で学んでいけるようになるはずです。

まずは、Vue3という新しいVue.jsを使ったWeb開発がどういうものか体験し、その基本を覚え、自分で使えるようになりましょう。「こうすればいいんだ！」という基本がしっかり頭に入れば、もうあなたの前途は洋々たるものですよ。

2020.11　掌田津耶乃

Contents

目次

Chapter

1

Vueを使ってみよう！

まずは、Vueというのがどういうものか、理解しましょう。実際に簡単なファイルやプロジェクトを作って動かし、Vue3を使った開発がどういうものか体験しましょう。

Vue3のセットアップ

フロントエンドの開発って？

Webの世界は常に進化しています。十数年前は、インターネットのWebサイトといえばテキストと絵が並んで表示されるようなシンプルなものが大半でした。それが今では、リアルタイムに表示が変化する、まるでアプリケーションのようなWebサイトが多数登場しています。最近では、スマートフォンのアプリケーションまでWebサイトとまったく同じやり方で作られるようになりつつあります。

こうした「リアルタイムに動いているWebサイト」を作成する場合、重要になるのが「フロントエンドの技術」です。

フロントエンドは「Webブラウザ」の技術

Webサイトは、「フロントエンド」と「バックエンド」で構成されています。これは簡単にいえばこういうことです。

フロントエンド	Webブラウザの中で動いている部分。JavaScriptで処理を作成している。
バックエンド	サーバーの中で動いている部分。さまざまなプログラミング言語を使っている。

本格的なWebアプリケーション開発では、サーバー側とブラウザ(クライアントと呼ぶこともあります)側の両方でプログラミングする必要がある、というわけですね。

これらの内、おそらく「サーバー側の開発」というのは、なんとなくイメージできるんじゃないでしょうか。よくわからなくとも、「サーバーでなにか難しそうなプログラムを作って動かしているんだろうな」ぐらいにはイメージできるでしょう。

が、フロントエンドというのは、どうもピンとこないかもしれません。

「要するに、ブラウザでしょ？ HTMLを表示してJavaScriptでなにか動かしたりするだけでしょ？『プログラミング』なんて、そんな大げさなこと、しないでしょ？」

……なんて思っていませんか。

確かに昔はそうでした。HTMLにJavaScriptがちょこっとあるだけ、といったシンプルなWebページなら、クライアント側の開発なんて考える必要はなかったのです。

が、現在のWebでは、非常に高度な表現が要求されます。ただ静的な情報を表示するだけでなく、ユーザーの操作に応じてリアルタイムに表示を更新したり動かしたりしないといけません。それには、かなり高度なプログラミングが必要なんです。

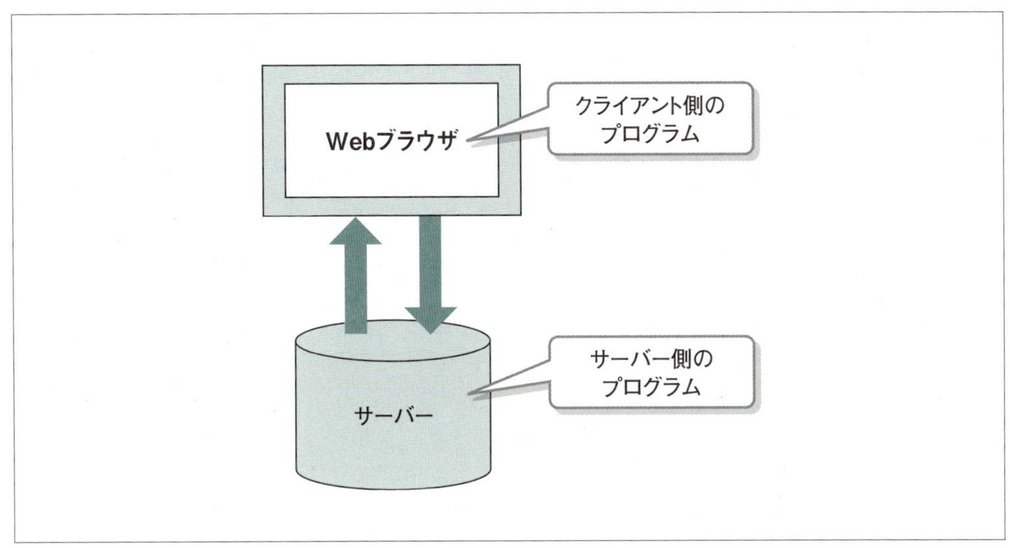

図1-1　Webアプリケーションでは、サーバー側とクライアント（Webブラウザ）側の両方でプログラムが動いている。

フレームワークってなに？

そんな「フロントエンドのプログラミング」を行なうとき、最近になって広く使われるようになってきているのが「フレームワーク」と呼ばれるものです。

フレームワークというのは、ライブラリを強化したようなものです。ライブラリというのは、単にさまざまな機能を「必要に応じて使ってください」と用意したものです。が、フレームワークは機能だけでなく、「仕組み」まで提供してくれます。

フレームワークは、利用する側が「ここでこういうことしたいから、その機能を探して呼び出そう」といった使い方はしません。プログラムの全体の構成は、フレームワークの方で決めています。そして、「こういう場合は、ここにこういう形でプログラムを用意してください」というように、フレームワーク側からプログラマに指示を出すのです。プログラマは、フレームワークで決められた仕様にしたがってってプログラムを用意していくだけです。

このフレームワークは、もともとはサーバーサイドの開発で多用されていました。それが次第に広がっていき、現在ではフロントエンドでのプログラミングでも用いられるようになってきているのです。

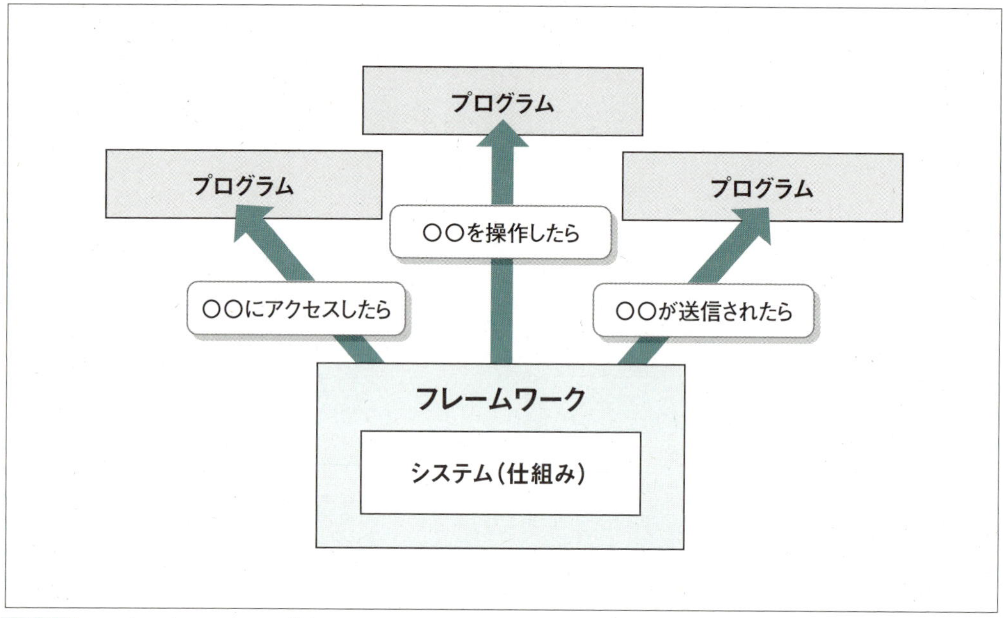

図1-2　フレームワークは、仕組みそのものを提供する。さまざまな状況に応じて、「こういう場合はこのプログラムを実行する」というルールが決まっていて、プログラマはそれにしたがってってプログラムを用意していく。

Chapter 1
Chapter 2
Chapter 3
Chapter 4
Chapter 5
Chapter 6
Addendum

フロントエンドはJavaScript ！

「フロントエンドってさっきから言ってるけど、どういうプログラムなの？ 確かWebブラウザってJavaScriptしか動かないんじゃなかった？」と思った人。その通り！ フロントエンドの開発というのは、「JavaScriptを使ってスクリプトを書いて作る」のです。

JavaScriptと「フレームワーク」という言葉が今ひとつつながらない……なんて人もいることでしょう。「JavaScriptって、Webの表示を操作したりする簡単な言語でしょ？ フレームワークなんて大げさなもの必要ないのでは？」……って。

でも、画面をリアルタイムに操作するような処理を全部手作業で作っていくのは、相当に大変なのです。それよりも、基本的な仕組みを用意してくれて、「こう書いたら、後は自動的に表示を更新してくれますよ」となっていたほうが楽に決まっています。だからこそ、最近ではフロントエンドのフレームワークがどんどん広まりつつあるのです。

そんな中で、現在、もっとも注目されているフレームワークの1つが「Vue.js」です。

Vue3ってどんなもの？

Vue.jsは、Evan You氏によって開発されたオープンソースのフレームワークです。このVue.jsは、現在「Vue3」と呼ばれるver. 3がリリースされています。このVue3がどのようなものか、簡単にまとめておきましょう。

できたてホヤホヤ！

Vue3は、それまであったVue2からメジャーバージョンアップされたものです。これは2020年9月に正式リリースされたばかりのものです。

Vue2からVue3のリリースまで、実に2年以上が経過しており、このVue3はこの先しばらくは最新バージョンとして使われます。今は、このVue3を学ぶのに最適なタイミングなのです。

リアクティブ・プログラミング

Vue3の最大の特徴はこれでしょう。「リアクティブ(Reactive)」は「反応する」という意味です。Vue3では、さまざまなデータが更新されると、自動的にそのデータを利用している画面の表示も更新されます。基本的な設定がされていれば、元データとなるものを操作すると、自動的に表示が変わるのです。まさに「リアクティブ」なのです。

コンポーネント・システム

Vue3は「コンポーネント」と呼ばれる部品としてさまざまな機能を実装できます。コンポーネントは再利用可能な部品で、簡単に作成でき、それを配置すれば自動的に必要な表示や処理が行なわれます。この非常に柔軟でわかりやすいコンポーネント・システムが、Vue3の一番の特徴ともいえるでしょう。

テンプレート

Vue3にはHTMLをベースとするテンプレート構文が用意されており、それを利用することでさまざまな表示をHTMLの中に組み込むことができます。またコンポーネントなどもHTML内に簡単に埋め込めるため、実際の利用の際には、「コンポーネントとして定義されたプログラム」といったことを意識することなく、HTMLの延長上のような感覚で記述し利用できます。

これらの機能は非常に複雑な処理によって実現していますが、重要なのは「そうした難しい仕組みの部分は、全然知らなくてもいい」ということです。フレームワークの最大の利点は、これでしょう。つまり、「使い方さえ知っていればそれでいい。その内部の仕組みなんてまったく知る必要がない」ということなのです。

高度なことが実現できても、その仕組みをきっちり理解しないと使えない、というのでは、誰もが簡単に使うことなんてできません。「使い方だけ知っていれば、中身は知る必要ない」——これこそが、誰でも気軽に使えるようになるための最大のポイントといっていいでしょう。

Vue ver.2とVue3は別のもの!

Vue3を利用する際に注意しなければならないのが、そのバージョンです。既に触れたように、Vue.jsは、2020年9月にVue3という新しいバージョンがリリースされ、以後はこの新バージョンに置き換わっていきます。

一般に、ソフトウェアのアップデートというのは、古いバージョンの機能をそのまま踏襲した上で新たな機能を追加する(つまり、古いバージョンで作ったプログラムもそのまま動く)のが一般的です。が、Vue3は、違うのです。

Vue3は、Vue2から2年以上をかけて大幅に改良したまったく新しいバージョンです。このため、もっとも基本的な部分から変わっており、Vue2のプログラムはほぼすべてVue3では動かなくなっています。

インターネットでは、Vueの情報は多数出回っていますが、そのほとんどがVue2をベースとした記事です。これらは、そのままVue3で試してもまず動きません。「Vue2とVue3はまったく別のものだ」ということをよく頭に入れておいてください。

Vue3を利用するために必要なもの

では、このVue3を使うためにはどのような準備が必要なのでしょうか。なにか特別なプログラムをインストールしたりしないといけないのでしょうか。

答えは、「まったく、何も必要ない」です。ただ、テキストエディタなどを開いて、HTMLによるWebページを書けばいいのです。その中で、Vue3を読み込むためのタグさえ用意すれば、それだけでVue3は使えるようになります。

(※実をいえば、本格的な開発を行なうためにはNode.jsというプログラムなどを用意する必要があるのですが、「ないとVue3は使えない」というわけではありません。Vue3の利用にはいろいろな方法があり、もっとも簡単なやり方なら、ただHTMLにタグを書くだけでも利用できる、ということです)

それよりも必要なのは、おそらくソフトウェアなどではなく、「JavaScriptの知識」でしょう。Vue3では、JavaScriptの関数やオブジェクトを多用します。これらの基礎知識がないと、理解するのは大変でしょう。

「JavaScriptの基本的な使い方ぐらいはある程度わかる」という人は、そのまま読み進めて構いません。が、「ちょっと自信がないな……」という人は、巻末の「JavaScript超入門」でざっと勉強しておきましょう。Vue3の学習に入るのは、それらの知識を一通り身につけてからでも遅くはありませんから。

<script>タグ1つで使えるように！

では、難しい話は後回しにして、実際にVue3を使ってみることにしましょう。とにかく「Vue3ってどんなものか？」ということがわからないと勉強のやりようがありませんし、そのためには実際に使ってみるのが一番ですからね。

では、なにかテキストエディタを起動してテキストを入力できるようにしてください。Windowsならメモ帳、macOSならテキストエディットなどで構いません。あるいは、普段使っているエディタがあればそれでも大丈夫です。

起動したら、以下のプログラムリストを書きましょう。

リスト1-1

```
<!DOCTYPE html>
<html>
<head>
  <title>My first Vue app</title>
  <script src="https://unpkg.com/vue@next"></script>
</head>

<body>
  <h1>Vue3</h1>
</body>

</html>
```

図1-3 index.htmlをWebブラウザで開くと、HTMLの表示が現れる。

これは、Vue3を利用できるようにしたHTMLファイルです。これをWebブラウザで開いてみましょう。画面には、<h1>タグに用意したテキストが「Vue3」と表示されます。HTMLとしてごく普通の表示ですね。

CDNを利用すれば簡単！

ここでは、<head>タグ内に<script>タグが用意してありますね。これが、Vue3をロードしている部分です。このタグでは、以下のようにロード先が記述されています。

```
src="https://unpkg.com/vue@next"
```

このhttps://unpkg.com/vue@nextというアドレスは、「CDN」と呼ばれるサイトのものです。CDNは、「Content Delivery Network」の略で、JavaScriptのライブラリのように、多くのWebサイトで利用されているコンテンツの配信を行なう専門サイトです。

このサイトで公開されているVue3のアドレスが、https://unpkg.com/vue@nextだったのです。これにより、CDNのサーバーからVue3のスクリプトファイルが読み込まれ、使える状態になっていたというわけです。

もっとも、今のリストには、Vue3を利用する具体的な処理はありません。これは、「Vue3を読み込んで使えるようにしたところ」です。これをベースに、Vue3の処理を追記していくことになります。

コラム vueとvue@next Column

ここでは、CDNのアドレスにunpkg.com/vue@nextと指定をしていました。実をいえば、vueのCDNは、これまでunpkg.com/vueというアドレスでした。実際、このアドレスでアクセスしても、Vueのスクリプトが得られます。これは一体、何が違うのでしょうか？

Vueは、2020年9月にVue3にバージョンアップしたばかりです。現時点でも、多くのサイトでVue2が使われています。Vue3は、それまでのVue2からかなり大きな変更がなされているため、互換性が崩れているところもあります。このため、unpkg.com/vueの内容がVue3に変わってしまうと、このCDNを利用していたサイトがいきなり動作しなくなってしまいます。

そこで、unpkg.com/vueには従来通りVue2のスクリプトが得られるようにしておき、Vue3はunpkg.com/vue@nextというアドレスで得られるようになっています。「/vueはver. 2」「/vue@nextがver. 3」です。今後、/vueでver.3が得られるようになるかもしれませんが、当面は2と3が並行してリリースされると考えていいでしょう。

Vue3でメッセージを表示しよう

では、先ほどのサンプルにさらに追記して、Vue3を利用して簡単なメッセージを表示させてみましょう。<body>タグの部分(<body> ～ </body>の部分)を以下のように書き換えてみてください。

リスト1-2

```
<body>
  <h1>Vue3</h1>
  <div id="app">
  {{ message }}
  </div>

  <script>
  const appdata = {
    data() {
      return {
        message: 'Hello Vue!'
      }
    }
```

```
  }

  Vue.createApp(appdata).mount('#app')
  </script>
</body>
```

図1-4　Webブラウザで開くと「Hello Vue!」とメッセージが表示される。

修正したら、Webブラウザをリロードして表示を確かめましょう。Vue3の下に「Hello Vue!」とメッセージが表示されます。これが、Vue3を使って表示したメッセージなのです。見た目には何も違いは見えませんが、内部ではVue3がちゃんと動いているのです。

もし、このメッセージが表示されず、{{ message }} と表示がされていたら、Vue3がちゃんと動いていない、ということになります。<script>に記述したsrcのリンク先などをもう一度よく確認しておきましょう。

Vue3は何をしたの？

では、ここでVue3が何をしたのか、見てみましょう。といっても、今の段階でVue3の具体的な仕組みや実行内容を正確に理解する必要はありません。「こういうことをやってるんだな」というだいたいのイメージをつかんでおこう、というわけです。

ここでは、「Hello Vue!」というメッセージが表示されていて、これがVue3によって作成された部分です。この表示がされる部分には、こういうものが書かれていました。

```
{{ message }}
```

この部分が、Vue3によって「Hello Vue!」というメッセージに置き換わっていたのですね。

Vue3の基本は、これです。すなわち、あらかじめ値を表示する場所を確保しておいて、そこにVue3を使って値がはめ込まれていた、というわけです。

この「値がはめ込まれる」というのは、単にそこに表示されるテキストが変わるだけではありません。このサンプルでは単純な表示をしているだけですが、JavaScriptで表示しているデータを書き換えるとその場で表示も更新されるのです。ただ表示をするだけでなく、その表示部分は常に状態がチェックされ、値が変更されると瞬時に表示も変わるようになっているのです。

このあたりは、これからVue3を実際に使っていく中でその働きがわかってくると思いますが、「単に表示をするだけのものではない」ということは頭に入れておきましょう。

Vue.js devtoolsを用意しよう

とりあえず、Vue3が簡単に動かせることはわかりました。では、次にやることは？ それは「開発支援のためのツールの用意」です。本格的な開発の前に、Vue3開発を支援するツールを用意しておきましょう。それは「Vue.js devtools」というものです。

Vue.js devtoolsは、Webブラウザの開発用ツールにVue3用の機能を追加するプラグインです。これは現在、Google Chrome用とFirefox用が用意されています。

Google Chrome用プラグイン

Chromeウェブストア(https://chrome.google.com/webstore)にアクセスし、「vue.js devtools」で検索してください。同じ名前のものが2つ見つかりますが、片方がVue3対応のものです。ページを開いて、「Currently only supports Vue 3」と表示されている方がVue3対応です。

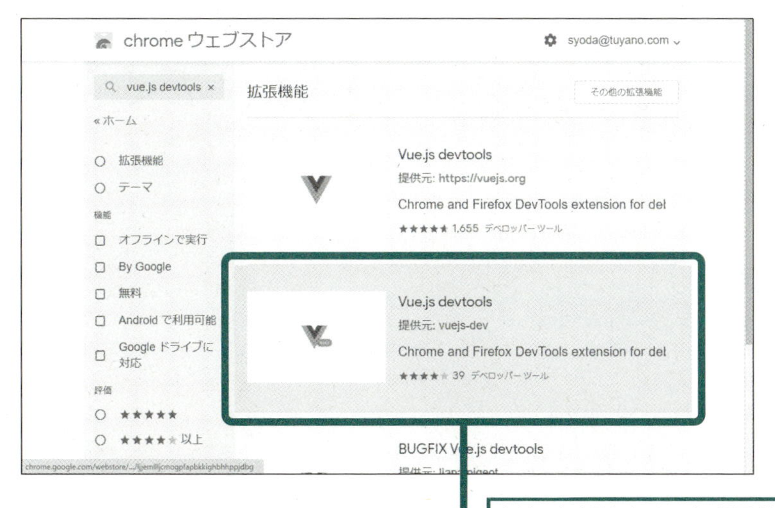

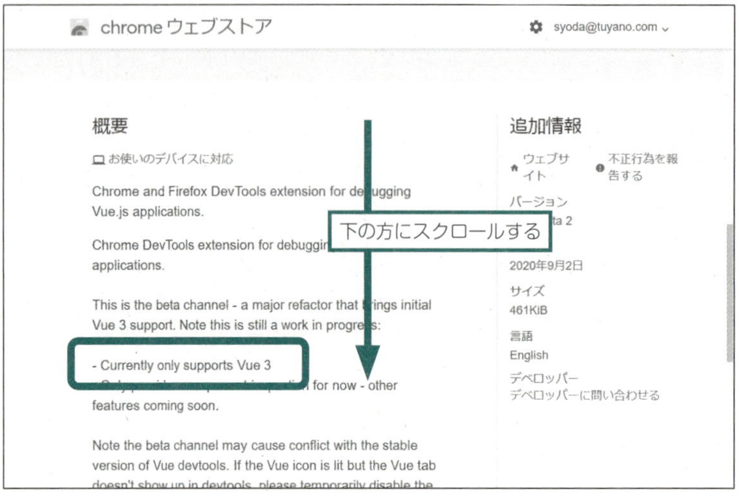

図1-5　Chromeウェブストアのvue.js devtoolsプラグイン。ページに「Currently only supports Vue 3」と表示されている方を使う。

Firefox用アドオン

以下のアドレスで公開されています。ただし2020年10月現在、まだVue3対応にアップデートされていないようです。いずれバージョンアップされると思いますので、そうなってから利用しましょう。

```
https://addons.mozilla.org/ja/firefox/addon/vue-js-devtools/
```

図1-6　Firefoxのアドオンページ。

Microsoft Edgeでの利用について

Microsoft Edgeでは、Chrome用のプラグインが利用できるようになりました。Chromeウェブストアページにアクセスし、画面上部に表示される「他のストアからの機能拡張を許可する」というボタンをクリックしてChromeウェブストアの機能拡張を許可してください。これで機能拡張が使えるようになります。そのまま、Vue.js devtoolsを検索してインストールして使いましょう。

コラム Vue2用とVue3用は違う！ Column

vue.js devtoolsなどがそうですが、Vue用のソフトウェアは、基本的に「Vue3対応」となっているものを使うようにしてください。Vueは、ver.2とVue3で大きく変更されています。このため、ほとんどのソフトウェアはそのままではVue3に対して互換性がありません。Vue3対応になっているのを確かめた上で利用するようにしてください。

機能拡張の設定をする

ここでは、Chromeを用いてVue.js devtoolsの基本的な使い方について説明しましょう。まず最初に、Vue.js devtoolsの設定を行なっておきます。Vue.js devtoolsプラグインは、デフォルトではローカルファイルを直接開いた際には機能しません。設定を変更し、ローカルファイルの場合も動くようにしておきましょう。

追加したVue.js devtoolsプラグインのアイコンを右クリックし、「機能拡張を管理...」メニューを選んでください。

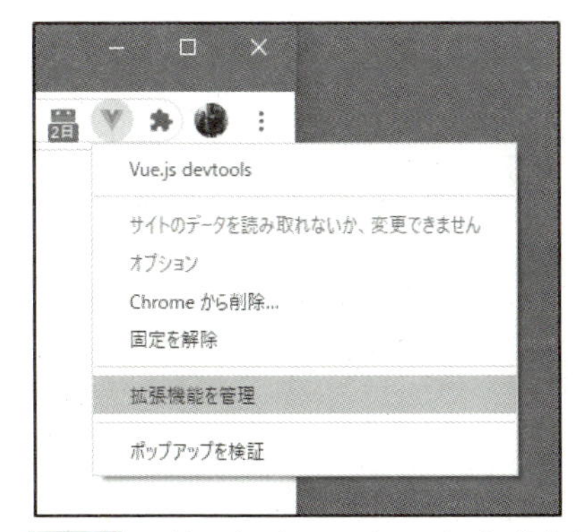

図1-7 Vue.js devtoolsアイコンを右クリックし、「機能拡張を管理...」メニューを選ぶ。

機能拡張の設定が現れます。その下の方にある「ファイルのURLへのアクセスを許可する」をONにしましょう。これで、ローカルファイルを開いた場合もプラグインが使えるようになります。環境によってはリスタートしないと機能拡張がうまく読み込まれないこともあるようです。もし、うまく動作していないようならWebブラウザをリスタートしましょう。

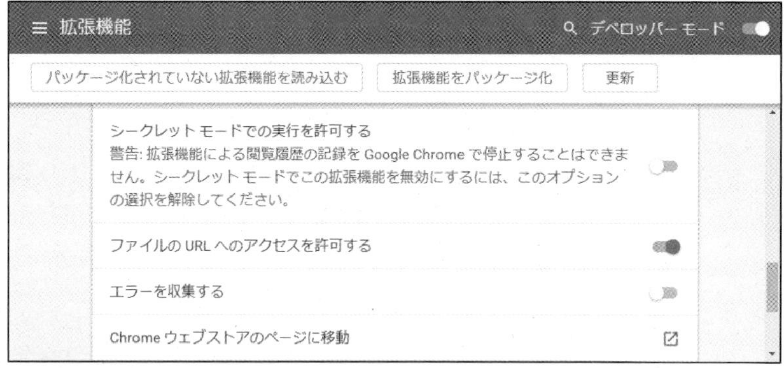

図1-8　「ファイルのURLへのアクセスを許可する」をONに変更する。

デベロッパーツールを開こう

設定変更したら、先ほどのVue3サンプルを表示したWebページを開いておき、「その他のツール」メニューから「デベロッパーツール」メニューを選びましょう。これでデベロッパーツールが表示されます。

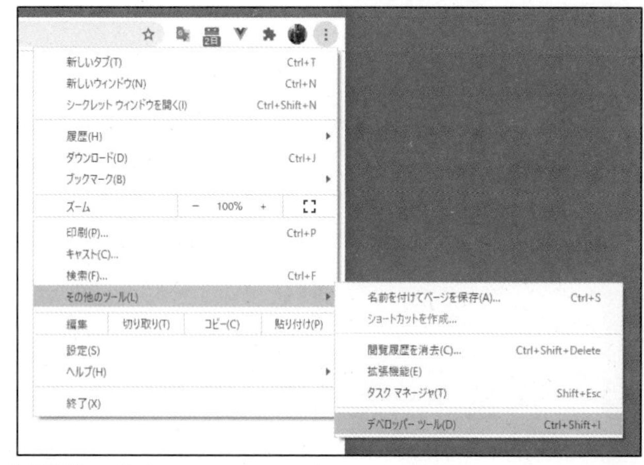

図1-9　「デベロッパーツール」メニューを選ぶ。

Vue.js devtoolsに切り替える

デベロッパーツールが現れたら、上部に表示されている項目から「Vue」をクリックします(一番右端にあります)。すると、Vue.js devtoolsに切り替わります。

この表示では、Vue3によって操作されているタグと、そこに表示されているデータなどが整理され表示されます。これを見れば、Vue3によってどの部分にどのデータが表示されているのか、一目瞭然というわけです。

また、ツールの下部には「Console」という表示があり、さまざまなメッセージが出力されているでしょう。これは「コンソール」といって、プログラムの実行時に何らかの問題などが発生したときにその状況を表示するところです。Vue3に限らず、JavaScript全般で利用されている部分ですので、プログラムが思ったように動かないようなときはこの出力内容をチェックするとよいでしょう。

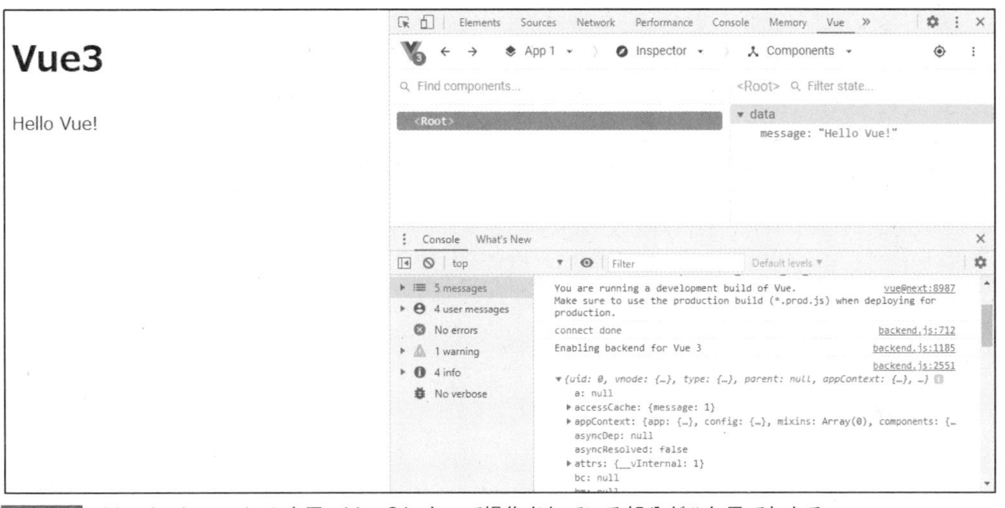

図1-10　Vue.js devtoolsの表示。Vue3によって操作されている部分がひと目でわかる。

実際の利用はもうちょっと後！

Vue.js devtoolsは「どこにVue3の表示があるか確認するだけか」と思うかもしれません。が、このVue.js devtoolsの便利さは、実際にVue3を使って表示を作成し、それをダイナミックに操作するようになったときにわかるはずです。

Vue.js devtoolsでは、例えば値を操作して変更したときにその変化を追って調べたりできます。Vue3を使い込むようになるほどに便利さが実感できるでしょう。今すぐ役立つわけではありませんが、Vue3を学ぶのであれば「こういう道具があって、こういう手助けをしてくれる』ということぐらいは知っておきたいですね！

スタンドアロン版について

ChromeやFirefoxの場合は、このようにプラグインを使って簡単にVue.js devtoolsが使えます。では、それ以外のブラウザを使っている場合は？ 諦めるしかないのでしょうか。

いいえ、実はちゃんと方法があります。それは、スタンドアロン版のVue.js devtoolsを使うのです。これは、ブラウザに依存せず、どのような環境でもVue.js devtoolsを利用できるようにするアプリケーションです。

ただし！ これを利用するには、npmというJavaScriptのパッケージ管理ツールが必要です。これは、Node.jsというJavaScriptの実行環境に組み込まれています(このNode.jsについては、この後に説明をする予定です)。

また、2020年11月時点では、まだVue3の対応版がリリースされていません。したがって、これもVue3対応のアップデートを待ってから利用する必要があります。これは本書執筆時点でベータ版がリリースされていますので、皆さんが本書を読まれる際には正式リリースされているかもしれません(6.0.0以降がVue3対応版です)。

ここでは、現時点でリリースされているベータ版を前提に説明しますが、将来的に正式リリースされた際には機能などが変更されている可能性もあるので注意してください。

スタンドアロン版のインストール

では、スタンドアロン版Vue.js devtoolsのインストールについて説明しましょう。これは、既にNode.jsが組み込まれている必要があります。コマンドプロンプトまたはターミナルを起動し、以下を実行してください。

```
npm install -g @vue/devtools
```

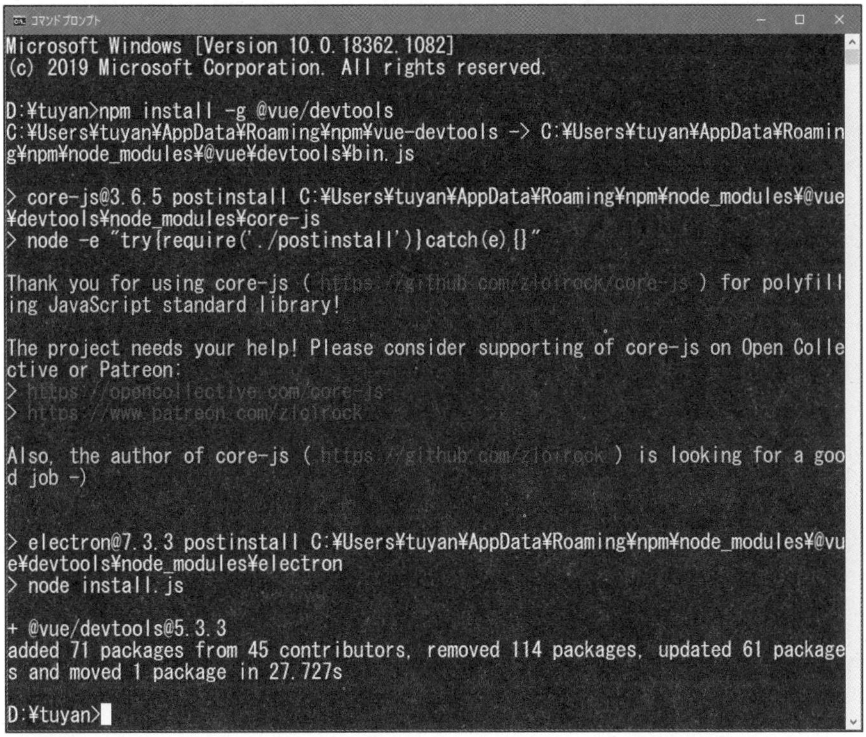

```
コマンド プロンプト
Microsoft Windows [Version 10.0.18362.1082]
(c) 2019 Microsoft Corporation. All rights reserved.

D:¥tuyan>npm install -g @vue/devtools
C:¥Users¥tuyan¥AppData¥Roaming¥npm¥vue-devtools -> C:¥Users¥tuyan¥AppData¥Roamin
g¥npm¥node_modules¥@vue¥devtools¥bin.js

> core-js@3.6.5 postinstall C:¥Users¥tuyan¥AppData¥Roaming¥npm¥node_modules¥@vue
¥devtools¥node_modules¥core-js
> node -e "try{require('./postinstall')}catch(e){}"

Thank you for using core-js ( https://github.com/zloirock/core-js ) for polyfill
ing JavaScript standard library!

The project needs your help! Please consider supporting of core-js on Open Colle
ctive or Patreon:
> https://opencollective.com/core-js
> https://www.patreon.com/zloirock

Also, the author of core-js ( https://github.com/zloirock ) is looking for a goo
d job -)


> electron@7.3.3 postinstall C:¥Users¥tuyan¥AppData¥Roaming¥npm¥node_modules¥@vu
e¥devtools¥node_modules¥electron
> node install.js

+ @vue/devtools@5.3.3
added 71 packages from 45 contributors, removed 114 packages, updated 61 package
s and moved 1 package in 27.727s

D:¥tuyan>
```

図1-11 コマンドプロンプトからnpm installコマンドでVue.js devtoolsをインストールする。

これを実行すると、npmのサーバーからソフトウェアをダウンロードしインストールします。これで、スタンドアロン版Vue.js devtoolsが使えるようになります。

スタンドアロン版の使い方

スタンドアロン版の実行も、やはりコマンドプロンプトやターミナルから行ないます。以下のように実行してください。

```
vue-devtools
```

これで画面に新しいウインドウが開かれます。これが、Vue.js devtoolsスタンドアロン版のウインドウです。初期状態では、先ほどChromeプラグインで見られたような表示はされません。

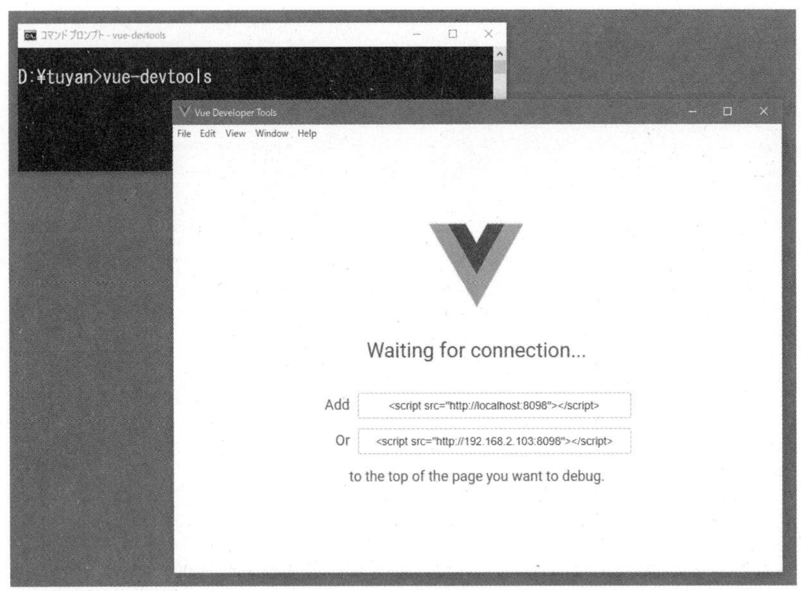

図1-12　Vue.js devtoolsのスタンドアロン版の起動画面。初期状態ではプラグイン版にあった表示はない。

<script>タグを追加する

表示されているページには、「Add」というテキストの右側に以下のようなタグが表示されています。

```
<script src="http://localhost:8098"></script>
```

このタグをコピーしてください。そして先ほど作成したサンプルのHTMLファイル(index.html)をエディタで開き、コピーした<script>タグをペーストしましょう。

ペーストする位置は、Vue3のスクリプトを読み込んでいる<script>タグの手前です。具体的には、以下のタグの前にペーストします。

```
<script src="https://unpkg.com/vue@next"></script>
```

ファイルを保存し、Webブラウザで開いてみると、Vue.js devtoolsのウインドウの表示が変わり、Chromeプラグインで見られたような、Vue3によって操作された項目とそのデータがウインドウに表示されます。

基本的な機能や操作は、プラグイン版と同じです。ですから、ChromeやFirefoxを利用しているユーザーは、わざわざスタンドアロン版をインストールする必要はありません。これは、その他のブラウザを使っているユーザーのためのものと考えましょう。

また、このスタンドアロン版は<script>タグを1つ追記する必要があります。開発が終了し、正式に公開を行なうときは、追記したタグを削除しておくのを忘れないようにしましょう。

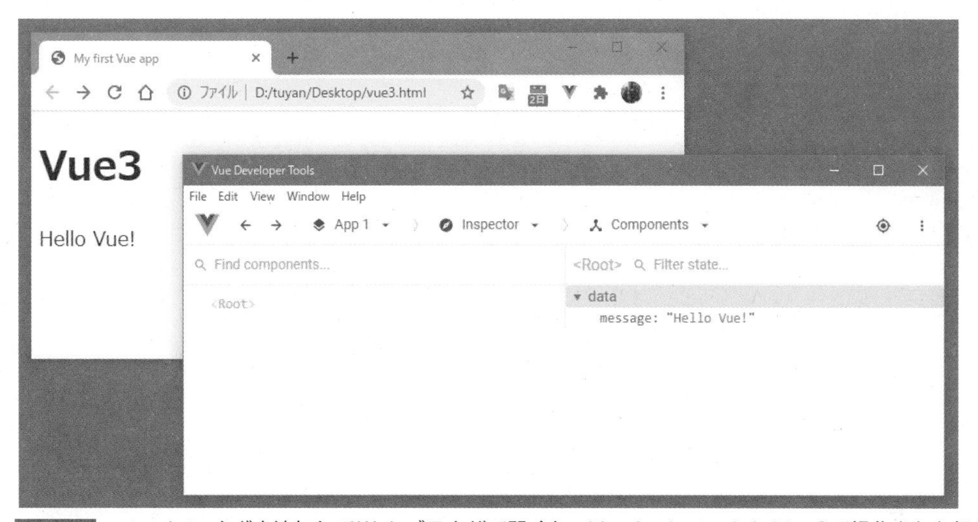

図1-13 <script>タグを追加してWebブラウザで開くと、Vue.js devtoolsにVue3で操作された部分の情報が表示されるようになる。

より本格的なプロジェクト

 プロジェクトとしての開発 

とりあえずVue3を使ってWebページを表示することはできるようになりましたが、本格的なWebアプリケーション開発ともなるともう少し本格的な開発環境を整える必要が出てくるでしょう。

本格的なWebアプリケーション開発になると、Vue3だけでなく、必要に応じてさまざまなライブラリなどを組み込んで使うことになります。また、クライアント側だけでなく、場合によってはサーバー側の開発もあわせて行なう必要が出てくるかもしれません。単に「HTMLファイルに<script>タグを追加するだけ」というやり方では、こうした複雑な開発には対処できないでしょう。

Node.jsとnpm

そこで登場するのが、「npm」というものです。これはパッケージ管理ツールと呼ばれるものです。このnpmは、「Node.js」というプログラムに組み込まれています。

Node.jsというプログラムは、「JavaScript実行環境」と呼ばれるものです。JavaScriptというのは、「Webブラウザに組み込まれていて、その中でしか動かない」というのがそれまでの常識でした。Node.jsは、JavaScriptのスクリプトをその場で実行できるようにするものです。

このNode.jsを使い、サーバープログラムそのものをJavaScriptで開発する、ということが可能になります。つまり、「サーバー側もクライアント側も全部JavaScriptだけで作れる」ということになります。これは便利だ！ というので、急速に広まることになったのです。

それに伴い、さまざまなライブラリがNode.js用に登場します。こうしたライブラリのインストールなどを行なうための専用ツールとして、Node.jsに用意されていたのがnpmだったのです。

Node.jsは、JavaScript開発の標準環境として次第に広まっていくうちに「JavaScriptのライブラリやフレームワークは、みんなnpmでインストールできるようになったら便利じゃないか」ということで、どんどんnpmに対応し始めたのです。

現在では、JavaScriptの開発では、サーバー側の開発に限らずどんなものでもNode.js + npmで行なえるようになりつつあります。もちろん、Vue3を使ったWebアプリケーション開発も、Node.jsを利用できるようになっているのです。

Node.jsのインストール

では、Node.jsを用意しましょう。Node.jsは、以下のアドレスで公開されています。まずはここにアクセスしましょう。

```
https://nodejs.org/ja/
```

図1-14 Node.jsのWebサイト。ここからソフトウェアをダウンロードできる。

ここからインストーラをダウンロードできます。2020年11月現在、トップページには、14.xと15.xのバージョンのダウンロードリンクが表示されています。これは、14.xのほうをダウンロードして下さい。。

Node.jsのバージョンは「偶数は長期サポートする安定版」「奇数は短期サポートの試験的なもの」という役割分担がされています。ver. 14は偶数ですから、将来的に長期間サポートされる安定版です。

もしver. 15のように奇数のバージョンが公開されていたなら、これは使わないようにしてください。「14」と「15」がWebサイトで公開されていたなら、15のほうが新しいけれど使える期間は短いのです。14のほうが遥かに長期間利用し続けることができます。

ここでは、14.xというバージョンのものを使うことにします。これは、LTS (Long Term Support)と呼ばれるバージョンの最新版です。トップページに表示されているボタンをクリックすればインストーラがダウンロードできるはずです。

もし、トップページにダウンロードのボタンが表示されていなかったり、表示が変わってしまっていたら、更新履歴のページから使いたいバージョンをダウンロードしましょう。

```
https://nodejs.org/ja/download/releases/
```

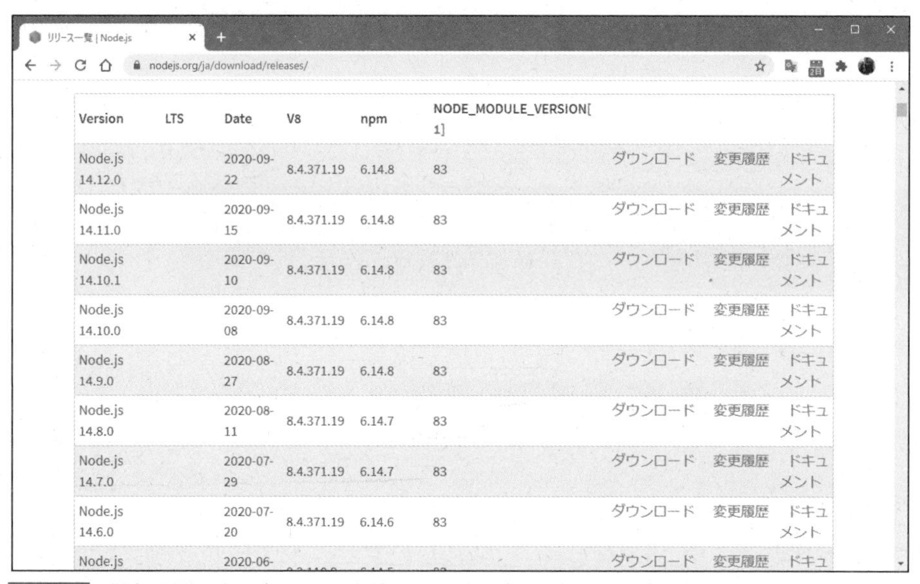

Version	LTS	Date	V8	npm	NODE_MODULE_VERSION[1]			
Node.js 14.12.0		2020-09-22	8.4.371.19	6.14.8	83	ダウンロード	変更履歴	ドキュメント
Node.js 14.11.0		2020-09-15	8.4.371.19	6.14.8	83	ダウンロード	変更履歴	ドキュメント
Node.js 14.10.1		2020-09-10	8.4.371.19	6.14.8	83	ダウンロード	変更履歴	ドキュメント
Node.js 14.10.0		2020-09-08	8.4.371.19	6.14.8	83	ダウンロード	変更履歴	ドキュメント
Node.js 14.9.0		2020-08-27	8.4.371.19	6.14.8	83	ダウンロード	変更履歴	ドキュメント
Node.js 14.8.0		2020-08-11	8.4.371.19	6.14.7	83	ダウンロード	変更履歴	ドキュメント
Node.js 14.7.0		2020-07-29	8.4.371.19	6.14.7	83	ダウンロード	変更履歴	ドキュメント
Node.js 14.6.0		2020-07-20	8.4.371.19	6.14.6	83	ダウンロード	変更履歴	ドキュメント
Node.js		2020-06-				ダウンロード	変更履歴	ドキュ

図1-15 更新履歴のページ。ここから使いたいバージョンを選んでダウンロードできる。

ここから使いたいバージョンの「ダウンロード」リンクをクリックすると、そのバージョンの公開ソフトウェアが一覧表示されるページに移動します。ここから、利用するプラットフォーム(OS)向けのものをダウンロードできます。

Windowsの場合は、「node-v14.xxx-x64.msi」(xxxは任意のバージョン)というリンクをクリックしてダウンロードします。msiという拡張子は、Windowsのインストーラファイルです。macOSの場合は、「node-v14.xxx.pkg 」というリンクをクリックしてダウンロードしましょう。これがmacOS用のパッケージファイルになります。

Windows版のインストール

ダウンロードしたnode.exeは、インストーラになっています。これをダブルクリックして起動し、以下の手順にしたがってインストールを行ないましょう。

●1. Welcome to Node.js Setup Wizard

起動すると、「Welcome 〜」というメッセージを表示したウインドウが現れます。これは「Welcome画面」というもので、単なるご挨拶です。そのまま右下の「Next」ボタンをクリックして次に進みましょう。

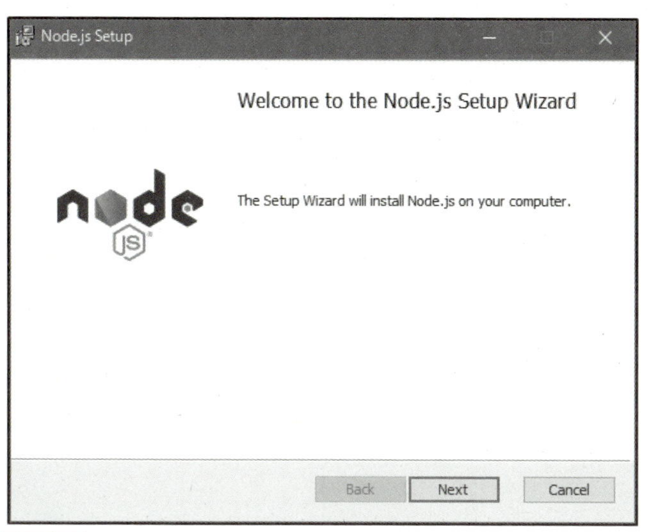

図1-16　Welcome画面。そのまま次に進む。

●2. End-User License Agreement

ユーザーの使用許諾契約に関する表示が現れます。下にある「I accept 〜」のチェックボックスをONにして、次に進みます。

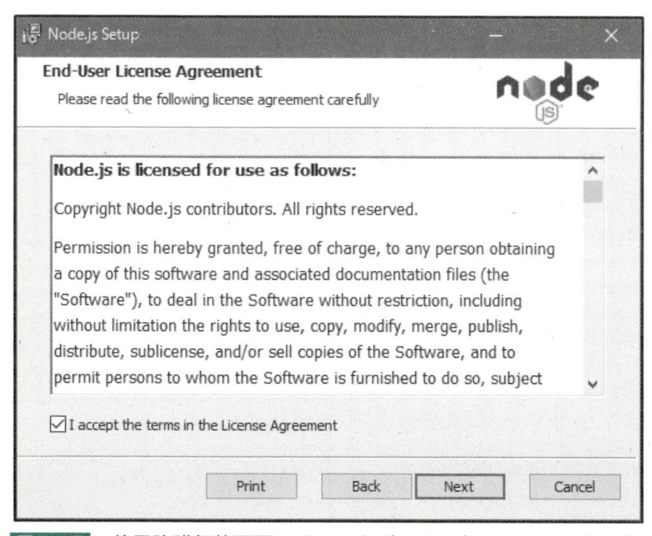

図1-17　使用許諾契約画面。チェックボックスをONにして次に進む。

Chapter 1
Chapter 2
Chapter 3
Chapter 4
Chapter 5
Chapter 6
Addendum

●3. Destination Folder

インストールする場所を指定するものです。デフォルトで「Program Files」フォルダ内に「nodejs」フォルダを作ってインストールするようになっているので、特に理由がない限りそのままにしておきましょう。

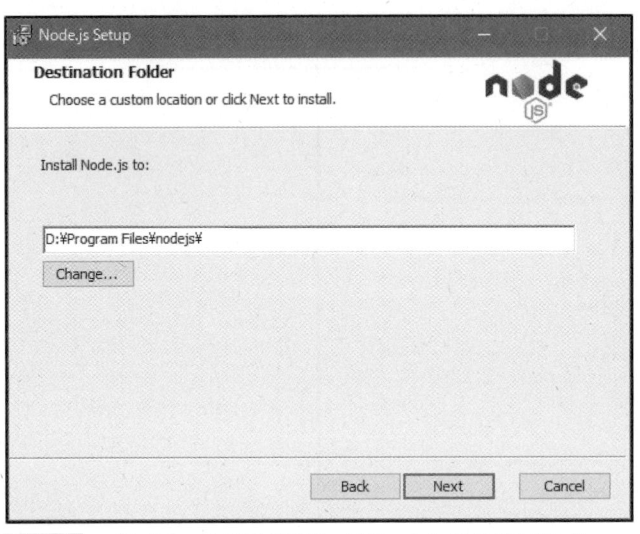

図1-18　インストール場所の指定。デフォルトのままでOKだ。

●4. Custom Setup

その他の設定です。主にインストールするソフトウェアを設定するものです。これはデフォルトのままにしておきましょう。

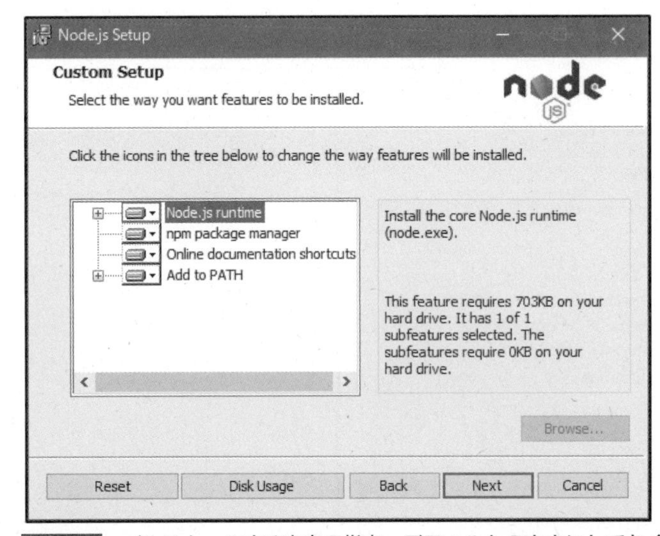

図1-19　インストールする内容の指定。デフォルトのままにしておく。

●5. Tools for Native Module

ネイティブモジュールのインストールに必要となるツール類をインストールするためのものです。これはオプションなので、そのままで構いません。Node.jsを本格的に使いこなしていこう、という人は、画面にあるチェックボックスをONにしておくとよいでしょう。

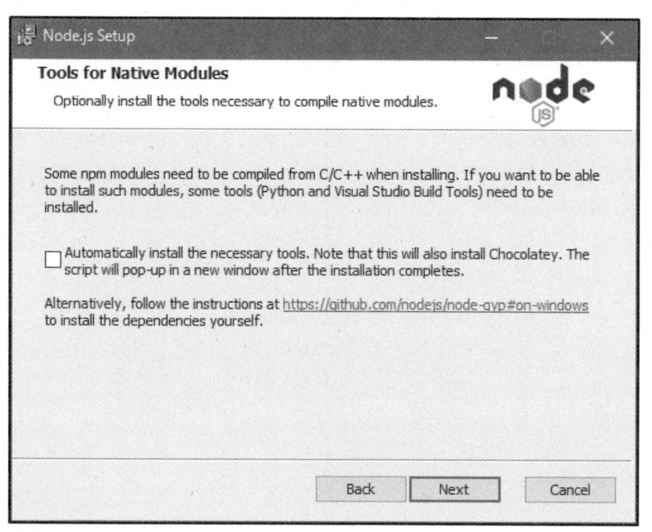

図1-20　ネイティブモジュール用ツールのインストール。デフォルトはOffになっている。

●6. Ready to install Node.js

これでインストールのための設定がすべて完了しました。「Install」ボタンをクリックすれば、インストールを開始します。

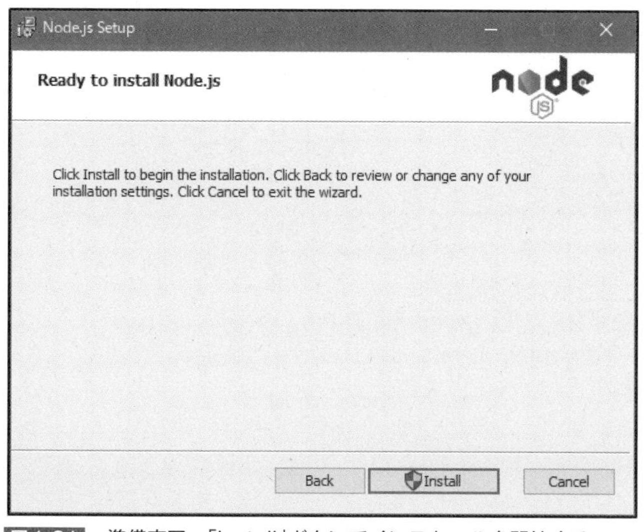

図1-21　準備完了。「Install」ボタンでインストールを開始する。

●7. Completed the Node.js Setup Wizard

インストールが完了すると、このような表示になります。後は「Finish」ボタンを押してインストーラを終了するだけです。

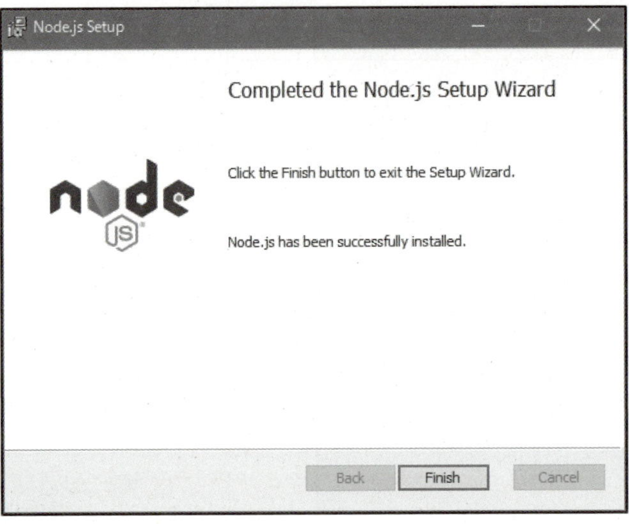

図1-22 インストールが完了するとこのような画面になる。

macOS版のインストール

macOSの場合、パッケージファイルの形でファイルがダウンロードされます。これをダブルクリックし、以下の手順でインストールを行ないます。

●1. ようこそNode.jsインストーラへ

まずは「ようこそ」画面が現れます。これはそのまま「続ける」ボタンを押して次に進みます。

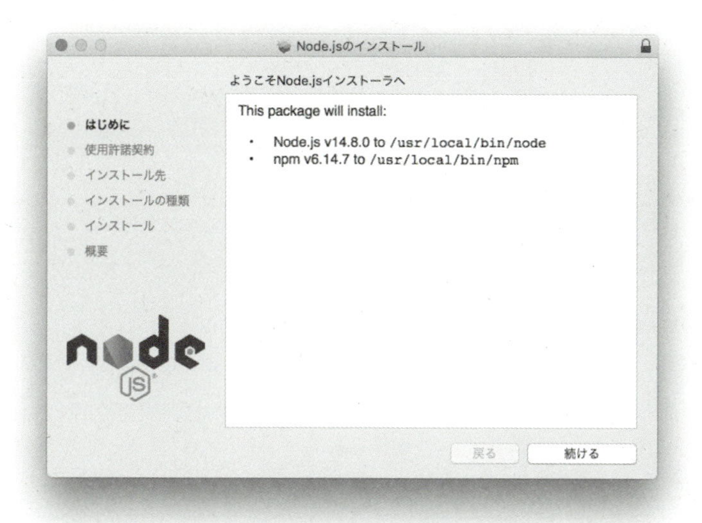

図1-23 ようこそ画面。そのまま進む。

●2. 使用許諾契約

ユーザーの使用許諾契約の画面になります。右下の「続ける」ボタンをクリックすると、画面上部から同意を求めるダイアログシートが現れるので、「同意する」ボタンをクリックします。

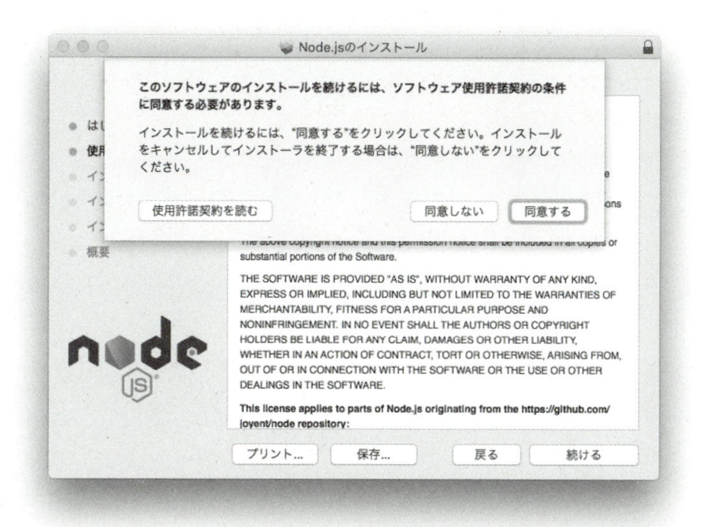

図1-24 使用許諾契約画面。「続ける」ボタンを押し、現れたダイアログで「同意する」を選ぶ。

●3. インストールの選択

インストールするボリュームを選択します。ハードディスクが1台しかない場合は自動選択されます。

図1-25 インストール先の選択。インストールするボリュームを選ぶ。

●4. インストールの種類

標準インストールのための表示が現れます。インストール内容をカスタマイズしたいときは「カスタマイズ」ボタンを押しますが、特に理由がない限りこれは勧めません。そのまま「インストール」ボタンを押してインストールを開始しましょう。

図1-26 インストールの種類。通常はそのままインストールを開始する。

●5. 概要

インストールが完了すると、インストール内容を表示した画面が現れます。そのまま「閉じる」ボタンを押してインストーラを終了しましょう。

図1-27　インストールが終了したら、「閉じる」ボタンでインストーラを閉じる。

動作を確認する

インストールが完了したら、ちゃんとNode.jsが動くかどうか確認しましょう。コマンドプロンプトまたはターミナルを起動し、以下のように実行してください。

```
node --version
```

これは、Node.jsのバージョンを表示するコマンドです。これで「v14.xxx」(xxxは任意のバージョン)といったバージョン番号が表示されれば、問題なくNode.jsがインストールされています。

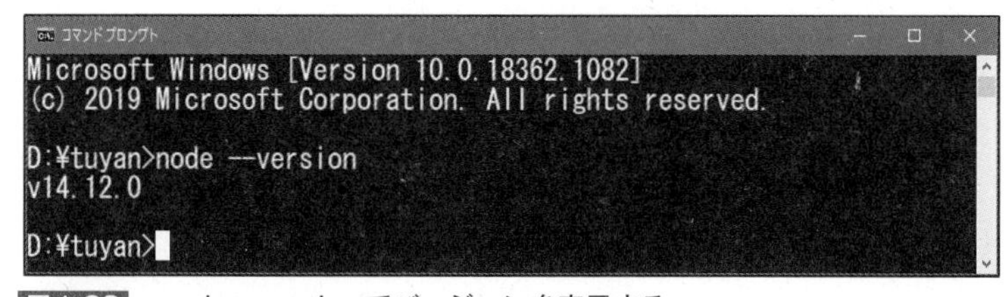

図1-28　node --versionでバージョンを表示する。

Vue CLIをインストールする

Node.jsが用意できたところで、さっそくVue3開発のためのソフトウェアをインストールしましょう。コマンドプロンプトまたはターミナルから、以下のようにコマンドを実行してください。

```
npm install -g @vue/cli
```

エラーなど起こらずに終了すれば、正常にVue CLIがインストールされています。インストールには意外と時間がかかるので焦らずに待ちましょう！

```
Microsoft Windows [Version 10.0.18362.1082]
(c) 2019 Microsoft Corporation. All rights reserved.

D:¥tuyan>npm install -g @vue/cli
    WARN deprecated request@2.88.2: request has been deprecated, see https://git
hub.com/request/request/issues/3142
    WARN deprecated har-validator@5.1.5: this library is no longer supported
    WARN deprecated resolve-url@0.2.1: https://github.com/lydell/resolve-url#dep
recated
    WARN deprecated urix@0.1.0: Please see https://github.com/lydell/urix#deprec
ated
    WARN deprecated chokidar@2.1.8: Chokidar 2 will break on node v14+. Upgrade
to chokidar 3 with 15x less dependencies.
    WARN deprecated fsevents@1.2.13: fsevents 1 will break on node v14+ and coul
d be using insecure binaries. Upgrade to fsevents 2.

> yarn@1.22.7 preinstall C:¥Users¥tuyan¥AppData¥Roaming¥npm¥node_modules¥@vue¥cl
i¥node_modules¥yarn
> node ./preinstall.js

C:¥Users¥tuyan¥AppData¥Roaming¥npm¥vue -> C:¥Users¥tuyan¥AppData¥Roaming¥npm¥nod
e_modules¥@vue¥cli¥bin¥vue.js
    WARN optional SKIPPING OPTIONAL DEPENDENCY: fsevents@^1.2.7 (node_modules¥@v
ue¥cli¥node_modules¥chokidar¥node_modules¥fsevents):
    WARN notsup SKIPPING OPTIONAL DEPENDENCY: Unsupported platform for fsevents@
1.2.13: wanted {"os":"darwin","arch":"any"} (current: {"os":"win32","arch":"x64"
})
    WARN @vue/compiler-sfc@3.0.0 requires a peer of vue@3.0.0 but none is instal
led. You must install peer dependencies yourself.

+ @vue/cli@4.5.4
updated 11 packages in 44.695s

D:¥tuyan>
```

図1-29　npm install -g @vue/cliで、Vue CLIをインストールする。

Vue CLIとは？

ここでインストールしたVue CLIというのは、Vue3開発のためのコマンドツールです。ごく簡単な表示をささっと作ったり、本格的なアプリケーションプロジェクトを構築したり、プログラムをその場で実行しブラウザで表示させたり——こうしたVue3アプリケーション開発に役立つ機能がいろいろ用意されているのです。

プロトタイプを動かす

では、Vue CLIの使い方を順に説明していきましょう。まず最初に「プロトタイプ」についてです。

プロトタイプというのは、Webアプリケーションの試作品のことです。具体的な機能などは持っていませんが、「こんな感じのもの」というものを見せて説明するようなときに使われます。要するに「ちゃんと動かなくていいから、それっぽいものを作って見せたい」というときにささっと用意するもの、なんですね。

Vue CLIには、プロトタイプをざっと作るための機能があります。ファイルを1つ用意して実行するだけで、簡単な表示を作ることができるのです。これを使ってみましょう。

アプリケーションを作成する

まず、プログラムを配置するためのフォルダを用意しましょう。ホームディレクトリでもデスクトップでも好きなところでOKです。フォルダ名もどんなものでも構いません。

そして、フォルダの中に「app.vue」という名前でテキストファイルを用意してください。このファイルには、以下のように記述をしておきます。

リスト1-3

```
<template>
  <div id="app">
    <h1>Hello!</h1>
    <p>This is message...</p>
  </div>
</template>
```

<template>というタグに簡単なHTMLの表示を用意してあるだけの単純なものです。HTMLであれば、<html>タグがあり、<body>タグがあってその中に……というのが本来の書き方ですが、プロトタイプのファイルでは、そんな書き方はしません。ただ、表示するコンテンツの部分だけを書いておくだけです。

app.vueのある場所に移動する

では、作成したプロトタイプを実行してみましょう。コマンドプロンプトまたはターミナルを開き、app.vueを配置したフォルダに移動します。これは「cd」コマンドを使って行ないます。ウインドウが開かれたときはホームディレクトリが開かれた状態になっていますから、ここから移動していけばいいでしょう。

例えば、デスクトップに「vue_folder」という名前でフォルダを作り、その中にapp.vueを配置したならば、以下のように実行します。

```
cd Desktop
cd vue_folder
```

1行目のcd Desktopでデスクトップに移動し、2行目のcd vue_folderで「vue_folder」フォルダの中に移動します。どこにどういう名前でフォルダを用意したとしても、こんな具合に「cd フォルダ名」と実行することでフォルダの中に移動できます。そうやって、app.vueがあるフォルダまで移動しましょう。

ちなみに、「今いるフォルダの外に出る」というのは、「cd ..」と実行します。これで、そのフォルダが置いてあるフォルダに移動できます。

プロトタイプを実行する

フォルダの移動ができたら、プロトタイプを実行しましょう。以下のようにコマンドを実行してください。

```
vue serve
```

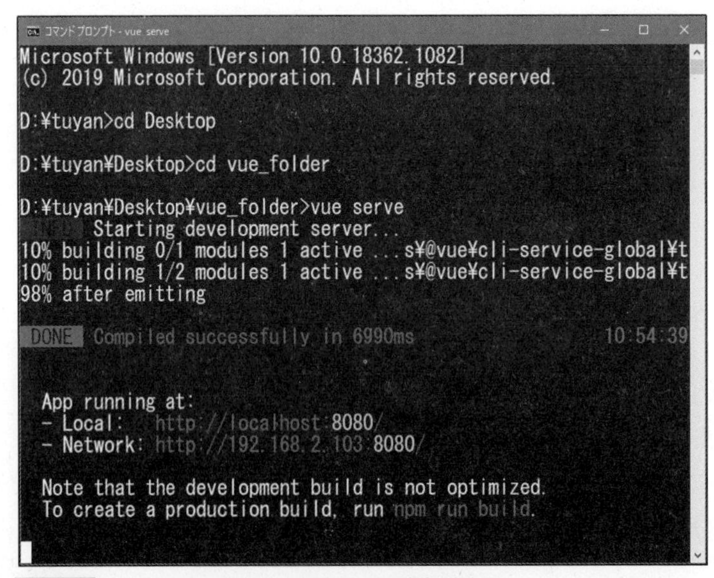

図1-30 vue serveコマンドでサーバーを起動する。

これで、Webサーバープログラムが起動し、そこにあるvueファイルを検索して読み込み表示できる状態にします。もし、複数のプロトタイプファイルを用意してあるならば、こんな具合にして実行するファイル名を指定することもできます。

```
vue serve《vueファイル》
```

実行したら、Webブラウザを開き、以下のアドレスにアクセスしましょう。サンプルで用意したapp.vueの内容が表示されますよ。

```
http://localhost:8080/
```

図1-31　サンプルで用意したapp.vueの内容が表示される。

動作を確認し終わったら、Ctrlキーを押したまま「C」キーを押して、スクリプトを中断します(「バッチ ジョブを終了しますか (Y/N)?」と表示されたら、Yと入力しEnterします)。これでもとの入力待ちの状態に戻ります。

プロトタイプはあくまで「仮」アプリケーション

こんな具合に、プロトタイプの機能を利用すると、.vueという拡張子のファイルを1つ書くだけで、簡単なアプリケーションの表示を作ることができます。

ただし！ これはあくまで「仮」のものであることは頭に入れておいてください。プロトタイプを使って本格アプリケーションを実際に作るわけにはいきません。これはあくまで「本アプリケーションがどんなものかを仮にざっと作って見せる」もの、と考えましょう。本物のアプリケーションの作り方は、これから詳しく説明していきます。

Chapter 1 Chapter 2 Chapter 3 Chapter 4 Chapter 5 Chapter 6 Addendum

プロジェクトを作ろう

プロジェクトってなに？

では、プロトタイプではなく、本格的なアプリケーションを実際に作ろう、というときはどうするのか。それにはいくつかの方法があります。

まずは、基本ともいえる「Vue CLI」を使った方法から説明していきましょう。これは「vue create」というコマンドを使います。

```
vue create プロジェクト名
```

こんな形で実行をします。これで、指定した名前のプロジェクトをその場に作成することができます。

プロジェクト＝アプリケーション？

この「プロジェクト」というのがアプリケーションのことなのか？ と思った人。これはYESでもあるし、NOでもあります。

プロジェクトというのは、プログラムの作成に必要なさまざまなもの(スクリプトファイルや、イメージなどのファイル、各種のライブラリやフレームワークなど)をまとめて管理するためのものです。最近の開発は、たくさんのファイルやライブラリを組み合わせて作ることが多いため、このプロジェクトと呼ばれる形で作成することが多いのです。

Vue CLIで作成したプロジェクトには、アプリケーションに必要なものがすべて揃っています。そしてコマンドを使ってその場でサーバープログラムとしてプロジェクトを実行し、動作を確認することもできます。そういった意味では、「プロジェクト＝アプリケーション」といってもいいでしょう。

が、しかし、プロジェクトをそのままサーバーにアップすれば動くか？ というとそうではありません。サーバー側の処理などが必要なく、クライアント側のVue3関係の処理だけしかない場合、プロジェクトに組み込まれている大半のプログラムは必要ありません。したがって、プロジェクトから、実際に公開して利用するアプリケーションを生成する作業(「ビルド」というものです)を行なうことになるでしょう。そうして作成されたアプリケーションを実際に利用するWebサーバーにアップロードして使うのです。

このように、プロジェクトはアプリケーションそのものというわけではありませんが、「プロジェクトを作ること＝アプリケーションを作ること」というのは、その通りです。プロジェクトにさまざまなファイルや処理を組み込んでいくことが、アプリケーションを作るという作業になるのです。そうして完成したプロジェクトをビルドして実際のアプリケーションができあがる、ということなのです。

hello_appプロジェクトを作る

では、実際にプロジェクトを作成してみましょう。コマンドプロンプトまたはターミナルを開き、cdコマンドを使って、プロジェクトを作成する場所に移動してください。これはホームディレクトリでもデスクトップでもどこでも構いません。

そして、以下のように実行してください。

```
vue create hello_app
```

プリセットの指定

コマンドを実行すると、以下のようなテキストが表示され入力待ちの状態になります。これは、「プリセット」というものを指定するためのものです。

```
? Please pick a preset:
  vuehoge_priset_1 ([Vue 2] router, vuex, babel, pwa, eslint)
  Default ([Vue 2] babel, eslint)
> Default (Vue 3 Preview) ([Vue 3] babel, eslint)
  Manually select features
```

プリセットは、プロジェクトで必要となるプログラムを設定するためのものです。いくつかのプリセットが用意されており、左端の>記号を上下に移動して選択をします。Vue3のプロジェクトを作成する場合は、「Default (Vue 3 Preview) ([Vue 3] babel, eslint)」というプリセットを使います。上下の矢印キーを使って左端の>記号をDefault (Vue 3 Preview)〜というところに移動してください。そしてEnter/Returnキーを押せば、Vue3用のプリセットが選択されます。

(※なお、プリセット名は、変更される可能性もあります。「Vue 3 Preview」は、Previewが取れて単に「Vue 3」と変わるかもしれません)

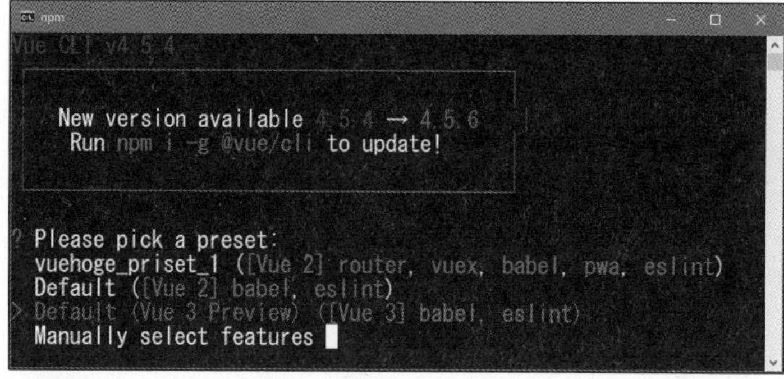

図1-32　Default (Vue 3 Preview) ([Vue 3] babel, eslint) を選んでEnter/Returnする。

プロジェクト完成！

プリセットを選んでEnter/Returnすると、プロジェクトの作成が開始されます。これにはけっこう時間がかかりますのでひたすら待ちましょう。

再度、入力できる状態に戻ったら、プロジェクト作成は完了しています。プロジェクトを作った場所に、「hello_app」という名前のフォルダが作成されています。これが、プロジェクトのフォルダです。この中に、プロジェクト関係のファイルやフォルダがまとめられているのです。

これ以後、プロジェクトの操作は、この「hello_app」フォルダの中に移動してコマンドを実行して行ないます。コマンドプロンプトまたはターミナルから「cd hello_app」と実行し、フォルダ内に移動しておきましょう。

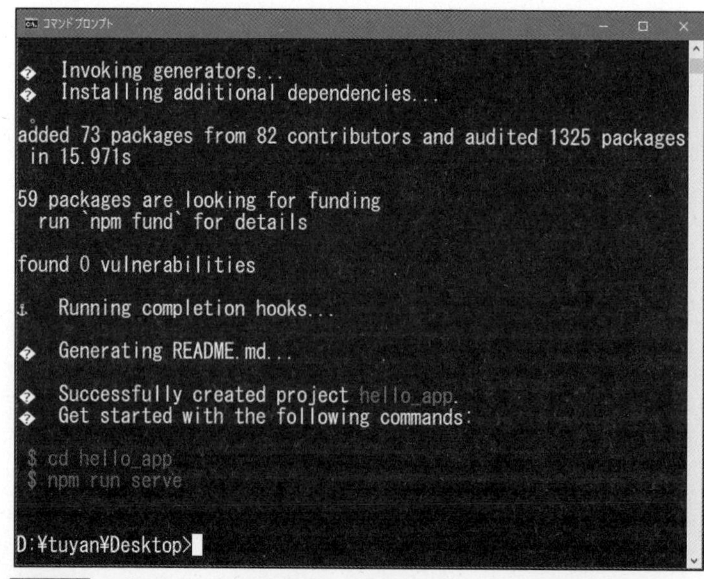

図1-33　プロジェクトを作成する。作成にはけっこうな時間がかかる。

プロジェクトを実行しよう

では、作成したプロジェクトを実行してみましょう。コマンドプロンプトまたはターミナルから以下のように実行してください。これで、プロジェクトが実行され、Webブラウザから Webアプリケーションとしてアクセスできるようになります。

```
npm run serve
```

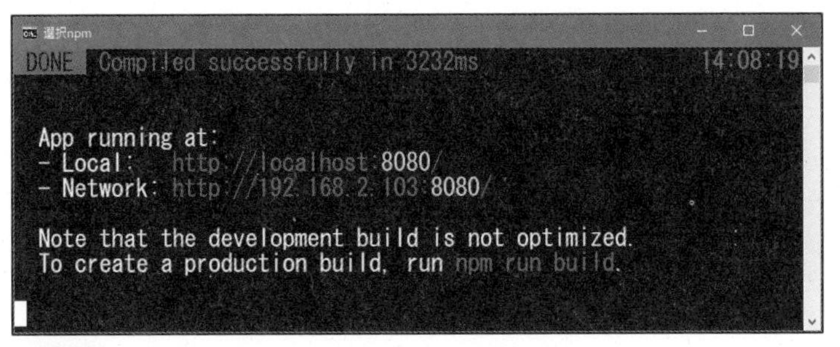

図1-34 npm run serveでプロジェクトを実行する。

実行すると、起動処理が行なわれ、準備完了すると以下のようなテキストが出力されます。これが現れたら、サーバーとして起動が完了した、ということです。

```
App running at:
  - Local:   http://localhost:8080/
  - Network: http://xxx.x.xxx.xxx:8080/

  Note that the development build is not optimized.
  To create a production build, run npm run build.
```

Networkのxxx部分は任意のIPアドレスが入ります。これらは、実行しているプロジェクトにアクセスするためのアドレスです。では、Webブラウザを起動し、以下のアドレスにアクセスしてみましょう。

```
http://localhost:8080/
```

画面に、「Welcome to Your Vue.js App」と表示されたページが現れます。これが、デフォルトで用意されているWebページです。プロジェクトが実行され、Webアプリケーションとしてブラウザからアクセスできるようになったことがわかるでしょう。

プロジェクトの終了は、Ctrlキー+「C」キーでスクリプトを中断すればOKです。

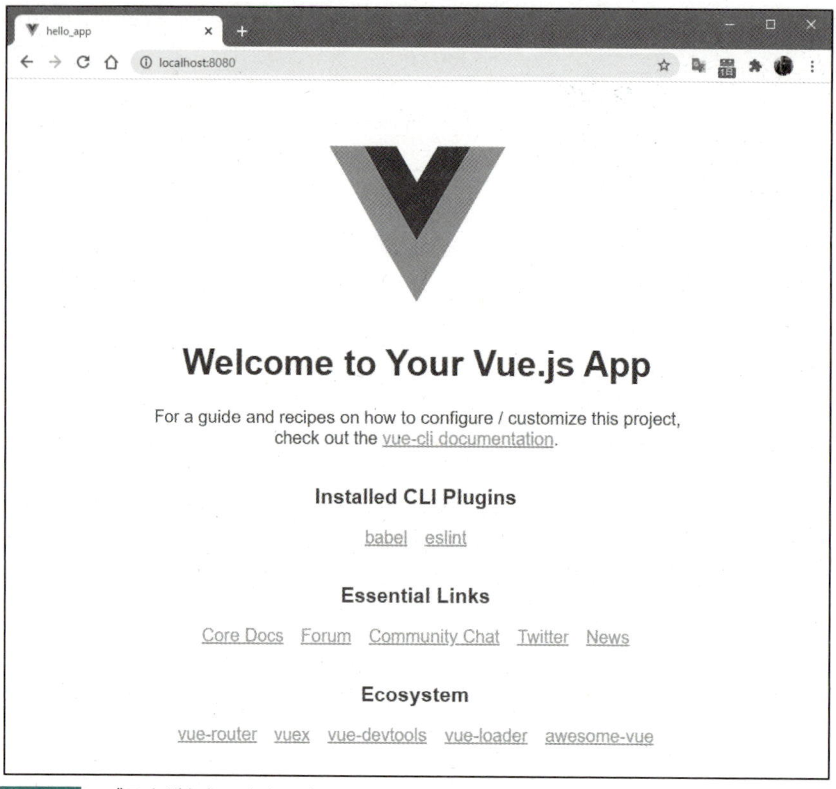

図1-35 ブラウザからアクセスするとこのような表示が現れる。

 プロジェクトの中身をチェック！ 

とりあえずプロジェクトを作って動かすところまではできるようになりました。が、このプロジェクトというもの、一体どんなものなんでしょうか。「hello_app」フォルダを開いて、その中身を見てみましょう。

この中には、想像以上にたくさんのファイルやフォルダが詰まっています。ざっと見ただけでは何がなんだかわからないかもしれません。が、1つ1つの役割がわかっていけば、決して「適当にファイルが詰め込まれてある」というわけでないことがわかってきます。では、ざっと内容を整理しておきましょう。

▼フォルダ関係

「.git」フォルダ	Gitというツールで使うものです。
「node_modules」フォルダ	npmで管理されるモジュール類がまとめてあります。
「public」フォルダ	公開フォルダです。HTMLやCSSなど公開されるファイル類が保管されます。

「src」フォルダ	ここに、Vue3で作成したファイルなどがまとめられます。

▼ファイル関係

.gitignore	Gitというツールで使うものです。
babel.config.js	Babelというプログラムの設定ファイルです。
package.json	npmでパッケージ管理するための設定情報ファイルです。
package-lock.json	npmでパッケージ管理する際に必要なファイルです。
README.md	リードミーファイルです。

たくさんのファイルやフォルダがありますが、実際に開発を行なうようになったとき、利用することになるのは「public」フォルダと「src」フォルダの2つだけ、と考えていいでしょう。それ以外のものは、とりあえず使うことはありません。これらを利用する必要が出てくるのは、かなりVue3を使いこなせるようになってからでしょう。

「src」フォルダの中にもいくつかファイルなどがありますが、これらについては実際にVue3のプログラミングをはじめたところで少しずつ説明していくことになるでしょう。今は「ここにVue3のファイルがまとめてあるらしい」という程度に理解していれば十分です。

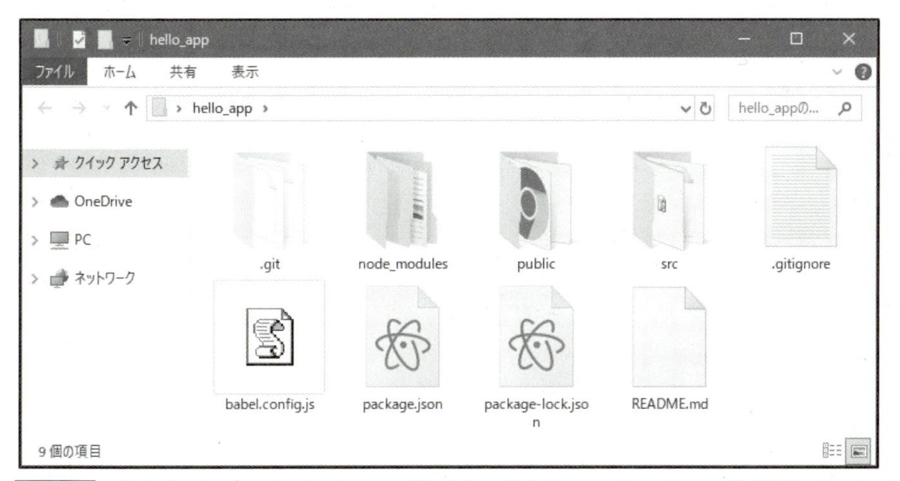

図1-36　作成されたプロジェクトフォルダの中身。多数のファイルとフォルダが用意されている。

プロジェクトをビルドする

これでプロジェクトを作って動かすことはできました。が、作成した「hello_app」フォルダの中を覗いてみた人は、たくさんのフォルダやファイルがあって驚いたはずです。「これ、全部必要なの？」と思ったかもしれませんね。

これは、プロジェクトをサーバーで実行するために必要なものがすべてまとめられているために、巨大なファイルの塊となっているのです。実際にWebサーバーにアップロードしてアプリケーションを公開するときは、これ全部が必要になるわけではありません。

作成したプロジェクトをWebサーバーにアップして公開するときは、プロジェクトをビルドし、公開用のファイルを作成します。これもコマンドプロンプトまたはターミナルからコマンドを使って実行します。以下のように実行してください。

```
npm run build
```

これを実行すると、プロジェクトのフォルダ(ここでは「hello_app」フォルダ)の中に「dist」というフォルダが作成されます。

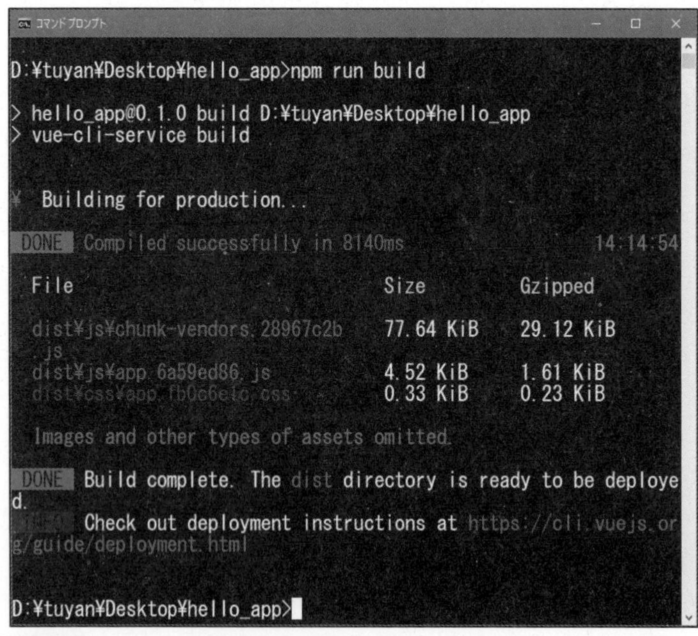

図1-37 npm run buildでプロジェクトをビルドする。

「dist」フォルダの中身

この「dist」フォルダの中に作成されているファイルやフォルダを見てみましょう。すると以下のようなものが作成されているのがわかります。

「css」フォルダ	スタイルシートファイルがまとめてあります。
「js」フォルダ	JavaScriptのスクリプトファイルがまとめてあります。
「img」フォルダ	イメージファイルがまとめてあります。
favicon.ico	サイトのアイコンイメージです。
index.html	デフォルトで表示されるHTMLファイルです。

ここでは、実際に表示されるWebページはindex.htmlが1つあるだけですが、これは作成したhello_appアプリケーションにWebページが用意されていないためです。このため、デフォルトで表示されるダミーページの表示を行なうファイルだけが用意されているのです。

プロジェクトにいろいろとファイルを作っていけば、この「dist」フォルダに生成されるファイル類も変わってきます。これは、あくまでデフォルトの状態と考えておきましょう。そして、「このdistにあるファイルをまとめてアップロードすれば、アプリケーションを公開できるんだ」ということを忘れないでおきましょう。

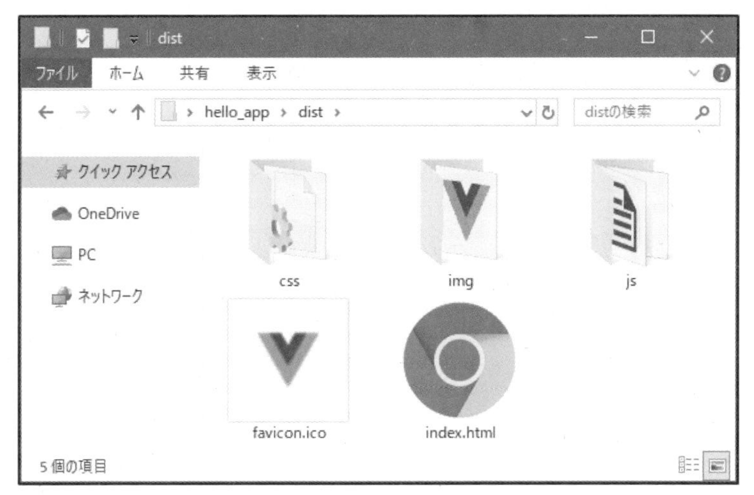

図1-38 生成された「dist」フォルダの中身。

コラム distのファイルが表示されない？ Column

実際に作成された「dist」フォルダのindex.htmlをWebブラウザで開いてみると、真っ白で何も表示されなかったのではないでしょうか。

これはビルドされるファイルに記述されているファイルのリンクが、すべて絶対パスで書き出されており、これが原因で表示がうまく行なえなくなっているのです。例えば、「dist」フォルダのindex.htmlには、こんな感じで<script>タグが書き出されています。

```
<script src=/js/chunk-vendors.xxx.js></script>
<script src=/js/app.xxx.js></script>
```

srcの値を見ると、/js/～というように、絶対パスで記述されています。このため、「dist」フォルダ内のファイル類をWebサーバー直下に配置した場合は動くのですが、サーバー内のフォルダなどの中に配置するとパスが正しくなくなり読み込めなくなってしまうのです。

これに対応するには、「dist」内にあるファイルに書かれているパスをすべて相対パスに書き直す必要があります。ただ、これはかなり面倒くさい作業なのは確かでしょう。

この問題は、実はビルドに関する設定を変更することで解決できます。もう少し後に進むと、「Vueプロジェクトマネージャ」というツールの使い方を説明しますが、その中でこの問題への対処に触れています。それまで、もうしばらく我慢してください。

Chapter 1
Chapter 2
Chapter 3
Chapter 4
Chapter 5
Chapter 6
Addendum

もう１つのプロジェクト生成ツール「Vite」

Vue CLIはVueを利用する際の基本となるツールです。が、実際に使ってみた感想はいかがだったでしょうか。「便利だけど、なんか随分と大げさだな……」と感じた人も多いかもしれませんね。

Vue CLIは、プロジェクトの作成だけでなく、この後に説明するGUIの管理ツールなどさまざまな機能が用意されている、かなり大きなツールなのです。そのためか、動作もちょっと遅いのが欠点でしょう。プロジェクトの生成だけでなく、ビルド、また実行中にスクリプトを編集したときのアップデートにかかる時間などが、すべて「ワンテンポ遅い」感じなのです。これは、あまり複雑でないプロジェクトではそう感じないかもしれませんが、大規模になってくると如実に欠点がはっきりしてきます。

そこで、Vue3では、Vue CLIの他にもう1つ、新しいプロジェクト管理ツールを用意しました。「Vite」というものです。Vue CLIと同様、プロジェクトの生成、試験サーバーによる実行、ビルドなどが行なえますが、Vue CLIに比べ動作がテキパキしており、快適に作業が行なえます。

このViteは、特にインストールなどをせずともすぐに使えます。以下のようにコマンドを実行するだけで、Viteによるプロジェクトが生成されます。

```
npm init vite-app プロジェクト名
```

作成後、ちょっとした作業が必要ですが、プロジェクトの作成そのものはとても簡単に行なえます。

プロジェクトを作成する

では、実際にViteを使ってプロジェクトを作成してみましょう。コマンドプロンプトまたはターミナルで、プロジェクトを作成する場所に移動してください。先ほどの「hello_app」フォルダ内にあるなら、「cd ..」と実行すれば外側に出られます。そして、以下のようにコマンドを実行しましょう。

```
npm init vite-app vite_app
```

```
コマンドプロンプト

D:¥tuyan¥Desktop>npm init vite-app vite_app
npx: installed 7 in 2.42s
Scaffolding project in D:¥tuyan¥Desktop¥vite_app...

Done. Now run:

  cd vite_app
  npm install (or `yarn`)
  npm run dev (or `yarn dev`)

D:¥tuyan¥Desktop>
```

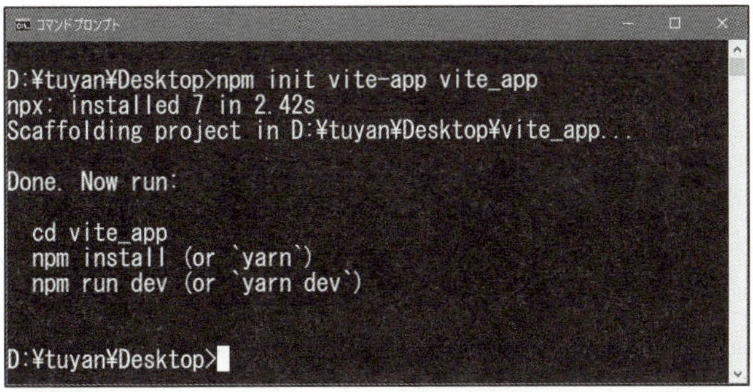

図1-39　Viteを使ってプロジェクトを作成する。

実行すると、その場に「vite_app」フォルダを生成し、その中に必要なファイルを生成します。続いて、このフォルダ内に移動し、必要なパッケージのインストールを行ないましょう。以下の2行を続けて実行してください。

```
cd vite_app
npm install
```

```
D:¥tuyan¥Desktop>cd vite_app

D:¥tuyan¥Desktop¥vite_app>npm install

> esbuild@0.6.34 postinstall D:¥tuyan¥Desktop¥vite_app¥node_modules¥esbuild
> node install.js

npm notice created a lockfile as package-lock.json. You should commit this file.
npm WARN optional SKIPPING OPTIONAL DEPENDENCY: fsevents@~2.1.2 (node_modules¥chokidar¥node_modules¥fsevents):
npm WARN notsup SKIPPING OPTIONAL DEPENDENCY: Unsupported platform for fsevents@2.1.3: wanted {"os":"darwin","arch":"any"} (current: {"os":"win32","arch":"x64"})
npm WARN vite_app@0.0.0 No description
npm WARN vite_app@0.0.0 No repository field.
npm WARN vite_app@0.0.0 No license field.

added 302 packages from 293 contributors and audited 304 packages in 23.05s

16 packages are looking for funding
  run `npm fund` for details

found 0 vulnerabilities


D:¥tuyan¥Desktop¥vite_app>
```

図1-40 cdで「vite_app」フォルダ内に移動し、npm installを実行する。

これで、必要なパッケージが「vite_app」フォルダ内にインストールされます。これには若干の時間がかかるので終わるまで待ちましょう。

プロジェクトを実行する

プロジェクトが用意できたら、実際に動かしてみましょう。これは以下のコマンドを実行するだけです。

```
npm run dev
```

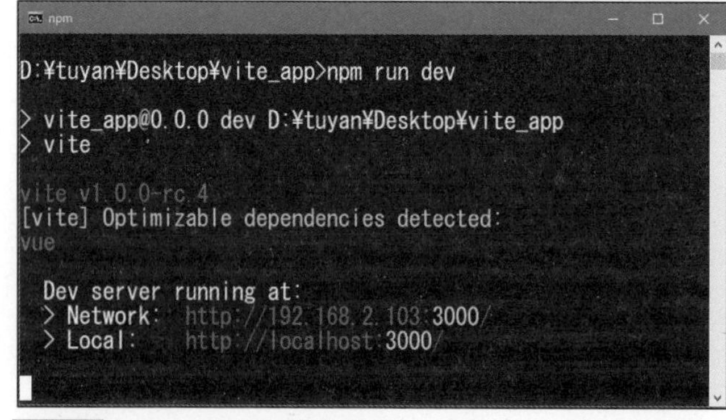

図1-41 npm run devで実行する。

これで、内蔵サーバーを使ってプロジェクトが実行されます。起動したら、Webブラウザから「http://localhost:3000/」というアドレスにアクセスしてみてください。作成されたプロジェクトの表示が現れますよ。

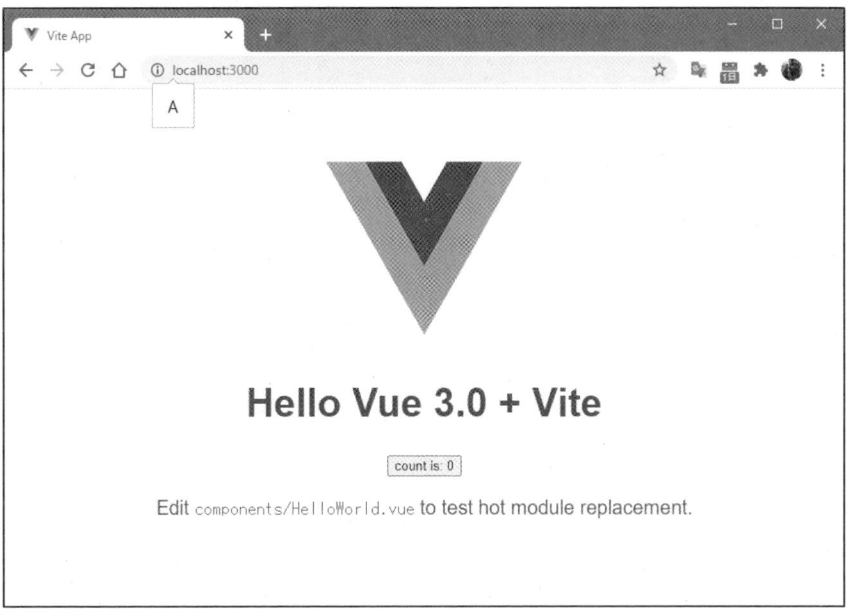

図1-42　生成されたWebページ。

表示されるWebページは、Vue CLIのものとは若干違っていますが、プロジェクトの基本的なフォルダ構成などもほぼ同じですから迷うことはそれほどないでしょう。

プロジェクトのビルドは？

プロジェクトのビルドはVue CLIと同じです。コマンドプロンプトまたはターミナルから以下を実行するだけです。

```
npm run build
```

これで「dist」フォルダに公開されるファイル類が書き出されます。ビルドに関しては、Vue CLIもViteもまったく同じといってよいでしょう。

Vue CLIか、Viteか？

このように、Vue3では、Vue CLIとViteという2つのツールでプロジェクトの作成や実行、ビルドが行なえるようになりました。が、「同じようなものが2つあっても、どっちがいいかわからない」という人も多いでしょう。

Vue3に関しては、プロジェクトの生成や実行、ビルドといった作業は「Viteを使って行なうのが基本」と考えましょう。もちろん、Vue CLIでもまったく問題はありませんが、実際に試してみると、Vue CLIより動作がキビキビしているのがわかるはずです(これから先、実際に開発を行なうようになるとよくわかります)。どうせなら快適に開発できる方を使ったほうがいいに決まっています。

といって、「Vue CLIはいらない」というわけではありません。Vue CLIには、プロジェクトの作成等だけでなく、他にもいろいろな機能が用意されているのですから。

GUIツールを使おう！

プロジェクトを作成して開発する方法は、とても便利ですが、コマンドだし、なんだかとっつきにくいな……と思う人も多いかもしれません。こうした人に、Vue CLIはGUIによるツールも提供してくれます。

コマンドプロンプトまたはターミナルから、以下のように実行してください。

```
vue ui
```

「GUIツールでコマンドは不要！」といいながら、実はコマンドを使って実行します。これを実行すると、画面にWebブラウザが開かれます。これは「Vueプロジェクトマネージャ」というものです。

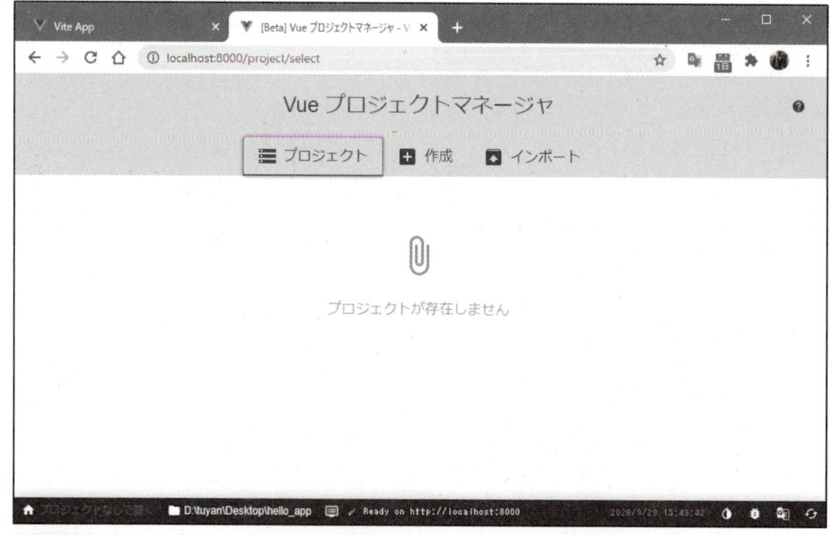

図1-43 vue uiコマンドで、Vueプロジェクトマネージャが起動する。

Vueプロジェクトマネージャの使い方

このVueプロジェクトマネージャには、上部に3つのリンクがあります。それぞれ以下のような役割を果たします。

「プロジェクト」	作成されたプロジェクトが一覧表示されます。
「作成」	新たにプロジェクトを作成します。
「インポート」	既にあるプロジェクトを読み込んで登録します。

これらを使って、プロジェクトを作成したり実行したり、実行中のプロジェクトの状態を管理したりできるようになっているのです。

プロジェクトを作成してみる

では、実際にプロジェクトを作ってみましょう。「作成」のリンクをクリックして、表示を切り替えてください。

画面に、現在開いているフォルダ(vue uiを実行したときに開いていた場所)と、そこにあるフォルダやファイルなどがリスト表示されます。ここで、まずプロジェクトを作る場所に移動をします。

リストの上部には、ハードディスクから現在のフォルダまでのフォルダが表示されています。これをクリックすると、そのフォルダに移動します。また開いているフォルダ内にあるフォルダは、リストに表示されていますが、これをクリックすればそのフォルダの中に移動できます。

こうしてプロジェクトを作る場所に移動しましょう。

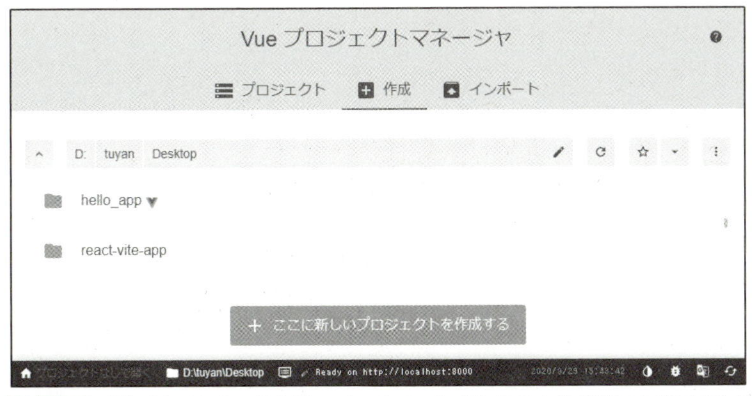

図1-44 「作成」の画面。現在開いているフォルダとその中身がリスト表示される。

プロジェクトを作る

では、「ここに新しいプロジェクトを作成する」ボタンをクリックしましょう。画面に、作成するプロジェクトの設定が現れます。以下のように設定しておきましょう。

プロジェクトフォルダ	プロジェクトのフォルダ名です。ここでは「new_app」としておきました。
パッケージマネージャ	パッケージを管理するツールです。これはデフォルトのままでOKです。
追加オプション	フォルダの上書きや、Gitというツールの設定などがありますが、すべてデフォルトのままでOKです。

これらを設定し、「次へ」ボタンをクリックします。

図1-45 プロジェクトの設定を入力する。

プリセットの設定

プリセットを選択する画面が現れます。これは、前回、hello_appを作るときにやりましたね。細かなプロジェクトの設定のことでした。今回は「Default Preset (Vue 3 preview)」を選びます(プリセット名はいずれ「Default Preset (Vue 3)」と変わるかもしれません)。そのまま「プロジェクトを作成する」ボタンをクリックすれば、プロジェクトが作られます。

図1-46　プリセットは「Default Preset (Vue 3 preview)」を選ぶ。

プロジェクトの内容

しばらく待っていると、プロジェクトが作成され、「Project Dashboard」と表示された画面に変わります。これはプロジェクトのホーム画面のようなものです。ここから必要な項目を選んで表示を切り替えていきます。

なお、ウインドウの左側に表示されているテキストは、ダッシュボードの説明です。一番下にある「理解した」ボタンをクリックすれば、このテキストは消えます。

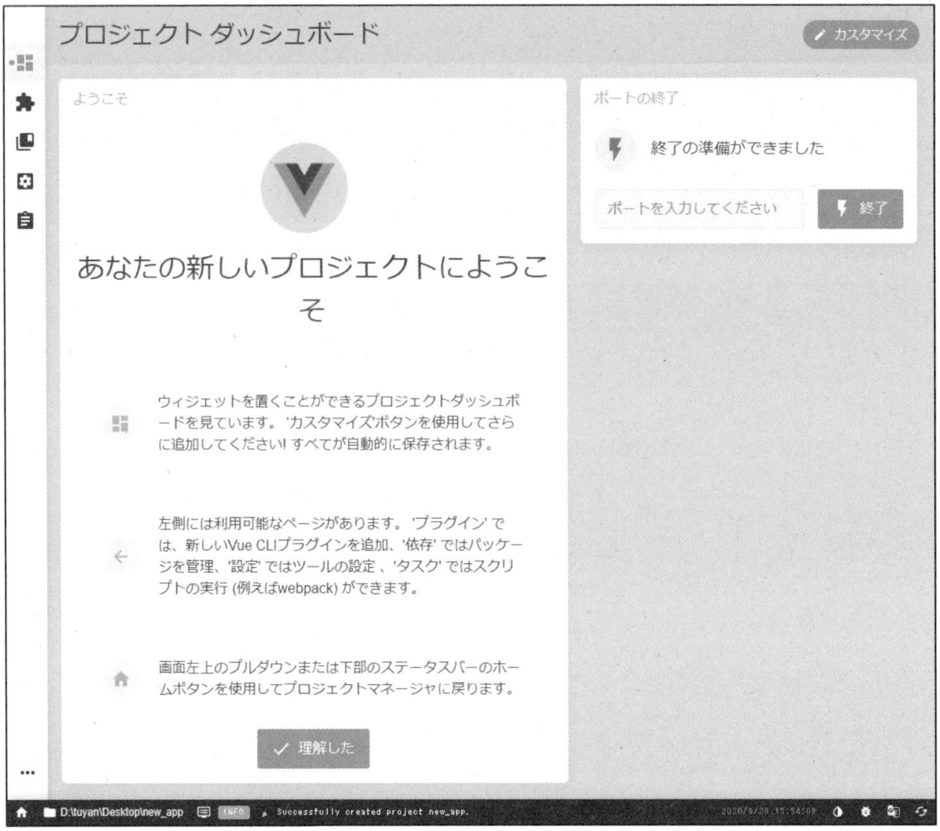

図1-47　ダッシュボード画面。

では、左側のアイコンが並ぶところから、上から2番目のもの(ジグソーパズルのパーツのようなアイコン。「プラグイン」アイコン)をクリックしてください。「プロジェクトプラグイン」と表示された画面に切り替わります。プロジェクトの操作は、このように左側に並んでいるアイコンから使いたいものをクリックして選び、表示を切り替えて操作を行ないます。

(※ここから先の説明は、いろいろ難しい用語が出てきてすべて完璧に理解するのは難しいでしょう。ここでは、「こういう機能があるんだ」という程度にざっと眺めておけば十分です。いずれ、本格的にVue3を使いこなすようになったら、これらの機能は役に立つはずです。そう思って、今は眺めておく程度にしておきましょう)

最初の表示は、プロジェクトに組み込まれているプラグインを管理するための表示です。Vue3は、プラグインというものを使っていろいろな機能が追加できるようになっているのです。デフォルトで、3種類のプラグインが追加されています。

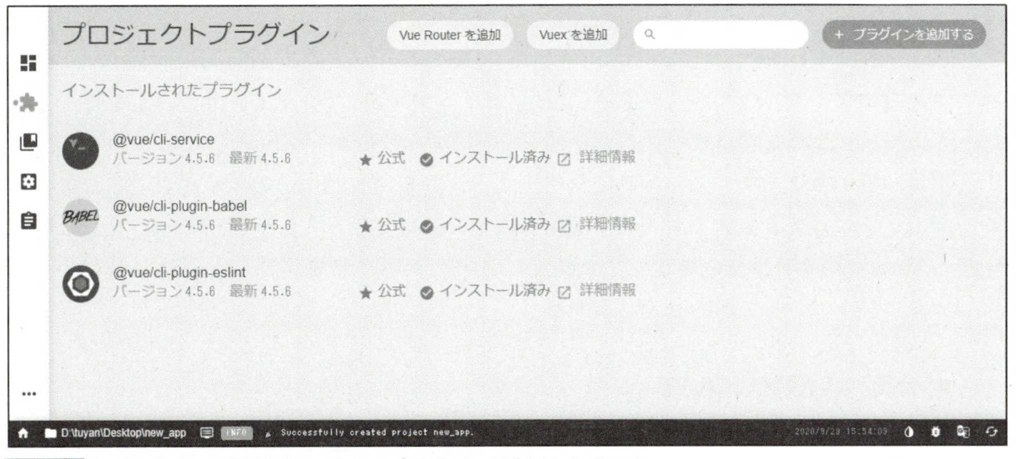

図1-48 プラグインの管理画面。3つのプラグインが追加されている。

プロジェクト依存

左端のアイコンの上から3番目のもの(「依存」アイコン)をクリックすると、「プロジェクト依存」と表示が変わります。これは、プロジェクトで利用しているソフトウェア類を表示するものです。

上にある「依存をインストール」というボタンをクリックすると、パッケージのリストが現れ、使いたいものを組み込むことができます。これは今すぐ使うことはありませんが、「ここでいろいろインストールできる」ということは覚えておくとよいでしょう。

図1-49 「プロジェクト依存」の画面。

設定

左端のアイコンの上から4番目(「設定」アイコン)は、プロジェクトの設定を行なうためのものです。これをクリックすると、その右側に「Vue CLI」「ESLint Configuration」といった項目が表示されます。ここから項目を選ぶと、さらに右側にその設定が表示されます。ここで、プロジェクトやプラグインに関する設定を変更できます。

では、「Vue CLI」」をクリックしてください。右側にプロジェクト関連の設定が表示されます。

●「公開パス」設定について

これは、プロジェクトをビルドする際にベースとなるパスを指定するものです。

先にVue CLIでhello_appプロジェクトを作成した際、ビルドしてもうまく表示がされない問題がありました。これは、この公開パスを変更することで解消できます。ここに書かれている「/」を削除し、値を空白にしてください。これで画面下の「変更を保存」ボタンを押せば、ビルドで問題なく動くアプリケーションが生成されるようになります。

あるいは、Webサーバーに配置する場所が決まっているなら、その場所を直接指定しておいておいいでしょう。例えば、Webサーバーの公開ディレクトリにある「vue3_app」フォルダ内にファイルを入れて公開するなら、公開パスを「/vue3_app/」としておけばいいでしょう。

図1-50 設定の画面。Vue CLIのベースURLの値は、空白にしておくとビルド時に正常に動作するようになる。

タスク

左端のアイコンの一番下は「タスク」という表示です。これをクリックすると、その右側にいくつかの項目が表示されます。これらは「タスク」といって、Vue CLIで実行するさまざまな処理を表します。上から以下のようなものが用意されています。

serve	プロジェクトを実行しWebブラウザでアクセスできるようにします。
build	プロジェクトをビルドします。
lint	記述されたソースコードの内容をチェックします。
inspect	webpackというアプリケーションをパッケージ化するツールの内容などを調査するものです。

これらの内、重要なのは「serve」と「build」でしょう。これらを使って、プロジェクトの実行やビルドが行なえるのです。

図1-51 タスクの画面。ここでプロジェクトの実行やビルドが行なえる。

プロジェクトを操作しよう

では、プロジェクトを操作してみましょう。現在、「タスク」アイコンが選択されていますね。ここにある「serve」をクリックし、右側に現れる表示から「タスクを実行」ボタンをクリックしてみてください。これでプロジェクトが実行され、ブラウザからアクセスできるようになります。

右側の表示は「ダッシュボード」と呼ばれるもので、実行の状態をリアルタイムに表示しています。「出力」というリンクをクリックすれば、コマンドラインに出力される内容が見られますし、「アナライズ」をクリックするとプロジェクトを構成する要素について細かく情報を得ることができます。

一通り表示を確認したら、「タスクの停止」ボタンをクリックしてプロジェクトを終了しましょう。

図1-52 serveからプロジェクトを実行する。

プロジェクトをビルドする

では、「build」という表示をクリックして表示を切り替えてみてください。これは、プロジェクトのビルドを行なうタスクです。「タスクを実行」ボタンをクリックすると、プロジェクトをビルドします。しばらく待っていればビルドが完了し、タスクは自動的に停止します。

ビルド時になにか問題があれば、ここで確認ができます。

図1-53　buildからプロジェクトをビルドできる。

プロジェクトをインポートする

Vueプロジェクトマネージャで作成したプロジェクトだけでなく、Vue CLIで作ったプロジェクトをインポートして利用することもできます。

画面の左下に、家の形のアイコンが見えますね？　これをクリックしてください。Vueプロジェクトマネージャ起動時の表示(「プロジェクト」「作成」「インポート」といったリンクが並んだ画面)に戻ります。ここで「インポート」をクリックし、表示を切り替えてください。

「作成」画面と同様に、現在のフォルダの中にあるフォルダがリスト表示された画面になります。ここでフォルダを移動し、先ほどの「hello_app」プロジェクトのフォルダを開いてください。そして、「このフォルダをインポートする」ボタンをクリックすると、hello_appプロジェクトがインポートされます。

インポートしたプロジェクトは、Vueプロジェクトマネージャで作成したものとまったく同じように使うことができます。もちろん、プロジェクトの実行やビルドも可能です。

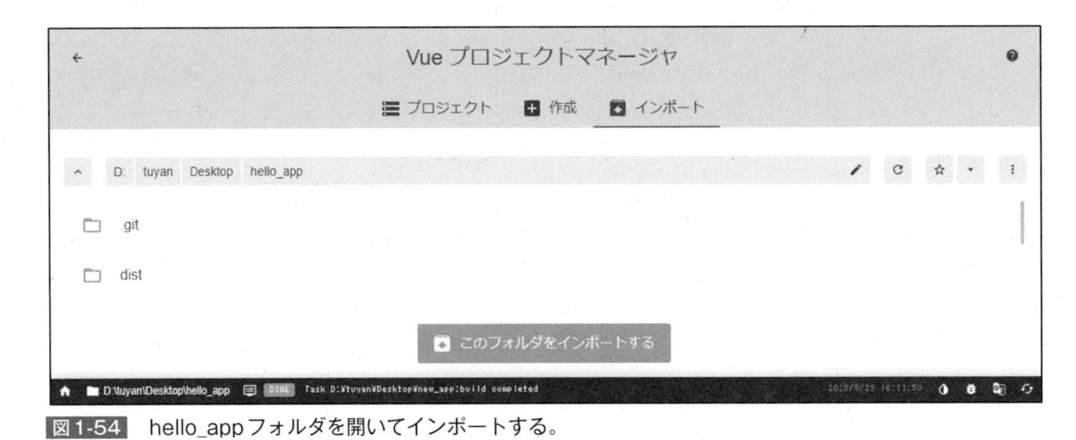

図1-54 hello_appフォルダを開いてインポートする。

プロジェクトはいつでも利用できる！

作成したプロジェクトは、Vueプロジェクトマネージャに記憶されています。画面左下にある家の形のアイコンをクリックすると、最初の画面に戻り、作成したnew_appとインポートしたhello_appが表示されるでしょう。ここからプロジェクトを選べば、いつでもプロジェクトを管理できるようになるのです。これらは、Vueプロジェクトマネージャを終了した後も記憶されており、次回起動した際にはちゃんとこれらのプロジェクトが最初から追加された状態で表示されます。

コマンドベースでも必要最低限のことはできますが、Vueプロジェクトマネージャを使えば、より詳しい情報を得ることができます。ここまでざっと見ただけでは、何がどういう目的で用意されているのかよくわからなかったかもしれません。が、この先Vue3を使っているうちに、少しずつ「これってそういう機能だったのか」ということがわかってくるはずです。

とりあえず、「プロジェクトを作っていつでも実行やビルドができるツール」という程度に考えて、Vueプロジェクトマネージャを利用しましょう。それだけでも十分便利なはずですから。

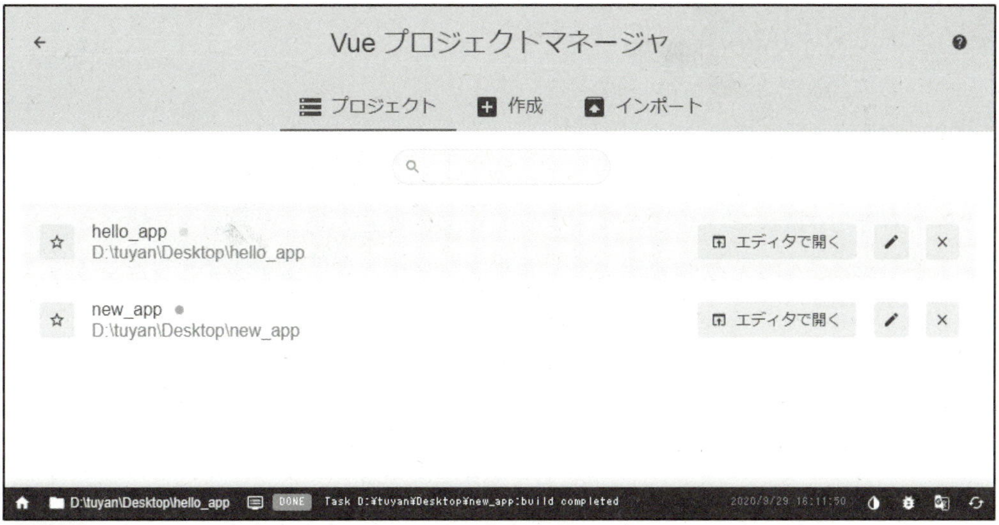

図1-55 インポートしたプロジェクトは、いつでも表示される。

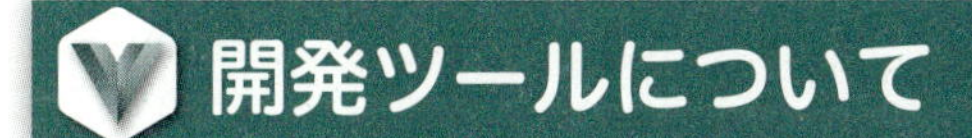

開発ツールについて

最後に、Vue3による開発を行なう上で利用する開発ツールについて触れておきましょう。

Vue3によるWebアプリケーションは、あくまでWebですから、基本的にはHTMLやCSS、JavaScriptといったファイルで構成されています。ですから、これらのファイルを編集するテキストエディタがあればそれで十分開発できます。

ただし、ごく普通のメモ帳のようなエディタでは、開発はかなり難しいでしょう。その理由はいくつかあります。

●多数のファイルを編集する必要がある

先ほど、プロジェクトを作成してみてわかったでしょうが、プロジェクト方式の場合、たくさんのファイルが生成され、これらを編集していくことになります。そうなると、単純なテキストエディタでは作業が大変です。フォルダの中にあるファイル類をまとめて扱えるような仕組みをもったツールが必要になります。

●編集を支援する機能が必要

本格的な開発になると、記述するスクリプトの量も相当なものになります。そうなると、すべてを自分の目で見て確認しながら書いていく、というのはかなり大変になるでしょう。

きちんとした開発ツールでは、ソースコードを編集する際、編集作業を支援してくれる機能がいろいろと揃っています。そうした機能を利用することで、快適に間違えずにコードを記入していけます。

Visual Studio Codeについて

こうした開発ツールとして、最近のWeb開発者に広く利用されるようになっているのが、マイクロソフトの「Visual Studio Code」です。マイクロソフトは、以前からVisual Studioという本格開発環境をリリースしていましたが、Visual Studio Codeはその編集機能の部分だけを切り離してアプリケーション化したようなものです。フォルダを開いて、そこにある多数のファイルを同時に編集でき、また多くのプログラミング言語に対応した入力支援機能を持ちます。

無償で配布されていますので、Web開発を行なうならぜひ用意しておきましょう。以下のアドレスにアクセスし、自分が利用するプラットフォーム(OS)用のインストールプログラムをダウンロードしてください。

https://code.visualstudio.com/download

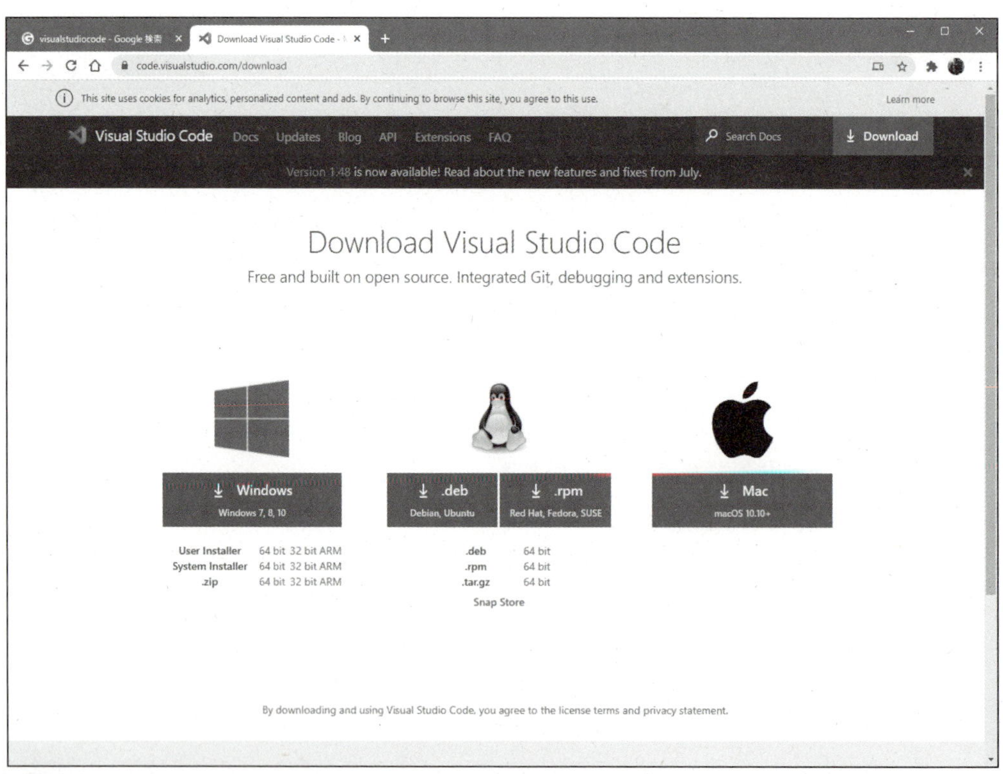

図1-56 Visual Studio Codeのダウンロードページ。

Visual Studio Codeのインストール

では、Visual Studio Codeをインストールしましょう。Windowsの場合、ダウンロードしたインストーラを起動し、手順に沿ってインストール作業を行ないます。

●1. 使用許諾契約書の同意

起動すると最初に現れるのが、使用許諾契約書です。ここにある「同意する」ラジオボタンを選択し、「次へ」ボタンで次に進みます。

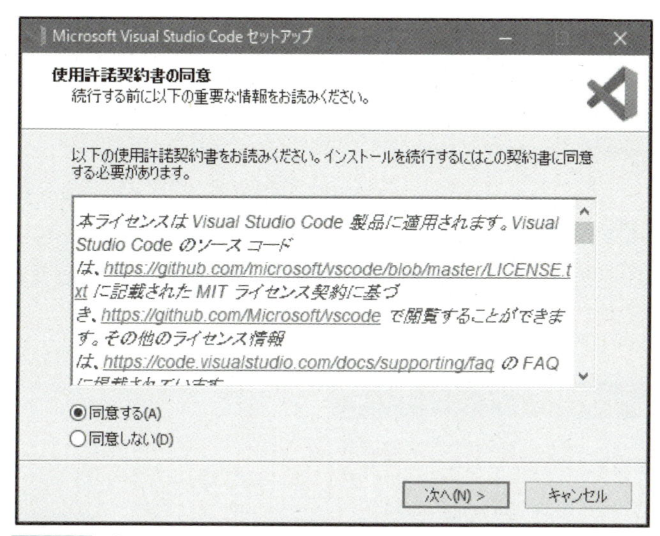

図1-57　「同意する」ボタンを選んで次に進む。

●2. インストール先の指定

インストールする場所を指定します。通常はデフォルトのままで構いません。場所を変更したい場合は「参照」ボタンをクリックして保存先のフォルダを選択してください。

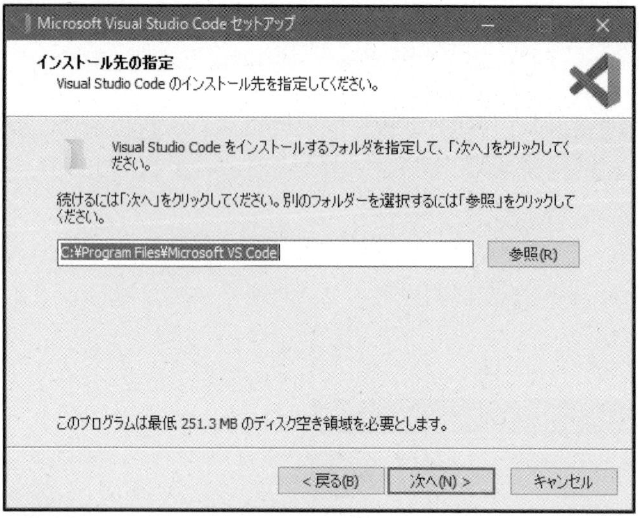

Microsoft Visual Studio Code セットアップ
インストール先の指定
Visual Studio Code のインストール先を指定してください。
Visual Studio Code をインストールするフォルダを指定して、「次へ」をクリックしてください。
続けるには「次へ」をクリックしてください。別のフォルダーを選択するには「参照」をクリックしてください。
C:¥Program Files¥Microsoft VS Code
参照(R)
このプログラムは最低 251.3 MB のディスク空き領域を必要とします。
< 戻る(B)
次へ(N) >
キャンセル

図1-58　インストール場所を指定する。

●3. プログラムグループの指定

「スタート」ボタンに追加されるグループ名の指定です。作成したくない場合は下にある「プログラムグループを作成しない」チェックをONにしてください。

Microsoft Visual Studio Code セットアップ
プログラムグループの指定
プログラムアイコンを作成する場所を指定してください。
セットアップはスタートメニューにプログラムのショートカットを作成します。
続けるには「次へ」をクリックしてください。違うディレクトリを選択するには「参照」をクリックしてください。
Visual Studio Code
参照(R)
プログラムグループを作成しない(D)
< 戻る(B)
次へ(N) >
キャンセル

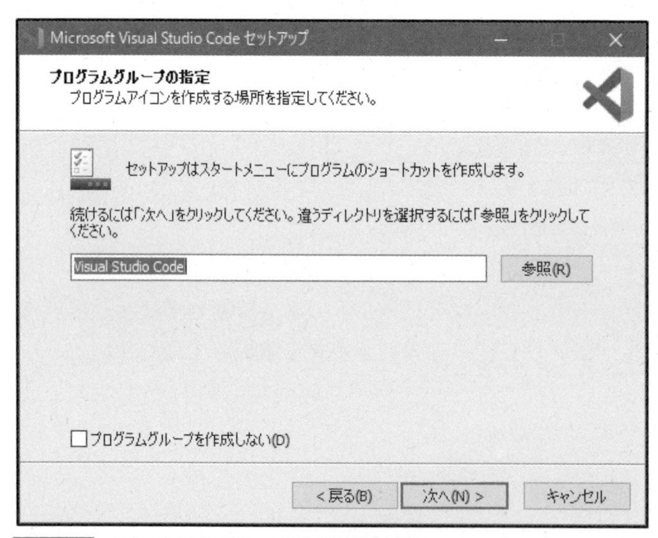

図1-59　プログラムグループ名を指定する。

●4. 追加タスクの選択

インストール時に実行する処理を指定します。デフォルトでは、「PATHへの追加」だけがONになっているでしょう。特に理由がない限り、そのままにしておきましょう。

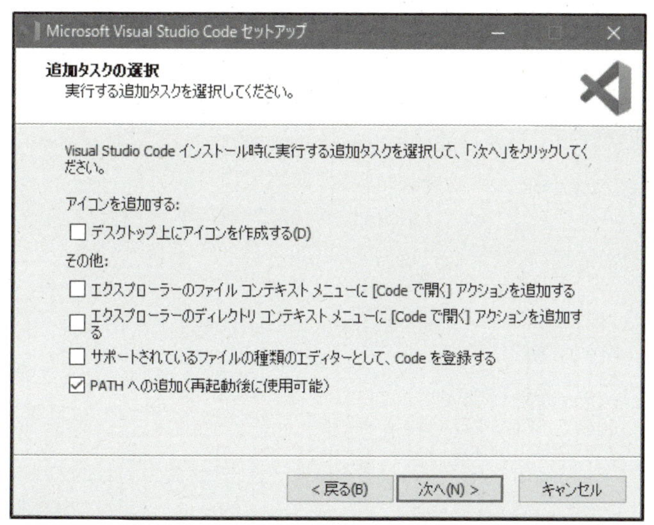

図1-60　追加タスクの選択。PATHへの追加だけONになっている。

●5. インストール準備完了

これですべての準備が完了です。そのまま「インストール」ボタンをクリックするとインストールを開始します。後は終了するまで待つだけです。

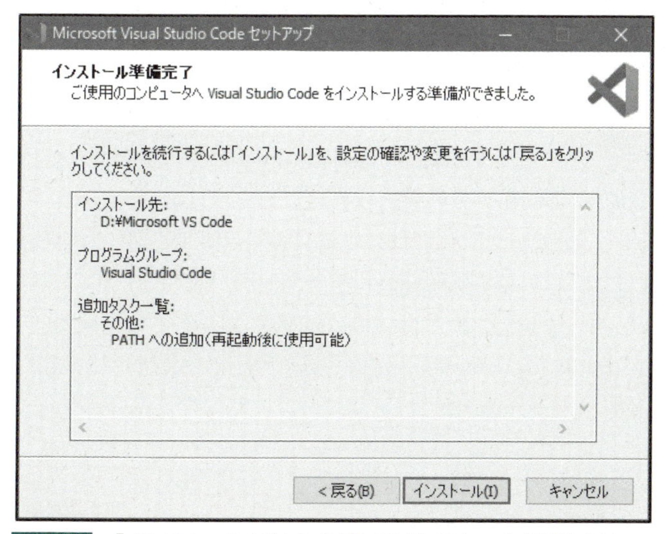

図1-61　「インストール」ボタンを押してインストールを開始する。

macOS版のインストール

macOSのインストールは非常に簡単です。ダウンロードされる圧縮ファイルをダブルクリックすると、その場でアプリケーションが展開保存されます。後は、作成されたアプリケーションを適当な場所に配置するだけです。

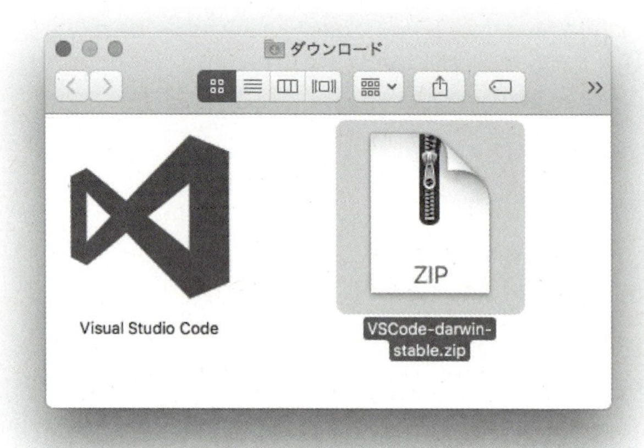

図1-62 macOSは圧縮ファイルを展開しコピーするだけだ。

日本語プラグインのインストール

これでVisual Studio Codeはインストールできましたが、もう1つやっておく必要があります。それは、日本語化です。デフォルトでは、Visual Studio Codeは英語表記になっています。日本語化するには、そのためのプラグインをインストールします。

Visual Studio Codeを起動し、現れたウインドウの左端に縦一列に並ぶアイコンの一番下をクリックしてください。そしてその右隣に現れたリストの一番上のフィールドに「japanese」と入力しEnter/Returnします。これでjapaneseを含むプラグインを検索します。ここから「Japanese Language Pack for Visual Studio」という項目を選び、「Install」ボタンを押してください。これでインストールされます。

図1-63　Japanese Language Packを検索しインストールする。

インストールが完了すると、ウインドウの右下にアラートが表示されます。ここから「Restart Now」ボタンをクリックするとVisual Studio Codeがリスタートされます。次に起動するときには、もう日本語に変わっているはずです。

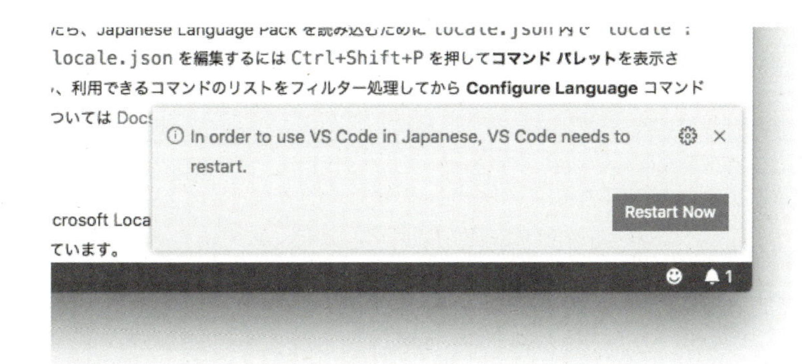

図1-64　「Restart Now」でリスタートする。

 Visual Studio Codeでプロジェクトを開く 

Visual Studio Codeは、プロジェクトのフォルダを開いてその中身を階層的に表示し、いつでも編集できます。試しに、作成した「vite_app」フォルダをVisual Studio Codeのウインドウにドラッグ&ドロップしてみましょう。すると、ウインドウの左側にフォルダ内のファイルやフォルダが階層的に表示されます。

この部分は「エクスプローラー」と呼ばれるところで、ここから編集したいファイルをクリックして開き、いつでも編集作業ができます。ファイルは複数開くこともでき、その場合は上部に表示されるタブでいつでも表示を切り替えながら作業できます。

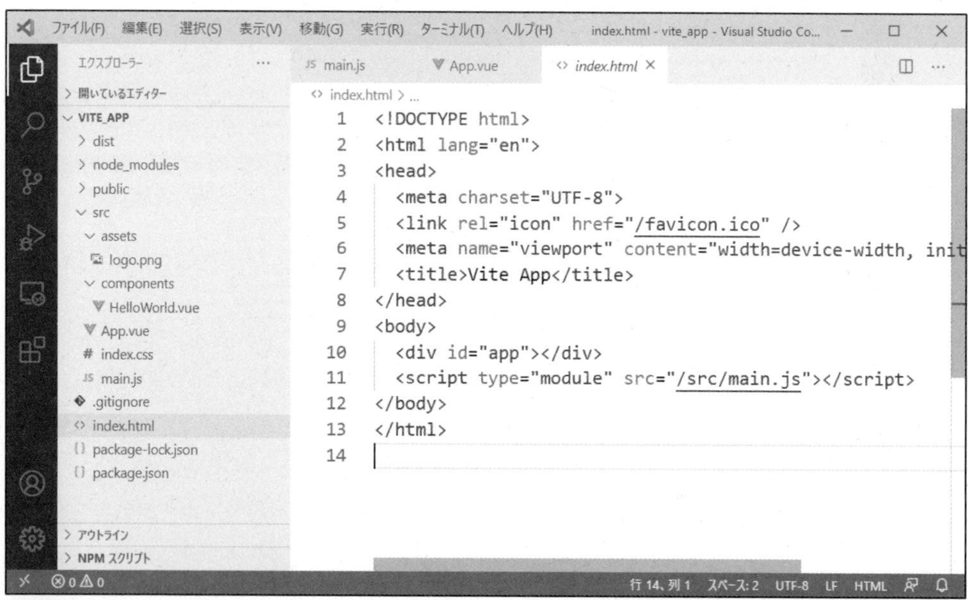

図1-65 フォルダをウインドウにドラッグ&ドロップすると、フォルダ内のファイルがエクスプローラーに表示される。そのまま開いて編集できる。

ターミナルを起動する

Visual Studio Codeは、編集だけでなく、コマンドの実行も行なえます。「ターミナル」メニューから「新しいターミナル」を選んでみましょう。ウインドウ下部に新しいビューが現れます。これがターミナルです。

ターミナルは、コマンドプロンプトなどのように直接コマンドを実行できるインターフェイスです。デフォルトで、開いているフォルダ(「vite_app」フォルダ)が選択された状態になっているので、そのままこのプロジェクトで利用するコマンドを実行できます。例えば、「npm run dev」とタイプすれば、プロジェクトを実行できます。

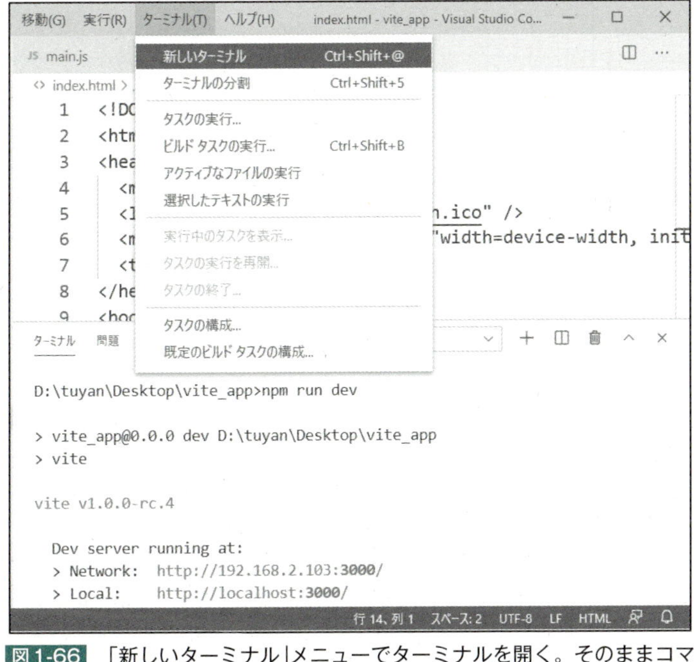

図1-66 「新しいターミナル」メニューでターミナルを開く。そのままコマンドをタイプして実行できる。

後は使いながら覚えよう！

とりあえず、Visual Studio Codeを利用する上で覚えておきたいことは、これで終わりです。「フォルダを開く」「ファイルを開いて編集」「ターミナルを開いてコマンド実行」という3つの操作ができれば、もうVisual Studio Codeで開発ができます。

それほど難しいアプリケーションではないので、後は使っているうちに少しずつ使い方がわかってくることでしょう。

この章のまとめ

というわけで、index.htmlに<script>タグを追加してVue3を使えるようにする方法と、Vue CLIを使ってプロジェクトとして作成する方法について、それぞれ作成から実行まで行なってみました。いろいろ説明しましたが、途中で「結局、どうやって作って使うのがいいの？」と、わけがわからなくなってしまった人もいるかもしれません。

ここで説明した内容は、全部わかってないといけないわけではありません。「まず、ここだけは覚えておこう」という部分と、「いずれ使っていくうちにわかるようになるはずだから、今すぐでなくていいよ」という部分があります。どこからしっかり覚えておけばいいのか、簡単にまとめておきましょう。

まずは、1枚のHTMLファイルから！

HTMLファイル(または.vueファイル)に手作業でVue3を実装していくやり方は「フルスクラッチ」といいます。フルスクラッチというのは、ソフトウェアの開発で「既存のソフトウェアを一切使わず、すべてを自前で作成する方式」のことです。要するに、「便利なツールなどを使わず全部自分で書いていくやり方」ということですね。

この章では、最初にHTMLファイルを1つだけ用意してVue3を動かす方法を説明しました。これは、フルスクラッチの基本といってもよいでしょう。これをベースに、少しずつ肉付けをしていくわけですからね。

このやり方は、プロジェクトのビルドだの実行だのといった面倒なことを考える必要がありません。ただ書いて、Webブラウザで開くだけですから、誰でもできます。まずは、このやり方をしっかり覚えましょう。

プロジェクトは、もう少し後で！

プロジェクト方式は、いきなり膨大なファイルやフォルダが作成されるため、慣れないとフォルダの中身を見ただけで「難しくて無理！」となってしまうかもしれません。最初にさまざまなファイルやフォルダの役割を理解し、どうやって開発していくかをわかっていないと使うのが難しいでしょう。

この先、もう少しVue3の学習が進んだところで、プロジェクト方式に移行していくことになります。が、それは今すぐではありません。まずは、Vue3に慣れることを優先しましょう。プロジェクト関係は、ある程度Vue3に慣れたところで改めて読み返してみればいいでしょう。

2通りの開発スタイルの特徴を把握しよう

この章は、「フルスクラッチ」と「プロジェクト」のそれぞれの基本(作成から実行まで)をまとめて説明しています。とりあえず「1つのファイルで作るやり方」だけ覚えておけばOK、といいましたが、プロジェクトについていろいろ説明を読むと、なんだかわかってないと不安だ……と感じる人も多いことでしょう。

それぞれの利点を考えると、まずは1つのHTMLファイルによるフルスクラッチ方式で自分で書いてVue3に慣れていき、ある程度わかってきたところでプロジェクトに移行する、というやり方が一番でしょう。

ということで、次章では、まずフルスクラッチ方式でVue3の基本を学んでいくことにします。そしてそれ以降から、少しずつプロジェクトを利用していくことにしましょう。

Chapter

2

Vue3の基本をマスターしよう！

では、さっそくVue3を使ってみましょう。まずは、1枚のHTMLファイルだけを使って、Vue3の基本的な使い方を覚えていきます。特にテンプレートの基本機能はこの章で一通り説明しますから、しっかり頭に入れていきましょう！

Vue3の基本的な仕組み

基本コードをチェックしよう

では、Vue3の使い方について学んでいくことにしましょう。まずは、前章で作った「index.htmlファイル1つだけのVue3アプリケーション」を使って、Vue3の基本を覚えていくことにします。プロジェクトを使ったものはファイル数も多く複雑になるので、Vue3の基本が頭に入ってから改めて触れることにします。それまでは、当面「1つのHTMLファイルだけ」を利用しましょう。

では、前章(リスト1-2)で作ったindex.htmlがどういうものだったか、改めてソースコードを確認しておきましょう。

リスト2-1

```
<!DOCTYPE html>
<html>
<head>
  <title>My first Vue app</title>
  <script src="https://unpkg.com/vue@next"></script>
</head>
<body>
  <h1>Vue3</h1>
  <div id="app">
  {{ message }}
  </div>

  <script>
  const appdata = {
    data() {
      return {
        message: 'Hello Vue!'
      }
    }
```

```
  }

  Vue.createApp(appdata).mount('#app')
  </script>
</body>

</html>
```

基本的なHTMLのタグの中に、Vue3で操作しているタグとJavaScriptのスクリプトが混じっています。まずは、どこからどこまでがVue3で利用する部分なのかをきちんと理解しておきましょう。

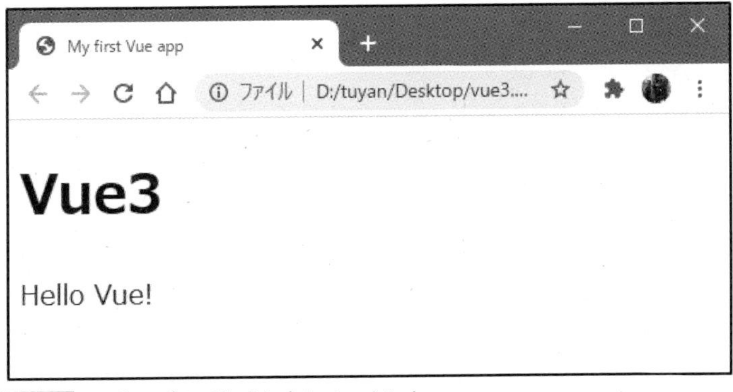

図2-1　サンプルで作成したindex.html。

Vue3が利用する2つの部分

このリストの中から、Vue3が利用する部分を取り出すと、以下の2つの部分になるでしょう（Vue3を読み込んでいる<script>タグは除外しておきます）。

●表示のためのタグ

```
<div id="app">
{{ message }}
</div>
```

●Vue3のスクリプト

```
<script>
const appdata = {
    ……略……
}

Vue.createApp(appdata).mount('#app')
</script>
```

Vue3の基本的な考え方は、「JavaScriptのスクリプトを使って、HTMLのタグを操作する」というものです。したがって、Vue3では、「スクリプトの部分」と「操作する表示部分」の2つの部分が必ず用意される、と考えてください。

表示の部分について

表示のためのタグ部分を見てください。ここでは、<div id="app">というタグとして用意されています。このid="app"が重要です。Vue3では、IDなどを使って操作の対象となるタグを指定します。

また、このタグの中では、{{ message }}という表示があります。これは、HTMLの中に値を埋め込む特別な書き方です。ここでは、「messageという名前の値がここに埋め込まれている」と考えてください。

Chapter 1
Chapter 2
Chapter 3
Chapter 4
Chapter 5
Chapter 6
Addendum

コラム テンプレートの働き Column

この{{}}部分の表示の働きを見れば、このHTMLファイルに書かれているHTMLのソースコードが、実はただのHTMLソースコードではないことがわかります。これはHTMLではなく、HTMLの「テンプレート」なのです。

テンプレートは、表示を作成する土台となるもので、それ自体がそのまま表示されるわけではありません。そこに記述されたさまざまな情報を解析し、必要に応じて値を入れ替えるなどし(これを「レンダリング」といいます)、最終的に生成された内容がWebブラウザに表示されます。

Vue3の基本コードについて

では、肝心のスクリプト部分を見てみましょう。ここでは、まず「appdata」という定数(値が変更できない変数)を作成しています。この部分ですね。

```
const appdata = {
  data() {
    return {
      message: 'Hello Vue!'
    }
  }
}
```

なんだか不思議な形をしていますね。もっと細かく分解して理解していきましょう。この部分は、以下のような文なのです。

```
const appdata = {……内容……}
```

{……}というのは、JavaScriptのオブジェクトを書くのに使われる書き方です。{}の中に、必要な値を必要なだけまとめて記述していくのですね。では、ここではどんな値が用意されているか。それは、以下のような値です。

```
data() {……内容……}
```

「data」という項目が1つだけ用意されています。これは「関数」(オブジェクト内にあるので正確には「メソッド」)です。このdataは、Vueのオブジェクトで使われる値をまとめて扱うための特別な役割を持った関数なのです。これは、中で必要な値をreturnすることで、その値を持つオブジェクトと同じような役割を果たします。

例えば、こんなオブジェクトを想像してみてください。

```
const appdata = {
  name:"Taro",
  mail:"taro@yamada",
  age:39
}
```

これは、name, mail, ageといった値を持つオブジェクトを用意して、appdata定数に設定するものです。JavaScriptの基本がわかっていれば、これは理解できるでしょう。

これと全く同じものを、Vue3の世界ではこのように書くのです。

```
const appdata = {
  data() {
    return {
      name:"Taro",
      mail:"taro@yamada",
      age:39
    }
  }
}
```

data関数の中では、returnで値を返す文だけが書いてあります。そして返される値は、{}でname, mail, ageといった項目をひとまとめにしたオブジェクトです。これで、その前のconst appdata = {……}の文と同じ値を保持するオブジェクトが用意されます。{}内に直接値を用意するのでなく、data関数の戻り値として値を用意するのが基本なのです。
　なんだかちょっとわかりにくいでしょうが、「こう書くのが、Vue3で使う値の基本的な管理方法だ」と理解してください。

コラム 関数？ メソッド？ Column

　appdataでは、その中にdataという関数が用意されていました。でも、appdataというのは、オブジェクトですよね？ ってことは、オブジェクトの中にあるdataは「メソッド」？
　メソッドと関数というのは、実は「同じもの」です。オブジェクトの中にあるプロパティに設定された関数を「メソッド」と呼んでいるだけなので、呼び方はどちらであっても実質的に同じものと考えてよいでしょう（実際、関数・メソッドの実体は、JavaScriptの「Function」というオブジェクトであって、どちらも全く同じものです）。
　Vue3の英語ドキュメントでは、dataは（methodではなく）「function」と表記されているため、ここでは「関数」としておきました。が、「これはメソッドだ」と考えても全く問題ないです。あまり呼び方にこだわらないようにしましょう。

アプリケーション・オブジェクトを作成し、マウントする

　このappdata定数は、Vue3で作成されるオブジェクトで利用するデータとなるものです。この値を用意したら、最後にVue3のオブジェクトを作成してHTMLの中に組み込みます。

```
Vue.createApp(appdata).mount('#app')
```

「Vue」というのが、Vue3のオブジェクトです。Vue3の処理は、すべてこのVueオブジェクトにあるメソッドなどを利用して行ないます。
　ここでは「createApp」というメソッドを使っていますね。これは、Vue3のアプリケーションとなるオブジェクトを生成するメソッドです。Vue3を利用するには、まずこのアプリケーション・オブジェクトを作成する必要があります。

```
変数 = Vue.createApp( データ )
```

　引数に、データを扱うオブジェクトを指定します。これは、先ほどappdata定数に作成したものです。こうしてアプリケーションが生成されたら、そこから「mount」メソッドを呼び出して、指定のエレメントにアプリケーションをマウントします。

```
アプリケーション.mount( ルートコンテナ )
```

mountの引数に指定するルートコンテナというのは、Vue3のアプリケーションを割り当てるHTML要素と考えてください。ここでは、'#app'という値が指定されていますね。これは、id="app"の要素を示す値です。

CSSセレクタについて

このelで使われている'#app'という値は、「CSSセレクタ」と呼ばれるものです。これは、スタイルシートで使われているもので、タグ名やID、クラス名などを使って対象となるタグを指定するものです。

ここでは、「#○○」という形で値が使われていましたね。#は、IDの値で対象を指定するのに使われる書き方です。とりあえずこの書き方だけは覚えておきましょう。

この他、タグ名をそのまま使って'div'というように書いたり、クラスの値を使って'.○○'と書くこともできます。このあたりは、今すぐ覚えなくても構いません。こうした使い方が登場したら、そのつど書き方を覚えるようにすればいいでしょう。

データの橋渡し

createAppの引数に用意されているデータオブジェクトでは、message: 'Hello Vue!'という形で値が用意されていました。messageというプロパティが1つあるだけのオブジェクトです。このmessage、既に登場していましたね。そう、<div id="app">タグ内にあった、{{ message }}です。

このように、createAppのデータに用意したオブジェクトのdata関数でreturnされている値は、そのまま対象となるタグ内の{{}}で指定された部分に当てはめられます。message: 'Hello Vue!'ならば、messageの'Hello Vue!'という値が、そのまま{{ message }}の部分に置き換えられるのです。

これが、Vue3のもっとも基本となる機能です。データでreturnされた値が、対象となるタグ内の{{}}部分に置き換えられ表示される。これはVue3の基本としてしっかり頭に入れておきましょう。

Vue3のデータは活きている！

このVue3による値の設定は、ただ「指定した値が{{}}に表示される」というだけではありません。この{{ message }}に設定された値は、活きているのです。つまり、ただ表示され

ているだけではなく、その値はリアルタイムにチェックされ、常に状態が保持されているのです。

どういうことか、簡単な例を見てみましょう。先ほどのサンプルの<body>部分を以下のように書き換えてみてください。

リスト2-2

```
<body>
  <h1>Vue3</h1>
  <div id="app">
    <p>{{ message }}</p>
  </div>

  <script>
  const appdata = {
    data() {
      return {
        message: 'Hello Vue!',
        count: 0
      }
    },
    mounted() {
      setInterval(() => {
        this.count++
        this.message = 'Count: ' + this.count
      }, 1000)
    }
  }

  Vue.createApp(appdata).mount('#app')
  </script>
</body>
```


図2-2　数字がゆっくりと増えていく。

修正し保存したら、Webブラウザで表示を確かめてみましょう。ここでは時間の経過とともに「Count: ○○」という数字が増えていきます。

このように、Vue3では画面に表示された値は、ただ表示されるだけではありません。その値を変更すると、自動的に表示まで更新されるようになっているのです。

こうした機能は、一般に「リアクティブ」と呼ばれています。リアクティブにより、画面に表示される値を後から操作して、表示を変えたりすることが簡単に行なえるようになります。

mountedについて

では、どのような修正がなされているのか見てみましょう。まず、dataからです。ここではmessageの他にcountという値も用意してあります。

```
return {
  message:  'Hello Vue!',
  count: 0
}
```

これで2つの値がデータとして用意されました。後は、このcountの数字を1ずつ増やしていき、それを使ってmessageを設定するような処理を作成すればいいわけですね。これを行なっているのが、dataの後にある「mounted」というものです。

このmountedは、Vue3オブジェクトがWebページに組み込まれた際に実行される処理を用意するものです。これは以下のような形で記述します。

```
mounted() {
  ……処理……
}
```

このように、mountedの{}部分に処理を記述しておくと、それがVue3のアプリケーションを組み込んだ際に自動的に実行されるわけです。ここでは、以下のような処理を行なっています。

```
setInterval(() => {
  this.count++
  this.message = 'Count: ' + this.count
}, 1000)
```

「setInterval」というのは、JavaScriptの関数で、一定時間ごとに処理を実行するためのものです。いわゆる「タイマー」と呼ばれる機能ですね。これは、以下のような形で記述します。

```
setInterval( 関数 , ミリ秒 )
```

ここでは、用意された関数の中でcountとmessageの値を変更する処理を行なっていたのです。この部分ですね。

```
this.count++
this.message = 'Count: ' + this.count
```

これで、それぞれの値が更新されます。すると、これらの値を表示している文、すなわち{{ message }}の部分も更新され、表示が変わる、というわけです。こんな具合に、データに用意されている値を変更することで、それを{{}}で埋め込んだ部分の表示も自動的に更新されるのです。

データのアクセス

ここでは、countとmessageを変更するのに、「this.count」「this.message」という書き方をしていますね。thisというのは、このオブジェクト自身のことです。つまり、「このアプリケーション・オブジェクトの中にあるcountプロパティ、messageプロパティ」を操作していたのです。

dataは、ただreturnで値を返していただけです。それなのに、そこでreturnされた値は、こんな具合にthis.○○という形でアクセスできるようになるのです。これが、Vue3のデータの不思議なところです。

●データの作成

```
data() {
  return { ○○: 値 }
}
```

●データのアクセス

```
変数 = this.○○
this.○○ = 値
```

また、this.○○という書き方をしていることからもわかるように、dataで用意されたデータにアクセスできるのは、アプリケーション・オブジェクトの内部だけです。その外側では使えません。

コラム データは外部から本当に取れないの？ Column

「dataで用意されたデータにアクセスできるのは、アプリケーション・オブジェクトの内部だけ」というのを見て、「でも、何か方法があるはずだ」と思った人もいるかもしれません。例えば、createAppの部分をこうしてみたとしましょう。

```
const app = Vue.createApp(appdata)
app.mount('#app')
```

こうしたら、app.countでデータのcountにアクセスできるような気がします。オブジェクトの内部でthis.countでアクセスできるなら、app.countでも同じように思えますね？

でも、これはダメなんです。これでは動きません。アプリケーション・オブジェクトでは、this.countにアクセスして値を利用できますが、だからといって「データはcountプロパティとして用意されている」わけではありません。this.countに値を代入すると、data関数の戻り値が変わり、表示部分が更新されるような仕組みを内部に持っているために更新されるのです。ですから、「外部からcountプロパティを操作する」だけでは更新はされないのです。

アロー関数について

ところで、このsetIntervalでは、1つ目の引数(関数)のところで、ちょっと変わった書き方をしていましたね。

```
()=> {……処理……}
```

こういうものです。あまりJavaScriptに馴染みのない人は、初めて見るかもしれません。これも、実は関数なのです。「アロー関数」と呼ばれるものです。本書の最後にある「JavaScript超入門」でも取り上げていますから、「なんか重要だっていってたな」と思い出した人もいることでしょう。

JavaScriptの関数は、普通は以下のような書き方をします。

```
function 関数名 ( 引数 ) {……処理……}
```

ところが、このsetIntervalの引数のように、「値として関数を用意する」という場合は、関数名を省略してこんな具合に書くことができます。

```
function ( 引数 ) {……処理……}
```

この書き方を更に短くしたのが、アロー関数です。これを見ればわかるように、関数というのは要するに「引数」と「処理」があればいいわけです。だったら、それだけ書いて関数ってわかるようにすればいい、というわけで誕生したのがアロー関数です。

```
( 引数 )=> {……処理……}
```

functionを使った書き方とよく見比べてください。funtionの代わりに、引数の後に=>をつけただけなのがよくわかるでしょう。アロー関数は、「関数を値として使う」ときにけっこう頻繁に利用されます。ここで、「アロー関数って何か」「どう書くのか」といった基本的なことだけでも頭に入れておきましょう。

これからアロー関数は頻繁に登場しますから、何度も目にすれば、いずれ「あ、これアロー関数だな」とすぐにわかるようになるはずですよ。

タイマーを停止する

では、もう少しサンプルを書き換えて、タイマーを停止できるようにしてみましょう。<body>タグの部分を以下のように修正してください。

リスト2-3

```
<body>
  <h1>Vue3</h1>
  <div id="app">
    <p>{{ message }}</p>
    <hr>
    <button onclick="doAction()">Stop</button>
  </div>

  <script>
  let timer = null

  function doAction() {
    clearInterval(timer)
  }
```

Chapter 1 Chapter 2 Chapter 3 Chapter 4 Chapter 5 Chapter 6 Addendum

```
  const appdata = {
    data() {
      return {
        message: ''
      }
    },
    created() {
      this.message = 'Hello Vue!'
      this.count = 0
    },
    mounted() {
      timer = setInterval(() => {
        this.count++
        this.message = 'Count: ' + this.count
      }, 1000)
    }
  }

  Vue.createApp(appdata).mount('#app')
  </script>
</body>
```

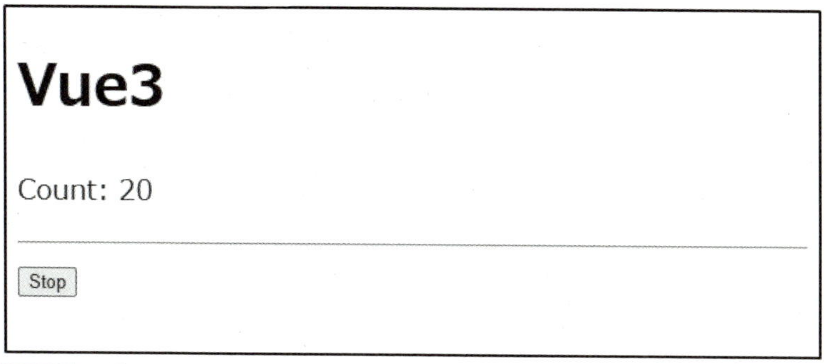

Vue3

Count: 20

Stop

図2-3　「Stop」ボタンを押すとカウントが止まる。

リロードすると、先ほどと同じように数字のカウントを開始します。適当なところで「Stop」ボタンをクリックしてみましょう。そこでカウントが停止します。

タイマーとclearInterval

ここでは、appdata定数を用意する前に以下のように変数と関数を用意しておきました。

```
let timer = null

function doAction() {
```

```
  clearInterval(timer)
}
```

timerには、タイマーのIDを保管します。そしてdoActionでは、「clearInterval」という関数を使って、タイマーを停止します。これは、引数にsetIntervalで得られたタイマーのIDを指定すると、そのタイマーを停止します。

このdoActionは、ボタンをクリックすると呼び出されるようにしています。

```
<button onclick="doAction()">
```

<button>タグに、こんな具合に属性を用意していますね。onclickは、クリックしたときに呼び出す処理を指定するもので、ここでdoActionを実行しています。それによりタイマーが停止した、というわけです。

createdで初期化する

では、アプリケーション・オブジェクトの中を見てみましょう。ここでは、data関数の処理をまた修正しています。このように戻っていますね。

```
data() {
  return {
    message: ''
  }
},
```

追加したはずのcountがなくなりました。これはどこにいったのか？ というと、その後にある「created」というところで登場します。

```
created() {
  this.message = 'Hello Vue!'
  this.count = 0
},
```

このcreatedは、アプリケーション・オブジェクトが生成された際に実行される処理を記述するためのものです。先ほどのmountedは、オブジェクトを組み込んだときの処理。このcreatedは、オブジェクトが生成されたときの処理です。当然、こちらが先に実行されます。

createdは、アプリケーション・オブジェクトの初期化を行なうのに用いられます。ここで値を初期化しておき、mountedでタイマーを実行していた、というわけです。

なぜ、countはdataになくてもいいの？

ところで、今回はdataにはmessageだけしか用意していません。「なぜ、countはdataになくてもいいのか」「なぜmessageはdataにないといけないのか」といった疑問が湧いてきたことでしょう。dataに置くべきもの、置かなくてもいいもの、その違いは何でしょうか？

それは、「画面に表示されているかどうか」の違いなのです。

dataでreturnされる値は、画面内に{{}}で埋め込まれており、表示を更新する必要があるものです。今回、messageは{{ message }}として画面内に埋め込まれており、値を変更したらこの表示も更新する必要がありました。

これに対してcountは、内部的に数字をカウントしているだけで、画面には表示されていません。ですから、dataに置く必要がなかったのです。

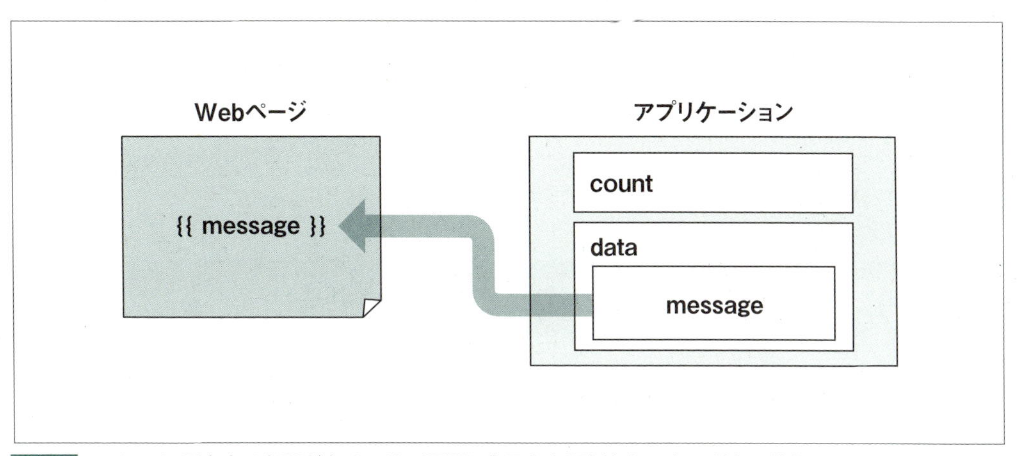

図2-4　dataに用意する必要があるのは、画面に表示され更新される必要がある値だ。

必要なものはすべて内部に用意する！

これで、アプリケーションの内部に用意するdata、created、mountedといったものの使い方がわかりました。ここで、Vue3によるアプリケーション・オブジェクトとそこに置かれる値について、重要な性質について触れておきましょう。それは、

「Vue3で使うものは、すべて『マウントした要素』内になければいけない」

という点です。マウントした要素というのは、createApp.mountで組み込み先に指定したHTML要素のことです。ここでは、mount('#app')としていますから、<div id="app">のことになります。

createAppされたアプリケーションの値や処理などは、すべて<div id="app">の内部で

しか利用できません。例えば、{{ message }}という記述は、その外側の<h1>タグなどに記述することはできません。

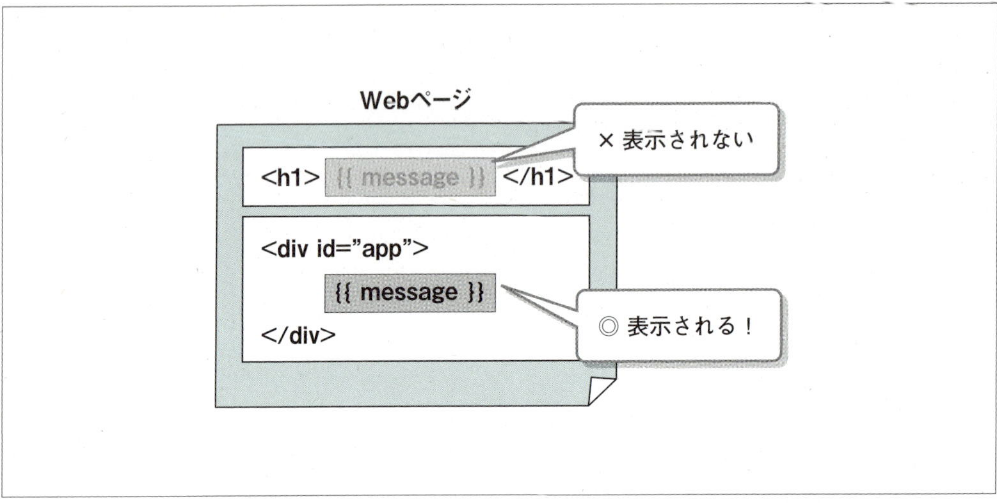

図2-5　マウントされている要素(id="app"の要素)内では、アプリケーションのデータを{{}}で埋め込めるが、その外側に用意しても表示することはできない。

{{}}は値だけじゃない！

ここで、値の表示を行なった{{ message }}について見てみましょう。これは、messageの値がはめ込まれています。が、この{{}}は、変数の値だけしか用意できないわけではありません。JavaScriptの「式」を記述することもできるのです。値として取り出せるものなら、比較的自由に記述できます。

例として、{{ message }}の部分を以下のように書き換えてみましょう。

リスト2-4
```
{{ message.toUpperCase() }}
```

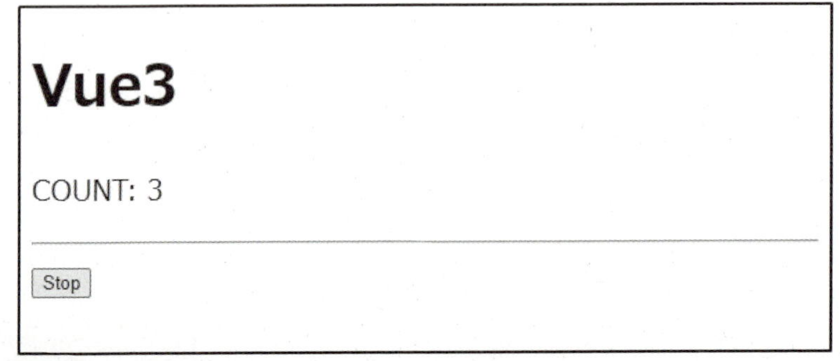

図2-6　入力したテキストがすべて大文字になって表示される。

これでリロードし、テキストを入力してみてください。記入した文字がすべて大文字に変わって表示されます。単純にmessageの値が表示されるのでなく、toUpperCaseのメソッドを実行した結果が表示されていることがわかりますね。

計算結果を表示する

このように「JavaScriptの式が書ける」ということがわかっていれば、もっとさまざまな使い方ができるようになります。先ほど修正した{{}}の部分を以下のように書き換えてください。

リスト2-5

```
{{ message + " [" + new Date().toLocaleString() + "]" }}
```

Vue3

Count: 5 [2020/9/29 20:43:14]

Stop

図2-7　現在の日時を表示する。

リロードすると、カウントの後に現在の日時が表示されます。試してみるとわかりますが、カウントが更新されるのに合わせて日時の値もちゃんと更新されることがわかります。つまり、更新されるたびにnew Date()されているのですね。

こんな具合に、{{}}部分にはJavaScriptの関数や式などを含めることができます。これを利用すれば、いろいろと複雑な表示を{{}}だけで作れるようになります。ただし、書けるのは1つの式にまとめられるものだけです。何行にも渡る文などは書くことはできません。

でも、やりすぎないこと！

1つの式にまとめてあるなら、{{}}の部分にどんどん複雑な処理を書いていけそうですね。でも、そうすると、やっていることが次第にわかりにくくなってきそうです。

今回は、1つのHTMLファイルの中にすべてを記述していますが、ある程度処理が複雑になったら、JavaScriptの部分は別ファイルに切り分けるなどすることになるでしょう。そうなると、このやり方はいろいろと弊害が出てきます。なにしろ、「スクリプト側で用意したものとは違うものが表示される」のですから。JavaScriptでプログラムを作っている人間は、「なんで思った通りに表示されないのだ？」と考え込んでしまうかもしれません。

基本は、「処理はスクリプトに、表示はHTMLに」です。HTMLの中に{{}}であまり複雑な処理を埋め込むのは、決していいやり方ではありません。「そういうことができる」ということと、「そうしてもいい」ということは違うのです。

要素と表示を考える

HTML要素を出力する

Vue3の基本がわかったところで、もう少し使い方を掘り下げていくことにしましょう。本格的なプログラミングはもう少し後でやることにして、ここでは主に「表示」に関する部分を掘り下げていくことにします。

まずは、「HTMLを表示したい」場合の方法について。{{}}で値を埋め込む場合、その値はそのままテキストとして出力されます。HTMLのコードなどを値に設定しても、それはそのまま「HTMLのコードのテキスト」として表示されてしまい、HTMLの要素として認識してはくれないのです。

が、HTMLのコードをそのままデータに設定して画面に表示させることができれば、随分と便利でしょう。これはできないのでしょうか？

v-htmlについて

実は、できます。ただし、{{}}を使ってはできません。その代わりに「v-html」という属性を使うのです。

```
<div v-html="変数名"></div>
```

こんな具合に、タグの中にv-htmlという属性として用意します。値には、使用するデータの名前を指定します。例えば、messageデータをここで使うなら、v-html="message"とすればいいわけです。後は、指定した変数にHTMLのコードをテキストとして設定するだけです。

リストを表示する

では、簡単な例を作成しましょう。<body>タグの部分を以下のように修正してください。

リスト2-6

```
<body>
  <h1>Vue3</h1>
  <div id="app">
    <div v-html="message"></div>
  </div>

  <script>
  const list = ['One', 'Two', 'Three']
  const appdata = {
    data() {
      return {
        message: `<ul>
          <li>${list[0]}</li>
          <li>${list[1]}</li>
          <li>${list[2]}</li>
        </ul>`
      }
    }
  }

  let app = Vue.createApp(appdata)
  app.mount('#app')
  </script>
</body>
```


Vue3

- One
- Two
- Three

図2-8　「One」「Two」「Three」というリストが表示される。

これを実行すると、「One」「Two」「Three」というリストが表示されます。HTMLの部分を見ればわかりますが、こんなリストは用意していません。あるのは、<div v-html="message">というタグだけです。ここに、リストがはめ込まれ表示されていたのです。

v-html="message"と属性を指定することで、messageデータの値がここにHTMLのソースコードとして設定されます。後は、messageにHTMLのテキストを用意するだけです。意外と簡単でしょう？

テンプレートリテラルについて

ところで、今回のサンプルでは、messageデータの値にちょっと面白いテキストを設定しています。見てみましょう。

```
message: `<ul>
  <li>${list[0]}</li>
  <li>${list[1]}</li>
  <li>${list[2]}</li>
</ul>`
```

テキストの値なのは確かです。が、テキストの値なのに、なぜか複数行に渡って改行されています。それで問題なく動いています。また、テキストの中に${……}という何か怪しげな記号が埋め込まれていたりしますね。

これは、「テンプレートリテラル」と呼ばれるテキストなのです。通常のテキストは、値の前後をクォート記号で挟んで書きます。が、テンプレートリテラルは、「`」記号(バックティック文字)という記号を使います。シングルクォートに似ていますが、違います(Shiftキーを押したまま@キーを押すとタイプできます)。

このテンプレートリテラルは、テキストを改行して記述することができます。また中に「プレースホルダー」と呼ばれるものを用意できます。プレースホルダーは、あらかじめ用意しておいた変数などをはめ込むためのものです。これは以下のように記述します。

```
${ 変数名など }
```

ここでは、例えば ${list[0]} といった具合にプレースホルダーが用意されていますね。これで、list配列のインデックス0の値がここにはめ込まれます。同様に、list[1]やlist[2]の値を埋め込んで、テキストを完成させていたのですね。

このテンプレートリテラルは、Vue3の機能というわけではなく、JavaScriptの基本的な機能です。非常に便利なものなので、ぜひここで覚えておきましょう。

v-htmlを使わないとどうなる？

これで、v-htmlでHTMLソースコードを出力することができるようになりました。では、これを使わないとどうなるのか、念のために確認しておきましょう。v-htmlを用意した<div>タグを以下のように書き換えてみてください。

```
<div>{{ message }}</div>
```

Chapter 1
Chapter 2
Chapter 3
Chapter 4
Chapter 5
Chapter 6
Addendum

こうするとHTMLの内容がそのまま出力されてしまいます。{{}}では、HTMLの内容はただのテキストとして表示されてしまうことが、これでわかったでしょう。

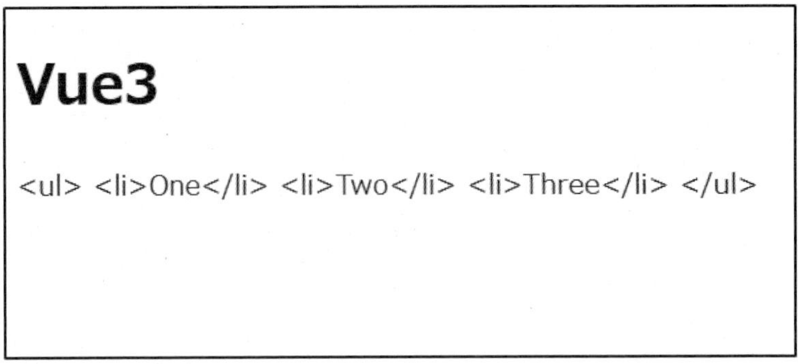

Vue3

<ul> <li>One</li> <li>Two</li> <li>Three</li> </ul>

図2-9　{{ message }}ではHTMLがそのままテキストとして出力されてしまう。

JavaScriptエクスプレッション

v-htmlを使えば、かなり複雑な表現も行なうことができます。{{}}で値を埋め込む場合は、そうしたこと(HTMLタグを使った表現)はできないため、「単純なことしかできない」と思うかもしれません。

が、先に{{}}の中で計算式を書いたりするサンプルを表示しましたね。{{}}は、単純なテキストを表示するだけのものではありません。JavaScriptの文として評価可能なもの(JavaScriptエクスプレッション)であれば、さまざまな表現が可能なのです。

単純な計算式({{a + b}}のようなもの)や、オブジェクトからメソッドを呼び出すようなもの({{message.toLocaleString()}}など)は、誰もが思い浮かぶでしょう。ではifやforのような制御構文は使えるか? というと、これはできません。ですが、制御構文は使えないけれど、それに近いことはできるのです。

三項演算子で条件分岐

まずは、条件分岐(if構文)に相当する表現からです。これは、「三項演算子」と呼ばれるものを使えば簡単に実装できます。三項演算子は、以下のような形の式です。

```
《真偽値》?《trueの値》:《falseの値》
```

最初に真偽値の値が得られる変数や式などを用意し、?の後にtrueのときの表示を、そして:の後にfalseのときの表示をそれぞれ用意します。これにより、最初の真偽値がtrueかfalseかによって表示される内容が変わります。

では、実例を挙げましょう。<body>部分を以下のように書き換えてください。

リスト2-7

```
<body>
  <h1>Vue3</h1>
  <div id="app">
    <div>{{ num + 'は、' + (num % 2 == 0 ? '偶数' : '奇数') + 'です。'}}
      </div>
  </div>

  <script>
  const appdata = {
    data() {
      return {
        num: Math.floor(Math.random() * 100)
      }
    }
  }

  let app = Vue.createApp(appdata)
  app.mount('#app')
  </script>
</body>
```

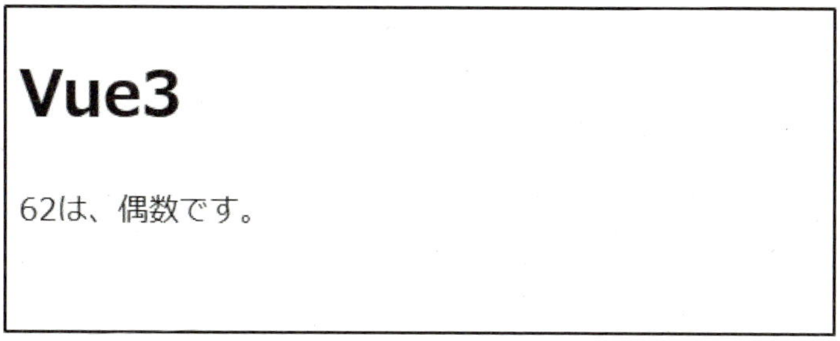

Vue3

62は、偶数です。

図2-10 乱数を作成し、それが偶数か奇数かを調べて表示する。

これは、0～99の乱数を作成し、それが偶数か奇数かを表示するサンプルです。乱数によって、「○○は、偶数です」「××は、奇数です」と表示されるメッセージが変わります。

乱数を作成する

ここでは、まずdataに乱数の値「num」を以下のようにして用意しています。

```
num: Math.floor(Math.random() * 100)
```

乱数は、Math.randomというメソッドを使って作成できます。これは引数なしのシンプルなもので、これにより0以上1未満の実数をランダムに返します。

得られるのは実数ですから、それをもとに一定範囲内の整数の乱数に加工する必要があります。これは、こんな具合に行なええばいいのです。

```
小数点以下を切り捨てる関数 ( 乱数 * 整数 )
```

得られた乱数を、例えば100倍すれば、0以上100未満の乱数になります。そして、小数点以下を切り捨てて整数の部分だけを取り出せば、0～99の乱数が得られるわけです。少数の切り捨ては「Math.floor」というものを使います。これで、引数に指定した値の整数部分だけが得られます。

三項演算子の処理

こうして得られた乱数numを使い、表示を行なっている{{}}の部分を見てみましょう。すると、このようになっているのがわかりますね。

```
{{ num + 'は、' + (num % 2 == 0 ? '偶数' : '奇数') + 'です。'}}
```

パッと見て、何をやってるかわかった、という人はどれぐらいいるでしょうか。ここでのポイントは、三項演算子です。この部分を抜き出して整理してみましょう。

●全体の内容

```
{{ num + 'は、' +《三項演算子》+ 'です。'}}
```

こうすると、少しわかりやすくなります。＋記号でnumとテキストを1つにつないでいるその中に三項演算子が含まれていたのですね。この三項演算子は、整理するとこうなっていました。

●三項演算子

```
(num % 2 == 0 ? '偶数' : '奇数')
```

条件	num % 2 == 0
trueのとき	'偶数'
falseのとき	'奇数'

最初のnum % 2 == 0で、numを2で割ったあまりがゼロかどうかチェックしています。

ゼロということは、(2で割って余りがないから)偶数ですね。そしてゼロでなければ奇数になります。そこで、その結果に応じて「偶数」「奇数」というテキストを返すようにしていたわけです。

こんな具合に、三項演算子をうまく式の中に組み込むことで、条件に応じて変わる表示が作れるようになります。

mapによる繰り返し処理

続いて、「繰り返し」構文のような処理を実装する方法についてです。繰り返し構文そのものを{{}}内に記述することはできません。が、配列に限定し、「配列の各要素について処理を行なう」というようなことなら、可能です。

配列には「map」というメソッドが用意されています。これは、配列の各要素ごとに処理を行なって新しい配列を生成するメソッドです。

```
《配列》.map( 関数 )
```

こんな具合に、引数に関数を用意します。この関数では、引数に配列のキー（インデックス）と値が渡されます。ですから、具体的にはこういう感じになるでしょう。

```
《配列》.map((value, key)=> 処理 )
```

これで、配列の各要素について、keyとvalueという引数にキーと値を渡して、関数を呼び出すようになります。そして、各要素を修正した新しい配列が返されるのです。{{}}内でこのmapを利用する場合は、その後でjoinメソッドを呼び出して各項目の値を1つのテキストにまとめたものを出力させればいいでしょう。

配列のデータを出力する

では、実際の利用例を挙げておきましょう。<body>タグを以下のように書き換えてみてください。

リスト2-8

```
<body>
  <h1>Vue3</h1>
  <div id="app">
    <pre>{{data.map((value,key)=>key + ' :「' + value + ↲
      '」').join('\n')}}</pre>
```

```
  </div>

  <script>
  const data = ['Windows','macOS','Linux','iOS','Android']
  const appdata = {
    data() {
      return {
        data: data
      }
    }
  }

  let app = Vue.createApp(appdata)
  app.mount('#app')
  </script>
</body>
```

```
Vue3

0 :「Windows」
1 :「macOS」
2 :「Linux」
3 :「iOS」
4 :「Android」
```

図2-11　配列に用意したデータを箇条書きにして表示する。

これを実行すると、配列dataに用意した値に番号を割り振って表示します。こんな感じですね。

```
0 :「Windows」
1 :「macOS」
```

最初の番号は、各項目のインデックス番号です。その後に「」をつけて値が表示されています。

{{}}でmapを利用する

今回は、改行記号で改行表示がされるように<pre>タグの中に{{}}を用意しています。ここでの{{}}部分がどうなっているか見てみましょう。

```
{{data.map((value,key)=>key + ' :「' + value + '」').join('\n')}}
```

これもかなりわかりにくいですね。map内で実行している関数を省略して、更にわかりやすくしてみましょう。

```
{{data.map( 関数 }}
```

これなら、だいぶシンプルでわかりやすいですね。問題は、mapの中に用意されている関数でしょう。これは、こんな具合に書かれています。

```
(value,key)=>key + ' :「' + value + '」')
```

引数の(value,key)には、配列の各要素の値とインデックスが渡されます。この関数で、戻り値となるのがkey + ' :「' + value + '」'の部分です。これで、それぞれの要素が「番号 :『○○』」といったものに変わっている配列が作成されます。

最後に、生成された配列を1つ1つ改行して、1つのテキストに戻します。

```
.join('\n')
```

joinは、配列にあるメソッドで、引数に指定したテキストを間に挟んで各要素を1つのテキストにつなげます。ここでは、「\n」という値が指定されていますね。これは、改行コードを示す特別な記号です。

これを引数にしてjoinを呼び出すことで、各値の間に改行コードを挟んで1つのテキストにまとめたものが作成されます。

こうして、各要素の内容を修正して生成されたテキストが画面に表示されるようになりました！

スタイルとBootstrap

ここまでのサンプルでは、基本的にスタイルなどは設定せず、標準の表示のままでHTMLを表示してきました。が、実際の開発では、スタイルを使ってさまざまに表示スタイルを設定したものが使われることになります。

スタイルを考えた場合、自分で1つ1つのテキストのスタイルを手作業で調整して見やすいドキュメントを作っていくのは、かなり大変です。それよりも、スタイルシートを扱うライブラリやフレームワークを使って、それなりに整ったデザインが行なえるようにしたほうがはるかに簡単です。

ここでは、スタイルシートのフレームワーク「Bootstrap」をVue3のアプリケーション内で利用する方法について、簡単に触れておきましょう。

Bootstrapとは？

Bootstrapは、一般に「CSSフレームワーク」と呼ばれるソフトウェアです。レイアウトやデザインのためのクラスが多数用意されており、それらをclass属性に指定するだけで、見やすく整ったデザインを作成することができます。

このBootstrapは、npmでインストールして使うこともできますが、それよりはるかに簡単なのが「CDNを利用する方法」でしょう。これは、Bootstrapが利用するCSSファイルとJavaScriptファイルを、ネットワーク経由で読み込んで使う方法です。表示するWebページの<head>内に、以下のようなタグを用意するだけです。

リスト2-9

```
<link rel="stylesheet" href="https://stackpath.bootstrapcdn.com/ ↲
  bootstrap/4.5.0/css/bootstrap.min.css" >
<script src="https://code.jquery.com/jquery-3.5.1.slim.min.js"></script>
<script src="https://cdn.jsdelivr.net/npm/popper.js@1.16.0/dist/umd/ ↲
  popper.min.js"></script>
<script src="https://stackpath.bootstrapcdn.com/bootstrap/4.5.0/js/ ↲
  bootstrap.min.js"></script>
```

これらのタグを用意するだけで、Bootstrapが使えるようになります。後は、Bootstrapに用意されているクラスを、class属性に指定していくだけです。

Bootstrapの利用例

では、実際に簡単な表示をBootstrapで作ってみましょう。今回は<head>から修正が必要なので、全ソースコードを掲載しておくことにします。

リスト2-10

```
<!DOCTYPE html>
<html>
  <head>
    <title>My first Vue app</title>
    <link rel="stylesheet" href="https://stackpath.bootstrapcdn.com/ ↲
      bootstrap/4.5.0/css/bootstrap.min.css" >
    <script src="https://code.jquery.com/jquery-3.5.1.slim.min.js"> ↲
      </script>
    <script src="https://cdn.jsdelivr.net/npm/popper.js@1.16.0/dist/umd/ ↲
      popper.min.js"></script>
    <script src="https://stackpath.bootstrapcdn.com/bootstrap/4.5.0/js/ ↲
      bootstrap.min.js"></script>
    <script src="https://unpkg.com/vue@next"></script>
```

```
  </head>

  <body>
    <h1 class="bg-secondary text-white display-4 px-3">Vue3</h1>
    <div id="app" class="container">
      <p>{{ message }}</p>
    </div>

    <script>
    const appdata = {
      data() {
        return {
          message : null
        }
      },
      mounted() {
        this.message = 'This is sample page.'
      }
    }

    let app = Vue.createApp(appdata)
    app.mount('#app')
    </script>
  </body>
</html>
```

Vue3

This is sample page.

図2-12 Bootstrapでスタイルを設定したページ。

ここではタイトルと簡単なメッセージを表示しているだけですが、タイトル部分はグレーの背景に大きなフォントで表示されるのがわかります。単純ですが、それなりにデザインされていることがわかるでしょう。

ここでは、以下の2つのタグでBootstrapのクラスを使っています。

```
<h1 class="bg-secondary text-white display-4 px-3">Vue3</h1>
<div id="app" class="container">
```

<h1>のclassには、4つのクラスが用意されています。まぁ、現時点ではなんだかよくわからないでしょうが、これらで「背景色」「テキスト色」「テキストのスタイル」「余白」といったものを設定している、と考えてください。

その後の<div>タグのクラスは、実は非常に重要です。class="container"と指定されていますね。これは、この中に表示されるコンテツの配置を自動調整するためのものなのです。

Webページを表示したとき、メッセージのテキストが左端から少し離れたところに表示されていたのを思い出しましょう。class="container"は、ウインドウの横幅に応じて、コンテンツの配置を自動的に調整する役割を果たします。

試しに、このclass="container"を削除するとどうなるかやってみてください。ウインドウの左端にメッセージが表示され、ちょっと見づらくなります。

Vue3

This is sample page.

図2-13　class="container"を削除すると、メッセージが左端から表示される。

Bootstrapの基本的なクラス

Bootstrapの使い方はこれでわかりました。後は、Bootstrapにどのようなクラスがあって、どうデザインされるのかを少しずつ覚えていくだけです。といっても、本書はBootstrapの解説書ではありませんから、あまり深くは説明しません。ごく基本的なことだけ説明しておきましょう。

テキスト色と背景色

テキスト色と背景色は、あらかじめ用意されている名前を使って指定します。これらは以下のようなものが用意されています。

テキスト色	背景色
text-primary	bg-primary
text-secondary	bg-secondary

text-success	bg-success
text-danger	bg-danger
text-warning	bg-warning
text-info	bg-info
text-dark	bg-dark
text-light	bg-light

これらをよく見ると、「text-色名」「bg-色名」というような名前になっていることがわかるでしょう。そして色名には、「primary」だの「success」だのというように、色そのものではなく、その表示内容がどういう性質のものかを示すような名前になっていることがわかります。

Bootstrapは、全体のデザインをテーマの変更などによってガラリと変えられるような仕組みを持っています。このため、色の指定は直接「赤」「青」というように指定はしません。「これは簡単なメッセージを表示するものだからinfoでいいな」というように、表示する内容に応じた色を指定するのが基本なのです。

では、実際にこれらのクラスを使った例を挙げておきましょう。先ほどのサンプルで、<div id="app" class="container">の部分を以下のように書き換えてください。テキストと背景の基本的な色がこれでわかります。

リスト2-11

```
<div id="app" class="container">
  <p class="text-primary">{{ message }}</p>
  <p class="text-secondary">{{ message }}</p>
  <p class="text-success">{{ message }}</p>
  <p class="text-danger">{{ message }}</p>
  <p class="text-warning">{{ message }}</p>
  <p class="text-dark">{{ message }}</p>
  <p class="text-light">{{ message }}</p>
  <p class="text-info">{{ message }}</p>
  <p class="bg-primary">{{ message }}</p>
  <p class="bg-secondary">{{ message }}</p>
  <p class="bg-success">{{ message }}</p>
  <p class="bg-danger">{{ message }}</p>
  <p class="bg-warning">{{ message }}</p>
  <p class="bg-info">{{ message }}</p>
  <p class="bg-dark">{{ message }}</p>
  <p class="bg-light">{{ message }}</p>
</div>
```

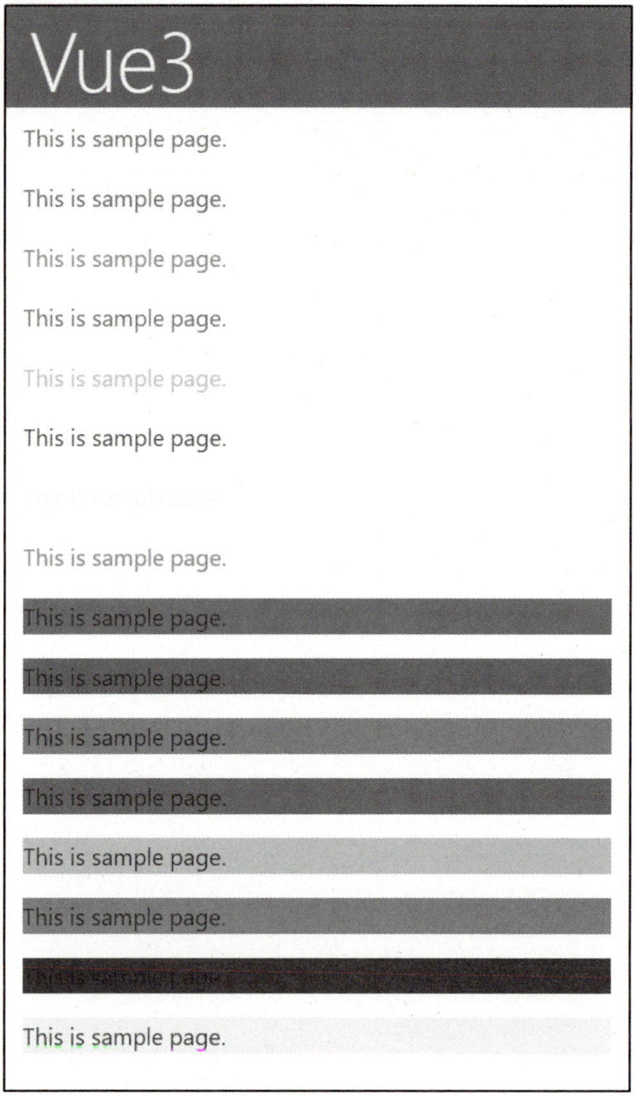

Vue3

This is sample page.

This is sample page.

This is sample page.

This is sample page.

This is sample page.

This is sample page.

This is sample page.

This is sample page.

This is sample page.

This is sample page.

This is sample page.

This is sample page.

This is sample page.

This is sample page.

This is sample page.

This is sample page.

図2-14　テキスト色と背景色を一覧表示したところ。

フォントサイズについて

フォントサイズは、基本的に見出し関係のものだけが用意されています。これは、「h1」～「h6」というクラス名になっています。そう、<h1>～<h6>のタグ名ですね。これらの見出し用のタグを使うと、Bootstrapでは自動的にその見出し用に設定されたフォントサイズに調整されて表示がされます。そのフォントの設定を行なうのがh1～h6のクラスなのです。

これも利用例を挙げておきましょう。

リスト2-12

```
<div id="app" class="container">
  <p class="h1">{{ message }}</p>
  <p class="h2">{{ message }}</p>
  <p class="h3">{{ message }}</p>
  <p class="h4">{{ message }}</p>
  <p class="h5">{{ message }}</p>
  <p class="h6">{{ message }}</p>
</div>
```

Vue3

This is sample page.

This is sample page.

This is sample page.

This is sample page.

This is sample page.

This is sample page.

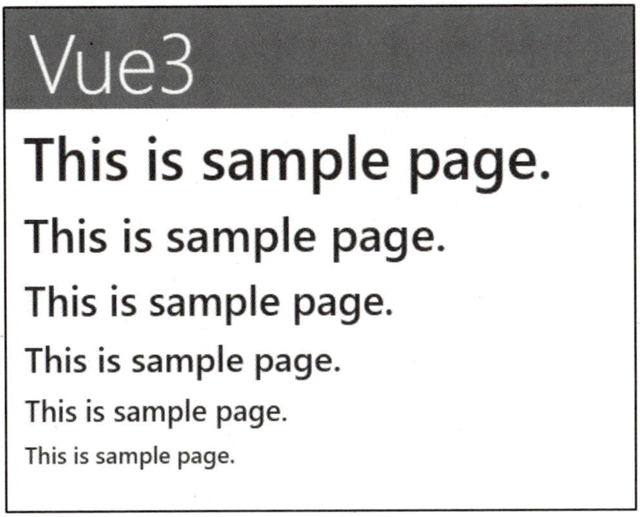

図2-15 h1 ～ h6のクラスを指定したもの。

ディスプレイフォントについて

見出しとして使うフォント設定には、この他に「ディスプレイ」という設定があります。これは、見出しをより目立つようにしたい場合に用いられるものです。「display-1」～「display-4」という4つのディスプレイの指定が用意されています。

実をいえば、ここでのサンプルで表示している「Vue3」というタイトルも、このディスプレイのクラスを使っています。これを使うと、かなり目立つ見出しが作れます。

リスト2-13

```
<div id="app" class="container">
  <p class="display-1">{{ message }}</p>
  <p class="display-2">{{ message }}</p>
  <p class="display-3">{{ message }}</p>
  <p class="display-4">{{ message }}</p>
</div>
```

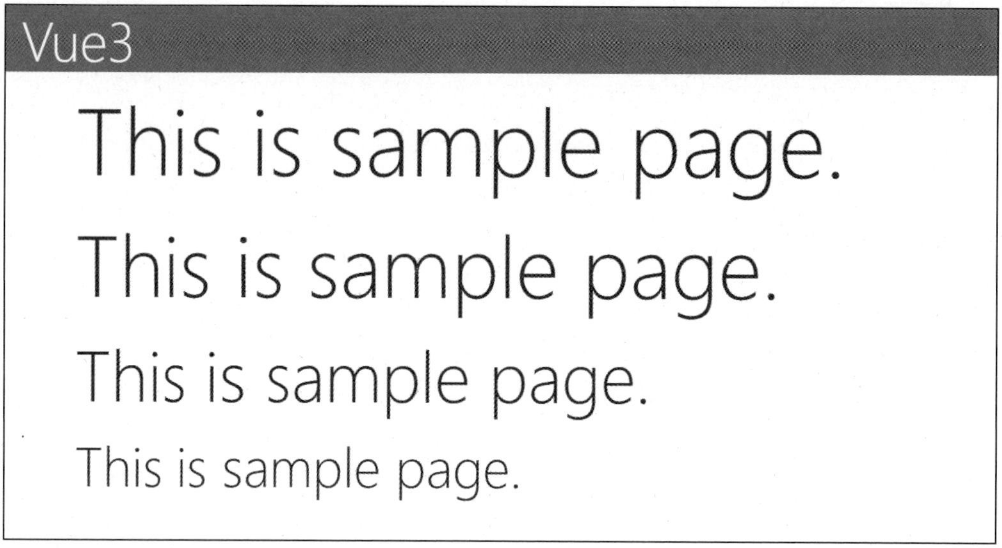

Vue3

This is sample page.

This is sample page.

This is sample page.

This is sample page.

図2-16　ディスプレイのクラス指定。

余白の調整

テキストを配置する場合、前後のテキストの間や横にあるコンテンツとの位置調整などが必要になることがあります。これには2種類のクラスが用意されています。

●マージンの指定

マージンは、その要素の周辺の余白を設定するものです。これは「m-0」～「m-5」の6種類があります。m-0は余白ゼロで、m-5がもっとも広い余白幅になります。

●パディングの指定

パディングは、その要素の内部の間隔を設定するものです。これは、「p-0」～「p-5」の計6種類があり、数字が増えるほど内部の余白幅が広くなります。

この「内部の余白」「外側の余白」というのは、具体的にどう違うのかよくわからないかもしれません。以下に簡単な利用例を挙げましょう。表示を見れば、マージンとパディングの違いがよくわかるでしょう。

リスト2-14

```
<div id="app" class="container h5">
  <p class="m-1 bg-primary">{{ message }}</p>
  <p class="m-2 bg-primary">{{ message }}</p>
  <p class="m-3 bg-primary">{{ message }}</p>
```

```
  <p class="m-4 bg-primary">{{ message }}</p>
  <p class="m-5 bg-primary">{{ message }}</p>
  <p class="p-1 bg-primary">{{ message }}</p>
  <p class="p-2 bg-primary">{{ message }}</p>
  <p class="p-3 bg-primary">{{ message }}</p>
  <p class="p-4 bg-primary">{{ message }}</p>
  <p class="p-5 bg-primary">{{ message }}</p>
</div>
```

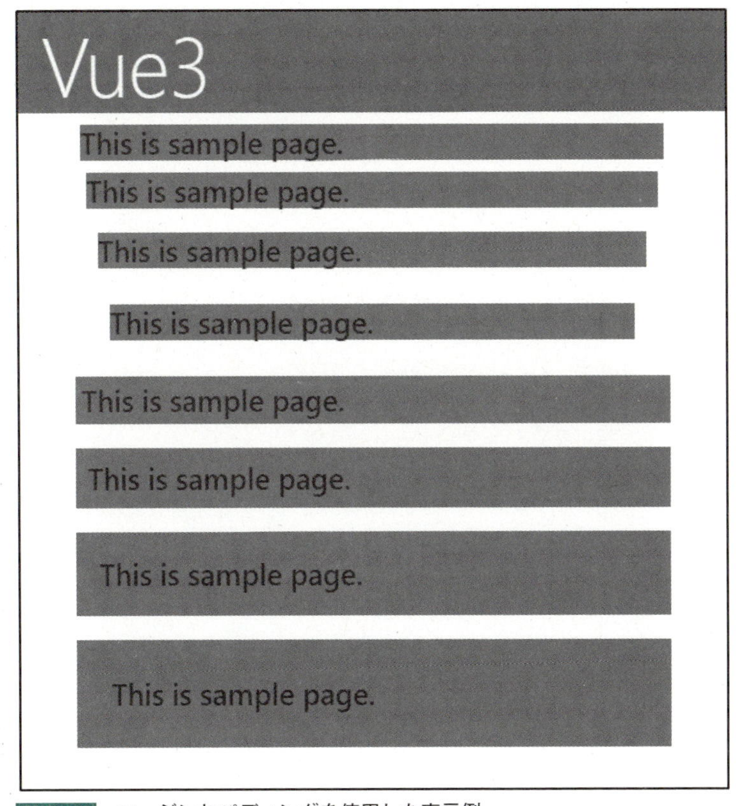

図2-17 マージンとパディングを使用した表示例。

 コンテンツの表示デザインに関するクラス 

表示されるコンテンツの基本的なスタイル(サイズ、色、余白など)はこれで調整できるようになりました。この他に、コンテンツをデザインして表示するためのクラスについても、いくつか紹介しておきましょう。これらがわかると、ちょっとしたコンテンツを表示するだけでも、それなりにデザインされたページに見せることができるようになります。

アラートについて

アラートは、ユーザーにアラートメッセージを表示するのに用いられるものです。背景色とテキスト色、内部の余白などをまとめて設定するため、アラートを指定するだけで、非常に目に付きやすい形でコンテンツを表示できます。

このアラートは、以下のような形でクラス指定をします。

```
class="alert alert-色名"
```

色名は、先にテキスト色と背景色のときに使った、あの色名(primary、secondaryといったもの)です。alert-色名と指定することで、その色を使ったアラートが作成できます。

では、簡単な利用例を以下に挙げておきましょう。

リスト2-15

```
<div id="app" class="container h5">
  <p class="alert alert-primary">{{ message }}</p>
  <p class="alert alert-secondary">{{ message }}</p>
  <p class="alert alert-success">{{ message }}</p>
  <p class="alert alert-danger">{{ message }}</p>
  <p class="alert alert-warning">{{ message }}</p>
  <p class="alert alert-info">{{ message }}</p>
  <p class="alert alert-light">{{ message }}</p>
  <p class="alert alert-dark">{{ message }}</p>
</div>
```

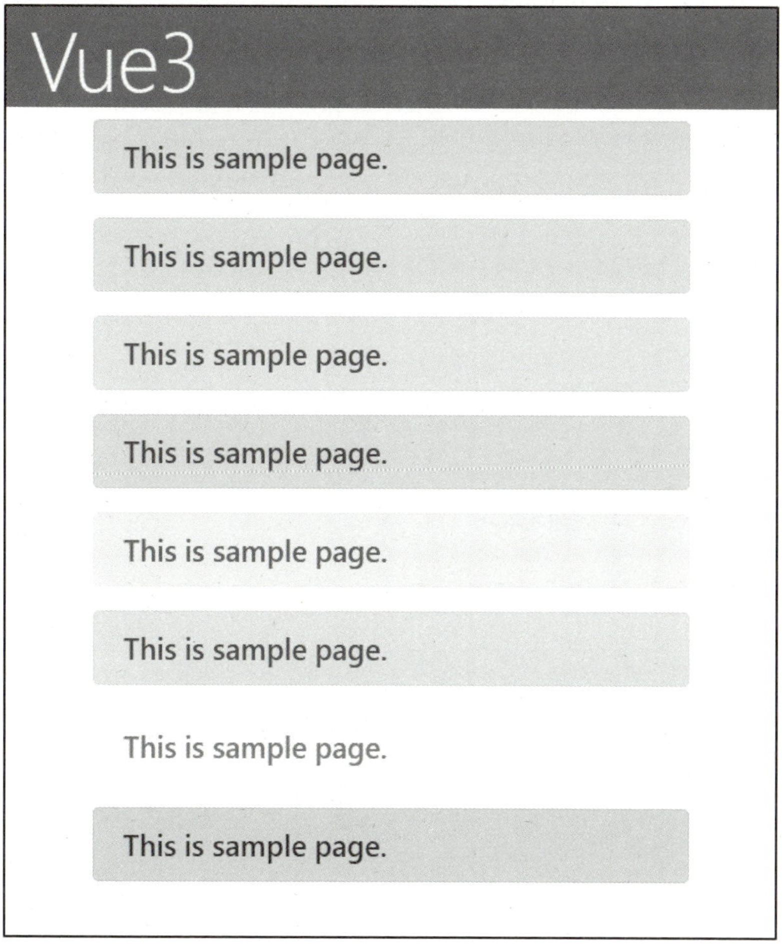

Vue3

This is sample page.

This is sample page.

This is sample page.

This is sample page.

This is sample page.

This is sample page.

This is sample page.

This is sample page.

図2-18　各色名を指定してアラートを表示する。

ページを表示すると、それぞれの色を使ってアラートを表示します。Webページの中にこんな表示があれば、かなり目立つことは確かですね。

カードの表示

簡単なメッセージの表示ならアラートでいいのですが、もう少し内容のあるコンテンツになると、また違ったデザインが必要になるでしょう。こんなとき、便利なのが「カード」です。

カードは、四角いカード型のエリアにコンテンツをまとめたものです。これは以下のような形で記述します。

```
<div class="card" style="width:18rem;">
    <タグ class="card-title">タイトル</タグ>
    <タグ class="card-text">コンテンツ</タグ>
</div>
```

カードは、class="card"を指定したタグで作成されます。これは<div>あたりを利用すればいいでしょう。これがカードの輪郭になります。

この中に、class="card-title"を指定したタグでカードのタイトルを作成し、class="card-text"を指定したタグでコンテンツを用意します。この他にもカード関連のクラスはいろいろ用意されていますが、とりあえず「タイトル」「コンテンツ」の2つが表示できればカードは使えるようになるでしょう。

では、具体的な利用例を以下に挙げておきます。

リスト2-16

```
<div id="app" class="container">
  <p>※Cardを利用したカード型コンテンツの表示例。</p>
  <div class="card m-4 p-4" style="width:18rem;">
    <h5 class="card-title">Contents</h5>
    <p class="card-text">{{ message }}</p>
  </div>
</div>
```

図2-19　カードを使ってコンテンツを表示する。

このページを表示すると、タイトルとコンテンツ(message)がカードの形にまとめられて表示されます。カードにすることで、ページ内に目立つ形でコンテンツを配置できることがわかるでしょう。

フォームの表示

Webページに表示することが多いコンテンツに「フォーム」があるでしょう。まぁ、これはコンテンツと言っていいかどうかわかりませんが、少なくともページの中で重要な役割を果たす要素であることは確かです。しかも、このフォームというもの、見やすくきれいにデザインするのが割と難しいものでもあります。

Bootstrapでは、フォームに用意されるコントロール類(<input>タグで表示される入力の部品)にクラスを指定することで、デザインされたフォームにできます。表示するコントロールについては、以下のような形で記述します。

```
<div class="form-group">
  <labe>ラベル</label>
  <input type="○○" class="form-control">
  <small class="form-text">説明テキスト</small>
</div>
```

コントロール類は、class="form-group"を指定した<div>タグを用意し、その中に配置します。中には、ラベルを表示する<label>とコントロール本体の<input>を配置します。この本体部分には、class="form-control"と指定をしておきます。

この他、<small>を使ってコントロールの説明テキストを表示させることもできます。これは、class="form-text"とクラスを指定しておきます。

このように、「コントロール全体をclass="form-group"でまとめる」「コントロールはclass="form-control"を指定する」「説明はclass="form-text"で」という基本的なクラスの指定さえ頭に入れておけば、Bootstrapでフォームをデザインするのはそう難しくはないのです。

チェックボックスとラジオボタン

ただし！ コントロールはすべてclass="form-control"でデザインできるわけではないので、注意が必要です。これでデザインができないものもあるのです。それは、チェックボックスとラジオボタンです。これらは、まず全体をまとめる<div>タグを、以下のようにクラス指定します。

```
class="form-group form-check"
```

続いて、コントロール(<input>タグ)に以下のようにクラスを指定します。これでデザインされたチェックボックス／ラジオボタンになります。

```
class="form-check-input"
```

また、チェックボックスやラジオボタンのラベル(チェックマークの横に表示されるテキスト)も、以下のように独自のクラスを指定する必要があります。

```
class="form-check-label"
```

これでようやくチェックボックス／ラジオボタンのデザインが完成です。ちょっとわかりにくいでしょうが、通常のコントロールのクラス指定と、このチェックボックス／ラジオボタン用の指定の2つがわかれば、フォームのデザインはほぼ完璧と考えていいでしょう。

ボタンについて

フォームには、必ず送信のボタンが用意されます。これは、ちょっとクラスの指定が違います。ボタンは、こんな形でクラス指定をします。

```
class="btn btn-色名"
```

色名は、primaryなどこれまで使ってきたものと同じです。このボタン用のクラスは、<input type="submit">や<button>タグで、更には<a>タグでも利用できます。これを指定するだけで、Bootstrapのボタンデザインに変わります。

フォームの利用例

では、フォームの簡単な例を挙げておきましょう。ここではID、パスワードといった項目を持つフォームを表示します。

リスト2-17

```
<div id="app" class="container">
  <p>※フォームの表示例。</p>
  <form>
    <div class="form-group">
      <label for="id">ID</label>
      <input type="text" class="form-control" id="id"
        placeholder="IDを入力">
      <small class="form-text">あなたのIDを入力してください。</small>
    </div>
    <div class="form-group">
      <label for="pass">Password</label>
      <input type="password" class="form-control" id="pass"
        placeholder="パスワード">
      <small class="form-text">パスワードを入力してください。</small>
    </div>
    <div class="form-group form-check">
      <input type="checkbox" class="form-check-input" id="check">
```

```
      <label class="form-check-label" for="check">Check box</label>
    </div>
    <button type="submit" class="btn btn-primary">送信</button>
  </form>
</div>
```

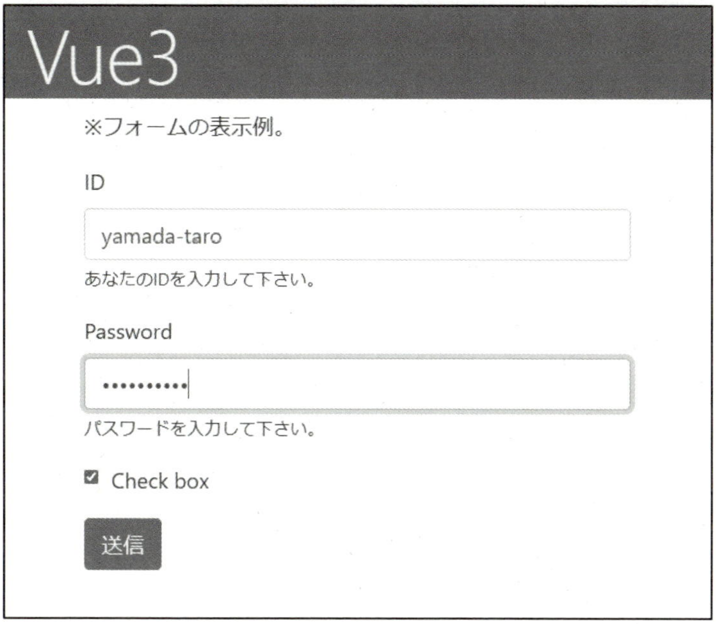

図2-20　IDとパスワードを入力するフォーム。

IDとパスワードの入力フィールド、それにチェックボックス関係のサンプルということで1つチェックボックスを追加し、送信ボタンを用意しました。実際に送信して何かできるわけではありませんが、フォームの基本的なデザインの仕方はこれでわかるでしょう。

これで、一般的なテキストの表示、色や大きさ、余白の指定、アラートやカードといったコンテンツの表示、フォームのデザインといったものがBootstrapでできるようになりました。とりあえず、これだけわかっていれば簡単なWebページのデザインはできるようになるでしょう。

Bootstrapの機能はこれだけではなく、もちろんまだまだ他にもたくさんあります。それらは、必要になったらそのつど触れることにします。本気でBootstrapを使いたいと思う人は、別途学習してみてください。

Section 2-3 v属性を活用しよう

v属性について

タグのコンテンツとして、テキストを表示させる場合は{{}}記号を使えばできました。これで一応、Vue3で用意したデータをページに表示することはできます。が、実をいえば、この他にもHTML要素をVue3側から利用するための仕掛けがいろいろと用意されています。

HTMLのタグには、さまざまな属性が用意されています。この属性をVue3のアプリケーション・オブジェクト内から利用するために「v属性」と呼ばれるものが用意されています。これは、vで始まるVue3独自の属性です。

```
v-○○=値
```

このように記述することで、独自の設定を行なうことができるのです。実をいえば、このv属性は既に使っています。先にHTMLのコードを直接出力させるのに「v-html」という属性を使いましたね？ あれも、v属性の一つです。あのv-htmlのように、タグに独自の属性を追記して、さまざまな処理を行なえるのですね。

属性に値をバインドする

タグの属性に、Vue3で用意した値を設定したい。こういうことはよくあります。そのために用意されているのが「v-bind」という属性です。これは、以下のように記述します。

```
v-bind: 属性名 = "設定する値"
```

v-bind:の後に、値を設定する属性の名前を指定して値を用意します。これにより、その属性に用意した値が設定されます。非常に不思議なのですが、このv-bindをつけると、属性の値はJavaScriptの式として扱われるようになるのです。例えば、

```
v-bind:name="message"
```

こんな具合にすると、name属性に変数messageの中身が設定されるようになります。messageというテキストにはならないのです。面白いですね！

テキストサイズを操作しよう

では、これも実際の利用例を挙げておきましょう。例によって<body>タグの部分だけを挙げておきます。

リスト2-18

```
<body>
  <h1 class="bg-secondary text-white display-4 px-3">Vue3</h1>
  <div id="app" class="container">
    <p v-bind:style="style">{{ message }}</p>
  </div>

  <script>
  const appdata = {
    data() {
      return {
        message : null,
        style:'font-size:32pt; color:red;'
      }
    },
    mounted() {
      this.message = 'This is sample page.'
    }
  }

  let app = Vue.createApp(appdata)
  app.mount('#app')
  </script>
</body>
```

Vue3

This is sample page.

図2-21　赤い大きな文字でメッセージが表示される。

ページをリロードすると、赤い大きな文字でメッセージが表示されます。ここでは、メッセージのタグを以下のように用意してあります。

```
<p v-bind:style="style">{{ message }}</p>
```

v-bindを使い、style属性にstyleを設定してあります。このstyleは、"style"というテキストではなくて、style変数として扱われるわけですね。dataのreturn部分を見ると、こんな具合に値が用意されていました。

```
style:'font-size:32pt; color:red;'
```

これがv-bind:styleにより、style属性に設定されて、テキストの大きさと色が変更されていたというわけです。

コラム v-bindは省略できる！ Column

属性に変数などを設定するv-bindは、実は書かなくても使えます。例えば、先ほどstyle属性に値を設定するのに、v-bind:style="style" と記述しました。これは、:style="style" でも問題なく動作します。

このように、属性名の前にコロン(:)をつけるだけで、自動的にv-bindが設定されていると判断してくれるのです。便利な機能ですね！

オブジェクト構文について

スタイルを設定する場合、styleよりもclass属性を利用することのほうが多いでしょう。これのv-bindであるv-bind:classでは、「オブジェクト構文」と呼ばれる書き方がサポートされています。

```
v-bind:class="{ クラス名 : 変数 }"
```

このような形で記述します。クラス名の後に、変数などを指定します。見ればわかるように、これはJavaScriptでのオブジェクトの書き方そのままですね？ それで「オブジェクト構文」と呼ばれるのです。

このオブジェクト構文は、変数の値によってそのクラスが使われるかどうかが決まります。変数は真偽値の値を保管します。値がtrueならばクラスはONになり、falseならばOFFになって使われないのです。

これを利用することで、用意されているクラス1つ1つを外部からON/OFFすることができるようになります。

red/blueのクラスを切り替える

では、実際の利用例を見てみましょう。タイマーを使って2つのクラスを切り替えるサンプルです。これも<body>タグの部分だけを掲載しておきます。

リスト2-19

```
<body>
  <style>
  .red {
      font-size:32pt;
      font-weight:plain;
      font-style:normal;
      color:red;
  }
  .blue {
      font-size:24pt;
      font-weight:bold;
      font-style: italic;
      color:blue;
  }
  </style>
  <h1 class="bg-secondary text-white display-4 px-3">Vue3</h1>
  <div id="app" class="container">
    <p v-bind:class="{red:isRed, blue:isBlue}">
      {{ message }}
    </p>
  </div>

  <script>
  const appdata = {
    data() {
      return {
        message : null,
        isRed: true,
        isBlue: false
      }
    },
    mounted() {
      this.message = 'This is sample page.'
```

```
      setInterval(()=>{
        this.isBlue = !this.isBlue
        this.isRed = !this.isRed
      },1000)
    }
  }

  let app = Vue.createApp(appdata)
  app.mount('#app')
  </script>
</body>
```

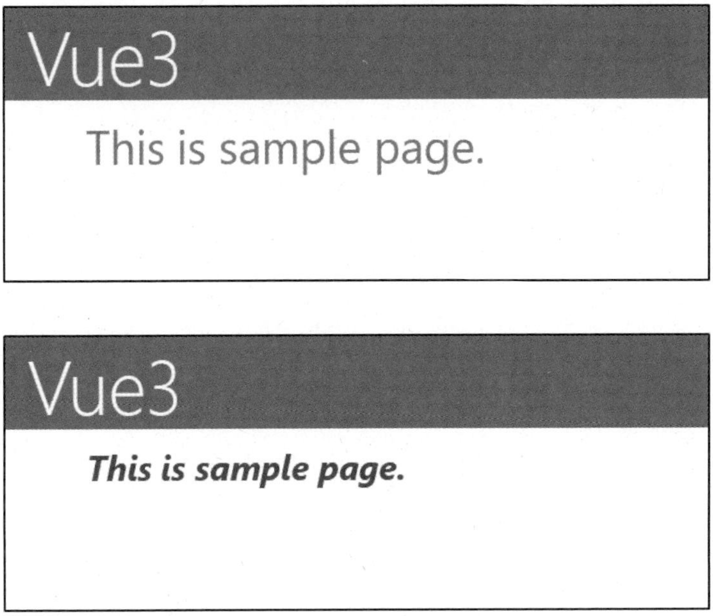

Vue3

This is sample page.

Vue3

This is sample page.

図2-22　redとblueの2つのCSSクラスが交互に設定される。

リロードすると、赤い大きめの文字のクラスと、青いイタリックボールドのクラスが交互に設定されます。両者は1秒ごとに切り替わります。クラスを操作してスタイルが変更されていることがよくわかりますね。

クラス切り替えの仕組み

ここでは、<style>を使ってredとblueの2つのクラスを用意しています。<p>タグを見ると、以下のように記述されていますね。

```
<p v-bind:class="{red:isRed, blue:isBlue}">
```

こんな具合に、v-bind:classには複数のクラスの指定を記述することができます。この場合は、それぞれをカンマで区切って記述します。

ここではredとblueというクラスについて、それぞれisRed、isBlueという値をチェックしています。これらの値次第で、redとblueのクラスがON/OFFされるようになっているわけです。

それを踏まえて、スクリプトを見てみましょう。まず、Vueオブジェクトに設定する変数dataには以下のように値が用意されています。

```
data() {
  return {
    message : null,
    isRed: true,
    isBlue: false
  }
},
```

isRedとisBlueを用意し、それぞれtrue, falseを指定してあります。これで初期状態ではredがONに、blueがOFFになるはずですね。

そしてsetIntervalに用意した関数の処理はこうなっています。

```
()=>{
  this.isBlue = !this.isBlue
  this.isRed = !this.isRed
}
```

!を使って、data.isRedとdata.isBlueの値を反転して再設定しています。つまり、trueならばfalse、falseならばtrueに変更されるようにしているわけです。これで、タイマーによってred blueのクラスが、それぞれON/OFFされるようになります。

v-bind:classにオブジェクトを設定する

このv-bind:classによるクラス設定は大変便利ですが、値の書き方がちょっと面倒くさいですね。先ほどのサンプルではred, blueという2つのクラスについて操作しましたが、クラスの数がもっと増えてくると、v-bind:class内にすべて記述するのが大変になってきます。

実はv-bind:classには、オブジェクトを値として設定することもできるのです。オブジェクトの中に、使用するクラス名のプロパティを用意しておき、それぞれに真偽値を設定することで、多数のクラスのON/OFF状態を管理することができます。

では、実際に試してみましょう。先ほどのサンプルを、オブジェクト利用の形に書き直してみます。

リスト2-20

```
<body>
  <style>
  .red {……略……}
  .blue {……略……}
  </style>
  <h1 class="bg-secondary text-white display-4 px-3">Vue3</h1>
  <div id="app" class="container">
    <p v-bind:class="classObj">
      {{ message }}
    </p>
  </div>

  <script>
  var classObj = {
      red: true,
      blue: false
  }

  const appdata = {
    data() {
      return {
        message : 'This is sample page.',
        classes : classObj
      }
    },
    mounted() {
      setInterval(()=>{
        this.classes.red = !classObj.red
        this.classes.blue = !classObj.blue
      }, 1000)
    }
  }

  let app = Vue.createApp(appdata)
  app.mount('#app')
  </script>
</body>
```

動作は先ほどのサンプルと全く同じで、1秒経過するごとにred, blueのクラスがON/OFFして表示が切り替わります。

オブジェクト操作の仕組み

では修正箇所をチェックしていきましょう。ここでは、<p>タグのv-bind:classに以下のような形で値を設定しています。

```
<p v-bind:class="classObj">
```

classObjだけです。1つ1つのクラスの情報などはなく、非常にシンプルになっていることがわかりますね。

このclassObjに使われるオブジェクトは、以下のような形で作成されています。

```
var classObj = {
    red: true,
    blue: false
}
```

redとblueのプロパティがあり、それぞれ真偽値が設定されています。先ほどのサンプルでは、操作する値はisRed, isBlueといったものになっていました。が、オブジェクトをv-bind:classに指定する場合は、クラス名をそのままプロパティとして用意します。

用意されたclassObjは、appdata内に用意されているdataメソッドで以下のように使われます。

```
data() {
  return {
    message : 'This is sample page.',
    classes : classObj
  }
},
```

これで、classesという名前でclassObjがアプリケーション・オブジェクトに用意されます。この値が、v-bind:class="classObj" というようにしてv-bind:classに設定されていた、というわけです。

後は、タイマーで実行される関数の中で、classObjを更新すれば、クリックで表示を変更できるようになる、というわけです。

```
setInterval(()=>{
  this.classes.red = !classObj.red
  this.classes.blue = !classObj.blue
}, 1000)
```

Chapter 1
Chapter 2
Chapter 3
Chapter 4
Chapter 5
Chapter 6
Addendum

this.classesのredとblueの値をそれぞれ変更しています。これでclassesの値が更新され、v-bindでバインドされたclass属性が変更されて表示が更新されます。

テンプレート用に用意するオブジェクトは、クラス名をそのままプロパティとして用意するなど、先ほどのサンプルとは微妙に作り方が違っています。

が、慣れてしまえばオブジェクトを使ってv-bind:classを設定したほうが、はるかにわかりやすくクラスも整理しやすくなります。v-bind:classの基本としてこちらの書き方も覚えておきましょう。

スタイルとオブジェクト構文

classにv-bindで値を設定するとき、オブジェクト構文を使って多数のクラスを用意することができました。このオブジェクト構文は、他のところでも使えます。1つの属性内に多数の値を用意するものが、もう1つありましたね？ そう、「style」属性です。

```
v-bind:style=" オブジェクト構文 "
```

このように、v-bind:styleにオブジェクト構文を使って値を設定できます。style属性は、スタイル名と値を必要なだけ記述していきます。考えてみると、オブジェクトとして値を用意しやすい形をしているのです。

スタイル名をプロパティ名とする形でオブジェクトを記述すれば、そこに用意されたスタイルがすべて設定されるようになっているのです。では、これも試してみましょう。

index.htmlの<div id="app">タグの部分を、以下のように書き換えてからリロードしてみてください。大きめの赤い文字でメッセージが表示されます。テキストの回りは、シアンの枠線が表示されます。

リスト2-21

```
<div id="app" class="container">
  <p v-bind:style="{fontSize:'20pt', color:'red',border:'2px solid ↵
    cyan'}">
    {{ message }}
  </p>
</div>
```

Vue3

This is sample page.

図2-23　アクセスすると、<p>タグにスタイル設定された状態で表示される。

オブジェクト構文をチェック！

ここでは、v-bind:style属性の値に以下のようなものが指定されていますね。

```
{fontSize:'20pt', color:'red',border:'2px solid cyan'}
```

fontSize、color、borderといったプロパティがあり、それぞれに値のテキストが指定されています。これで、各プロパティ名のスタイルがstyle属性に設定されることになります。

注意したいのは、「スタイル名がそのままプロパティ名になるわけではない」という点です。例えば、font-sizeスタイルは、ここではfontSizeになっています。このように、ハイフンで複数の単語がつなげられたような形になっているスタイル名は、ハイフンの後の文字を大文字にし、ハイフンを取り除いた形のプロパティとして用意されます。例えば、こんな感じです。

```
font-size → fontSize
text-align → textAlign
border-top-style → borderTopStyle
```

また、値は基本的にすべてシングルクォートでくくって記述します。スタイルの値は基本的にテキストですから、テキストリテラルとして記述しないといけないのです。例えば、color:redだと動作しません。color:'red'と各必要があります。

v-bind:styleにオブジェクトを指定する

このv-bind:styleの場合も、v-bind:classと同様に、オブジェクトを値に設定することができます。設定したオブジェクトの中に、スタイル情報をプロパティとして組み込んでおくことができれば、値の設定はもっと容易になりますね。

では、これもやってみましょう。今回は細かな修正があるので、<body>タグ部分から掲載しておきましょう。

リスト2-22

```
<body>
  <h1 class="bg-secondary text-white display-4 px-3">Vue3</h1>
  <div id="app" class="container">
    <p v-bind:style="styles">
      {{ message }}
    </p>
  </div>

  <script>
  const appdata = {
    data() {
      return {
        message : 'This is sample page.',
        styles: {
          margin:'10px',
          padding:'5px 20px',
          fontSize:'20pt',
          color:'red',
          backgroundColor:'#fee',
          border:'3px solid blue'
        }
      }
    }
  }

  let app = Vue.createApp(appdata)
  app.mount('#app')
  </script>
</body>
```

図2-24 細かくスタイルが設定されたメッセージ。

これで完成です。ページをリロードすると、先ほどと同じようにスタイルが設定されたテキストが表示されます。この前のサンプルよりも、更に設定するスタイルは増えていますが、<p>タグの記述は以下のようにシンプルになっています。

```
<p v-bind:style="styles">
```

これで、stylesという値がstyle属性に設定されます。このstylesに、必要なスタイル情報をまとめたオブジェクトを用意すればいいのですね。

スクリプト部分で、dataを用意している部分をよく見ると、このような形になっているのがわかります。

```
data() {
  return {
    message : 'This is sample page.',
    styles: {
      margin:'10px',
      padding:'5px 20px',
      fontSize:'20pt',
      color:'red',
      backgroundColor:'#fee',
      border:'3px solid blue'
    }
  }
}
```

stylesプロパティに、多数のスタイル情報がまとめられているのがわかります。多くの項目がありますが、1つ1つ改行し整理して書いてあるので、そうわかりにくくはありませんね。オブジェクト構文を使ってHTMLタグのv-bind:styleにこれらすべてを記述することを考えたなら、こちらのほうが圧倒的に見やすくわかりやすいでしょう。

v-ifによる条件付きレンダリング

テンプレートによる表示は、用意された値をただ表示するだけのものではありません。プログラミング言語でいう「制御構文」的な働きをするものも用意されているのです。

プログラミング言語の「if構文」に相当するのが、「v-if」です。これは、以下のような形で記述されます。

```
<タグ v-if=" 条件 ">……表示内容……</タグ>
```

タグの中に、v-if属性を追加し、その値として真偽値として扱える変数などを記述しておきます。この条件に設定した値がtrueならばこのタグは表示され、falseならば表示されません。

v-elseもある！

if構文では、条件がfalseな場合にはelse部分を表示することができました。v-ifにも、elseに相当するものがあります。「v-else」というもので、以下のように利用します。

```
<タグ v-else>……表示内容……</タグ>
```

このv-elseは、v-ifを記述したタグの直後に配置します。これにより、直前のv-ifの条件がfalseだった場合には、このv-elseのタグが表示されるようになります。v-ifがtrueならば、v-elseタグは表示されません。

条件によって表示を切り替える

では、実際に使ってみましょう。<body>タグ部分を以下のように書き換えて試してみてください。

リスト2-23

```
<body>
  <style>
  .ok {
      font-size:24pt;
      color:blue;
      padding: 5px 10px;
      border: 2px solid red;
  }
  .ng {
      font-size:20pt;
      color:gray;
  }
  </style>
  <h1 class="bg-secondary text-white display-4 px-3">Vue3</h1>
  <div id="app" class="container">
    <p v-if="flag" class="ok">
      {{ message }}
    </p>
    <p v-else class="ng">
      ※現在、問題が発生中です……
```

```
    </p>
</div>

  <script>
  const appdata = {
    data() {
      return {
        message : 'This is sample page.',
        flag : true
      }
    },
    mounted() {
      setInterval(()=>{
        this.flag = !this.flag
      }, 10000)
    }
  }

  let app = Vue.createApp(appdata)
  app.mount('#app')
  </script>
</body>
```

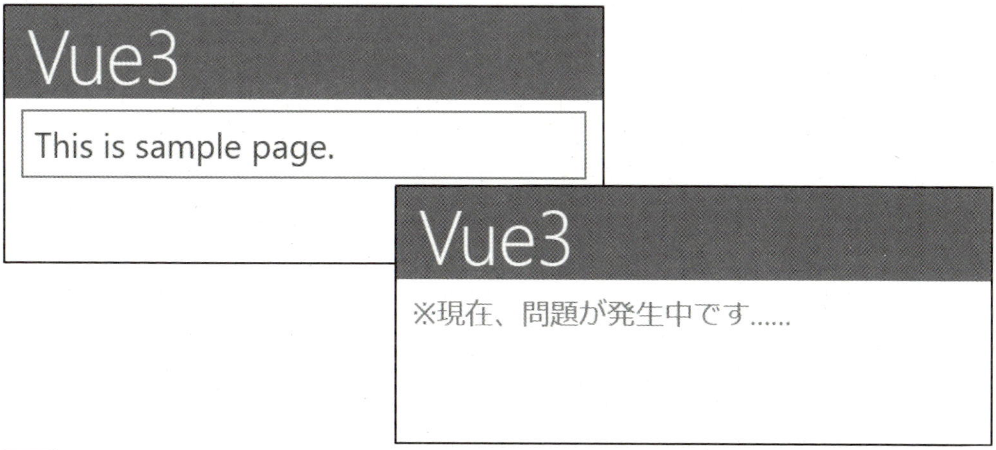

Vue3

This is sample page.

Vue3

※現在、問題が発生中です……

図2-25 2つの表示が交互に切り替わる。

実行すると、青字に赤いボーダーで「これは正常な表示です」と表示されます。10秒経過すると、グレーで「※現在、問題が発生中です……」と表示が変わります。10秒ごとに、この2つの表示が交互に切り替わります。

v-if/v-elseをチェック！

では、v-ifとv-elseを記述した部分を見てみましょう。ここでは以下のように構文を使っています。

```
<p v-if="flag" class="ok">
    {{ message }}
</p>
<p v-else class="ng">
    ※現在、問題が発生中です……
</p>
```

v-ifには、flagという値が指定されています。このflagがtrueならばv-ifの<p>タグを、falseならばv-elseの<p>タグを表示するようになっているわけですね。

タイマーに用意された関数を見ると、このようになっています。

```
setInterval(()=>{
  this.flag = !this.flag
}, 10000)
```

data.flagの値を逆転させています。つまり、trueならばfalse、falseならばtrueに変わるようにしているのです。このようにdata.flagの値を操作することで、表示が切り替わるようになっていたのですね。

複雑な表示は<template>タグ！

v-ifは、タグに属性として記述し、その値がtrueならばタグを表示します。が、表示するタグが複数あった場合は？ 1つ1つにv-ifを追加するのはけっこう面倒ですね。<div>などでまとめて追加すればいい、という考えもありますが、場合によっては余計なタグを追加できないようなこともあります(例えば、<ol>や<ul>内に、条件に応じて<li>の項目を追加するような場合は、余計なタグを追加できません)。

このような場合、どうすればいいのか？ そんなときに登場するのが、<template>というタグです。

この<template>タグは、もちろんHTMLに用意されているものではありません。これはVue3に用意されている特別なタグです。テンプレートとしてHTMLタグを記述する際に用いられます。

この<template>タグは、複数のタグを1つのテンプレートとしてまとめるのに用いられます。重要なのは、「このタグ自身は表示されない」という点です。つまり、出力されるのは<template>タグの内部に書かれているタグだけで、このタグ自体は表示の際に消えてしまうのです。

テーブルとリストを切り替える

では、実際の利用例を挙げておきましょう。ここでは、テーブルとリストを用意し、これをv-ifで切り替えてみます。<body>部分を以下のように記述してください。

リスト2-24

```
<body>
  <h1 class="bg-secondary text-white display-4 px-3">Vue3</h1>
  <div id="app" class="container">
    <template v-if="flag">
      <p>※データをテーブル表示する</p>
      <table class="table">
        <thead class="thead-dark">
          <tr><th>Name</th><th>mail</th></tr>
        </thead>
        <tbody>
          <tr><td>Taro</td><td>taro@yamada</td></tr>
          <tr><td>Hanako</td><td>hanako@flower</td></tr>
          <tr><td>Sachiko</td><td>sachiko@happy</td></tr>
      </tbody>
      </table>
    </template>
    <template v-else>
      <p>※データをリスト表示する</p>
      <ul class="list-group">
        <li class="list-group-item">Taroのアドレスは、taro@yamadaです。</li>
        <li class="list-group-item">hanakoのアドレスは、hanako@flowerです。
          </li>
        <li class="list-group-item">Sachikoのアドレスは、sachiko@happyです。
          </li>
      </ul>
    </template>
  </div>

  <script>
  const appdata = {
    data() {
      return {
        flag : true
```

```
      }
    },
    mounted() {
      setInterval(()=>{
        this.flag = !this.flag
      }, 10000)
    }
  }

  let app = Vue.createApp(appdata)
  app.mount('#app')
  </script>
</body>
```

図2-26　アクセスするとテーブルが表示される。10秒経過するとリストに切り替わる。

ページをリロードすると、テーブルが表示されます。そのまま10秒経過するとリストに表示が変わります。10秒ごとにこの2つの表示が交互に切り替わります。こうした表示の切り替えは、けっこう便利に使えそうですね。

ここでは、以下のような形で表示部分を用意しています。

```
<template v-if="flag">
    <p>※データをテーブル表示する</p>
    <table class="table">
        ……略……
    </table>
</template>
<template v-else>
    <p>※データをリスト表示する</p>
    <ul class="list-group">
        ……略……
    </ul>
</template>
```

<template v-if>で、条件となるflagがtrueの場合の表示を用意し、<template v-else>で、flagがfalseの場合の表示を用意します。<template>タグ自身は表示されないので、その中に書かれたタグがそのままこの場所に表示されます。

この<template>は、これから先、度々登場します。これは、v-if用ということでなく、Vue3でテンプレートとしてHTMLタグをまとめて記述する際に多用されるものですので、ここでしっかりと頭に入れておきましょう。

テーブルとリストのクラスについて

Vue3とは直接関係ありませんが、ここではBootstrapのクラスを利用してテーブルとリストを表示しています。この表示についても簡単に触れておきましょう。

まずはテーブルから。テーブルのクラス設定は非常に簡単です。<table>タグに、class="table"と用意するだけです。これでBootstrapでデザインされたテーブルに変わります。ここでは、この他に<thead>タグにclass="thead-dark"とクラスを用意してあります。これはダークモードの表示にするもので、これによりヘッダー部分だけを黒地に白の表示にしてあります。

リストは、<ul>タグや<ol>タグにclass="list-group"とクラスを用意して作成します。そして、表示される各項目となる<li>には、それぞれclass="list-group-item"を指定します。これで、Bootstrapのリストが完成します。

このBootstrapによるテーブルとリストは、使い方を知っていると、簡単に見栄えのいい表示が作れます。そう複雑なクラス設定ではないので、ぜひここで覚えておきましょう。

v-forによるリストレンダリング

if文に相当するものがあるなら、繰り返し構文に相当するものも、もちろんあります。これは「v-for」という属性で、以下のように記述をします。

```
<タグ v-for="変数 in 配列">
……表示内容……
</タグ>
```

v-forの値には、「変数 in 配列」という形で記述をします。こうすることで、配列の値を順に取り出し、変数に入れてタグを出力します。このタグ内に、変数を利用した表示を用意しておけばいいわけですね。

データをテーブル出力する

では、これも実際の利用例を挙げておきましょう。例によって<body>タグの部分だけを掲載しておきます。

リスト2-25

```
<body>
  <h1 class="bg-secondary text-white display-4 px-3">Vue3</h1>
  <div id="app" class="container">
    <p>{{ message }}</p>
    <table class="table">
      <thead class="thead-dark">
        <tr>
          <th>Name</th>
          <th>mail</th>
          <th>tel</th>
        </tr>
      </thead>
      <tr v-for="item in items">
        <td>{{item.name}}</td>
        <td>{{item.mail}}</td>
        <td>{{item.tel}}</td>
      </tr>
    </table>
  </div>

  <script>
  const appdata = {
```

```
    data() {
      return {
        message : '※データをテーブル表示する',
        items:[
          {name:'Taro', mail:'taro@yamada', tel:'999-999'},
          {name:'Hanako', mail:'hanako@flower', tel:'888-888'},
          {name:'Sachiko', mail:'sachiko@happy', tel:'777-777'},
          {name:'Jiro', mail:'jiro@change', tel:'666-666'},
        ]
      }
    }
  }

  let app = Vue.createApp(appdata)
  app.mount('#app')
  </script>
</body>
```

Vue3

※データをテーブル表示する

Name	mail	tel
Taro	taro@yamada	999-999
Hanako	hanako@flower	888-888
Sachiko	sachiko@happy	777-777
Jiro	jiro@change	666-666

図2-27　アクセスすると、データをテーブルにまとめて表示する。

Webブラウザでアクセスするとテーブルが表示されます。このテーブルに表示されている内容は、JavaScript側で配列にまとめたものです。それをv-forで順に取り出し、テーブルの項目として出力しているのです。

データをテーブルに展開する流れ

ここでは、data変数の中にitemsというプロパティを用意し、そこにデータをまとめてあります。これは、以下のように書かれていますね。

```
items:[
  {name:'Taro', mail:'taro@yamada', tel:'999-999'},
  {name:'Hanako', mail:'hanako@flower', tel:'888-888'},
  {name:'Sachiko', mail:'sachiko@happy', tel:'777-777'},
  {name:'Jiro', mail:'jiro@change', tel:'666-666'},
]
```

itemsは配列になっていて、配列の各要素はオブジェクトになっています。そのオブジェクトには、name, mail, telといったプロパティが用意されています。

これを使って表示をしているのが、<table>タグ内の<tr>タグです。これは以下のように記述されています。


```
<tr v-for="item in items">
    <td>{{item.name}}</td>
    <td>{{item.mail}}</td>
    <td>{{item.tel}}</td>
</tr>
```

v-for="item in items"で、itemsの配列から順にオブジェクトを取り出し、変数itemに代入します。そして<tr>タグの中では、このitemから必要な値を取り出して表示しています。例えば、{{item.name}}とすれば、itemのnameプロパティの値を表示できるわけですね。

こうして、配列の各オブジェクトごとに<tr>タグが出力され、テーブルが作成されていく、というわけです。

インデックス番号の取得

このv-forは、基本的に「配列から順に要素を取り出す」という形の繰り返しです。が、JavaScriptでは、forで変数の値をカウントしながら繰り返すようなやり方も用意されていましたね。「現在、どの繰り返しか」をカウントするような値が必要となることは、よくあるでしょう。

このような場合、v-forでは配列のインデックス番号を第2引数として取り出すことができます。

```
<タグ v-for="( 要素 , インデックス ) in 配列">
```

このような形でv-forを用意するのです。これで、配列から取り出した要素は1つ目の変数に代入され、2つ目の変数には取り出した要素のインデックス番号が代入されます。これらの値を利用すれば、現在、何度目の繰り返しかもわかります。

インデックス番号を表示しよう

では、先ほどのサンプルで、<table>タグの部分を書き換えて、インデックス番号を表示させてみましょう。

リスト2-26

```
<table class="table">
  <thead class="thead-dark">
    <tr>
      <th>ID</th>
      <th>Name</th>
      <th>mail</th>
      <th>tel</th>
    </tr>
  </thead>
  <tr v-for="(item, id) in items">
    <td>{{id}}</td>
    <td>{{item.name}}</td>
    <td>{{item.mail}}</td>
    <td>{{item.tel}}</td>
  </tr>
</table>
```

Vue3

※データをテーブル表示する

ID	Name	mail	tel
0	Taro	taro@yamada	999-999
1	Hanako	hanako@flower	888-888
2	Sachiko	sachiko@happy	777-777
3	Jiro	jiro@change	666-666

図2-28 IDとして、各要素のインデックス番号を表示するようになった。

テーブルの冒頭に、IDという項目が追加され、ゼロ番から順にナンバリングされます。ここでは、v-forのタグを以下のように書き換えています。

```
<tr v-for="(item, id) in items">
```

これで、{{id}} でインデックス番号が表示できるようになります。繰り返し番号などが必要なときは役立つ書き方ですね！

 オブジェクトをv-forする場合は？ 

v-forは、基本的に配列を利用して繰り返し処理を行なうものですが、一般的なオブジェクトを、そのままv-forで処理することもできます。この場合、オブジェクトに用意されているプロパティの値を順に取り出すことになります。

```
<タグ v-for="( 値 , キー ) in オブジェクト">
```

()部分には、オブジェクトから取り出した値とそのキー（プロパティ名）が取り出されます。配列のインデックス番号のところに、キーの名前が取り出されるわけです（JavaScriptをしっかり勉強している人は、「そもそもJavaScriptでは配列もオブジェクトの一つだ」ということを知っているかもしれませんね。両者は実は同じものなんです）。

オブジェクトをテーブル化する

では、これも実際に使ってみましょう。先ほどのテーブル表示の例を、配列からオブジェクトに変更してみましょう。<body>タグの部分だけ掲載しておきます。

リスト2-27

```
<body>
  <h1 class="bg-secondary text-white display-4 px-3">Vue3</h1>
  <div id="app" class="container">
    <p>{{ message }}</p>
    <table class="table">
      <thead class="thead-dark">
        <tr>
          <th>Name</th>
          <th>mail</th>
          <th>tel</th>
        </tr>
```

```
      </thead>
      <tr v-for="(item, key) in items">
        <td>{{key}}</td>
        <td>{{item.mail}}</td>
        <td>{{item.tel}}</td>
      </tr>
    </table>
  </div>

  <script>
  const appdata = {
    data() {
      return {
        message : '※データをテーブル表示する',
        items:{
            Taro:{mail:'taro@yamada', tel:'999-999'},
            Hanako: {mail:'hanako@flower', tel:'888-888'},
            Sachiko: {mail:'hanako@flower', tel:'888-888'},
            Jiro: {mail:'jiro@change', tel:'666-666'}
        }
      }
    }
  }

  let app = Vue.createApp(appdata)
  app.mount('#app')
  </script>
</body>
```

Vue3

※データをテーブル表示する

Name	mail	tel
Taro	taro@yamada	999-999
Hanako	hanako@flower	888-888
Sachiko	hanako@flower	888-888
Jiro	jiro@change	666-666

図2-29 アクセスすると、itemsオブジェクトの中身がテーブル表示される。

アクセスすると、4つのデータがテーブルにまとめて表示されます。見た目には、これまでのサンプルと同じように見えますね。では、やっていることはどうでしょう。

まず、用意するデータを見てみましょう。これは変数dataの中に、itemsというプロパティとして用意してあります。

```
items:{
    Taro:{mail:'taro@yamada', tel:'999-999'},
    Hanako: {mail:'hanako@flower', tel:'888-888'},
    Sachiko: {mail:'hanako@flower', tel:'888-888'},
    Jiro: {mail:'jiro@change', tel:'666-666'}
}
```

ここでは、Taro, Hanako, Sachiko, Jiroといったプロパティが用意されています。それぞれ、ユーザーの名前をプロパティにしてあるのですね。そして値として、mailとtelを持つオブジェクトを用意してあります。

では、これをどうやって表示しているか、<table>内の<tr>タグ部分を見てみましょう。

```
<tr v-for="(item, key) in items">
    <td>{{key}}</td>
    <td>{{item.mail}}</td>
    <td>{{item.tel}}</td>
</tr>
```

(item, key) in items としてitemsからitemsに値を、そしてkeyにキーを取り出しています。そして、Nameの項目には{{key}}を使い、残りはitem内のmailとtelを取り出して表示しています。

違いは「データの順序」

要するに、これまでname, mail, telといったデータをまとめたオブジェクトの配列だったものを、「nameをプロパティとするオブジェクト」に変えただけです。プロパティとその値を取り出す形になるので、配列とは微妙にデータの構造が違いますが、v-forで取り出される値とキーがわかっていれば、それほど難しいことはないでしょう。

どちらも似たような使い方ができますが、しかし完全に同じではありません。配列とオブジェクトには小さいけれど重要な違いがあるのです。

●すべてのキーはユニークである

「ユニーク」というのは、「同じ値が複数存在しないこと」です。オブジェクトの場合、プロパティとして項目を保管していきます。この例でいえば、ユーザーの名前をプロパティにして、その人のユーザー情報を保管していました。ということは、「同じ名前の人は複数保管できない」ということになります。この点は重要です。

●値の並び順は保証されない

配列の場合、インデックス番号の順に値は取り出されました。ではオブジェクトでは？インデックス番号のように、きちんとした順番が指定されているわけではありません。このため、オブジェクトから順に値を取り出す場合、その取り出す順番はどうなるかわからないのです。「こういう順番で取り出す」ということが保証されていないのです。

この2つの点は、場合によっては非常に重要な問題となることがありますので、よく頭に入れておきましょう。

v-forとv-ifを組み合わせる

このv-ifとv-forは、組み合わせることで更に複雑な表示が行なえます。ただし、これらは1つのタグ内に両方を用意すると、思ったように動いてくれないかもしれません。慣れないうちは、それぞれ別のタグに用意するとよいでしょう。

例えば、v-forを使ってテーブルを表示させる際、更にv-ifで条件に応じて表示を変更させることもできます。この場合、どのようにタグとv属性を組み合わせていけばいいか、よく考えて作る必要があります。

実際のサンプルを見てみましょう。また<body>タグだけ挙げておきます。

リスト2-28

```
<body>
  <h1 class="bg-secondary text-white display-4 px-3">Vue3</h1>
  <div id="app" class="container">
    <p>{{ message }}</p>
    <table class="table">
      <thead class="thead-dark">
        <tr>
          <th>ID</th>
          <th>Name</th>
          <th>mail</th>
          <th>tel</th>
        </tr>
      </thead>
      <template v-for="(item, index) in items">
      <tr v-if="index % 2 == 0">
        <td>{{index}}</td>
```

```
        <td>{{item.name}}</td>
        <td>{{item.mail}}</td>
        <td>{{item.tel}}</td>
      </tr>
      <tr v-else>
        <td>***</td>
        <td>***非公開***</td>
        <td>***非公開***</td>
        <td>***非公開***</td>
      </tr>
    </template>
    </table>
  </div>

  <script>
  const appdata = {
    data() {
      return {
        message : '※データをテーブル表示する',
        items:[
          {name:'Taro', mail:'taro@yamada', tel:'999-999'},
          {name:'Hanako', mail:'hanako@flower', tel:'888-888'},
          {name:'Sachiko', mail:'sachiko@happy', tel:'777-777'},
          {name:'Jiro', mail:'jiro@change', tel:'666-666'},
          {name:'mami', mail:'mami@mumemo', tel:'555-555'},
        ]
      }
    }
  }

  let app = Vue.createApp(appdata)
  app.mount('#app')
  </script>
</body>
```

Vue3

※データをテーブル表示する

ID	Name	mail	tel
0	Taro	taro@yamada	999-999
***	***非公開***	***非公開***	***非公開***
2	Sachiko	sachiko@happy	777-777
***	***非公開***	***非公開***	***非公開***
4	mami	mami@mumemo	555-555

図2-29　偶数のIDのデータのみ表示され、奇数は非公開になる。

これを実行してみましょう。面白い表示が現れます。データを順番に取り出し、テーブルにまとめて表示しますが、ID番号が偶数のものだけデータが表示され、奇数のものは「***非公開***」と表示されるのです。

v-for/v-ifをチェックする

では、どのようにしてテーブルの出力をしているのか確認しましょう。ここでは、<table>内の<tr>タグが、以下のような形で作られています。

```
<template v-for="(item, index) in items">
  ……表示内容……
</template>
```

<template>タグを使い、<tr>を繰り返し出力するようにしてあります。そして出力される<tr>タグは、以下のような形になっています。

```
<tr v-if="index % 2 == 0">
    ……偶数IDの表示……
</tr>
<tr v-else>
    ……奇数IDの表示……
</tr>
```

<template>では、v-for="(item, index) in items" が優先され、itemsから順に値とインデックス番号が(item, index)に取り出されています。そして、その内部にある<tr>では、v-if="index % 2 == 0"がチェックされます。これで、index % 2の値がゼロかどうか(つまり2で割ったあまりがゼロ＝偶数かどうか)をチェックし、これがtrueなら(＝偶数なら)、この<tr>タグが表示されるようになります。そして、falseだったら(＝奇数だったら)、その後にある<tr v-else>が表示されるようになります。

コラム 同じタグにv-ifとv-forを用意すると？(Vue2とVu3の違い) Column

ここでは「v-ifとv-forはそれぞれ別のタグに分けて書く」ことを推奨しています。が、もちろん1つのタグに両方を用意することも可能です。この場合、どのように働くのでしょうか？

Vue3では、v-ifとv-forは「v-ifが優先される」ようになっています。したがって、まずv-ifによる条件分岐が行なわれ、それによって表示されることが決定している場合は、v-forによる繰り返しを使った表示が作成されます。

この働きは、実はVue2では違っていました。このため、同じタグに両者を配置すると、Vue2とVu3で動作(表示)が違うものになります。Vue2から利用している人は注意してください。

<template>をフルに活用しよう！

これまでv-forで<tr>を出力するのに、<tr v-for="○○">というように<tr>内にv-forを用意していました。このため、「<tr>をv-forで繰り返し表示し、なおかつv-ifで条件に応じて出力する」となると、一体どっちを<tr>に用意すればいいのか、用意しなかったもう片方はどうすればいいか、悩んでしまったかもしれません。

こういうときに、レンダリングされると消えてしまう<template>の存在が役に立つのです。入れ子になったv属性を<template>で整理することでわかりやすく表示を構築できます。例えば、先ほどの<template>部分を<template>で更にわかりやすくしてみましょう。

リスト2-29

```
<template v-for="(item, index) in items">
  <template v-if="index % 2 == 0">
    <tr>
      <td>{{index}}</td>
      <td>{{item.name}}</td>
      <td>{{item.mail}}</td>
```

```
      <td>{{item.tel}}</td>
    </tr>
  </template>
  <template v-else>
    <tr>
      <td>***</td>
      <td>***非公開***</td>
      <td>***非公開***</td>
      <td>***非公開***</td>
    </tr>
  </template>
</template>
```

こうすると、更にv属性による構造がよくわかります。v-ifやv-forのように制御構文的な働きをするv属性は、すべて<template>を使って記述し、実際に表示されるタグには書かないようにすれば、「構造がよくわからない」ということもなくなるでしょう。

この章のまとめ

さあ、いきなりVue3の使い方の初歩から、かなり高度なテンプレート構文の使い方まで一気に説明をしました。特にテンプレート関係はけっこう高度な機能まで取り上げたので、「なんだかわけがわからない」と音を上げた人も多いでしょう。

確かに、スタートしてからいきなりここまで全部説明したのは無茶でした。全部覚えられないのは、読者であるあなたが悪いわけじゃありません。ただ、量が多すぎただけなんです。

実をいえば、ここでの説明は、全部覚える必要はないんです。とりあえず「これだけは覚えておいて！」というキモの部分だけしっかり覚えてあれば、それ以外は忘れてもとりあえず大丈夫です。

では、「絶対これは覚えておく！」というポイントはどこでしょうか。簡単にまとめておきましょう。

{{}}は必須！

テンプレートで表示をするなら、これは必須です。絶対に覚えないといけません。といっても、使い方は簡単ですから誰でもすぐに覚えられるでしょう。

この{{}}は、コンテンツとして画面に表示されるところに配置します。タグの属性の値などには書けないので注意しましょう。

v-bindは重要！

属性に変数などの値を設定する、v-bindも非常に重要です。これは、基本となる「変数などを属性に設定する」という書き方だけはしっかり覚えておいてください。

v-bind:classやv-bind:styleで、いろいろなテクニックを説明しましたが、これらは「覚えられたら覚える」ぐらいに考えておけばOKです。いくつものクラスをON/OFFしたりするのは、忘れていいです。styleにオブジェクトにまとめたスタイルを設定するやり方は、けっこう便利なので覚えられたら覚えておくとよいでしょう。

v-if、v-forは基本だけ

条件による表示や繰り返し表示を行なうv-if、v-forは、覚えられたら覚える、ぐらいに考えておきましょう。どちらも、一番基本的な使い方だけわかれば、それで十分です。

これらは、Vue3を使っていれば少しずつ利用することになるので、いずれはちゃんと使えるようになるでしょう。無理に今すぐ覚える必要はありません。

HTMLファイルからコンポーネントへ！

この章で、テンプレートの基本などを一通り説明したのは、「こうしたベタな書き方はここで終わりにしたい」と考えたからです。ここで説明したやり方は、実はVue3で多用されるものではありません。

Vue3のもっとも多用されるプログラムの作り方、それは「コンポーネント」を使ったものです。次章で、このコンポーネントについて説明していくことにしましょう。ただし！ そのためには、この章で説明した基本部分（{{}}とか、v-bindとか）はわかってないといけません。それらをきっちり頭に入れた上で、次の章に進みましょう！

Chapter

3

コンポーネントを使おう!

Vue3では、「コンポーネント」という部品を作って利用します。このコンポーネントは、さまざまな情報を自身の中に持っており、独立して使える部品です。コンポーネントの基本をここでしっかり理解しておきましょう!

Section 3-1

コンポーネントの基本をマスター！

 コンポーネントってなに？ 

Vue3の基本は、createAppでアプリケーション・オブジェクトを作成し、そこに用意したデータをHTMLのタグに組み込んで操作する、というものです。このオブジェクトは、1つしか作れないわけではありません。

前章で作ったサンプルはいずれも1つだけでしたが、必要に応じていくつも作って利用できます。Webページのあちこちにタグを配置し、それらにオブジェクトを設定して表示などを管理できるわけです。

そうなると、同じような表示がいくつもあったら「作ったオブジェクトを再利用できないか」と考えるようになるでしょう。こうなったら、Vue3の「コンポーネント」を活用するときがやってきた、ということなのです。

コンポーネントは再利用可能な「部品」

コンポーネントというのは、Vue3に用意されている機能で、おそらくもっとも多用される機能といえるでしょう。

コンポーネントとは一体何でしょうか？ これは、一言で説明するなら「名前のついた再利用可能なオブジェクト」となるでしょう。

基本的に、Vue3は、Vueオブジェクトを使ってさまざまな値を操作します。が、何か表示を行なうときに、毎回、JavaScriptでインスタンスを作成して、表示を挿入するタグをHTMLの中にIDなどで指定して……というのは正直面倒ですね。

そこで、「オブジェクトを作成し、特定のタグにレンダリングを適用する」という、JavaScriptのスクリプト側と、HTMLタグ側の両方の処理をひとまとめにして、いつでも簡単に利用できるようにしたのが、コンポーネントなのです。このコンポーネントは、一度定義すると、後はHTMLのタグを書くのと同じ感覚で利用できるようになります。

コンポーネントの定義と利用

では、コンポーネントはどのようにして作成するのでしょうか。これは、アプリケーション・オブジェクトの「component」というメソッドを使います。

```
アプリケーション.component( 名前 , { 設定情報 } )
```

このような形でコンポーネントは定義されます。第1引数の名前が、コンポーネントの名前で、これは実際に利用する際に重要になります。そしてコンポーネントの具体的な設定などを、第2引数にオブジェクトとしてまとめて用意します。実際のコンポーネントの作成では、この設定情報オブジェクトをどのように書くかが重要になってくるでしょう。

コンポーネントはHTMLタグ？

このように定義されたコンポーネントは、HTMLの中に以下のような形で記述することで挿入できます。

```
<コンポーネント />
```

コンポーネントのタグがあるかのように記述すればいいのです。例えば、helloというコンポーネントなら、HTMLのソースコード内に<hello />と書けば、helloコンポーネントをそこに挿入できてしまいます。再利用という点で考えれば、普通にVueオブジェクトを作って利用するより圧倒的に簡単ですね！

helloコンポーネントを作ってみる！

では、実際にコンポーネントを作ってみましょう。ここでは、単純に「Hello!」とメッセージを表示するだけのコンポーネント「hello」を作って利用してみます。

リスト3-1

```
<body>
  <h1 class="bg-secondary text-white display-4 px-3">Vue3</h1>
  <div id="app" class="container">
    <p>{{ message }}</p>
    <hello/>
  </div>
```

```
  <script>
  const appdata = {
    data() {
      return {
        message : '※コンポーネントを表示する'
      }
    }
  }

  let app = Vue.createApp(appdata)

  app.component('hello', {
    template: '<p class="alert alert-primary">Hello!</p>'
  })

  app.mount('#app')
  </script>
</body>
```


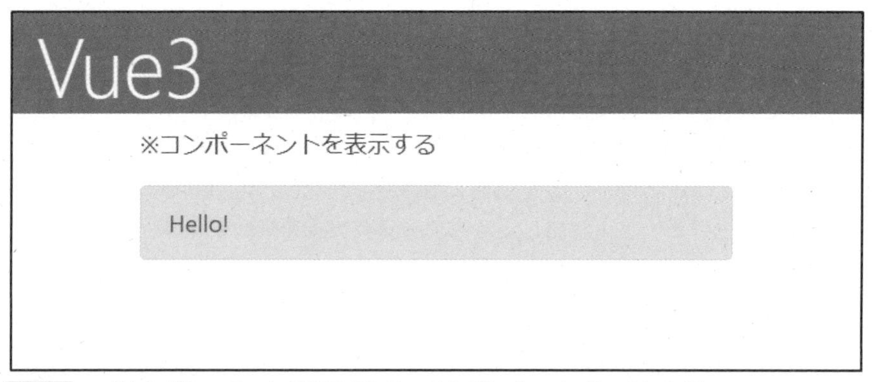

図3-1　「Hello!」とアラートが表示される。これがhelloコンポーネントだ。

Webブラウザで表示すると、淡いブルー背景で「Hello!」というアラートが表示されます。ただHello!と文字が表示されるだけではわかりにくいので、ここではBootstrapのアラートを使って表示を作成しました。Webブラウザで表示を確認してみましょう。

コンポーネント組み込みのポイント

では、コンポーネントがどのように使われているのか見てみましょう。まず、Vueの表示を組み込んでいるHTMLのタグ部分を確認しておきましょう。

```
<div id="app">
    <p>{{ message }}</p>
```

```
  <hello/>
</div>
```

このようになっていました(class属性は省略してあります)。id="app"のタグがVueを適用するタグです。その中に、<hello />というタグが用意されています。これが、helloコンポーネントを使っているところです。

では、このhelloコンポーネントはどのように定義されているのでしょうか。

```
app.component('hello', {
  template: '<p class="alert alert-primary">Hello!</p>'
})
```

ここで使っているappは、let app = Vue.createApp(appdata)で作成されているもの(つまりアプリケーション・オブジェクト)です。その中にあるcomponentメソッドを呼び出してコンポーネントを作成しているのですね。

第1引数の名前には、'hello'と指定をしてあります。そして第2引数の設定情報オブジェクトには、「template」という項目が用意されています。これはコンポーネントの基本となるプロパティで、このtemplateに設定した内容がコンポーネントとして表示されるのです。

ここでは、<p>タグを使ってHello!という表示を作っています。これが、そのまま<hello />タグに置き換わって表示されるようになる、というわけです。

コラム マウントは最後に！ Column

コンポーネントが登場すると、よく考えないといけなくなるのが「記述するスクリプトの順番」です。appの用意は、これは最初にやっておく必要があるでしょう。でないとコンポーネントも作れませんからね。

重要なのは「コンポーネントの場所」です。これは、app作成より後、そして「app.mountより前」である必要があります。なぜなら、最後にapp.mountで指定の場所にVue3のアプリケーションコンポーネントを組み込んで、初めてコンポーネントは使えるようになるからです。app.mountした後でコンポーネントを用意しても、これは画面には表示されません。app.mountでマウントされた際、必要なすべてのオブジェクト類が一通り揃っている必要があります。この時点でコンポーネントが用意されていなかったら、それはマウントすることはできないのですから。

変数をコンポーネントに渡す

　このコンポーネントは、ただ用意したタグをそのまま表示するだけしかできないわけではありません。Vueオブジェクトで行なったように、用意した値変数に収め、コンポーネントに渡して表示することもできます。

　変数などの値は、コンポーネントの「data」メソッドに用意します。これは、すでに利用していますから使い方はわかいますね。

```
data(){ return { 変数の情報 } }
```

　Vueオブジェクトでのdataは、変数として渡す値をオブジェクトにまとめていましたが、このdataは、オブジェクトにまとめたものをreturnする関数として用意する、というわけです。基本的な書き方さえわかれば、そう難しいものではありませんね。

メッセージを指定する

　では、先ほどのhelloコンポーネントを修正し、表示するメッセージを変数として渡すようにしてみましょう。<body>タグの部分を以下のように書き換えてみてください。

リスト3-2

```
<body>
  <h1 class="bg-secondary text-white display-4 px-3">Vue3</h1>
  <div id="app" class="container">
    <p>{{ message }}</p>
    <hello/>
  </div>

  <script>
  const appdata = {
    data() {
      return {
        message : '※コンポーネントを表示する'
      }
    }
  }

  let app = Vue.createApp(appdata)

  app.component('hello', {
    data() {
```

```
      return {
        message: 'これは新しいメッセージです。'
      }
    },
    template: '<p class="alert alert-primary">{{message}}</p>'
  })

  app.mount('#app')
  </script>
</body>

</body>
```

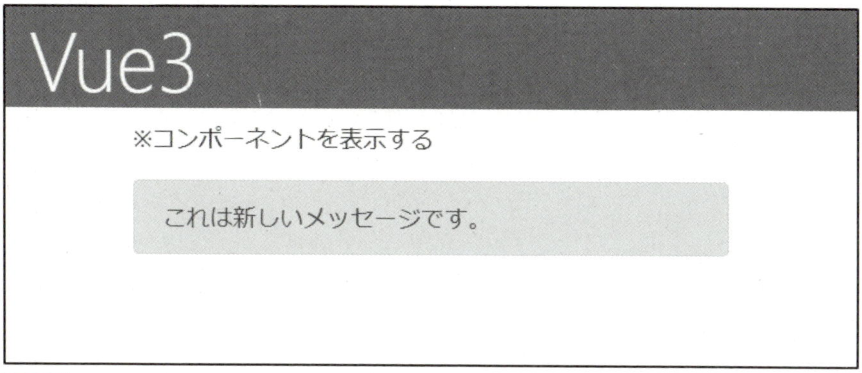

Vue3

※コンポーネントを表示する

これは新しいメッセージです。

図3-2　Webブラウザで表示すると、messageで設定したメッセージが表示される。

Webブラウザで開いてみると、「これは新しいメッセージです。」とメッセージが表示されます。では、helloコンポーネントがどのように変わったか見てみましょう。

```
app.component('hello', {
  data() {
    return {
      message: 'これは新しいメッセージです。'
    }
  },
  template: '<p class="alert alert-primary">{{message}}</p>'
})
```

templateで出力される内容では、{{message}}というように変数messageを埋め込んであります。そしてdataプロパティには、{ message: …… }というように値を用意してreturnしてあります。このmessageの値が、そのままtemplateの{{message}}にはめ込まれて表示されていた、というわけです。

dataのmessageの値をいろいろと書き換えて表示が変わることを確認しておきましょう。

属性の利用

これで、helloコンポーネントの表示メッセージをテンプレート外で設定できるようになりました。これを更に一歩進めて、コンポーネントのメッセージをコンポーネントのタグに用意できるようにしてみましょう。

一般的なHTMLのタグでは、それぞれのタグの設定情報などを属性として用意してあります。コンポーネントの場合も、例えば表示するメッセージなどの情報を属性として用意できれば、タグを書く際にメッセージを設定できて便利ですね！

この「タグの属性」は、コンポーネントに「props」というプロパティとして用意しておきます。この値は、以下のように記述します。

```
props: [ 名前1, 名前2, …… ]
```

propsは、配列を値に持つプロパティです。配列には、タグに用意される属性の名前をまとめておきます。こうすることで、それらの名前をタグに属性として記述できるようになります。

非常に面白いのは、このように用意された属性は、そのままtemplateのテンプレート内で使うことができる、という点です。例えば、helloという属性を用意したら、テンプレート内で{{hello}}と記述すれば、属性の値を出力できるのです。

name属性で名前を指定する

では、helloを修正し、属性を使えるようにしてみましょう。<body>タグの部分を以下のように書き換えてみます。

リスト3-3

```
<body>
  <h1 class="bg-secondary text-white display-4 px-3">Vue3</h1>
  <div id="app" class="container">
    <p>{{ message }}</p>
    <div><hello name="Taro" /></div>
    <div><hello name="Hanako" /></div>
  </div>

  <script>
  const appdata = {
    data() {
      return {
        message : '※コンポーネントを表示する'
```

```
        }
      }
    }

    let app = Vue.createApp(appdata)

    app.component('hello', {
      props:['name'],
      data() {
        return {
          message: 'これは新しいメッセージです。'
        }
      },
      template: '<p class="alert alert-primary">Hello, {{name}}!</p>',
    })

    app.mount('#app')
    </script>
  </body>
```

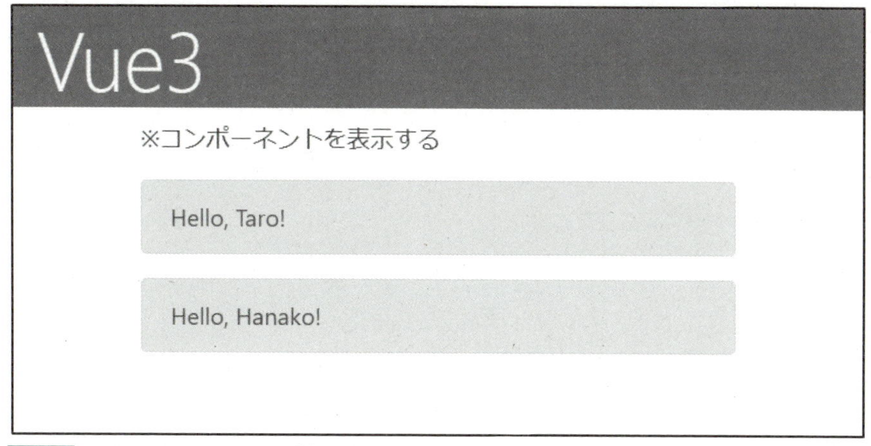

図3-3　2つの<hello/>タグを用意した。それぞれname属性の名前が表示される。

ここでは、2つの<hello />タグを用意してあります。name属性にはTaroとHanakoを指定してあります。Webブラウザからアクセスすると、それぞれのタグが名前を使ってメッセージを表示していることがわかるでしょう。

```
<hello name="Taro" />
```

このように記述すると、そのタグには「Hello, Taro!」と表示されるようになっていたのです。

では、コンポーネント部分がどうなっているか確認しましょう。このように記述されていました。

```
app.component('hello', {
  props:['name'],
  data() {
    return {
      message: 'これは新しいメッセージです。'
    }
  },
  template: '<p class="alert alert-primary">Hello, {{name}}!</p>',
})
```

Chapter 1
Chapter 2
Chapter 3
Chapter 4
Chapter 5
Chapter 6
Addendum

これまであったdataとtemplateの他に「props」が追加されています。propsには、['name']とだけあります。これで、<hello />タグにname属性が用意されるようになります。

そしてtemplateの出力内容には、「Hello, {{name}}!」というようにメッセージが指定されています。props['name']の値が、このように{{name}}としてテンプレートに出力されるようになっていたのです。

このように、タグに書かれる属性、propsプロパティ、そしてtemplateに記述されるテンプレートの{{}}記号といったものの組み合わせで、コンポーネントの属性は動いています。ちょっとわかりにくいかもしれませんが、「この3つの要素は、常に同じ値が保たれている」という点はしっかり頭に入れておきましょう。

タイプの指定が必要なとき

ここでは、propsにはnameという名前だけを指定しましたが、場合によっては「どういうタイプの値が設定されるか」を厳密に指定したい場合もあります。このようなときは、propsの値を配列ではなくオブジェクトにして設定できます。

```
props: { 名前 : タイプ , 名前 : タイプ , ……}
```

このように、それぞれの属性の名前と、それに設定される値のタイプを指定していくのです。例えば、先ほどのサンプルの props:['name'], ならば、以下のように記述します。

```
props:{ name:String },
```

これで、Stringの値だけが保管されるようになります。

値のタイプは、「String」「Number」「Boolean」「Array」「Object」といったものが用意されています。

v属性を使いこなす

v-bindで属性を設定する

コンポーネントを定義し、属性を指定してコンポーネントタグを使う、という基本部分は使えるようになりました。が、コンポーネントにはさまざまな機能が用意されています。それらを少しずつマスターしていかなければ、なかなか使いこなせるようにはなりません。

そこで、コンポーネントのさまざまな使い方について、少しずつ順を追って見ていくことにしましょう。

まずは、コンポーネントの属性の利用についてです。Vue3でHTMLのタグの属性に値を設定する場合、「v-bind」というものを利用しましたね。

これは、自分で作ったコンポーネントでもちゃんと機能します。v-bind:○○という形で属性を指定することで、Vueオブジェクトに用意した値をコンポーネント・タグの属性に指定して、表示させることができるわけです。

helloタグをv-bindで設定する

では、実際に試してみましょう。先ほどのhelloコンポーネントを使い、name属性にアプリケーション・オブジェクト内でdataに用意した値をそのまま利用して、helloコンポーネント・タグを表示させてみましょう。

リスト3-4

```
<body>
  <h1 class="bg-secondary text-white display-4 px-3">Vue3</h1>
  <div id="app" class="container">
    <p>{{ message }}</p>
    <hello v-for="item in data" v-bind:name="item" />
  </div>

  <script>
```

```
  const appdata = {
    data() {
      return {
        message : '※コンポーネントを表示する',
        data:['Taro', 'Hanako', 'Sachiko', 'Jiro']
      }
    }
  }

  let app = Vue.createApp(appdata)

  app.component('hello', {
    props:{ name:String },
    data() {
      return {
        message: 'これは新しいメッセージです。'
      }
    },
    template: '<p class="alert alert-primary">Hello, {{name}}!</p>',
  })

  app.mount('#app')
  </script>
</body>
```

図3-4 アプリケーションのdataに用意した配列を使い、helloコンポーネントを表示する。

Webブラウザで表示すると、<hello />によるメッセージが4つ表示されます。この4つは、アプリケーション・オブジェクトのdataに用意した値を使って表示を作成しています。

```
data() {
  return {
    message : '※コンポーネントを表示する',
    data:['Taro', 'Hanako', 'Sachiko', 'Jiro']
  }
```

このようにdataプロパティは用意されていますね。このdataにある配列の値が、そのままhelloコンポーネントのメッセージに使われていることに気づくでしょう。

実際に<hello />タグを記述する部分を見ると、このようになっていました。

```
<hello v-for="item in data" v-bind:name="item" />
```

v-forというのは、繰り返しを行なうための属性でしたね。"item in data"により、変数dataから値を順にitemに取り出し、タグを繰り返し出力するようになっています。

そして、name属性は、v-bind:name="item"というようにv-bindで値をバインドされています。v-forでdataから値を取り出したitemが、そのままv-bind:nameの値に設定されています。つまり、dataから取り出した値が、そのままname属性に値として設定されるようになっていたのです。

これで、Vueオブジェクトのdataに用意した値を使って<hello />タグが作成される、という流れが見えてきました。なんだか難しそうですが、実はここでの説明は、すべて前章で説明したv-forとv-bindの使い方の説明に過ぎない、という点に気づいたでしょうか。コンポーネントの説明は、全くしていませんね。

コンポーネントは、基本的な仕組みが完成すれば、後は普通のHTMLタグと同じなのです。HTMLのタグをv-vindで操作したように、コンポーネントのタグもv-bindで属性を操作できるのです。HTMLタグと違いは何もありません。

コンポーネントを活用するためには、前章で説明した「Vueオブジェクトの使い方」が結局は重要になる、ということなのです。

v-modelで値をバインド！

今度は値を入力し、その値を使ってコンポーネントを表示する、ということをやってみましょう。

コンポーネントでは、「v-model」という便利な機能が用意されています。このv-modelというのは、<input>の入力値をVueのdataプロパティの値にバインドする機能です。入力された値を変更すると、リアルタイムにバインドされた変数の値が更新されるのです。これは以下のように記述します。

```
<input v-model="変数名">
```

値には、Vueオブジェクトのdata内に用意する変数の名前を指定します。これで、入力値が指定の変数にバインドされます。

このバインドされた変数を使ってコンポーネントの表示を作れば、「入力すると即座に表示に反映されるコンポーネント」というのが作れるようになります。

入力された名前でコンポーネントを表示する

では、実際にサンプルを作ってみましょう。例によって、<body>タグの部分を書き換えて使ってください。

リスト3-5

```
<body>
  <h1 class="bg-secondary text-white display-4 px-3">Vue3</h1>
  <div id="app" class="container">
    <p>{{ message }}</p>
    <div><hello v-bind:name="name" /></div>
    <div class="form-group">
      <input type="text" v-model="name" class="form-control">
    </div>
  </div>

  <script>
  const appdata = {
    data() {
      return {
        message : '※コンポーネントを表示する',
        name:'no-name'
      }
    }
  }

  let app = Vue.createApp(appdata)

  app.component('hello', {
    props:['name'],
    template: '<p class="alert alert-info">Hello, {{name}}!</p>',
  })
```

```
  app.mount('#app')
  </script>
</body>
```

図3-5　v-modeを使い、<input>の値をバインドしてコンポーネントに表示する。

Webブラウザで表示すると、メッセージの下に入力フィールドが表示されます。ここに、テキストを記入すると、リアルタイムにメッセージの名前が変わります。入力された値が即座に反映されるのがわかるでしょう。

v-modelの仕組み

では、処理の流れを見てみましょう。まずは、<input>タグからです。ここでは、<input>タグに、以下のようにしてv-modelの設定を行なっています。

```
<input type="text" v-model="name">
```

変数nameにバインドしていますね。では、アプリケーション・オブジェクトに用意してあるdataプロパティを見てみましょう。こうなっていました(classは省略してあります)。

```
data() {
  return {
    message : '※コンポーネントを表示する',
    name:'no-name'
  }
}
```

このnameに、v-modelのvalueがバインドされていたわけです。このnameは、コンポーネントでも使われています。helloコンポーネントのtemplateを見てみましょう。

```
template: '<p class="alert alert-info">Hello, {{name}}!</p>',
```

{{name}}というように変数nameが埋め込まれていますね。<input>の値を書き換えると、dataプロパティのnameが更新され、更にhelloコンポーネントの{{name}}が更新されて表示が書き換わる、というわけです。

このように、v-modelは「入力されたvalueをそのままVueオブジェクトの変数にバインドする」という働きをします。Vue内の変数に値を取り込めれば、後はコンポーネントで自由に利用できます。

 v-onでイベントをバインドする 

次は、コンポーネントのイベントを使ってみましょう。JavaScriptでは、クリックして何かを実行する場合、onclickという属性を用意すればいいのでした。これを使って、「クリックすると数字をカウントする」というサンプルを考えてみます。

では、<body>タグ部分を以下のように書き換えてください。

リスト3-6

```
<body>
  <h1 class="bg-secondary text-white display-4 px-3">Vue3</h1>
  <div id="app" class="container">
    <p>{{ message }}</p>
    <hello/>
  </div>

  <script>
  const appdata = {
    data() {
      return {
        message : '※コンポーネントを表示する',
        name:'no-name'
      }
    }
  }

  let app = Vue.createApp(appdata)

  app.component('hello', {
    data() {
      return {
        counter : 0
```

Chapter 1
Chapter 2
Chapter 3
Chapter 4
Chapter 5
Chapter 6
Addendum

```
        }
      },
      template: '<p onclick="counter++"class="alert alert-info">clicked: ↲
        {{counter}}.</p>',
    })

    app.mount('#app')
    </script>
  </body>
```

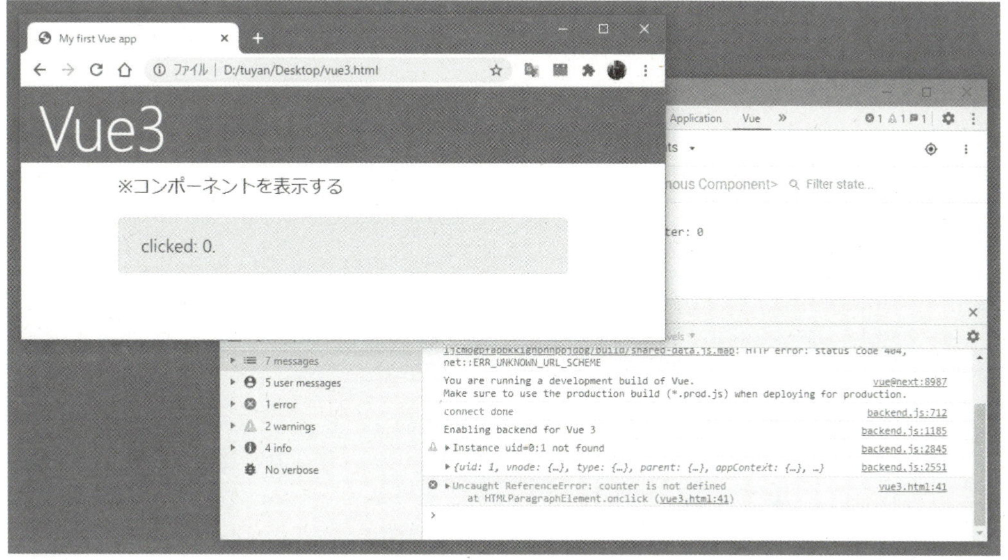

図3-6　メッセージをクリックしても何も変化しない。DevToolsを見るとReferenceErrorが発生している。

　これで完成です。おそらく、多くの人が最初にイメージするのは、こんなソースコードでしょう。Webブラウザで表示すると「clicked: 0.」と表示されます。そのままメッセージをクリックすると……あれ？ 何も変わりませんよ。おかしいですね？

　templateで、出力されるコンポーネントのタグを見てみましょう。するとこのようになっています。

```
<p onclick="counter++"class="alert alert-info">clicked: {{counter}}.</p>
```

　コンポーネントでは、{{counter}}の値を使ってメッセージを表示しています。そして、確かにonclickが用意されています。その中で、変数counterの値を1増やしています。この変数counterは、helloコンポーネントに用意されている変数です。コンポーネントを見ると、dataは以下のようになっていましたね。

```
data() {
  return {
    counter : 0
  }
},
```

dataは、一般的なプロパティなどとはかなり違う形のものです。これは、コンポーネントのオブジェクトにあるプロパティではありません。dataという特別なメソッドにより、まるでその値がプロパティとして用意されているかのように利用できるようになっているだけなのです。dataの値は、普通のJavaScriptオブジェクトのように、外部から利用できるようにはなっていないのです。

DevToolsを表示している場合は、これを開いて動作を確認してみるとよいでしょう。すると、クリックした際に「Uncaught ReferenceError: counter is not defined at HTMLParagraphElement.onclick」というエラーが発生していることがわかります。counterという変数が未定義になっているのです。コンポーネント内のcounterにはアクセスできていないのが、これでわかります。

「でも、コンポーネントでcounterの値を表示できてるじゃないか」と思った人。それは、{{counter}}という特別な書き方をしているからです。

{{}}記号を使うと、アプリケーション・オブジェクトやコンポーネントのオブジェクトで用意された変数などの値を、レンダリングして表示できるようになっています。ということは、{{}}をつけなければ(つまり普通のJavaScriptのスクリプトからは)、それらの値は使えないということになります。

「じゃあ、onclick="{{counter}}++"というように、onclick内で{{}}を指定すればいいのか」と思った人。残念ながら、{{}}は属性の値内では使うことはできないのです。

v-onでバインドする！

では、どうすればいいのか。そこで登場するのが「v-on」というv属性です。これは、イベント関係の属性に値をバインドするための専用のv属性で、以下のように記述します。

```
v-on:イベント名 = "……処理……"
```

イベント名には、属性として用意する値から「on」を取り除いたものを使います。例えば、onclickをバインドしたいならば、v-on:clickと記述します。

v-onを指定すると、その値ではアプリケーション・オブジェクトやコンポーネント・オブジェクトで用意された変数が使えるようになります。それを利用した処理を用意できるようになるのです。

では、先ほどのサンプルで、helloコンポーネントのtemplateプロパティを以下のように書き換えてみましょう。

リスト3-7

```
template: '<p v-on:click="counter++" class="alert alert-info">clicked:
    {{counter}}.</p>',
```

図3-7　クリックすると数字が増えるようになった。

今度は、メッセージをクリックすると、ちゃんとクリック回数が増えるようになります。counter++が認識され動くようになったのです。

イベント処理を別途用意する

counter++のように簡単な処理なら、このようにv-on:clickの値に記述して実行することができます。が、もっと長い複雑な処理を行なわせようとすると、属性の値に全部の処理を書くわけにはいきません。別に関数などの形で処理を定義しておき、それをv-on:clickから呼び出して実行する仕組みが必要でしょう。

v-onを使った値では、コンポーネントに用意したメソッドを指定することができます。これは、v-onの値にメソッドの名前を記述します。呼び出すメソッドは、コンポーネントの「methods」というプロパティに用意します。これは以下のような形になります。

```
methods:{
    名前 (event) {……},
    名前 (event) {……},
    ……必要なだけ用意……
}
```

引数には発生したイベントに関する情報をまとめたオブジェクトが用意されます。これは不要なら省略しても構いません。

こうしてmethods内にまとめた「名前」をv-onの値として指定すると、その名前に設定されたメソッドが実行される、というわけです。

クリックするとクラスを変更する

では、実際の利用例を挙げておきましょう。先ほどのサンプルを修正し、クリックすると数字をカウントし、偶数か奇数かで表示が変わるようにしてみます。

リスト3-8

```
<body>
  <h1 class="bg-secondary text-white display-4 px-3">Vue3</h1>
  <div id="app" class="container">
    <p>{{ message }}</p>
    <hello/>
  </div>

  <script>
  const appdata = {
    data() {
      return {
        message : '※コンポーネントを表示する',
        name:'no-name'
      }
    }
  }

  let app = Vue.createApp(appdata)

  app.component('hello', {
    data() {
      return {
        counter : 0,
        isInfo : true,
        isDark : false
      }
    },
    methods:{
      doAction() {
        this.counter++
        console.log("counter")
        if (this.counter % 2 == 0) {
          this.isInfo = true
          this.isDark = false
```

```
            console.log("true")
          } else {
            this.isInfo = false
            this.isDark = true
            console.log("false")
          }
        },
      },
      template: '<p v-on:click="doAction" v-bind:class="{\'alert-↵
        warning\':isInfo, \'alert-dark\':isDark}" class="alert">clicked: ↵
        {{counter}}.</p>',
    })

    app.mount('#app')
    </script>
  </body>
```

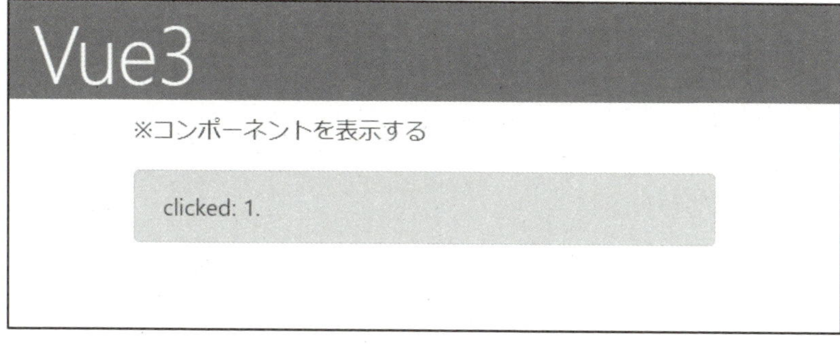

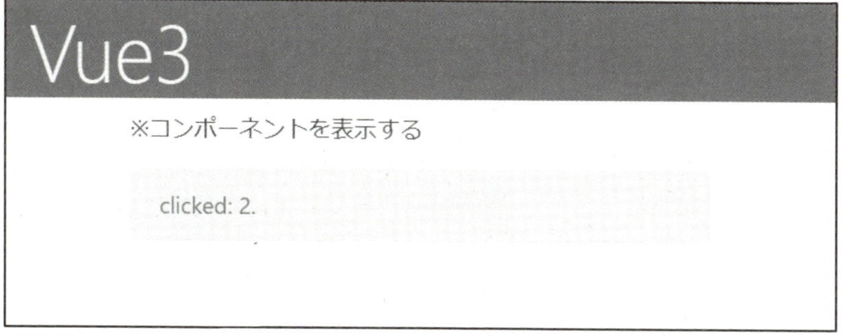

図3-8　クリックすると数字をカウントする。数字が偶数か奇数かで色が変わる。

Webブラウザで表示し、メッセージをクリックしてみましょう。クリックするごとに数字が1ずつ増えていく点は同じですが、数字が偶数だと淡いクリーム色、奇数だとグレーに変わります。

クリック処理の仕組み

では、コンポーネントのtemplateで出力される内容をチェックしてみましょう。こうなっていました。

```
<p v-on:click="doAction" v-bind:class="{\'alert-warning¥':isInfo, ↲
  \'alert-dark\':isDark}" class="alert">clicked: {{counter}}.</p>
```

v-bind:class="{\'alert-primary\':isInfo, \'alert-info\':isRed}" で、alert-warningとalert-darkというクラスを、isInfo/isDarkという2つの変数の操作でON/OFFできるようにしてあります。そして、v-on:clickでdoActionというメソッドを呼び出しています。

では、コンポーネントを見てみましょう。まず、dataのメソッドです。ここでは以下のように変数を用意していました。

```
data() {
  return {
    counter : 0,
    isInfo : true,
    isDark : false
  }
},
```

isInfo/isRedの値によって、出力されるタグのclass属性にalert-infoとalert-darkのいずれかが追加されるようになっていましたね。では、methodsを見てみましょう。

```
methods:{
  doAction() {
    this.counter++
    console.log("counter")
    if (this.counter % 2 == 0) {
      this.isInfo = true
      this.isDark = false
      console.log("true")
    } else {
      this.isInfo = false
      this.isDark = true
      console.log("false")
    }
  },
},
```

methodsでは、doActionというメソッドが定義されています。このメソッドの中で、counterとisInfo/isDarkを操作しています。これらの値は、すべてthis内にプロパティとして用意されている、という形で記述をします。this.counterは、counterではエラーになるので注意しましょう。

コンソールについて

なお、途中途中に「console.log(○○)」という文が書かれていますね？ これは、Webブラウザのデベロッパーツールにある「コンソール」というところに値を書き出すものです。1章で、vue.js devtoolsの説明をしたとき、デベロッパーツールの下に「Console」という表示があることに触れましたが、覚えていますか？ あれが、コンソールです。

JavaScriptで、実行中の状態を知りたいときに、このconsole.logを使って値を出力します。そして実行しながらコンソールの表示をチェックすれば、どこでどの変数がどういう値になったかなどがわかるわけです。

これ自体はプログラムの動作とは関係ありません。あくまでデバッグ用に「今、どこを実行しているか」がわかるよう用意しているだけですので、すべてカットして構いません。ただし、「console.logを使えば、変数の内容などをコンソールに表示できる」ということは知っておきましょう。これから先、さまざまなプログラムを作って「思うように動かない」というとき、きっと役に立つはずですから。

コラム ハイフンを含むクラス名に注意！ Column

今回作成したサンプルのv-bind:classの値を見て、なんだかよくわからない感じがした人も多かったことでしょう。この部分です。

```
v-bind:class="{\'alert-warning\':isInfo, \'alert-dark\':isDark}"
```

クラス名が、alert-warningではなく、\'alert-warning\'となっています。なんでこうなっているんだ？ と不思議に思ったかもしれません。

classには{}でオブジェクトとして値を指定しています。が、オブジェクトのキー名にハイフン(-)を含む名前をそのまま指定することはできません。つまり、{alert-warning:true}というように書くことはできないのです。この場合は、alert-warningをテキストとして、{'alert-warning':true}としなければいけません。

v-on:clickの値はテンプレートの中に書かれており、テンプレートはそれ自体がテキストです。シングルクォートで括られたテキストの中でシングルクォート記号を書くには、\記号を付けて\'と書かないといけません。それで、{\'alert-warning\':true}というような表現になっていたのですね。

Chapter 1 Chapter 2 Chapter 3 Chapter 4 Chapter 5 Chapter 6 Addendum

イベント処理とmethods

v-onを使ったイベント処理の割り当てを利用すると、ユーザーの操作に応じてさまざまな処理を行なえるようになります。

例えば、前章で<input>のonInput属性を使い、リアルタイムに入力された値を処理するサンプルを作りました(リスト2-3)。今回、コンポーネントを利用する場合、コンポーネントに用意した変数を利用して、onInputで処理を行なうようなことはできるのでしょうか。

これは、もちろん可能です。methodsに実行するメソッドを用意し、それをv-onでバインドすればいいのです。ただしその場合、<input>タグ自身もコンポーネントの一部として用意する必要があります。

実際に試してみましょう。<body>タグを以下のように書き換えます。

リスト3-9

```
<body>
  <h1 class="bg-secondary text-white display-4 px-3">Vue3</h1>
  <div id="app" class="container">
    <p>{{ message }}</p>
    <hello/>
  </div>

  <script>
  const appdata = {
    data() {
      return {
        message : '※コンポーネントを表示する',
      }
    }
  }

  let app = Vue.createApp(appdata)

  app.component('hello', {
    data() {
      return {
        num:0,
        message:'type a number.',
      }
    },
    methods:{
      calc() {
        var total = 0
```

```
        for (var i = 1; i <=this.num;i++){
          total += i
        }
        this.message = "total: " + total
      }
    },
    template: `<div>
      <p class="alert alert-info h4">{{message}}</p>
      <div>
        <input class="form-control" type="number"
          v-on:input="calc" v-model="num">
        </div>
      </div>`
  })

  app.mount('#app')
  </script>
</body>
```

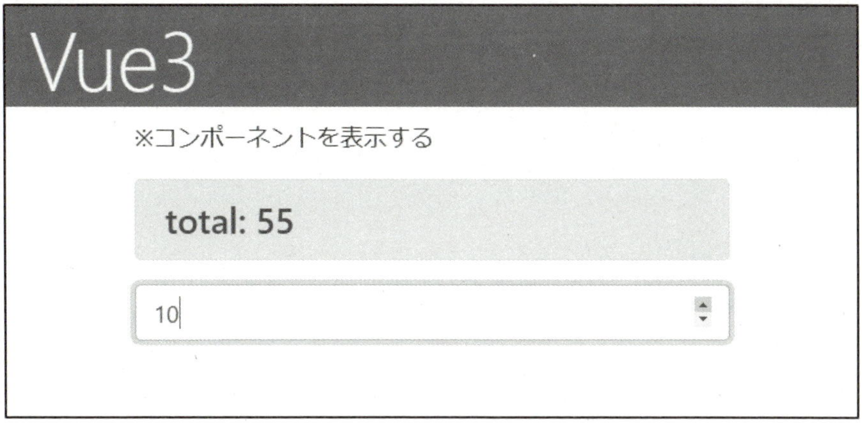

図3-9　入力フィールドの数字を変更すると、瞬時にその合計にメッセージが切り替わる。

これは、<input type="number">を使っています。入力フィールドに整数値を入力すると、メッセージに「tota: ○○」と瞬時に表示がされます。リアルタイムに入力フィールドの値をもとに、合計が計算され表示されているのがわかります。

ここでは、templateタグ内に以下のような形でタグを用意してあります(属性は省略してあります)。

```
<div>
  <p>{{message}}</p>
  <div><input type="number"></div>
</div>
```

templateに複数のタグからなる表示を用意する場合、注意しておきたいのは「ベースとなるのは常に1つのタグだけ」ということです。複雑な表示を作る場合も、ベースとなるタグの中に、すべてのタグを組み込んでおきます。複数のタグが並んだ状態でテンプレートを作ってはいけません。もし、どうしても複数タグを並べないといけない状況になったら、全体を<template>でまとめて使うとよいでしょう。

ここでは、<input type="number">タグの属性に以下のような形でバインド設定を用意しています。

```
v-on:input="calc" v-model="num"
```

まず、v-modelで、入力された値が変数numにバインドされるようにしてあります。そしてv-onを使い、何か入力されたらcalcメソッドを実行するようにしてあります。

そしてcalcメソッドは、コンポーネント内に以下のような形で定義されています。

```
methods:{
  calc() {
    var total = 0
    for (var i = 1; i <=this.num;i++){
      total += i
    }
    this.message = "total: " + total
  }
},
```

methods内にcalcメソッドとして用意してありますね。ここでは、ゼロからthis.numの値までの数字をtotalに加算し、得られた合計の数値を使ってthis.messageにメッセージを設定しています。

このように、v-onでmethodsのメソッドを割り当てることで、さまざまな処理を組み込むことができます。入力用のコントロール類もすべてコンポーネント内に用意すれば、こうしたこともできます。

算術プロパティについて

このやり方は、「イベントを使ってリアルタイムに処理を実行する」というものです。つまり、「イベント」として組み込むことで動作するようにしているのです。

が、「プロパティ」側に注目し、「処理を実行できるプロパティ」として作成することもできるのです。これは「算術プロパティ」と呼ばれます。

算術プロパティは、要するに「計算できるプロパティ」です。値をただ割り当てて表示するのではなく、あらかじめ用意した処理を実行して設定するのです。

この算術プロパティは、propsではなく、「computed」というプロパティに用意します。

```
computed: {
    名前( 引数 ){ ……処理…… },
    名前( 引数 ){ ……処理…… },
    ……必要なだけ用意……
}
```

では、先ほどの<input type="number">を使って合計を表示するサンプルを、算術プロパティ利用の形に書き換えてみましょう。

リスト3-10

```
<body>
  <h1 class="bg-secondary text-white display-4 px-3">Vue3</h1>
  <div id="app" class="container">
    <p>{{ message }}</p>
    <hello/>
  </div>

  <script>
  const appdata = {
    data() {
      return {
        message : '※コンポーネントを表示する',
      }
    }
  }

  let app = Vue.createApp(appdata)

  app.component('hello', {
    data() {
      return {
        num:0,
      }
    },
    computed:{  // 算術プロパティ
      calc:function(event) {
        var total = 0
        for (var i = 1; i <=this.num;i++){
          total += i
```

```
      }
      return "total: " + total
    }
  },
  template: `<div>
    <p class="alert alert-info h4">{{calc}}</p>
    <div>
      <input class="form-control" type="number"
        v-model="num">
    </div>
  </div>`
})

app.mount('#app')
</script>
</body>
```

これで、先ほどと全く同じ動作が実現できました。ここでは、メッセージを表示する<p>タグと、入力を行なう<input>タグは、それぞれ以下のようにtemplateに用意されています(classは省略してあります)。

```
<p>{{calc}}</p>
<input type="number" v-model="num">
```

<input>から、v-on:inputが消えています。値が変更された際のイベント処理はないのです。では、どうやって{{calc}}が更新されているかというと、算術プロパティで処理しています。

```
computed:{
    calc:function(event) {
        var total = 0
        for (var i = 1; i <=this.num;i++){
            total += i
        }
        return "total: " + total
    }
}
```

computedにcalcという名前で関数が用意されています。ここで計算を行なった後、最後に値をreturnしていますね。このreturnされた値が、calcプロパティの値として設定されるのです。

イベントとの違い

先ほど、イベントを利用して作成した場合も、問題なく動作はしました。算術プロパティでも同じように動作はします。となると、「一体、何が違うの？ どっちを使えばいいの？」と頭が混乱してくるかもしれませんね。

イベントと算術プロパティの最大の違い、それは「呼び出されるタイミング」でしょう。イベント利用は、ユーザーが操作するなどしてイベントが発生すると呼び出されます。これに対し、算術プロパティは、「依存する値」が更新されたときに実行されます。

依存する値というのは、つまり関数の中で利用している値のことです。例えばcalcでは、this.numの値を利用していましたね。この値が変更されると、calcが実行されるようになっていたのです。

イベント利用の場合、状態が変化していようがいまいが、イベントが発生すれば処理が実行されます。逆に、イベントが発生していないと、そこでの値などが変更されても処理は実行されません。

これに対し、算術プロパティは、「値が変更されたとき」のみ呼び出されます。つまり「必要にして最小限の動作」になっていると考えていいでしょう。そういった意味では、算術プロパティを使ったほうが、余計な処理を呼び出すことがなく、必要以上に負荷がかかる心配はありません。

ローカルコンポーネント

ここまでのコンポーネントは、すべてcomponentを使って定義してきました。これらは、「グローバルコンポーネント」と呼ばれます。グローバル変数として配置され、スクリプトのどこからでも利用できるようになっているためです。

が、Vue3以外のさまざまな機能を利用するような場合、Vue3関係のものはすべてひとまとめにしたほうが、わかりやすくなるでしょう。

また、ここでは1枚のファイルですべてを作っていますが、プロジェクトを使って多数のファイルを利用するようになったとき、グローバル変数としてコンポーネントが配置されていると、常にそれらがすべてロードされることになり、逆に不便です。

アプリケーション・オブジェクト内にコンポーネント類をすべてまとめることができれば、そのオブジェクト以外のところでは使われないため、余計な負荷をかけることがありません。

こうした「Vue3のアプリケーション・オブジェクト内に組み込まれたコンポーネント」は、ローカルコンポーネントと呼ばれます。これはVueオブジェクトの「components」というプロパティに用意されます。

```
components: {
```

Chapter 1
Chapter 2
Chapter 3
Chapter 4
Chapter 5
Chapter 6
Addendum

```
    名前 : { ……設定情報…… },
    名前 : { ……設定情報…… },
    ……必要なだけ用意……
}
```

ローカルコンポーネントの場合、Vue.componentメソッドは呼び出しません。ただcomponentsプロパティ内にオブジェクトを用意し、コンポーネント名を名前に指定して、設定情報となる値を用意しておくだけです。

helloをローカルに配置する

では、実際にローカルコンポーネントを使ってみましょう。先に、クリックして数字をカウントするサンプルを作りましたが、あれをローカルコンポーネントとして組み込んでみます。<body>タグを以下のように書き換えてください。

リスト3-11

```
<body>
  <h1 class="bg-secondary text-white display-4 px-3">Vue3</h1>
  <div id="app" class="container">
    <p>{{ message }}</p>
    <div><hello /></div>
    <div><hello /></div>
    <div><hello /></div>
  </div>

  <script>
  const appdata = {
    data() {
      return {
        message : '※コンポーネントを表示する',
      }
    },
    components:{
      hello:{
        data() {
          return {
            counter:0,
          }
        },
        template: `<p v-on:click="counter++"
          class="alert alert-info h5">
            clicked: {{counter}}.</p>`
```

```
      }
    }
  }

  let app = Vue.createApp(appdata)

  app.mount('#app')
  </script>
</body>
```

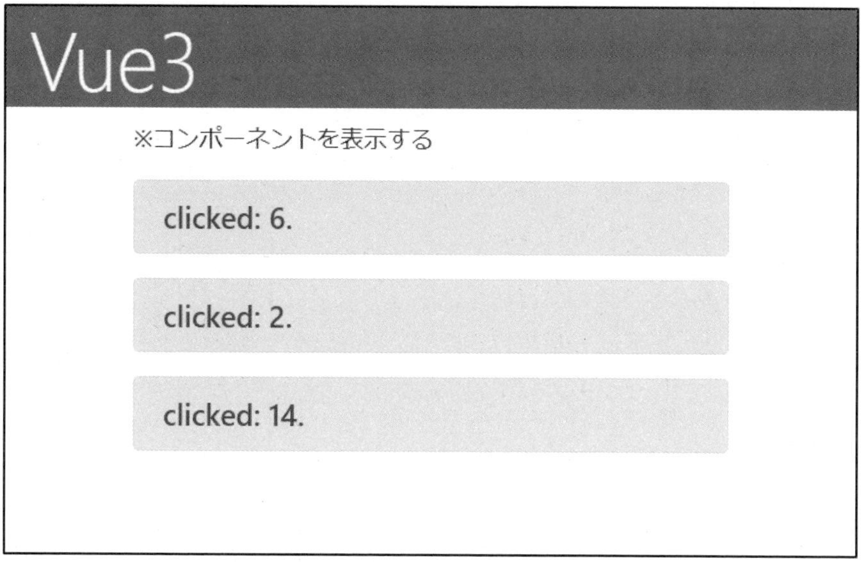

Vue3

※コンポーネントを表示する

clicked: 6.

clicked: 2.

clicked: 14.

図3-10　3つの<hello />を配置し、それぞれちゃんと機能するのを確認する。

サンプルでは、<hello />タグを3つ用意しました。それぞれクリックすれば、ちゃんとカウントされます。問題なくコンポーネントが動作していることがわかるでしょう。

ここでは、Vueオブジェクトの中に、以下のような形でコンポーネントが組み込まれています。

```
components:{
    hello:{……}
}
```

これで、helloコンポーネントが用意できました。利用は、<hello />とタグを書くだけで、グローバルに配置したときと全く同じです。

ローカルコンポーネントは、Vue内にプロパティとして用意するため、全体としてまとまった感じがあります。

ただし、これを「Vueから切り離して、単独で他のファイルに移して使う」となると面倒でしょう。あちこちのファイルに配置して利用するような場合には、グローバルに置いたほうがはるかに使い勝手がいいでしょう。どのようなシーンで使われるかを考えて、どちらに配置すべきか決めるようにしましょう。

プロジェクトによる開発

プロジェクトで開発しよう！

コンポーネントの基本について一通り説明したところで、「Webアプリケーションの開発スタイル」について、改めて考えてみることにしましょう。

ここまでは、1枚のHTMLファイルで完結する形で作成をしてきました。このやり方は、Vue3の基本を学ぶには適していますが、実際の開発には不向きです。Vue3は、いわゆるSPA（Single Page Application、1枚のページで完結するWebアプリケーションのこと）開発で多用されていますが、「たくさんのページやファイルを利用するWebアプリケーション」の開発にも広く活用されています。

1枚のHTMLファイルでの使い方しか知らないのでは、こうした「多数ファイルによる開発」をどのようにやればいいのかよくわからないでしょう。

そこで、そろそろ「本格開発で用いられる開発スタイル」を利用してみることにしましょう。それは「プロジェクト」を使った開発です。

vite_appプロジェクトをチェック！

プロジェクトは、すでに私たちは作成しています。1章で、「hello_app」「vite_app」というプロジェクトを作っていました。あれにもう一度登場してもらいましょう。

hello_appプロジェクトは、Vue CLIを使って作成したプロジェクトです。そしてvite_appは、Viteというツールを使って作成したプロジェクトです。どちらも、プロジェクトの内容はほぼ同じ（一部のファイルの有無や配置場所が異なるだけ）ですので、どちらのプロジェクトを利用してもいいでしょう。

ここでは、Vue3用のプロジェクトツールであるViteで作成した「vite_app」を使って、プロジェクト利用の開発について説明していくことにします。

この「vite_app」フォルダの中には、多数のファイルが作られています。まずは、その内容を大雑把にまとめましょう。

●「vite_app」フォルダ内のファイル類

index.html	Webページのファイル。このファイルにアクセスしてページを表示する。
package.json	プロジェクトの設定情報
package-lock.json	プロジェクトの設定に関するファイル

●「vite_app」フォルダ内のフォルダ類

「public」フォルダ	外部に公開されるファイルをまとめるところ。以下のファイルがある。
favicon.ico	アイコンファイル

●「src」フォルダ

アプリケーション本体で使われるファイルがまとめられている。以下のものが用意されています。

ファイル	main.js	アプリケーションのプログラム
	App.vue	アプリケーションで使うコンポーネントファイル
フォルダ	「assets」フォルダ └logo.png	ロゴのイメージファイル
	「components」フォルダ └HelloWorld.vue	コンポーネントファイル

●「node_modules」フォルダ

プロジェクトで使うパッケージ類がまとめられています。

●「dist」フォルダ

ビルドして生成された公開ファイルが保存されています。

フォルダ内にある「index.html」ファイル、そして「src」フォルダと「public」フォルダ内にあるファイル、これらがアプリケーションを構成するファイルになります。これらの役割がわかれば、プロジェクトによる開発は行なえるようになります。

プロジェクトとWebサイトの違い

Vue CLIでプロジェクトを作成して開発するとき、まず頭に入れておきたいのは「Webアプリケーションの構造そのものが違う」という点です。

一般的なWebサイトを作る場合、フォルダの中にHTMLファイルやイメージファイルなど必要なものをまとめ、それをWebサーバーにアップロードする、というやり方をするでしょう。

HTMLファイルは、ただサーバーに置いておくだけで、後は勝手にサーバーの方で「このアドレスにアクセスしたら、このファイルをロードして表示する」といった作業をやってくれます。開発者は、ただ「Webページである HTMLファイルを書いてアップする」ということだけ考えればいいのです。

が、Vue CLIやViteで作成したプロジェクトは違います。プロジェクトの動作確認を行なったとき、「npm run serve」あるいは「npm run dev」といったコマンドを実行して、プロジェクトを実行していました。プロジェクトに用意されているスクリプトを実行し、プロジェクトそのものがWebサーバーとして実行されるようになっているのです。

したがって、プロジェクトの中には、「プロジェクトをWebサーバーとして実行するためのプログラム」などまで含まれています。このため、Webアプリケーションにしては、ひどく複雑そうな構成になっているのです。

ビルド後はすっきり？

プロジェクトは、クラウドサービスなどでWebサーバーとして、そのまま実行する場合は別ですが、一般的なWebサーバーで公開しようと思った場合は、ビルドという作業が必要になります。ビルドすることで、実際に公開するファイル類が生成されます。これらは、HTMLファイルを中心としたファイル構成となり、私たちが一般的に思う「Webアプリケーション」の構成に近いものになります。

1章で実際にビルド作業を行なってみましたね。その結果、「dist」フォルダの中に公開されるファイル類が書き出されることがわかりました。このフォルダの中には、index.html といくつかのリソースファイル(JavaScriptやCSSなどのファイル)が作られており、普通のWebページと同じような構成になっていることが確認できます。

ただし、ビルドした後の生成ファイルは、スクリプトなどが変換され、中を見てもわからない状態になっています。したがって、プログラムの作成はビルドする前の状態で行なう必要があり、ビルド後のファイルを直接編集することはありません。

開発に関しては、Vue3はあくまで「ビルドする前のプロジェクトの状態」を前提に作業する必要があります。ビルド後のファイルを再編集するのはほぼ不可能です。したがって、ここでも解説するのはすべてビルド前のファイル類についてです。ビルドして生成されるファイル類については特に触れません。

Vue3では、「ビルド後に生成されたファイルを編集する」ということは、「ない」と考えてください。

 main.jsの役割 

では、プロジェクトで作成されたファイル類について、その役割を見ていきましょう。作成するアプリケーションの内容は、基本的に「src」フォルダ内にまとめられています。ここにあるファイル類の働きを知ることが、プロジェクトによる開発を理解するための第一歩といえます。

まずは、「main.js」ファイルから見ていきましょう。これは、プロジェクトをWebアプリケーションとして起動した際、最初に実行されるスクリプトです。ここには以下のような内容が書かれています。

リスト3-12

```
import { createApp } from 'vue'
import App from './App.vue'
import './index.css'

createApp(App).mount('#app')
```

importについて

「import」というのは、モジュールからオブジェクトなどを読み込んで使えるようにするためのものです。ここではvueモジュールにある「createApp」というメソッドと、App.vueというファイル、そしてindex.cssというスタイルシートのファイルを読み込んでいます。.vueファイルは、Vueのコンポーネントを記述したものです(.vue拡張子のファイルについては後述します)。

importした後に、createApp.mountでVue3のアプリケーション・オブジェクトを生成しid="app"にマウントしています。これは、これまで何度となくやってきた処理ですからおわかりでしょう。ただし、createAppの引数に指定されているのは、App.vueからロードしたAppというオブジェクトになっています。このAppを引数にしてアプリケーション・オブジェクトを作っていたのです。

App.vueをチェックする 

main.jsでは、App.vueというファイルを読み込んで、アプリケーション・オブジェクトを作成し、id="app"にマウントして表示している、ということがわかりました。となると、App.vueで行なっていることが、実質的に画面の表示を行なっている、ということになりますね。

プロジェクトでは、このApp.vueのように「.vue」という拡張子のファイルが使われます。これは、Vue3のコンポーネントを定義しているファイルです。このタイプのファイルは、これから何度も登場することになりますから、ここでその基本を理解しておきたいですね。

では、このApp.vueファイルの中身を見てみましょう。

リスト3-13

```
<template>
  <img alt="Vue logo" src="./assets/logo.png" />
  <HelloWorld msg="Hello Vue 3.0 + Vite" />
</template>

<script>
import HelloWorld from './components/HelloWorld.vue'

export default {
  name: 'App',
  components: {
    HelloWorld
  }
}
</script>
```

ざっと見るとわかりますが、この内容は全部で2つの部分に分けて考えることができます。<template>タグの部分と、<script>タグの部分です。

<template>タグについて

最初にある<template>タグは、コンポーネントのテンプレートの内容です。<template>というタグは、すでに使ったことがありましたね。コンポーネントなどで出力される内容をまとめるのに使うものでした。実際にレンダリングされるときには、この<template>タグは消えて、この中に書かれた内容だけが表示されるようになっていました。

ここでは、<img>タグと<HelloWorld>タグが、テンプレートの中にまとめられています。<img>タグは、Vue3のロゴイメージを表示するものです。<HelloWorld>タグは、HelloWorldというコンポーネントを表示するタグです。App.vueでは、更にその中からHelloWorld.vueというファイルを読み込んで、利用するようになっているのです。

export defaultについて

<script>タグでは、最初に「components」フォルダにあるHelloWorld.vueをロードしてHelloWorldというオブジェクトを読み込んでいます。そして、あんまり見たことのない、

こんな形の処理を実行しています。

```
export default {
  ……いろいろ書いてある……
}
```

この「export default」というものは、スクリプトファイルをimportでインポートしたときに、デフォルトで用意されるものを指定するものです。例えば、このApp.vueを他のスクリプトファイルから、こんな形でインポートしたとしましょう。

```
import 変数 from 'App.vue'
```

こうやってインポートすると、export defaultの{}部分に記述された内容が変数に取り出されるのです。こうして、.vueファイルの内容を外部から利用できるようにしていたのですね。

コンポーネントの中身

このexport defaultの{}部分に用意したオブジェクトをもとに、コンポーネントが作成されることになります。ここには、以下のようなものが記述されていますね。

```
{
  name: 'App',
  components: {
    HelloWorld
  }
}
```

nameはコンポーネントの名前を示します。そしてcomponentsは、使用するコンポーネントをまとめたものでしたね。この中で、HelloWorldコンポーネントを用意してあります。これで、<HelloWorld />タグの部分にHelloWorld.vueのコンポーネントが組み込めるようになります。この形、どこかで見覚えがありますね？

これまでindex.htmlファイル1枚だけでVue3を使ってきましたが、そのときにappdataという変数に、アプリケーションの設定などをまとめていました。あれと同じようなものがここで用意されていたのです。

Vue3のコンポーネントは、設定情報をまとめたオブジェクトを引数にしてcreateAppします。その設定情報のオブジェクトが、importにより用意されていたのです。

このexport defaultを使った書き方は、これから何度も登場することになるでしょう。今の段階では働きがよくわからないかもしれませんが、「コンポーネントの設定内容などをまとめてexport defaultすればうまく動いてくれるらしい」という漠然とした働きぐらいはわかっておきたいですね！

componentから.vueへ！

HTMLファイルに実装する方式と、プロジェクト方式とのもっとも大きな違いは、この「.vue」ファイルにある、といっていいでしょう。

それまで、コンポーネントはcomponentを使って作成していました。それがプロジェクトでは使われなくなり、.vueファイルとしてコンポーネントを定義するようになったわけです。

どちらでも、行なえることそのものに違いはありません。「この方式ではあれができるが、別の方式ではできない」ということはありません。どのやり方でも、コンポーネントの機能すべてを利用できます。

ただし、実装の仕方は大きく変わります。.vueファイルでは、表示するタグとコンポーネントの実装部分(export default)を、それぞれ分けて記述しています。出力される内容をHTMLで書けるのは非常に大きいですね。componentでは、templateの値として、出力内容を用意しなければいけませんでしたから。テキストの値として出力内容を作成するのは、非常にわかりにくいものです。

.vueファイルを使った方式は、複雑な表示内容のコンポーネントを作成するのに適しています。.vueファイルの登場により、より高度なコンポーネント表現が可能になったといってよいでしょう。

index.htmlについて

ここまでのところは、すべてJavaScriptのスクリプトです。コンポーネントでテンプレートなどを使っていましたね。では、実際に画面に表示されるWebページ全体をデザインしているファイルというのは、一体どこにあるのでしょう。

それが、「public」フォルダにあるindex.htmlなのです。このHTMLファイルがどのようになっているか見てみましょう。

リスト3-14

```
<!DOCTYPE html>
<html lang="en">
<head>
  <meta charset="UTF-8">
  <link rel="icon" href="/favicon.ico" />
```

```
  <meta name="viewport" content="width=device-width, initial-scale=1.0">
  <title>Vite App</title>
</head>
<body>
  <div id="app"></div>
  <script type="module" src="/src/main.js"></script>
</body>
</html>
```

見ればわかるように、JavaScriptの処理は全く書かれていません。Vue3を利用するためのタグらしきものも見当たりませんね。ただ、最後に<script>タグが1つあるのと、<body>内に<div id="app">というタグがあることぐらいでしょう。

では、実際にこれでVue3が機能しているか確認しておきましょう。Visual Studio Codeで、「ファイル」メニューから「フォルダを開く」メニューを選び、「vite_app」フォルダを開いてください。これでフォルダ内のファイル類がウィンドウ左側のエクスプローラーに一覧表示されます。

「ターミナル」メニューから「新しいターミナル」メニューを選んで、ターミナルを表示させましょう。そして「npm run dev」と実行します。これでプロジェクトが実行されます。

なお、ViteではなくVue CLIのプロジェクトを使う人は「npm run serve」と実行してください。

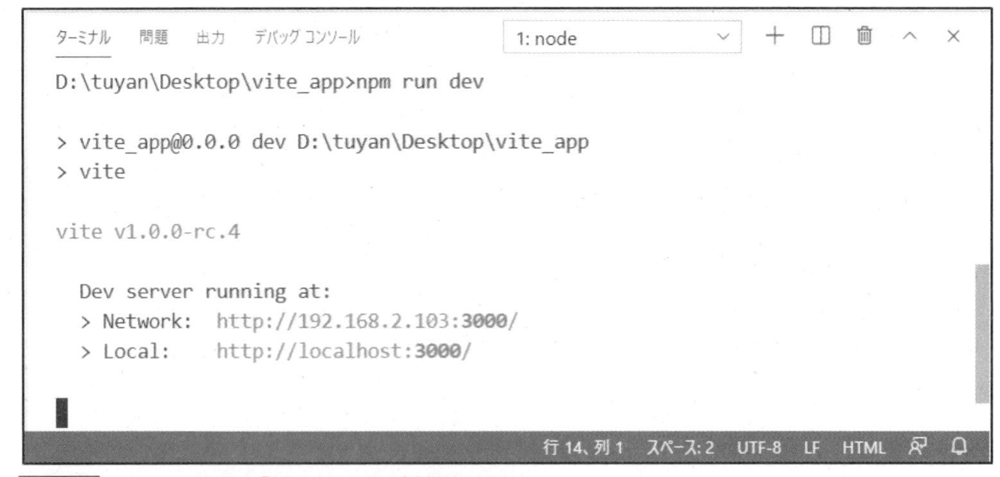

図3-11 ターミナルから「npm run dev」を実行する。

これで、ターミナルに「Local:　http://localhost:3000/」と出力されます。これがアクセスするアドレスになります。Webブラウザからhttp://localhost:3000/にアクセスしてみましょう。ちゃんとWebページが表示されますよ。

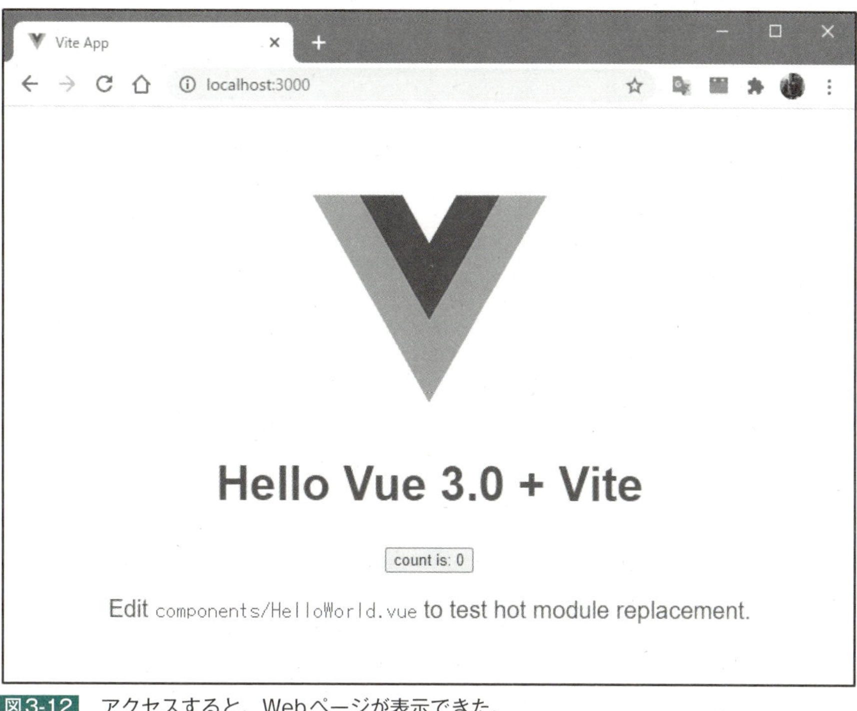

図3-12 アクセスすると、Webページが表示できた。

結局、何がどうなってるの？

プロジェクトのWebアプリケーションに関するファイルについて、一通り内容をチェックしてきました(HelloWorld.vueは説明していませんが、.vue拡張子のファイルの役割はすでにApp.vueで説明済みでしたね)。

ざっと見たけれど、結局何がどう動いているのかよくわからない、という人。プロジェクトは、以下のような形で動いているのです。

- **1. 表示されるWebページは、index.htmlとして用意されている。JavaScript関係のタグでmain.jsを読み込み、これでVue3の処理が実行されている。**

- **2. main.jsでは、Vue3のアプリケーション・オブジェクトが作成される。ここで、App.vueのAppコンポーネントが組み込まれる。**

- **3. Appコンポーネント(App.vue)では、その内部で更にHelloWorldコンポーネントを組み込んで使っている。**

大雑把にまとめるなら、「Webページに、Appというコンポーネントを組み込み、その中で更にHelloWorldコンポーネントを組み込んで表示している」というわけです。Appがページ全体をまとめるコンポーネントで、HelloWorldが実際にそこに表示されるコンテンツとなるコンポーネント、と考えればいいでしょう。

この全体の仕組みがわかっていれば、今は十分です。これらのファイル類の関係(何がどの中で呼び出されているか)といった大雑把なものだけわかったら、それを利用して、ファイルを少しずつ書き直すなどしてVue3の利用方法を探っていくことにしましょう。

 index.htmlを修正する 

まずは、index.htmlを修正して、BootstrapをCDNからロードして利用できるようにしましょう。以下のように内容を書き換えてください。

リスト3-15

```
<!DOCTYPE html>
<html lang="en">
<head>
  <meta charset="UTF-8">
  <link rel="icon" href="/favicon.ico" />
  <meta name="viewport" content="width=device-width, initial-scale=1.0">
  <title>Vite App</title>
  <link rel="stylesheet" href="https://stackpath.bootstrapcdn.com/ ↲
    bootstrap/4.5.0/css/bootstrap.min.css" >
  <script src="https://code.jquery.com/jquery-3.5.1.slim.min.js"> ↲
    </script>
  <script src="https://cdn.jsdelivr.net/npm/popper.js@1.16.0/dist/umd/ ↲
    popper.min.js"></script>
  <script src="https://stackpath.bootstrapcdn.com/bootstrap/4.5.0/js/ ↲
    bootstrap.min.js"></script>
</head>
<body>
  <h1 class="bg-secondary text-white h4 p-3">Vue3 Vite</h1>
  <div class="container">
    <div id="app"></div>
  </div>
  <script type="module" src="/src/main.js"></script>
</body>
</html>
```

ここでは<link>と<script>でBootstrapのファイルをロードするようにしています。また、

<h1>タグでタイトルを表示し、その下に<div id="app">を用意するようにしました。これで、ウィンドウ内にAppコンポーネントが組み込まれるのが、よくわかるようになります。

HelloWorldコンポーネントを修正する

では、用意されたファイル類の働きを調べていきましょう。まずは「HelloWorld.vue」からです。

デフォルトでは、Appコンポーネントの中に、HelloWorldコンポーネントが組み込まれて表示されていました。このHelloWorldが、実質的なコンテンツ部分となるわけです。

ただし、これを開くと、ずらっとコードが書かれていて読むのが大変です。まるごと書き換えて、もう少しシンプルなサンプルにしましょう。

では、「src」フォルダ内の「components」フォルダにあるHelloWorld.vueを以下のように書き換えてください。

リスト3-16

```
<template>
  <div class="alert alert-info">
    <h2>{{ title }}</h2>
    <p>{{ message }}</p>
  </div>
</template>

<script>
export default {
  name: 'HelloWorld',
  props: {
    title: String,
    message: String,
  }
}
</script>
```

ここでは、テンプレートの中で{{ title }}と{{ message }}という2つの値を表示しています。これらの値は、export defaultの{}内で、以下のように用意されています。

```
props: {
  title: String,
  message: String,
}
```

propsというのは、プロパティを設定しておくためのものでしたね。これで、HelloWorldのタグを用意するとき、titleとmessageという属性を用意できるようになります。export defaultの書き方は、こんな具合にコンポーネントの設定情報オブジェクトと、ほぼ同じであることがわかります。ただ、nameというものでコンポーネント名を用意してある点が違うだけです。

App.vueを修正する

では、HelloWorldコンポーネントを利用するApp.vue（「src」フォルダ内にあるファイルですね）を修正しましょう。こちらもわかりやすいように、<HelloWorld>タグを1つ用意しておくだけにします。

リスト3-17

```
<template>
  <div id="app">
    <HelloWorld title="Hello"
      message="※これは、Vue3のサンプルプロジェクトです。"/>
  </div>
</template>

<script>
import HelloWorld from './components/HelloWorld.vue'

export default {
  name: 'App',
  components: {
    HelloWorld
  }
}
</script>
```

図3-13　アクセスすると、このようなWebページが表示される。

これで修正はすべてです。index.htmlおよびmain.jsはそのままで変更はありません。

では、Visual Studio Codeのターミナルから「npm run serve」を実行しましょう。そして、http://localhost:3000/ にアクセスしてください。画面に「Hello」というタイトルと、日本語のメッセージが表示されます。これが、Appに組み込まれたHelloWorldコンポーネントの表示です。

ここでは、以下のようにHelloWorldコンポーネントを配置しています。

```
<HelloWorld title="Hello" message="※これは、Vue3のサンプルプロジェクトです。"/>
```

titleとmessage属性に値を設定しています。これが、HelloWorldのpropsに渡され、{{title}}と{{message}}に表示されていたわけですね。

このように、{{}}による値の埋め込みとprops、コンポーネントタグの属性を組み合わせることで、表示内容に関する細かな情報を渡して表示することができます。このあたりの感覚は、これまで使ってきたコンポーネントと全く同じです。

v-onによるイベントの利用

プロパティは、コンポーネントタグを記述する際に、値を設定するのにとても便利です。が、スクリプトによって表示を処理するような場合は、dataの値を使ったり、v-onでイベントを利用した処理を実行したりすることになります。これらについても使ってみましょう。

では、HelloWorldコンポーネントを書き換えて試してみましょう。HelloWorld.vueを以下のように書き換えてください。

リスト3-18

```
<template>
  <div class="alert alert-info">
    <h2>{{ title }}</h2>
    <p>{{ message }}</p>
    <hr>
    <div>
      <input class="form-control" type="text" v-model="input">
      <button class="btn btn-info mt-2" v-on:click="doAction">
        Click</button>
    </div>
  </div>
</template>

<script>
export default {
  name: 'HelloWorld',
  props: {
    title: String,
    message: String,
  },
  data() {
    return {
      message: 'お名前は？',
      input:'no name',
    }
  },
  methods: {
    doAction() {
      this.message = 'こんにちは、' + this.input + 'さん！'
    }
  }
}
</script>
```

今回は、テンプレート部分に<input>タグと<button>タグを用意してあります。これらを使って、入力と処理を実行させようというわけです。

コンポーネントのオブジェクト部分には、name, props, data, methodsといった値を用意してあります。コンポーネントで使う要素が一通り揃った感がありますね。

HelloWorldを利用する

では、App.vueの<template>部分を以下のように書き換えて、HelloWorldコンポーネントを利用してみましょう。

リスト3-19
```
<template>
  <div id="app">
    <HelloWorld title="Hello" />
  </div>
</template>
```

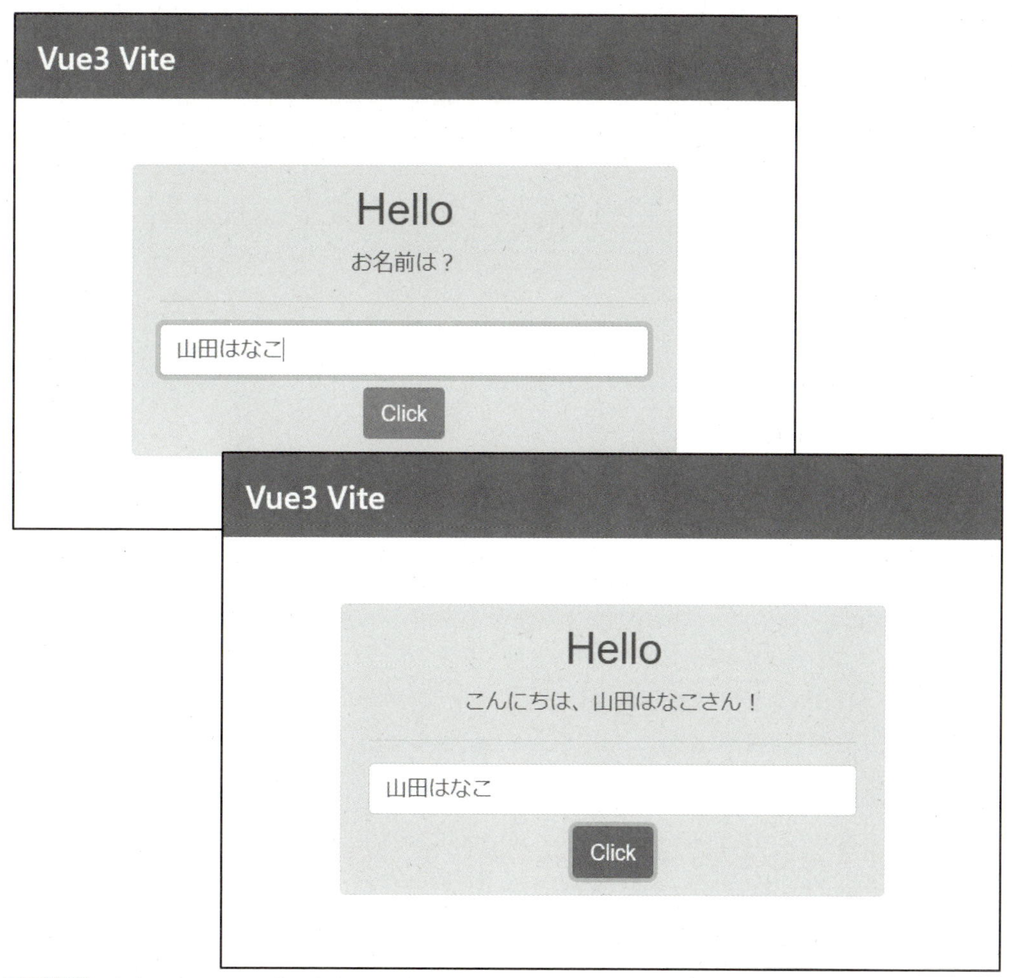

図3-14　入力フィールドに名前を書いてボタンをクリックするとメッセージが表示される。

できたら、動かしてみましょう。メッセージの下に入力フィールドとボタンが表示されます。フィールドに名前を書いてボタンをクリックすると「こんにちは、○○さん！」とメッセージが表示されます。

テンプレートの修正

では、修正したポイントをチェックしましょう。まず、テンプレートからです。ここでは入力フィールドとボタンを追加していますが、以下のように用意しています。

```
<input class="form-control" type="text" v-model="input">
<button class="btn btn-info mt-2" v-on:click="doAction">
```

<input>では、v-modelを使い、inputにバインドをしています。また<button>では、v-on:clickでdoActionに割り当てています。

コンポーネントの修正

では、コンポーネントの定義部分を見てみましょう。まず、dataメソッドが追加されていますね。これは以下のようになっています。

```
data() {
  return {
    message: 'お名前は？',
    input:'no name',
  }
},
```

dataは、関数の形で値を用意しました。.vueでコンポーネントを定義する場合も、componentと同じように関数の形で定義します。

なお、ここではmessageとinputの２つの値を用意しています。messageは、先ほどのサンプルではpropsとして用意していましたが、今回はdataに移しました。今回はスクリプトにより表示を更新するので、属性の値を指定するpropsではなく、dataを使うほうが適しています。

methodsについて

<button>でv-on:clickに割り当てている処理は、methodsに以下のような形で用意してあります。

```
methods:{
```

```
    doAction() {
      this.message = 'こんにちは、' + this.input + 'さん！'
    }
  }
```

this.inputを使って、this.messageの値を変更しています。dataの値は、thisから直接できるようになっていますね。このあたりの使い勝手もVue.component利用のときと同じです。

コラム サーバーは起動しっぱなしで開発しよう！ Column

プロジェクトのファイルを編集するとき、いちいちサーバーを終了して、修正してからまたnpm run devを実行してはいませんか？

Vue3利用の開発では、npm run dev（またはnpm run serve）でプロジェクトを実行すると、ファイルを書き換えると瞬時に表示に反映されるようになります。修正しながらリアルタイムに修正内容を確認できるのです。

このリアルタイム反映は、Vue CLIよりもViteのほうがずっと速くなっています。こうしたこともあって、Vue3の開発ではViteを使うのがベターなんですね。

AppからHelloWorldに値を渡す

AppとHelloWorldのように、複数のコンポーネントが入れ子状態になって使われるようになると、コンポーネント間の値のやり取りについても考える必要が生じてきます。

まず、親コンポーネントから子コンポーネントへ値を渡す場合を考えてみましょう。サンプルでいうなら、AppコンポーネントからHelloWorldコンポーネントに値を渡す、という方法です。

これは、実はすでに皆さんが知っている知識で行なえます。Appでは、HelloWorldのタグをテンプレートに記述して利用しますね。ここに属性を用意し、その属性にv-bindで値をバインドしてやるのです。親コンポーネント側で値を操作すると、v-bindでバインドされた子コンポーネント側の属性が更新され、それに伴い子コンポーネントの表示も更新されることになります。

Appを修正する

これは、言葉で説明しても今ひとつピンとこないでしょう。実際にApp.vueを修正して、App内からHelloWorldに値を渡してみましょう。

リスト3-20

```
<template>
  <div id="app">
    <HelloWorld v-bind:title="message" />
    <hr>
    <button class="btn btn-primary" v-on:click="doAction">
      change title</button>
  </div>
</template>

<script>
import HelloWorld from './components/HelloWorld.vue'

export default {
  name: 'App',
  components: {
    HelloWorld
  },
  data() {
    return {
      message:'HELLO',
    }
  },
  methods:{
    doAction() {
      var input = prompt("new title:")
      this.message = input
    }
  }
}
</script>
```

図3-15 「change title」ボタンをクリックし、現れたダイアログでテキストを入力しOKすると、HelloWorldのtitleが変更される。

ここでは、Appコンポーネントに「change title」というボタンを追加しました。このボタンをクリックすると、新しいタイトルを入力するダイアログが現れます。ここでテキストを記入しOKすると、画面右上に表示されているタイトルのテキストが変更されます。このタイトルは、HelloWorldコンポーネントで表示しているものです。App側の操作で、HelloWorldの表示が更新されるのがわかりますね。

v-bindによる値のバインド

では、処理を見てみましょう。ここでは、HelloWorldコンポーネントのタグにあるtitle

属性にmessageをバインドしています。

```
<HelloWorld v-bind:title="message" />
```

これで、titleの値に、Appコンポーネントのdataに用意されているmessageがバインドされます。ボタンクリック時のイベント処理では、このmessageの値を変更します。

```
doAction() {
  var input = prompt("new title:")
  this.message = input
}
```

promptという関数は、テキストを入力するダイアログを表示する関数です。これで入力されたテキストは、戻り値として変数inputに代入されます。これをthis.messageに設定しています。

これで、this.messageが変更され、バインドされた<HelloWorld>のtitle属性が変更され、HelloWorldのタイトルが変更された、というわけです。属性の値を通して、親から子へと値を渡せるのですね。

子コンポーネントから親コンポーネントへ！

では、逆はどうでしょう。つまり、子コンポーネントから親コンポーネントへと値を渡すことは可能でしょうか。

これは、可能です。ただし、新しい機能を覚えないといけません。これはちょっと複雑なので、ひとつずつ説明しましょう。

●子コンポーネント

```
this.$emit( イベント , 引数の値 …… )
```

子コンポーネントに用意されている処理から、親コンポーネントに値を渡す場合、「$emit」というメソッドを使います。これは、そのコンポーネントが配置されているタグにイベントを送るものです。

例えばHelloWorldコンポーネントならば、親コンポーネント(App)側で<HelloWorld />といったタグを書いて配置することになりますが、これに対して指定の名前のイベントを送ります。

Chapter 1
Chapter 2
Chapter 3
Chapter 4
Chapter 5
Chapter 6
Addondum

●子コンポーネントのタグ

```
<コンポーネント v-on:イベント=メソッド />
```

子コンポーネントのタグには、v-onで、$emitで呼び出すイベントを属性として用意します。値には、親コンポーネントのメソッドを割り当てます。

●親コンポーネントのメソッド

親コンポーネントでは、v-onで指定したメソッドをmethods内に用意します。このとき、$emitで渡す引数を受け取るように引数を用意しておきます。

後は、受け取った値をそのまま使って処理するだけです。

HelloWorldからAppを呼び出す

では、実際に試してみましょう。HelloWorld側からApp側の処理を呼び出すことにしましょう。まずは、HelloWorld.vueの修正からです。<script>タグの部分を以下のように修正してください。

リスト3-21

```
<script>
export default {
  name: 'HelloWorld',
  props: {
    title: String,
  },
  data() {
    return {
      message: 'お名前は？',
      input:'no name',
    }
  },
  methods: {
    doAction() {
      this.message = 'こんにちは、' + this.input + 'さん！'
      this.$emit('result-event', this.input)
    }
  }
}
</script>
```

doActionメソッドの中で、this.$emitを実行しています。ここでは「result-event」というイベントを呼び出し、this.inputの値を引数として渡しています。

App.vueを修正する

では、App.vue側を修正しましょう。以下のようにスクリプトを書き換えてください。

リスト3-22

```
<template>
  <div id="app">
    <HelloWorld v-bind:title="message"
      v-on:result-event="appAction" />
    <hr>
    <p>{{result}}</p>
  </div>
</template>

<script>
import HelloWorld from './components/HelloWorld.vue'

export default {
  name: 'app',
  components: {
    HelloWorld
  },
  data() {
    return {
      message:'HELLO',
      result:'no event.',
    }
  },
  methods: {
    appAction(message) {
      this.result = '(*** you send:"' + message + '". ***)'
    }
  }
}
</script>
```

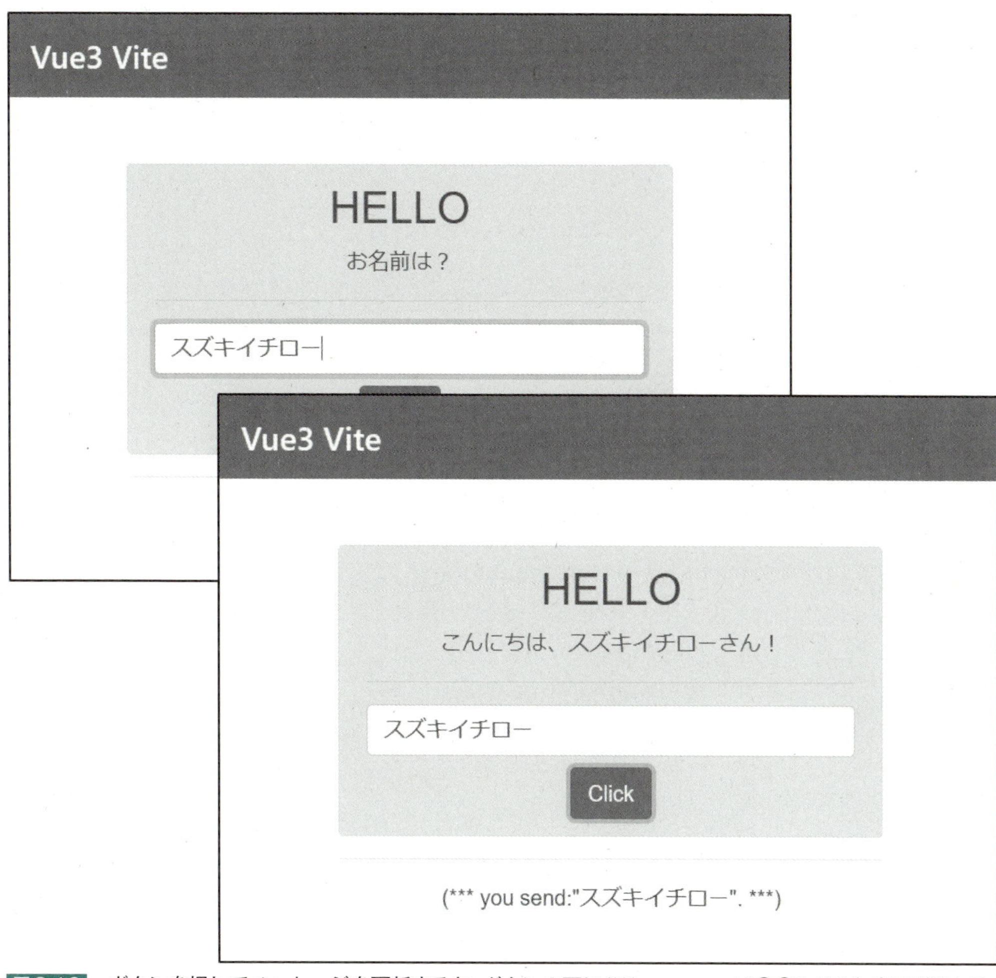

図3-16 ボタンを押してメッセージを更新すると、ボタンの下に(*** you send:"○○". ***)と表示がされる。

入力フィールドに名前を書いてボタンをクリックすると、メッセージが変わります。このとき、ボタンの下にも(*** you send:"○○". ***)といったメッセージが表示されます。

このメッセージは、Appコンポーネントに用意したものです。HelloWorld側のボタンをクリックすることで、親コンポーネントであるApp側の表示が更新されているのがわかるでしょう。

イベントとメソッドの流れ

では、どのようにしてHelloWorldからAppに値が渡され処理されるのか、流れを確認しましょう。まずは、HelloWorldコンポーネントからです。ここではボタンクリックすると、doActionメソッドを呼び出していました。このdoActionは以下のようになっています。

```
methods:{
  doAction() {
    this.message = 'こんにちは、' + this.input + 'さん！'
    this.$emit('result-event', this.input)
  }
}
```

this.messageでメッセージを更新した後、this.$emitを呼び出しています。これで、result-eventイベントをthis.inputの値付きで呼び出します。

では、このHelloWorldコンポーネントが、Appのテンプレートでどのように使われているか確認しましょう。

```
<HelloWorld v-bind:title="message" v-on:result-event="appAction" />
```

v-on:で、result-eventイベントにappActionメソッドをバインドしています。これで、「$emitでresult-eventを発火→result-eventが発生し、appActionメソッドを呼び出す」という流れができあがったわけです。

後は、AppコンポーネントのappActionメソッドで、必要な処理を行なうだけです。これは以下のようになっていました。

```
methods:{
  appAction(message) {
    this.result = '(*** you send:"' + message + '". ***)'
  }
}
```

引数にはmessageという値が用意されていますね。これには、$emitを実行した際に送られたthis.inputが渡されています。この値を使い、this.resultの値を変更していた、というわけです。

「子コンポーネントから親コンポーネントへ」という呼び出しは、親から子への受け渡しに比べるとちょっと複雑ですが、実際にやってみるとそんなに難しいものではないことがわかるでしょう。

テンプレート参照について

コンポーネントで複雑な表示と操作を行なうようになってくると、テンプレートに用意されているHTML要素を直接操作したくなってくることもあります。これまでは、テンプレー

トの要素は{{}}などを使って表示を変更したり、v属性で属性などを設定してきました。が、基本的には「テンプレートに用意されている特別な値を使ってテンプレートの一部を操作する」という形でした。

しかし、例えばHTML要素を新たに付け加えたりするようなときは、直接HTML要素を操作したほうがはるかに簡単だったりします。こうしたときに役立つのが「テンプレート参照」と呼ばれるものです。

テンプレート参照は、テンプレートに用意されたHTML要素などに用意する参照情報です。これは以下のような形で記述します。

```
ref="名前"
```

このようにref属性を付けて記述されたテンプレートのHTML要素は、「this.$ref.名前」という形で、そのHTML要素のオブジェクト(JavaScriptのElementと呼ばれるオブジェクト)に直接アクセスすることができるようになります。

なぜテンプレート参照が必要か

「そんなの、document.querySelectorとかdocument.getElementByIdとか使えば簡単に取り出せるんじゃない？」と思った人。あなたは、私たちが今、編集しているJavaScriptのソースコードは「ビルド前のもの」であることを忘れています。

Vueのプロジェクトは、記述したものがそのまま使われるわけではありません。これをもとにビルドして生成されたファイルが使われます。そしてこの段階では、もとのソースコードとは似ても似つかぬ内容に書き換わっているのです。

したがって、例えばApp.vueやHelloWorld.vueの中で「document.getElementById ～」などとやっても、実行するHTMLファイルの中にそのHTML要素があるとは限りません。まるで違う形(idやnameが変更されるなど)に書き換わっている可能性のほうが高いのです。

そこでテンプレート参照が登場するのです。このrefでIDを指定して得た参照は、ビルドされた後も(どのように内容が書き換わっていたとしても)、参照したHTML要素をきちんと指し示すようにできているのです。

テンプレート参照を使う

では、実際にテンプレート参照を使ってみましょう。これもHelloWorldコンポーネントを再利用します。HelloWorld.vueの内容を以下のように書き換えてください。

リスト3-23

```
<template>
  <div className="alert alert-primary">
    <h1>{{title}}</h1>
    <p ref="msg">{{message}}</p>
    <button class="btn btn-primary"
      v-on:click="DoAction">Click</button>
  </div>
</template>

<script>
export default {
  name: 'HelloWorld',
  data() {
    return {
      title: 'HelloWorld',
      message:'This is sample message.',
    }
  },
  mounted() {
    this.counter = 0
  },
  methods: {
    DoAction() {
      this.counter++
      this.$refs.msg.innerHTML += '<h6>counted: '
        + this.counter + '</h6>'
    }
  }
}
</script>
```

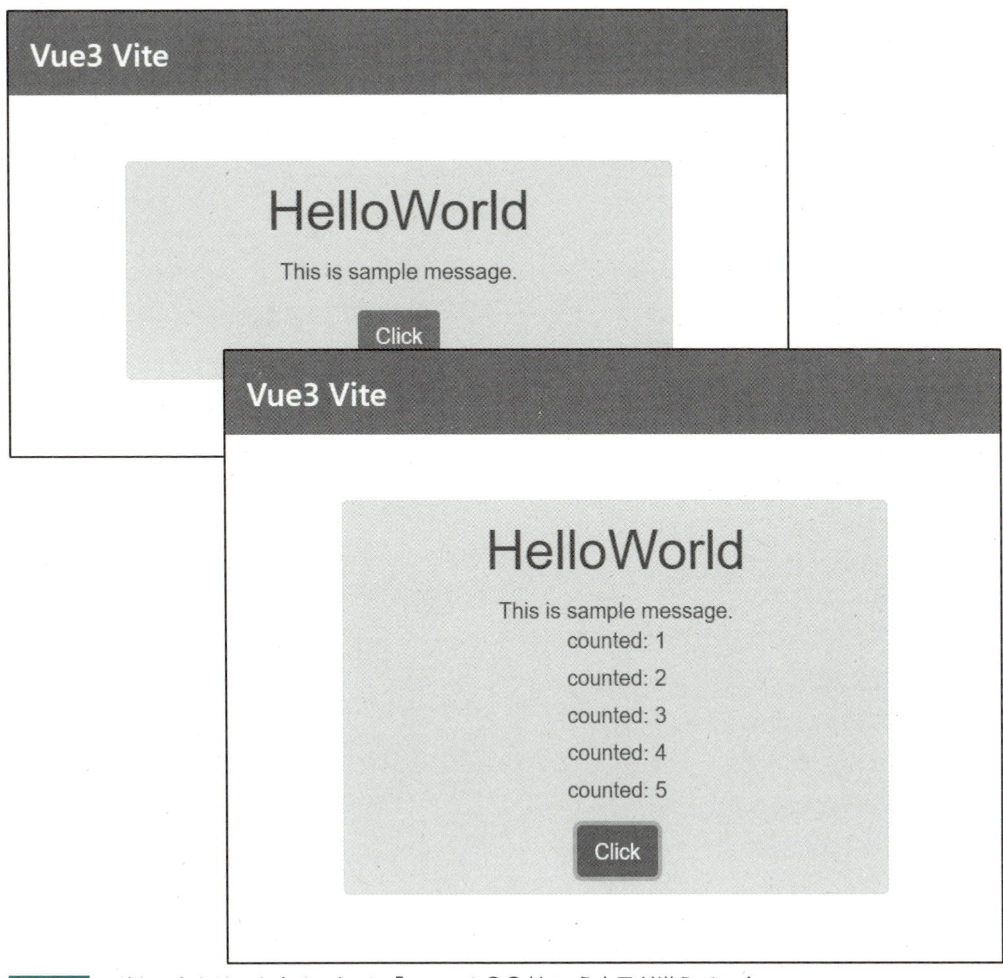

図3-17 ボタンをクリックすることで、「countd:○○」という表示が増えていく。

実行すると、ボタンを持ったコンポーネントが表示されます。このボタンをクリックすると、「counted:○○」とクリックした回数のテキストがどんどん追加されていきます。

テンプレート参照をチェック

では、テンプレート参照が使われているところを確認しましょう。今回は、<template>にある以下のタグで、参照が指定されています。

```
<p ref="msg">{{message}}</p>
```

これで、この<p>タグは"msg"という名前で参照されるようになります。それでは、ボタンをクリックして、呼び出されるDoActionメソッドがどうなっているか見てみましょう。

```
DoAction() {
  this.counter++
  this.$refs.msg.innerHTML += '<h6>counted: '
    + this.counter + '</h6>'
}
```

this.counterを1増やした後、this.$refs.msgのinnerHTMLに<h6>のタグを追加しています。これでどんどん表示が増えていったのですね。this.$refs.msgからinnerHTMLプロパティを操作できるということは、this.$refs.msgがJavaScriptのスタンダードなHTML要素オブジェクト(Element)を参照していることになります。Vueの仕組みをすっ飛ばして、HTMLの要素を直接操作できるようになるのです。

テンプレート参照は諸刃の剣

ただし、この「テンプレート参照による直接操作」は諸刃の剣である、という点も理解しておいてください。直接HTML要素を操作するということは、Vue3によって構築されている内部構造を破壊する危険もあります(例えば、Vue3で利用している要素を削除してしまったらどうなるか、想像するだに恐ろしいですね)。

ですから、テンプレート参照による直接操作は、必要最小限、例外的に利用する、というぐらいに考えたほうがいいでしょう。「いざとなれば直接操作する方法も残されているよ」ということですね。

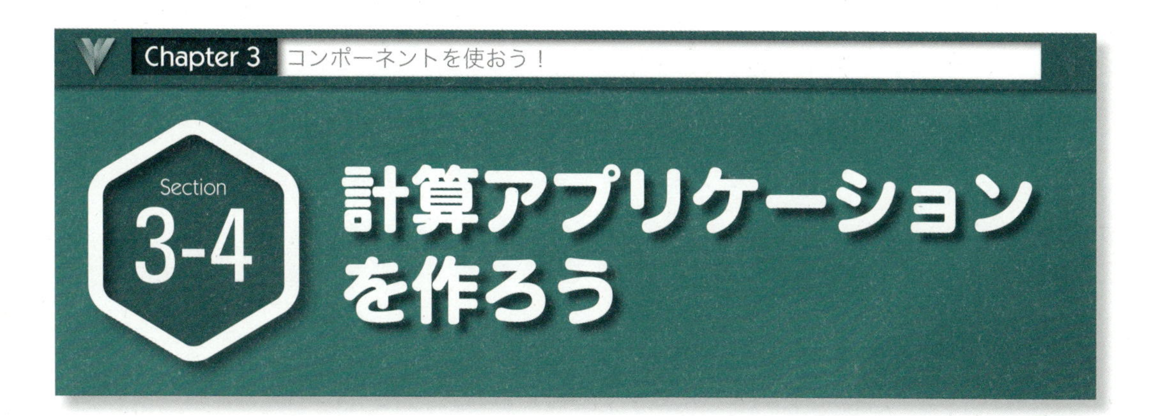

Section 3-4 計算アプリケーションを作ろう

Calcコンポーネントで計算！

これで、Vue3の基本的な使い方が大体わかってきました。ここまでの復習も兼ねて、実際に簡単なWebアプリケーションを作ってみることにしましょう。

今回作成するのは、ごく簡単な計算アプリケーションです。計算式を書いてボタンを押すと答えを表示する、といったものですね。ただし、それだけではつまらないので、少し工夫をしました。

図3-18 計算アプリケーション。式を記入してボタンを押すと、その答えを表示する。下には、計算した記録が表示される。

Chapter 1
Chapter 2
Chapter 3
Chapter 4
Chapter 5
Chapter 6
Addendum

変数が使える！

まず、入力できる式は、1行だけではありません。複数行を使えます。その場合、式の結果を変数に入れるように記述していき、最後の行に、用意した変数を使った式を記入すると、その答えが計算されるようにしました。例えば、こんな具合です。

```
tax = 8
price = 12500
price * (1.0 + tax / 100)
```

税額を変数taxに、金額をpriceにそれぞれ設定しておき、それらを使った計算式を最後に書くと、その答え(priceの税込価格)を計算して表示します。最後の行の手前までは、すべて「変数 = 式」という形で記述し、最後の行だけ(変数に代入しない)普通の計算式を書いていますね。

変数が使えることで、かなり複雑な計算も行なえるようになっています。実際にいろいろな式を書いて実行させてみましょう。

ログが表示される！

また、計算を実行すると、その結果を記録し、下に表示するようにしてあります。これは、最近実行したものを最大10個まで記憶しておくようにしてあります。

このログ情報は、ブラウザのストレージに保管されており、次回アクセスしたときには、最後の状態を読み込んで復元されるようになっています。

ログには計算結果がどんどん追加されていきます。「もう古いログはいらない。一回クリアしたい」というときは、ログの下にある「Clear Log」ボタンを押すとログを消去できます。

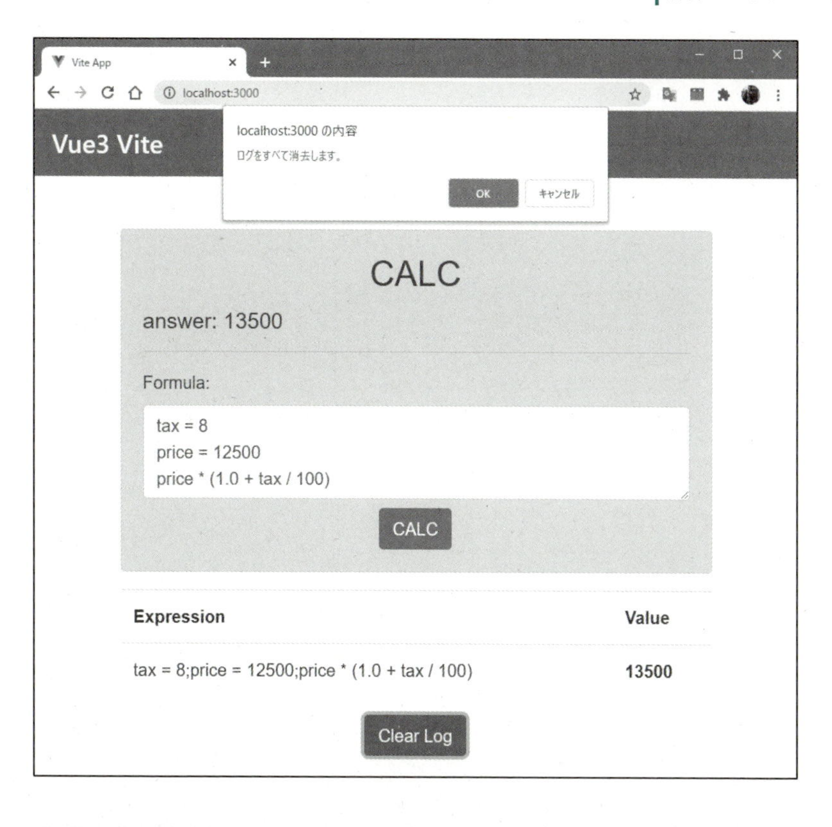

図3-19 「Clear Log」ボタンを押し、ダイアログでOKするとログが消去される。

 作成するプログラムの内容 

では、実際にWebアプリケーションを作ってみましょう。今回のサンプルは、Viteで作成したプロジェクトを、そのまま利用する前提で説明します。ここまで利用してきたvite_appをそのまま再利用してもいいですし、別に新たにプロジェクトを作成して使っても構いません。

今回、作成するのは、2つのコンポーネントです。

App.vue	プロジェクトに作成されているもの。コンポーネントのベースとなるもの。
Calc.vue	新たに作成するもの。計算の実行部分を担当するコンポーネント。

Viteで作成したプロジェクトでは、App.vueとHelloWorld.vueの2つのコンポーネントが用意されていました。App.vueはそのまま利用すればいいでしょう。またCalc.vueは、「components」フォルダの中に新たにファイルを作成して使うことにします。

Calc.vueを作成する 

では、Calc.vueから作成をしましょう。「components」フォルダの中に「Calc.vue」というファイルを用意してください。

Visual Studio Codeを使っているならば、エクスプローラー（左側のファイルリスト）で「components」フォルダを選択し、リスト一番上の「VITE_APP」項目のところにある「新しいファイル」アイコンをクリックするとファイルが作成できます。

そのままファイル名を「Calc.vue」と入力してください。

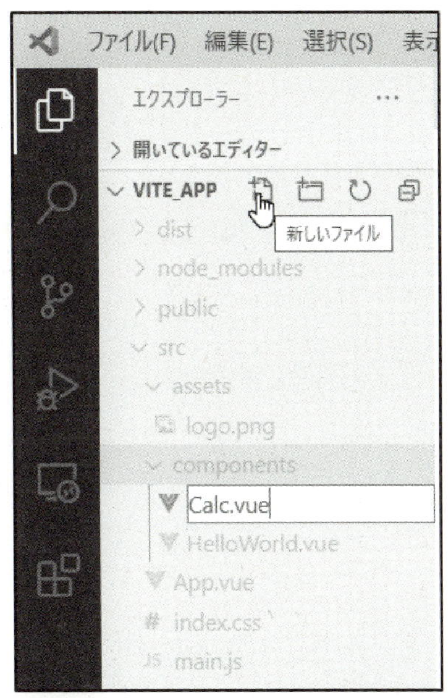

図3-20 「新しいファイル」アイコンでファイルを作成する。

Calc.vueのソースコード

Calc.vueファイルが用意できたら、スクリプトを記述しましょう。以下のリストを記述してください。

リスト3-24

```
<template>
  <div class="card alert-primary">
    <div class="card-body text-left">
      <h2 class="card-title text-center">{{ title }}</h2>
      <p class="card-text h5">{{ message }}</p>
      <hr>
      <div>
        <div class="form-group">
          <label>Formula:</label>
          <textarea class="form-control mb-2"
            v-model="fomula"></textarea>
        </div>
        <div class="text-center">
          <button class="btn btn-primary"
            v-on:click="doAction">CALC</button>
        </div>
      </div>
    </div>
```

```
  </div>
</template>

<script>
export default {
  name: 'Calc',
  props: {
    title: String,
  },
  data() {
    return {
      message: 'Enter expression:',
      fomula:'0',
    }
  },
  methods:{
    doAction() {
      let arr = this.fomula.trim().split('\n')
      let last = arr.pop()
      let fn = ''
      for(let  n in arr) {
        if (arr[n].trim() != '') {
          fn += 'let ' + arr[n] + ';'
        }
      }
      fn += 'return ' + last + ';'
      let exp = 'function f(){' + fn + '} f();'
      let ans = eval(exp);
      this.message = 'answer: ' + ans
      let re = arr.join(';').trim()
      if (re != '') { re += ';' }
      re += last
      this.$emit('result-event', re, ans)
    }
  }
}
</script>
```

Calcの構成

では、Calcコンポーネントがどのようになっているのか、詳しく見ていきましょう。まず、テンプレートで表示内容を確認しましょう。次のようにtitleとmessageを表示しています。

```
<h2>{{ title }}</h2>
<p>{{ message }}</p>
```

これらは、HelloWorldコンポーネントにあったものとほぼ同じですから、わかりますね。この下に、式を入力するテキストエリアと実行ボタンを追加してあります。

```
<div class="form-group">
  <label>Formula:</label>
  <textarea class="form-control mb-2"
    v-model="fomula"></textarea>
</div>
<div class="text-center">
  <button class="btn btn-primary"
    v-on:click="doAction">CALC</button>
</div>
```

<textarea>では、v-model="fomula"として、fomulaという変数に値が同期されるようにしてあります。またボタンでは、v-on:click="doAction"として、クリックしたらdoActionが実行されるようにしてあります。

コンポーネントに用意されるもの

では、<script>タグで、コンポーネントの中に用意されているものがどうなっているか確認しましょう。まず、propsとdataで、用意される値をチェックしましょう。

```
props: {
    title: String,
},
data() {
  return {
    message: 'Enter expression:',
    fomula:'0',
}
```

propsにはtitleを、dataではmessageとfomulaをそれぞれ用意してあります。これらが、テンプレートで表示されていたのですね。titleは後で操作することはまずないので、属性として設定できるようにpropsにしてありますが、messageとfomulaは常に変更されるものであるため、dataに用意してあります。

doActionの処理について

methodsには、ボタンをクリックした際に実行されるdoActionが用意されています。ここでは、テキストエリアに記述された値(v-modelでfomulaに値が保管されています)をもとに、入力された式を実行し結果を取り出しています。これは、以下のような流れで行なっています。

●1. fomulaのテキストを改行コードで分割し配列にする

```
let arr = this.fomula.trim().split('\n')
```

●2. 配列の最後の項目を変数lastに取り出しておく(配列からは消える)

```
let last = arr.pop()
```

●3. 配列の各要素について繰り返し処理をする

```
for(let n in arr) {
```

●4. 繰り返しでは、取り出した項目のテキストが空でないなら、「let テキスト ;」というテキストを作って変数fnに追加する

```
if (arr[n].trim() != ''){
  fn += 'let ' + arr[n] + ';'
}
```

●5. 繰り返しが終わったら、「return 最後の項目 ;」とテキストを追加してテキスト完成

```
fn += 'return ' + last + ';'
```

●6. 完成したテキストの前後に「function(){」「} f();」と付け足す。これで、取り出した処理のテキストをfという関数にまとめて実行するスクリプトができあがる

```
let exp = 'function f(){' + fn + '} f();'
```

●7. eval関数を使ってスクリプトのテキストを実行する

```
let ans = eval(exp)
```

●8. 実行結果をメッセージにまとめてmessageに設定

```
this.message = 'answer: ' + ans
```

●9. 配列をセミコロン(;)記号でつなげて1つのテキストにする

```
let re = arr.join(';').trim()
```

●10. 配列が空でなければセミコロンを付け、最後の項目を付け加える

```
if (re != '') { re += ';'}
re += last
```

●11. 作成したテキストを引数に指定し、$emitでresult-eventイベントを呼び出す

```
this.$emit('result-event', re, ans)
```

入力テキストは関数として実行

これらの処理の中でわかりにくいのは、入力したテキストの実行でしょう。テキストをスクリプトとして実行するには「eval」という関数を使います。単純な式なら、引数にテキストを指定して、evalを呼び出せば結果が得られます。

が、複数行に渡る計算の場合は、それらをJavaScriptとして正しく実行できるようにしておく必要があります。どうするのかというと、書いた式全体を関数にまとめ、その関数を実行するようにしておくのです。

テキストの最初にfunction ○○ (){とつけ、最後に}とつければ、関数の形になります。そして書かれたテキストは、変数に代入する文の場合は「let ○○ = ××;」という形にしてやり、最後の計算式は「return ○○」という形にしてやれば、JavaScriptとして実行できるスクリプトになります。

例えば、簡単な計算式がどのように変わるのか見てみましょう。

```
a = 100
b = 200
a + b
```

↓

```
function f(){
  let a = 100
  let b = 200
  return a + b+
}
f()
```

このように変更されるのです。これで実行すれば、最後のa + bの計算結果が得られる、というわけです。

後は、入力された式を1つのテキストにまとめて、result-eventイベントを呼び出しています。計算結果をログとして保管し管理するのは、このresult-eventで呼び出されるApp側の役割になります。

Appコンポーネントを作る

さあ、もう1つのAppコンポーネントに進みましょう。これは、App.vueを書き換えて作成します。以下のように内容を書き換えてください。

リスト3-25

```
<template>
  <div id="app">
    <Calc v-bind:title="message"
      v-on:result-event="appAction"/>
    <div class="mt-3 text-left">
      <table class="table" v-html="log"></table>
    </div>
    <div>
      <button class="btn btn-danger"
        v-on:click="doClear">Clear Log</button>
    </div>
  </div>
</template>

<script>
import Calc from './components/Calc.vue'

export default {
  name: 'app',
  components: {
    Calc
  },
  data() {
    return {
      message:'CALC',
      result:[],
    }
  },
  computed: {
    log() {
      let table = '<tr><th>Expression</th><th>Value</th></tr>'
      if (this.result.length > 0) {
        for(var i in this.result) {
          table += '<tr><td>' + this.result[i][0] + '</td><th>'
            + this.result[i][1] + '</th></tr>'
        }
      }
```

Chapter 1
Chapter 2
Chapter 3
Chapter 4
Chapter 5
Chapter 6
Addendum

```
      return table
    }
  },
  created() {
    let items = localStorage.getItem('log')
    let logs = JSON.parse(items)
    if (logs != null){ this.result = logs }
  },
  methods: {
    appAction(exp, res) {
      this.result.unshift([exp, res])
      var log = JSON.stringify(this.result)
      localStorage.setItem('log', log)
    },
    doClear() {
      if (confirm('ログをすべて消去します。')) {
        localStorage.removeItem('log')
        this.result = []
      }
    }
  }
}
</script>
```

Appコンポーネントの構成

では、こちらもコンポーネントの内容をチェックしていきましょう。まずはテンプレートからです。ここでは、Calcコンポーネントを以下のように組み込んでいます。

```
<Calc v-bind:title="message"
      v-on:result-event="appAction" />
```

v-bindで、messageという値にバインドをしています。またv-onで、result-eventイベントが発生したら、appActionメソッドを呼び出すようにしています。

また、計算の実行結果を表示するのに、<table>タグを以下のように用意してあります(classは省略してあります)。

```
<div>
  <table v-html="log"></table>
</div>
```

v-htmlを使い、logの値を表示するようにしてあります。このlogにテーブルの内容を設定すれば、それが表示されるというわけですね。

用意される値について

では、コンポーネントの中に用意されるものを見ていきましょう。まずは、コンポーネントと値(data)です。

```
components: {
  Calc
},
data() {
  return {
    message:'CALC',
    result:[],
  }
},
```

Calcコンポーネントを組み込み、dataにはmessageとresultの2つの値を用意してあります。messageは、<Calc>タグのv-bind:titleに設定してあります。resultはまだ登場していませんが、実行した式と結果を配列にまとめて保管するものです。

算出プロパティについて

<table>にv-htmlで設定してあったlogは、dataには用意されていませんでした。これは、算出プロパティとして用意してあります。以下の部分ですね。

```
  computed: {
    log() {
      let table = '<tr><th>Expression</th><th>Value</th></tr>'
      if (this.result.length > 0) {
        for(var i in this.result) {
          table += '<tr><td>' + this.result[i][0] + '</td><th>'
            + this.result[i][1] + '</th></tr>'
        }
      }
      return table
    }
  },
```

logは、this.resultの配列から順に値を取り出し、その内容をテーブルのタグの形にまと

Chapter 1
Chapter 2
Chapter 3
Chapter 4
Chapter 5
Chapter 6
Addendum

めて作成してあります。resultは「配列の配列」になっています。実行した式と、その結果の2つの値をまとめた配列を、更に配列にまとめて設定してあるのです。ですから、forを使って配列の要素を順に取り出したら、その取り出した配列から、更に値を取り出して利用することになります。

ここでは、forの中で例えばthis.result[i][0]というように値を取り出していますね。これは「this.resultのi番目の値の配列のゼロ番の値」を取り出しているのです。ちょっとややこしいですが、「配列の配列」になっているという点をよく頭に入れて処理を考えましょう。

初期化処理created

その後には「created」が用意されています。created、前に使ってますが覚えてますか？そう、初期化処理に関するものでしたね。これはコンポーネントのオブジェクトが作成された直後に実行されます。

このときは、もうpropsやdataによる値の設定は行なわれています。つまり、このcreatedに処理を用意することで、propsなどの設定を上書きして変更できる、というわけです。

ここでは、以下のような処理が実行されています。

```
created() {
  let items = localStorage.getItem('log')
  let logs = JSON.parse(items)
  if (logs != null){ this.result = logs }
},
```

ローカルストレージについて

最初に行なっているのは、localStorageのgetItemを呼び出すことです。このlocalStorageというのは、ローカルストレージというものを利用するためのオブジェクトです。これは、Webブラウザに値を保管するのに用いられるものです。getItemは、指定の名前(キー)の値を取り出すメソッドです。

```
変数 = localStorage.getItem( キー )
```

これで、指定した名前で保存しておいた値を取り出せるのですね。後で説明しますが、ここではログ情報のテキストをlogという名前で保管しています。これで、前回保管したlogの値を取り出していたのです。

JSON.parseでオブジェクトに変換

取り出したテキストは、JSONオブジェクトの「parse」というメソッドでオブジェクトにしています。JSONは、JSON形式のデータを扱うための機能を提供するもので、parseは引数のテキストをもとに、JavaScriptのオブジェクトを生成します。

つまりこれで、ローカルストレージから取り出したテキストをもとに、JavaScriptのオブジェクトが作成できた、というわけです。保管するログ情報はもともと配列の形になっていたので、これで保存した配列が取り出せました。

後は、値がnullでなければ、それをthis.resultに設定して作業完了です。this.resultは、算出プロパティのlogで使われていましたね。ということは、ここでthis.resultに値を設定すると、算術プロパティ logが更新され、表示されるテーブルが更新されるわけです。

appActionメソッドについて

残るは、<Calc>のv-on:result-eventに設定されていた、appActionメソッドです。これは、Calcコンポーネントでボタンをクリックして計算処理をしたときに呼び出されるイベントでしたね。では、ここで行なっている処理の流れを整理しましょう。

●1. 引数を配列resultに追加する

```
this.result.unshift([exp, res])
```

このappActionでは、まずthis.resultの「unshift」を呼び出し、引数に渡されるexpとresの値を配列にまとめて追加します。unshiftは、配列の最初に値を追加するメソッドです。

●2. 配列resultをJSONテキストに変換する

```
var log = JSON.stringify(this.result)
```

JSONオブジェクトの「stringify」は、引数のオブジェクトをJSON形式のテキストに変換します。これで、this.resultの配列がテキストに変換されます。

●3. ローカルストレージに保存する

```
localStorage.setItem('log', log)
```

後は、localStorageオブジェクトの「setItem」メソッドで、作成されたテキストをlogというキーに保存します。setItemは、値を指定の名前でローカルストレージに保存するメソッドです。

```
localStorage.setItem( キー , 値 )
```

これで、更新されたログ情報がローカルストレージに保管されました。これは、次回アクセスした際に取り出され、ログとして表示される、というわけです。

doClearメソッドについて

ローカルストレージを利用するメソッドは、もう1つ用意されています。「Clear Log」ボタンをクリックして呼び出される、doClearメソッドです。こちらは、やっていることは割と簡単です。ここでは、こんな具合に処理が用意されていますね。

```
if (confirm('ログをすべて消去します。')) {
  ……true時の処理……
}
```

confirmは、OKならばtrue、キャンセルならfalseを返します。これでOKだった場合に、ローカルストレージからログデータを削除します。

```
localStorage.removeItem('log')
```

localStorageの「removeItem」は、引数に指定したキーの値を削除するメソッドです。これでlogの値がクリアされました。が、これで終わりではありませんよ。ログデータを保管しているresultも、クリアしないといけません。

```
this.result = []
```

これでWebページに表示されるテーブルもクリアされました。保管されたローカルストレージだけでなく、配列を保管しているresultも一緒に操作しないといけない、ということを忘れないようにしましょう。

この章のまとめ

というわけで、コンポーネントを中心に、Vue3の使い方について一通り説明をしました。一通り読んでわかったと思いますが、コンポーネントはVue3の中心的な機能ですが、しかし前章で説明した「アプリケーション・オブジェクトを作成し利用する」という機能も必要であることがわかります。

「コンポーネントがわかればアプリケーション・オブジェクトは使わない」というわけではないんですね。アプリケーション・オブジェクトがまずあり、それを格段に使いやすく協力にするものとして、コンポーネントが用意されている、という感じであるのがわかるでしょう。

アプリケーション・オブジェクトとコンポーネントは、似ていますが微妙に違います。またコンポーネントでは、アプリケーション・オブジェクトのときには説明しなかった、さまざまな機能についても説明しました。かなりたくさんの新しい機能が出てきたので、全部覚えきれない！ という人もいたことでしょう。

では、とりあえずコンポーネントについて一通り使えるようになるためには、どれとどれを確実に覚えないといけないのか、ざっと整理しておきましょう。

propsとdataは基本中の基本！

値を扱うためのpropsとdataは、Vueでも登場しました。これらはコンポーネントにおいても基本中の基本となる機能です。

propsは、コンポーネントのタグで属性として用意されます。これは、親コンポーネントから子コンポーネントに値を渡すのにも利用したりします。非常に奥の深い機能なのです。

またdataは、メソッドの形で定義します。すでに何度も登場していますが、このdataはコンポーネントの基本中の基本ともいえる機能ですので、しっかり理解しておきましょう。

v-modelとv-onは重要！

v属性の仲間として「v-bind」というのが登場しました。コンポーネントでは、更に「v-model」と「v-on」というものが出てきました。

v-modelは、入力関係のタグで利用するものでしたね。これを使うことで、入力された値をコンポーネントのdataの値にバインドすることができました。

v-onは、イベントの属性を設定するものでしたね。これを利用することで、コンポーネントのmethodsに用意したメソッドをイベントに設定できるようになります。

また、$emitというメソッドを利用して子コンポーネントから親コンポーネントに値を渡すときも、このv-onによるイベント設定が重要な役割を果たしていました。ただ、この「親子間のイベント送信」までは今すぐ覚えなくても大丈夫でしょう。これは、ある程度Vue3を使えるようになったところで改めて復習すれば十分です。

.vueファイルの書き方をマスター！

プロジェクトを利用した開発では、.vueという拡張子のファイルが登場しました。これは、コンポーネントを1つのファイルにまとめたものです。これを使うと、テンプレート、スクリプト、スタイルといったものを、ひとまとめにして書くことができ、大変便利です。

ただし、この.vueファイルでは、コンポーネント定義がexport defaultという形で実行するようになっているなど、通常のコンポーネントとはだいぶ違っている部分があります。.vueファイルの基本的な書き方をしっかり頭に入れておきましょう。

Chapter

4

コンポーネントを更に掘り下げる！

Vue3のコンポーネントは、いろいろな機能が盛り込まれています。基本の使い方がわかったところで、コンポーネントのさまざまな機能についてもう少し掘り下げて考えていくことにしましょう。

レンダリングとJSX

Vue3を使いこなすには？

Vue3の基本は、Vueオブジェクトとコンポーネントですが、ここまで説明してきたこと以外にもさまざまな機能が用意されています。ここでは、そうした機能の使い方を説明していくことにしましょう。こうした機能を覚えれば、より本格的にVue3を使いこなせるようになります。

ただし！ これから説明するものは、「わかっていないとVue3は使えない」というものではありません。

Vue3を使うために必要な基本機能は、既に説明しています。3章まで説明した内容をきっちりと理解していれば、Vue3はだいたい使えるようになります。これから説明するのは、「もっとVue3を使いこなせるようになりたい」と思う人のためのものです。

ですから、「とりあえずVue3が使えるならそれで十分。それより先に進みたい」という人は、この章を飛ばして次に進んでも全く構いません。また、とりあえずこの本の最後まで読んでから、「だいたいわかったから、もう少しVue3について勉強していこう」と思ったところでまた読み返してもいいのです。まぁ、次の章以降でも、ここで説明する機能が全く登場しないわけではありませんが、そのへんは「よくわからないから後で！」と飛ばしても大丈夫な部分だったりします。

この本の説明は、「最初から順番にすべて理解しないとダメ！」というものではないんです。とりあえず必要最小限の部分をきっちりと頭に入れておけばそれで十分です。それ以外のものは、「余裕があれば勉強してみる」ぐらいに考えておきましょう。別に、今すぐすべて理解しなくてもVue3は使えるんですから。無理なく自分のペースで勉強していきましょう。

renderによる描画

まず最初に考えるのは、表示の「レンダリング」についてです。レンダリングというのは、

テンプレートをもとに実際の表示を生成する処理のことです。

ここまで、Vue3の表示については、基本的にHTMLのタグを使って記述してきました。その中に{{}}といった記号を使って値を埋め込んだり、v属性を用意したりして、Vue3のコンポーネントと表示を関連付けてきました。

これまでのやり方をここで振り返ってみましょう。前章まで利用していたプロジェクト(ここでは「vite_app」)を使って、ごくシンプルなWebページのサンプルを用意してみます。App.vueですが、以下のように記述をしましょう。

リスト4-1

```
<template>
  <div id="app">
    <HelloWorld />
  </div>
</template>

<script>
import HelloWorld from './components/HelloWorld.vue'

export default {
  name: 'app',
  components: {
    HelloWorld
  }
}
</script>
```

見ればわかるように、HelloWorldコンポーネントを埋め込んで表示しているだけの単純なものですね。では、HelloWorld.vueもシンプルなコンポーネントを用意しておきましょう。

リスト4-2

```
<template>
  <div class="alert alert-info">
    <h2>{{ title }}</h2>
    <p>{{ message }}</p>
  </div>
</template>

<script>
export default {
  name: 'HelloWorld',
  data() {
    return {
      title: 'HelloWorld',
```

```
      message:'This is sample message.',
    }
  }
}
</script>
```

図4-1　ごく単純なコンポーネント表示の例。

タイトルとメッセージをアラートの形にまとめて表示する、ごく単純なコンポーネントです。実際に「npm run dev」コマンドを実行して表示を確認しておきましょう。

ここで挙げた例は、これまで作成してきたコンポーネントの典型的な例です。最初に<template>を使ってHTMLを利用したテンプレートを記述し、その後に<script>タグでコンポーネントの内容を書く。そういう形ですね。

ここでは、「レンダリングがどうこう」といったことは思い浮かびません。Vue3では、<template>を自動的にレンダリングし表示するようになっているため、「この<template>部分が内部でレンダリングされ表示されている」という意識がそもそも希薄なのです。

renderメソッドについて

しかし実際問題として、コンポーネントは内部で<template>をレンダリングし表示を作成しているのは確かです。それは、どのような形で行なわれているのでしょうか。

実をいえば、その答えは非常にシンプルです。レンダリングは、「render」というメソッドによって行なわれるようになっているのです。このrenderメソッドを用意し、そこに表示内容を記述すれば、それでレンダリング表示される内容を明示的に指摘することができるのです。

整理するなら、こういうことです。

```
export default {
```

```
  name: ○○,
  render() {
    return 表示内容
  }
}
```

こんな具合に、renderというメソッドを用意して、その中で出力内容をreturnするようにしておけば、返された内容がそのまま表示されるのです。意外と簡単な仕組みなんですね。

renderでHTMLを出力できる？

では、実際にrenderを使ってみましょう。ここでは、HelloWorld.vueを書き換えて使うことにします。以下のように内容を変更してみてください。

リスト4-3

```
<script>
export default {
  name: 'HelloWorld',
  data() {
    return {
      title: 'HelloWorld',
      message:'This is sample message.',
    }
  },
  render() {
    return  `<h1>{{title}}</h1>
      <p>{{message}}</p>`
    }
}
</script>
```

726px × 237px

Vue3 Vite

<h1>{{title}}</h1> <p>{{message}}</p>

図4-2　renderでreturnしたHTMLは、そのままテキストとして表示される。

ここでは、renderの中にテキストとしてHTMLコードを用意しています。{{}}もそのままにしてありますね。実際に{{}}が使えるかどうかわかりませんが、とりあえずこれでどんな結果になるか試してみましょう。

これで実行してみると、なんとreturnしたテキストがそのまま出力されてしまっているのがわかるでしょう。HTMLのタグも、そのまま「タグのテキスト」として表示されてしまっています。テキストをreturnしたのでは、renderはうまくレンダリングできない(というより、テキストなのでそのままそれが表示される)のです。

h関数を利用する

では、renderでどうやってHTMLのコードを作成しレンダリングすればいいのでしょうか。これは、Vue3の「h」という関数を使います。

hは、HTML要素を記述する関数です。これにより、HTML要素のオブジェクトが生成され返されます。これは以下のようにしてVue3からインポートして使います。

```
import { h } from 'vue'
```

このh関数は以下のように記述します。

```
h( タグ名 , 属性情報 , 内部の要素 )
```

タグ名	タグの名前。<h1>ならば"h1"と指定する。
属性情報	省略可。そのHTML要素に用意する属性とその値をオブジェクトにまとめたもの。
内部の要素	<○○> ～ </○○>というように開始タグと終了タグの間に用意する内容。テキストや、HTML要素を指定する。HTML要素の場合は、h関数を使って記述できる。

このように、作成するタグ名、属性、内部の値といったものを引数として用意することで、HTMLの要素をオブジェクトとして作成できます。これをreturnすれば、その内容をもとに表示をレンダリングし表示できます。

h関数でレンダリングする

では、実際にh関数を使って表示を作成してみましょう。HelloWorld.vueの内容を以下のように書き換えてみてください。

リスト4-4

```
<script>
import { h } from 'vue'

export default {
  name: 'HelloWorld',
  data() {
    return {
      title: 'HelloWorld',
      message:'This is sample message.',
    }
  },
  render() {
    return  h('div',{
        class:'alert alert-warning'
      },
      [
        h('h2', this.title),
        h('p', this.message)
      ])
    }
}
</script>
```

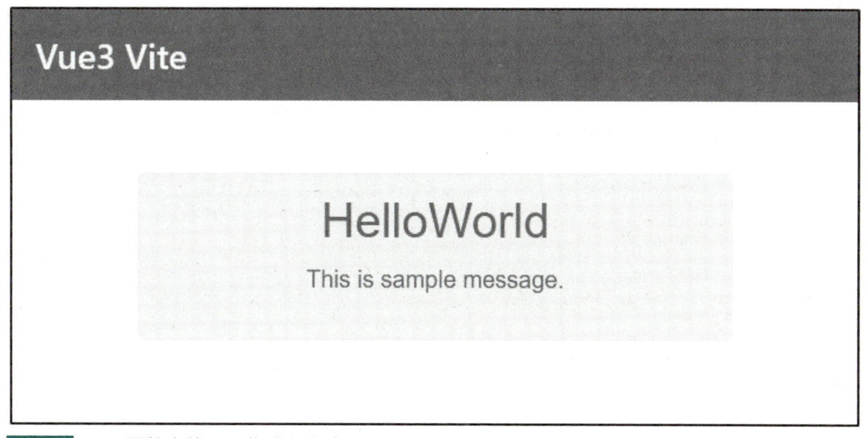

図4-3　h関数を使って作成した表示。

これを実行すると、タイトルとメッセージを表示したアラートが表示されます。今度はちゃんとコンポーネントの内容が表示されるようになりました。

renderの内容をチェック

では、renderメソッドがどのようになっているか見てみましょう。ここでのreturnの内容を整理すると、こんな形になっていることがわかります。

```
return  h('div',{
    class:'alert alert-warning'
  },
  内部の表示
}
```

<div>タグを生成するh関数を用意してreturnしていたんですね。第2引数の属性情報には、classというキーを用意し、'alert alert-warning'と値を指定しました。これで、class="alert alert-warning"と属性指定された<div>タグが作成できます。

そして、第3引数に用意されるタグ内の表示内容には、以下のような関数が用意されています。

```
[
  h('h2', this.title),
  h('p', this.message)
]
```

h関数によるHTML要素の配列が用意されていますね。ここでは<h2>と<p>を定義しています。属性はなく、ただ内容としてtitleとmessageの値を指定しています。dataで用意した値を利用する場合は、このようにthis.○○という形で値を指定しておきます。

Chapter 1
Chapter 2
Chapter 3
Chapter 4
Chapter 5
Chapter 6
Addendum

Vue3は仮想DOMで操作する Column

Vue3のレンダリングについて学ぶとき、頭に入れておきたいのは「レンダリングによって、1つ1つのDOMエレメントが直接操作されているわけではない」という点です。

通常、JavaScriptで表示を操作するときは、「DOM (Document Object Model)」という技術を利用します。JavaScriptでは、HTMLを読み込んだ段階で、各HTML要素のオブジェクト版となる「エレメント」が作成され、それらの組み込み状態などがHTMLと全く同じ形で再現されます(これを「DOMツリー」といいます)。

JavaScriptで構築されるDOMツリーは、組み込まれているエレメントを操作すると、その度にWebページの表示が更新されるため、細々とした操作をしていくと非常に動作が遅くなってしまいます。

Vue3では、こうしたDOM操作の問題を解消するため、DOMの代わりに「仮想DOM」を使って操作を行なうように設計されています。

仮想DOMは、「バーチャルなDOM」の仕組みのことです。Vue3では、DOMツリーが構築された後、それぞれのエレメントに対応する仮想DOMのエレメントが作られていきます。そして、仮想DOMによるDOMツリーが作成されるのです。

この仮想DOMは、実際のDOMに完璧に対応しており、常に実際のDOMと仮想DOMは同じ状態となるように働きます。仮想DOMは、常にその状態が管理されており、仮想DOMのコンテンツやプロパティを操作すると、それに対応する実際のDOMの内容が更新され、HTMLの表示タグが変更されます。

仮想DOMというものを用意することで、HTMLのDOMツリーを常に監視し、修正や変更などをリアルタイムかつ高速に反映する仕組みを作ることができたのです。これが、Vue3のベースとなる技術になっています。

JSXについて

h関数により、HTMLを使わずJavaScriptのオブジェクトとして表示内容を記述できます。これは、JavaScriptを使っている人にはわかりやすい方式でしょう。

が、複雑な表示内容になってくると、「h関数の引数にまたh関数を、その引数にまたh関数を……」というようにh関数の入れ子状態がどんどん進んでいきます。こうなると、h関数でどういうHTML要素をどう組み合わせて何を作っているのか判然としなくなってくるでしょう。

renderではテキストでHTMLコードは記述できない。といってh関数は複雑な構造を書くには面倒臭い。では、もっとシンプルでかつわかりやすい方法はないのでしょうか。

実は、あります。それは「JSX」を利用するのです。JSXは、JavaScriptの構文拡張と呼ばれる機能を使って、JavaScript自身にHTMLのコードを値として直接記述できるようにする機能です。

通常、値としてHTML要素を書く場合は、"<h1>"というようにテキストとしてHTMLのソースコードを記述することになります。が、JSXは、テキストではなく、HTMLのコードそのものを値として扱えるようにします。

このJSXを利用すれば、renderのreturnにも直接HTMLのコードを記述できるようになります。例えばこんな具合にです。

```
render <h1>Hello</h1>
```

なんだか奇妙な感じがするかもしれません。が、「HTMLのコードがそのまま値として認識される」というのがどういうことか、イメージできたでしょうか。

JSXファイルを作成する

では、実際にJSXを利用してみましょう。Vueでは、JSXによるコンポーネントは、.vueファイルではなく「.jsx」という拡張子をつけたファイルとして用意します。では、「components」フォルダの中に「helloJSX.jsx」というファイルを作成してください。これがJSXを使ったコンポーネントになります。

ファイルが用意できたら、そこに以下のように記述をしましょう。

リスト4-5

```
export default {
  name :'HelloJSX',
  data() {
    return {
      title: 'HelloJSX',
      message:'This is sample message.',
    }
  },
  render(h) {
    return (
      <div class="alert alert-primary">
        <h2>{ this.title }</h2>
        <p>{ this.message }</p>
      </div>
    )
  }
```

```
}
```

.jsxファイルは、JavaScriptのスクリプトを記述するファイルです。これは、.vueのように<template>を使って直接HTMLのタグを書いたりはできません。また、JavaScriptのコードも、<script>タグなどを用意する必要はありません。そのままJavaScriptのソースコードを記述すればいいのです。

そして、helloJSX.jsx内のrenderのretrnには、JSXによるHTMLのタグを直接記述します。

```
return (
  <div class="alert alert-primary">
    <h2>{ this.title }</h2>
    <p>{ this.message }</p>
  </div>
)
```

ここでは、return ()というようにカッコを用意し、その中にJSXの内容を記述しています。JSXのタグの記述は、returnの後、同じ行に続けて書き始めないといけません。例えば、こういう形で書くのです。

```
return <div class="alert alert-primary">
    <h2>{ this.title }</h2>
    <p>{ this.message }</p>
  </div>
```

これでももちろん問題ないのですが、HTMLのタグはインデントの位置などを揃えたほうが見やすくなります。そこで()をつけて、その中にHTMLのタグを記述してあります。こうすることで、JSXをreturnの直後から書き始めなくても良くなります。

dataの埋め込みについて

ここでは、dataに用意したtitleとmessageをJSXの中に埋め込んでいます。この記述は、これまでの<template>を使ったテンプレートの書き方とは微妙に違っています。

```
{ this.値 }
```

JFXで値を記述する場合は、{{}}ではなく、{}を使います。そしてdataの値は、this.○○というようにthisの中から指定をするように記述します。なぜthisか？ というと、このJSXの値は、export defaultのオブジェクト({}部分)内に書かれているものだからです。つまり、これまでのようにコンポーネントのスクリプトとテンプレートが分かれているわけではなく、「コンポーネントのオブジェクトの中にrenderでJFXの値が用意されている」わけですね。だから、ここで使う値はthisにある値を指定すればいいのです。同じオブジェクトの中にある値なのですから。

これでtitleやmessageを取り出しJSX内に埋め込むことができるようになりました。

App.vueの修正

さあ、HelloJSX.jsxが用意できましたね。では、このコンポーネントをAppに埋め込んで表示されるようにしましょう。App.vueの内容を以下に変更してください。

リスト4-6

```
<template>
  <div id="app">
    <HelloJSX />
  </div>
</template>

<script>
import HelloJSX from './components/HelloJSX.jsx'

export default {
  name: 'app',
  components: {
    HelloJSX
  }
}
</script>
```

図4-4　アクセスすると、JSXによって定義されたコンポーネントが表示される。

できたら実際にアクセスして表示を確認してください。「HelloJSX」とタイトル表示されたアラートがWebページ内に表示されます。これがHelloJSX.jsxによって作成されたコンポーネントの表示です。

ここでは、importでHelloJSX.jsxをインポートし、componentsでHelloJSXをインポートしています。そして実際の表示は以下のように行なっています。

```
<HelloJSX />
```

これで、このタグの位置にHelloJSXコンポーネントがレンダリングされ出力されます。利用は通常の.vueによるコンポーネントと何ら変わりないことがわかるでしょう。

 propsを使う 

コンポーネントでは、propsを用意することでコンポーネントのタグに属性を用意することができました。これはJSXでどうなるのでしょう。実際に試してみましょう。

では、HelloJSX.jsxを以下のように修正してみてください。

リスト4-7

```
export default {
  name :'HelloJSX',
  props: {
    title: String,
    msg: String
  },
  render(h) {
    return (
      <div class="alert alert-primary">
        <h2>{ this.title }</h2>
        <p>{ this.msg }</p>
      </div>
    )
  }
}
```

ここでは、titleとmsgという値をpropsに用意し、これらを{}で出力しています。propsの値も、dataと全く同様に{ this.○○ }という形で記述することができます。後は、これらの属性を<HelloJSX />タグに用意するだけですね。

では、App.vueを開いて、<HelloJSX />タグを以下のように書き換えてください。

リスト4-8

```
<HelloJSX title="OK, Vue3"
  msg="※属性で設定したメッセージ。" />
```

図4-5 <HelloJSX />タグに用意した属性を使ってコンポーネントが表示される。

アクセスすると、titleとmsg属性に指定したテキストでHelloJSXコンポーネントが表示されます。問題なく<HelloJSX />の属性がコンポーネントで使われていることがわかりますね。

属性の指定

では、JSXで記述しているHTML要素の属性を操作する場合はどうすればいいのでしょうか。これまでの.vueファイルでは、テンプレートに用意したHTML要素は、v属性を使い、v-bindで属性に値を割り当てていました。

JSXでは、このやり方は使えません。v-bindなどのv属性は利用できないのです。では、どうするのか？ 実は、{}で直接値を埋め込んでしまえばいいのです。

これも実例を見てみましょう。HelloJSX.jsxを以下のように書き換えてください。

リスト4-9

```
export default {
  name :'HelloJSX',
  props: {
    title: String,
    msg: String
  },
  data() {
    return {
```

```
      cls_title: 'text-danger h1',
      cls_msg: 'text-primary h5'
    }
  },
  render(h) {
    return (
      <div class="alert alert-primary">
        <h2 class={this.cls_title}>{ this.title }</h2>
        <p class={this.cls_msg}>{ this.msg }</p>
      </div>
    )
  }
}
```

図4-6　コンポーネントのタイトルとメッセージにクラスを指定し表示を変更する。

これでアクセスをすると、表示されるコンポーネントのタイトルとメッセージのテキストのスタイルが変わります。ここでは、renderでreturnしているJSXの内容が以下のようになっています。

```
<h2 class={this.cls_title}>{ this.title }</h2>
<p class={this.cls_msg}>{ this.msg }</p>
```

class属性に{}でthisの値を直接指定していますね。これでclass属性にそのまま値が割り当てられ出力されるようになります。

Section 4-2 プロパティを強化する

 プロパティのバリデーション 

ここでは、コンポーネントのプロパティについて考えていくことにしましょう。まずは、プロパティの値のチェック(バリデーション)についてです。

コンポーネントでは、propsという値に、タグの属性として利用する値の情報をまとめてありました。例えば、こんな感じですね。

```
props: {
    title: String,
    msg: String
},
```

こんな具合に、属性の名前と、その値のタイプを指定していました。タイプを指定することで、それ以外の値が入らないようにチェックできる、ということでしたね。

この「値のチェック」は、どのように働いているのでしょうか。ちょっと試してみましょう。まず、HelloWorld.vueの内容を以下のように修正してください。

リスト4-10

```
<template>
  <div class="alert alert-primary">
    <h2>{{ title }}</h2>
    <p>{{ message }}</p>
    <hr>
    <p>Number: {{ num }}</p>
  </div>
</template>

<script>
export default {
  name: 'HelloWorld',
```

```
  props: {
    title: String,
    num: Number,
    },

  data() {
    return {
      message: 'バリデーション・チェック',
    }
  },
}
</script>
```

ここでは、propsにtitleとnumという2つの値を用意してあります。titleはString、numはNumberをタイプとして指定してあります。

numにテキストを設定すると?

では、このHelloWorldコンポーネントをAppコンポーネント内から利用してみましょう。App.vueを以下のように修正ください(<style>部分は省略)。

リスト4-11

```
<template>
  <div id="app">
    <HelloWorld v-bind:title="message"
      v-bind:num="num" />
  </div>
</template>

<script>
import HelloWorld from './components/HelloWorld.vue'

export default {
  name: 'app',
  components: {
    HelloWorld
  },
  data() {
    return {
      message:'validate',
      num: 'abc',
    }
  }
```

Chapter 1 Chapter 2 Chapter 3 Chapter 4 Chapter 5 Chapter 6 Addendum

```
}
</script>
```

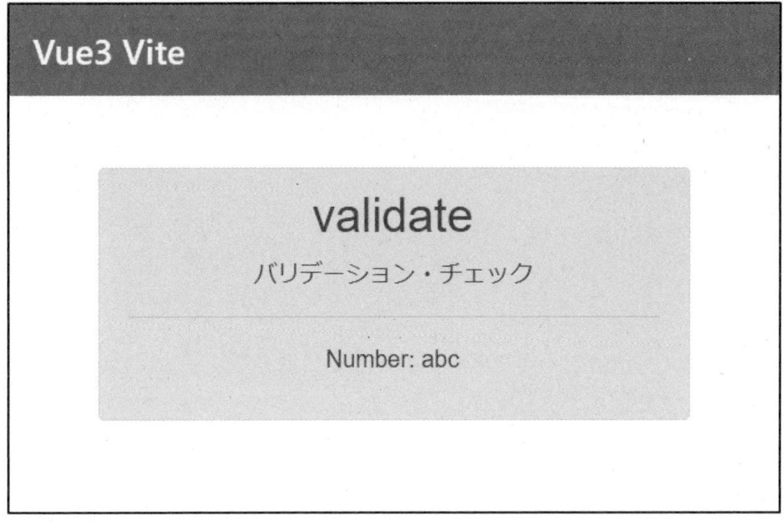

図4-7 アクセスすると、Numberにabcとテキストが表示されているのにエラーにはならない。

今回は、HelloWorldコンポーネントのタグが少し書き換わっていますね。以下のような形で配置してあります。

```
<HelloWorld v-bind:title="message" v-bind:num="num" />
```

v-bindを使い、messageとnumという値をバインドしてあります。そしてdataには、以下のような形で2つの値を用意してあります。

```
data() {
  return {
    message:'validate',
    num: 'abc',
  }
}
```

numには、'abc'というテキストを設定してあります。numはNumberタイプの値ですから、テキストを設定してはいけないはずです。

ですが、実際にプロジェクトを実行して表示を確認すると、「Number: abc」と問題なく表示されています。

デベロッパーツールで確認する

実は、このpropsの値に設定されているタイプは、「タイプ以外の値を代入するとエラーが発生する」というようなものではありません。JavaScriptのごく一般的な変数ですから、「特定のタイプのみ受け付ける」といった機能はないのです。

では、一体どこでエラーをチェックしているのか。それは、デベロッパーツールです。Chromeブラウザでは、「メニュー」メニューの「その他のツール」を選ぶとデベロッパーツールが呼び出され表示されました。この状態でページをリロードしてみましょう。すると、デベロッパーツールのConsole部分に以下のようなメッセージが表示されているのがわかります。

```
[Vue warn]: Invalid prop: type check failed for prop
```

これが、Vue3内で発生した警告のメッセージです。ざっと日本語で表すならこうなるでしょう。

```
[Vue 警告]：無効のprop: propの型チェックに失敗しました
```

num:Numberという指定に対し、"abc"というString値を設定していることに対し、警告が送られているのがわかります。

propsのtype設定に反する値を設定すると、このようにJavaScriptのコンソールに警告として出力されます。ですから、開発時にはデベロッパーツールを開いておき、問題がないか確認しながら作業を進めるといいでしょう。

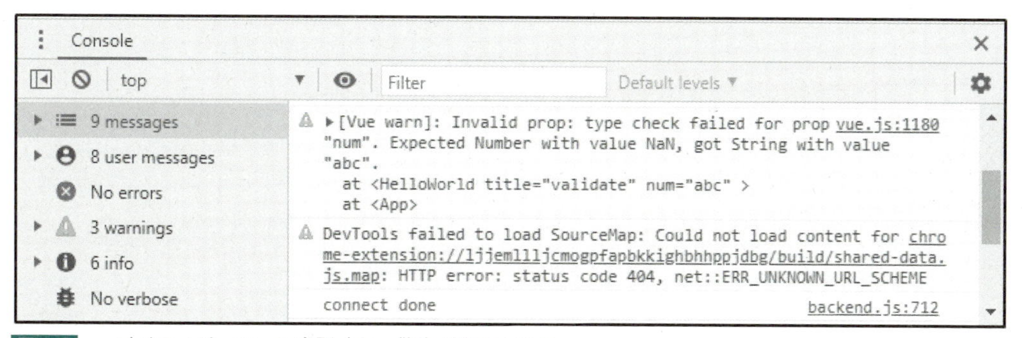

図4-8　デベロッパーツールを開くと、警告が表示される。

問題ない場合は？

ちなみに、問題がないとどうなるか確認しておきましょう。dataに設定されている値を、num: 'abc'からnum:123というように数字に書き換えてください。そしてページをリロードすると、警告メッセージは表示されなくなります。

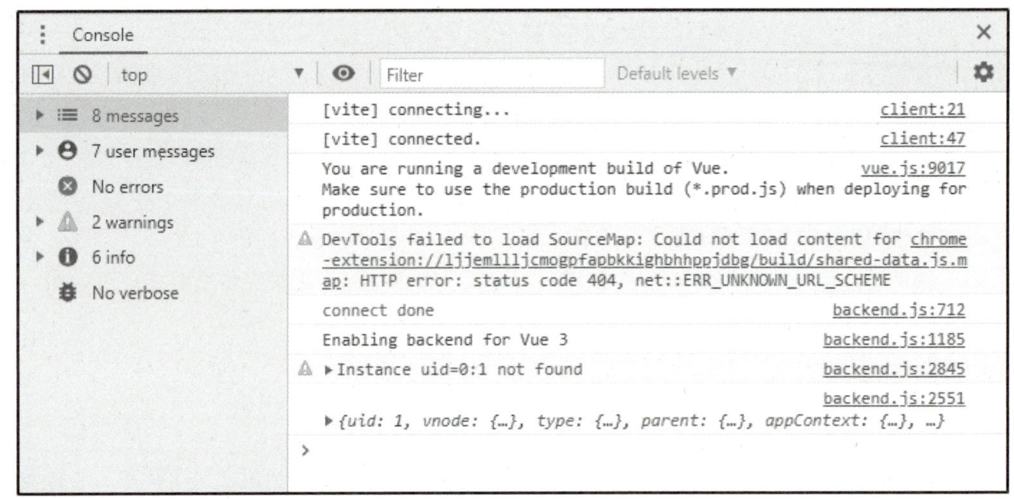

図4-9　num:123と修正すると、先ほどの警告は表示されなくなる。

 より詳しいバリデーションを！ 

propsの値のチェックは、タイプを指定するということだけでなく、実はもっと細かに設定することができます。propsに用意する値の記述を、タイプ名からオブジェクトに変更するのです。例えば、以下のような具合です。

```
num: Number,
  ↓
num: {
    type:Number,
    ……他の項目……
}
```

Vue3には、propsで使われる値に関する細かな設定項目が用意されているのです。それらを使うことで、より細かく値を制御できるようになっています。

どのような項目が用意されているのか、ざっと以下にまとめましょう。

●required: 真偽値

それが必須項目であるかどうかを示すもの。required: trueとすると、その項目をコンポーネント・タグに必ず属性として用意しなければいけない。

●default: 値

項目が省略されたとき、デフォルトの値として使われるもの。コンポーネント・タグにこの属性が書かれていないと、このdefaultの値が使われる。

なお、この値は、テキスト・数値・真偽値などであれば直接値を記述して指定すればいいが、配列やオブジェクトなどを設定する場合は、オブジェクトを返す関数として定義する必要がある。

●validator: 関数 (値)

値の検証を行なう処理を指定するためのもの。これには、引数を1つ持った関数を値として用意する。引数は、設定された値が渡される。この値をチェックし、trueを返せば正常、falseを返せば問題があることを示す。

numの値を検証する

では、先ほどのサンプルを修正して、numプロパティにより細かな値の検証ルールを設定してみましょう。HelloWorld.vueの<script>部分を以下のように修正してください。

リスト4-12

```
<script>
export default {
  name: 'HelloWorld',
  props: {
    title: String,
    num: {
      type:Number,
      default: 100,
      validator: (value)=> {
        return value == parseInt(value)
          && value >= 0 && value <= 100
      },
    },
  },
  data() {
    return {
      message: 'バリデーション・チェック',
    }
  },
}
</script>
```

今回は、type, default, validatorといった項目を用意しました。defaultには100を指定し、

validatorには以下のような関数を設定してあります。

```
validator: (value)=> {
    return value == parseInt(value)
      && value >= 0 && value <= 100
},
```

ここでは、3つの比較演算の式(2つの値を比べる式)を&&記号でつなげています。これは「つなげた式の結果が全部trueかどうか」を確認するのに使います。全部trueならtrue、そうでないならfalseと判断します。

ここで用意してある3つの式は以下のような働きをするものです。

value == parseInt(value)	valueと、valueを整数に変換したものが等しいかどうか。つまり「valueは整数かどうか」を調べる。
value >= 0	valueがゼロと等しいか、またはそれより大きいかを調べる。
value <= 100	valueが100と等しいか、またそれより小さいか調べる。

この3つの式が全部trueならtrue、となるわけですね。要するに、「設定された値(value)が整数で、0以上100以下の場合のみ許可する」というわけです。

内容がわかったら、Appコンポーネントに用意したnumの値をいろいろと書き換えてコンソールの表示を確認しましょう。0～100の間の整数を入力した場合のみ、警告が現れなくなります。

それ以外の数字を指定すると、「Invalid prop: custom validator check failed for prop "num".」と警告がコンソールに表示されます。独自に設定したvalidatorによるチェックに失敗していることがわかりますね。ちゃんとvalidatorの関数が働いてくれています。

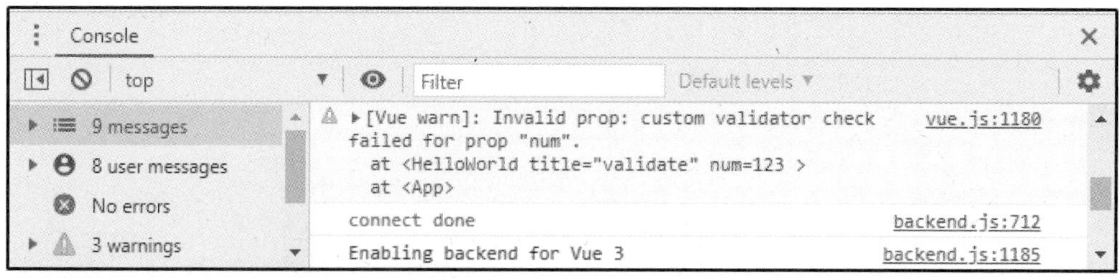

図4-10　0～100以外の値をnumに指定すると、「Invalid prop: custom validator check failed for prop "num".」と警告が表示される。

算出プロパティのGetter/Setter

次は、算出プロパティについて考えてみましょう。算出プロパティは、関数を使って計算した結果を値として設定するものでした。これ､単純に考えてこう思いませんでしたか。「なるほど、値を取り出すのはわかった。でも、値を変更するときはどうするんだ？」って。

算出プロパティは、設定した関数の中でreturnした値がそのプロパティの値として得られます。これだけを見ると、値の変更は行なえないように感じるかもしれません。が、そんなことはありません。ちゃんと値の変更を行なうための仕組みも用意されているのです。

算出プロパティでは、値の読み書きをするための処理を「Getter」「Setter」と呼びます。プロパティに直接関数を設定する場合、その関数は自動的にGetter関数として扱われるようになっていたのです。が、オブジェクトを指定し、その中にGetter関数とSetter関数を用意することで、値の読み書き両方に対応させることができるのです。

これは、ざっと以下のような形で算出プロパティを記述します。

```
computed: {
    プロパティ : {
        get() { ……Getterの処理…… },
        set( 引数 ) { ……Setterの処理…… }
    },
    ……略……
},
```

プロパティ名の値には{}をつけてオブジェクトとして値を用意します。その中に、getとsetというメソッドを用意し、それぞれに処理を設定します。

getは、値を取り出すためのもの(Getter)です。これは関数内で値をreturnすると、その値が得られるようになります。これまで算出プロパティとして用意した関数は、これです。

setは、値を設定するためのもの(Setter)です。これは引数を1つ持っており、設定された値が渡されます。その値を使い、必要な処理を行なうことができます。

2倍と2乗の算出プロパティ

では、実際に読み書き可能な算出プロパティを作成してみましょう。HelloWorld.vueを開いて、以下のように書き換えてみてください。

リスト4-13

```
<template>
  <div class="alert alert-primary">
    <h1>{{ title }}</h1>
```

```
    <p>{{ message }}</p>
    <hr>
    <p class="h5">val: {{val}}</p>
    <div class="form-group text-left">
      <label>* 2:</label>
      <input type="number"
        v-model="a" class="form-control">
    </div>
    <div class="form-group text-left">
      <label>^ 2:</label>
      <input type="number"
        v-model="b" class="form-control">
    </div>
  </div>
</template>

<script>
export default {
  name: 'HelloWorld',
  props: {
    title: String,
  },
  data() {
    return {
      message: '算術プロパティの利用。',
      val: 0,
    }
  },
  computed: {
    a: {
      get() {
        return this.val * 2
      },
      set(value) {
        this.val = Math.floor(value / 2)
      },
    },
    b: {
      get() {
        return this.val * this.val
      },
      set(value) {
        this.val = Math.floor(Math.sqrt(value))
      },
    },
```

```
  },
  created() {
    this.val = 10
  },
}
</script>
```

修正が記述できたら、App.vue側のHelloWorldコンポーネントを配置しているタグの部分を以下のように修正しておきましょう。

リスト4-14

```
<HelloWorld title="computed" />
```

これで完成です。

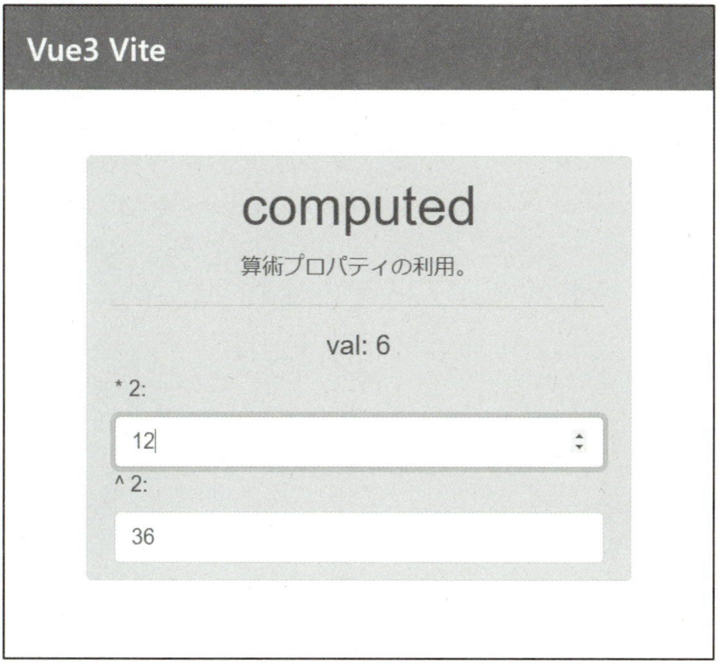

図4-11　アクセスすると、2つの整数を入力するフィールドが現れる。

ここでは、整数を入力する2つのフィールドを用意しておきました。aフィールドを編集すると、bフィールドの値は、aを2で割り2乗した値になります。またbフィールドを操作すると、aの値はbの平方根の2倍になります。どちらの値を修正しても、もう一方がそれに合わせて更新されるのがわかるでしょう(ただしbフィールドを操作する場合、常に整数の2乗の値となるわけではありません)。

算出プロパティをチェックする

ここでは、2つの入力フィールドがテンプレートに用意されていますね。これは以下のようになっています(なお、classは省略してあります)。

```
<input type="number" v-model="a">
<input type="number" v-model="b">
```

v-modelにaとbという値がバインドされています。この2つはいずれも算出プロパティで、computedに用意されています。

これらの値は、実はdataに用意されているvalを元に算出しています。まずはdataをチェックしておきましょう。

```
data() {
  return {
    message: '算術プロパティの利用。',
    val: 0,
  }
},
```

こうなっていますね。messageは、そのままメッセージとして表示をしています。valは、実は直接画面に表示などはされていません。これは、あくまで内部で利用する値なのです。

では、算出プロパティを見てみましょう。まずは、aからです。

```
a: {
  get() {
    return this.val * 2
  },
  set(value) {
    this.val = Math.floor(value / 2)
  },
},
```

こうなっています。getでは、this.valの2倍の値を返しています。そしてsetでは、設定された値の2分の1の整数値をthis.valに設定しています。

そして、bの設定はこうなっています。

```
b: {
  get() {
    return this.val * this.val
```

```
  },
  set(value) {
    this.val = Math.floor(Math.sqrt(value))
  },
},
```

aと同様、getとsetがあります。getでは、this.valの2乗を返しています。そしてsetでは、値のルート2の整数部分をthis.valに設定しています。

このように、どちらの値もdataに用意されているvalの値を元に決定しています。aとbは直接関係はありませんが、例えばaの値を変更すると、それを元にvalの値が更新され、更にvalを参照するbの値が更新されることになります。このように、valを介してaとbは相互に更新し合うようになっているのですね。

ウォッチャについて

多数の値を扱う場合、1つの値を操作することで複数の値を一斉に更新するようなこともあります。このような処理は、算出プロパティやイベントを使って設定することもできますが、もっと適したものがあります。それは「ウォッチャ」を使うのです。

ウォッチャというのは、常に値の変更を監視するプロパティです。これは「watch」というものを使い、以下のような形で定義をします。

```
watch: {
    名前 (newValue, oldValue) {……処理……},
    名前(newValue, oldValue) {……処理……},
    ……必要なだけ記述……
}
```

watchの値はオブジェクトになっており、監視する値の名前と、その値が更新されたときに実行されるメソッドを用意します。メソッドには引数が2つ用意されており、新たに設定された値とそれまでの値が渡されます。この値を元に、他の値を更新していくのです。

四則演算の結果を監視する

では、簡単なサンプルを挙げておきましょう。基本となる値を用意し、それに演算した結果を表示するものを作ってみます。HelloWorld.vueを以下のように修正してください。

リスト4-15

```
<template>
  <div class="alert alert-primary">
    <h1>{{ title }}</h1>
    <p>{{ message }}</p>
    <hr>
    <div class="form-group text-left">
      <label>Value:</label>
      <input type="number" v-model="val"
        class="form-control">
    </div>
    <table class="bg-white table mt-4">
      <tr><th>add:</th><td>{{add}}</td></tr>
      <tr><th>sub:</th><td>{{sub}}</td></tr>
      <tr><th>multiple:</th><td>{{mult}}</td></tr>
      <tr><th>divide:</th><td>{{div}}</td></tr>
    </table>
  </div>
</template>

<script>
export default {
  name: 'HelloWorld',
  data() {
    return {
      title: 'Watchers',
      message: '値の監視',
      val: 0,
      add: 0,
      sub: 0,
      mult:0,
      div: 0,
    }
  },
  watch:{
    val(newValue, oldValue) {
      console.log(oldValue + ' -> ' + newValue)
      this.val = newValue
      var val = parseInt(this.val)
      this.add = Math.floor(val + 2)
      this.sub = Math.floor(val - 2)
      this.mult = Math.floor(val * 2)
      this.div = Math.floor(val / 2)
    }
  },
```

```
  created(){
    this.val = 6
  },
}
</script>
```

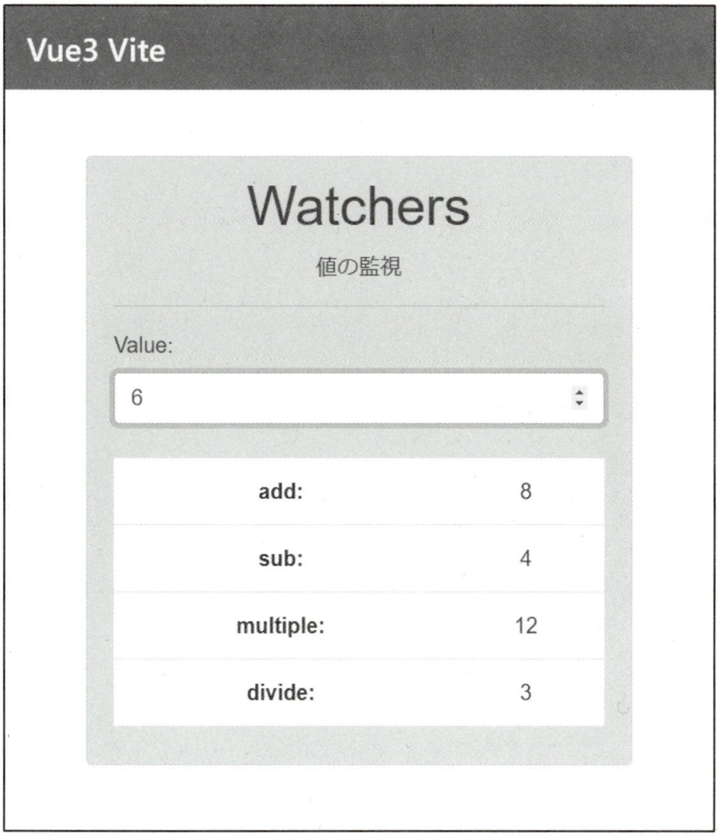

Vue3 Vite

Watchers

値の監視

Value:

6

add:	8
sub:	4
multiple:	12
divide:	3

図4-12 フィールドの数字を変更すると、4つの値が同時に変わる。

ここでは、数字を入力するフィールドを1つだけ用意してあります。これを変更すると、その値に「＋2」「−2」「×2」「÷2」した結果を下に表示します。

ウォッチャの仕組みを確認する

では、どうなっているのか見てみましょう。まず、テンプレートに用意されている入力フィールドは、こうなっていました。

```
<input type="number" v-model="val">
```

v-modelを使い、valという値にバインドしています。これを頭に入れて、dataを見てみましょう。

```
data() {
  return {
    title: 'Watchers',
    message: '値の監視',
    val: 0,
    add: 0,
    sub: 0,
    mult:0,
    div: 0,
  }
},
```

messageはメッセージの表示用ですね。valもここにあります。そしてその他に、add, sub, mult, divといった値が用意されています。これらが、四則演算した結果を保管しておくものです。

watchでは、この中のvalの値を監視しています。

```
watch:{
  val(newValue, oldValue) {
    console.log(oldValue + ' -> ' + newValue)
    this.val = newValue
    var val = parseInt(this.val)
    this.add = Math.floor(val + 2)
    this.sub = Math.floor(val - 2)
    this.mult = Math.floor(val * 2)
    this.div = Math.floor(val / 2)
  }
},
```

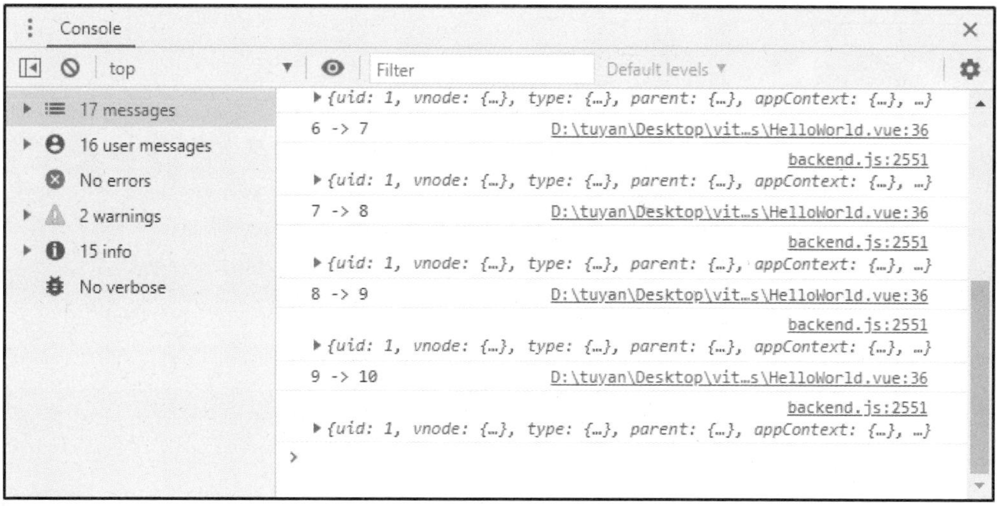

図4-13 DevToolsを見ると、valの値が変更されるとその内容がコンソールに出力されるのがわかる。

引数のvalueをもとに、val, add, sub, mult, divといった値を変更しています。また値の変化がわかるように、引数で渡された古い値と新しい値をコンソールに出力しています。

このように、特定の値が変更されたとき、さまざまな値を更新する必要があるようなときにウォッチャは非常に役立ちます。

ただし、変更する対象が1つか2つ程度ならば、ウォッチャより算出プロパティを利用したほうが良いでしょう。ウォッチャは、既にdataに用意されている値を監視し、必要な処理を行ないます。このため、算出プロパティなどに比べると処理が煩雑になりがちです。「どちらを使ったほうがシンプルにまとめられるか」を考えて選択しましょう。

Section 4-3 イベントを掘り下げる

 イベントの修飾子について 

続いて、「イベント」の利用について考えてみることにします。

イベント関係への処理の割り当ては、v-onを使って設定を行ないます。あらかじめmethodsに関数を用意しておき、それをv-onで割り当てることで、イベントが発生するとその処理を実行するようにできます。

が、イベントの処理というのは、「イベントが発生したら実行するだけ」という単純なものではありません。もっといろいろと考えることがあります。

例えば、イベントは他のオブジェクトに伝搬するのか。あるタグの中に別のタグが組み込まれていたりすると、上に重なってるタグでイベントを利用しないが背後にあるタグではそのイベントが必要、なんてことだってあります。すると、クリックしたタグで発生したイベントを、その背後にあるタグに伝搬しないといけなかったりします。またイベント処理を停止したり再開したりすることも重要になるでしょう。

イベントの修飾子とは？

こうしたイベント関連の処理の操作は、v-onで設定するようになっていますが、このとき、イベントの後に「修飾子」をつけることができます。例えば、こんな感じです。

```
v-on:イベント名.修飾子="○○"
```

この修飾子は、以下のようなものが用意されています。ざっと紹介しておきますが、まだ意味がよくわからないかもしれません（この後で説明するのでそのまま先へ！）。

.stop	イベントの伝搬をそこで停止します。
.prevent	イベントのデフォルトのアクションを停止します。

.capture	イベントをキャプチャーします(途中で別のイベントを発火させたりするのに使います)
.self	自身がイベントの発生源であるときだけ発火します。
.once	連続してイベントが発生するとき一度だけ発火します。
.passive	scroll (スクロールイベント)でイベントが停止されてもスクロール処理は動くようにします。

イベントの伝搬を考えよう

イベントについて深く掘り下げようとすると、どうしても「イベントがどのように伝わっていくか」という仕組みを理解しないといけなくなります。

イベントというのは、「何かのタグを操作したら発生して、はいおしまい！」というものではないんです。そこから次のタグへとイベントが伝えられることもあるのです。

例えば、あるタグの上に別のタグが重なった状態になっていたとしましょう。そこをクリックしてイベントが発生します。すると、どのタグでイベントが発生するのでしょうか？

これは、「一番上にあるタグ」です。ではそれより下にあるタグのイベント処理は全く機能しないのか？ 実は、機能するんです。上にあるタグのイベント処理が実行され、それが終わると、今度はその下のタグへとイベントが伝えられ、イベント処理が実行されるのです。

こんな具合に、イベントが発生した場所に複数のタグが重なっていたりすると、一番上にあるタグから次々と下のタグにイベントが伝えられていきます。

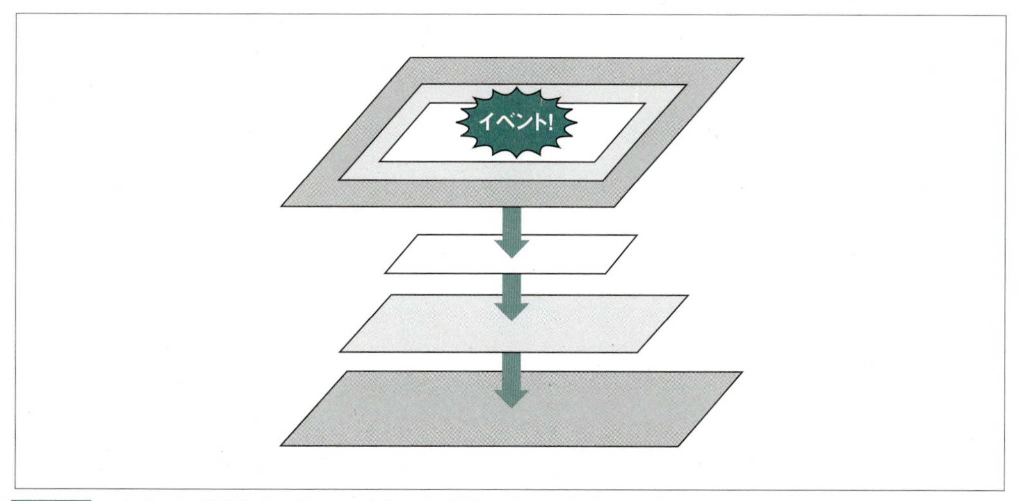

図4-14　イベントが発生すると、一番上のタグがイベントを受け取り、そこから下のタグへとイベントが伝搬していく。

イベントの流れを調べよう

では、実際に簡単なサンプルを作って、イベントの流れを調べてみましょう。HelloWorld.vueを書き換えてサンプルを作ってみます。

リスト4-16

```
<template>
  <div class="alert alert-primary">
    <h1>{{ title }}</h1>
    <pre v-on:click="clear">{{ message }}</pre>
    <hr>
    <div id="out" class="out" v-on:click="a_event">A
      <div id="mid" class="mid" v-on:click="b_event">B
        <div id="in" class="in" v-on:click="c_event">C
        </div>
      </div>
    </div>
  </div>
</template>

<script>
export default {
  name: 'HelloWorld',
  data: function(){
    return {
      title: 'Event',
      message: 'イベントの伝播について。\n',
    }
  },
  methods: {
    a_event(event) {
      this.message += "A-Event [" + event.target.id
        + ' → ' + event.currentTarget .id + "]\n"
    },
    b_event(event) {
      this.message += "B-Event [" + event.target.id
        + ' → ' + event.currentTarget .id + "]\n"
    },
    c_event(event) {
      this.message += "C-Event [" + event.target.id
        + ' → ' + event.currentTarget .id + "]\n"
    },
    clear() {
```

```
      this.message = 'イベントの伝播について。\n'
    }
  },
}
</script>

<style>
pre {
  font-size:16pt;
  line-height: 1.25;
}
div.out {
  padding: 0px;
  background-color: #eee;
  width:300px;
  height:200px;
}
div.mid {
  padding: 0px;
  background-color: #ddd;
  width:200px;
  height:170px;
}
div.in {
  padding: 0px;
  background-color: #ccc;
  width:100px;
  height:140px;
}
</style>
```

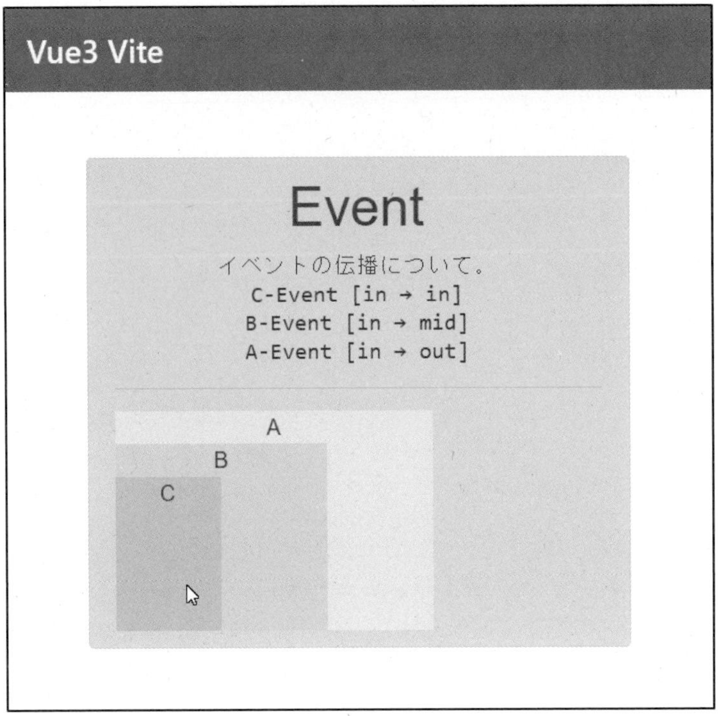

Vue3 Vite

Event

イベントの伝播について。
C-Event [in → in]
B-Event [in → mid]
A-Event [in → out]

A
B
C

図4-15 グレーの表示部分をクリックすると、どのようにイベントが伝搬されていくかメッセージに表示される。

ここでは、3つの<div>タグを重ね、それぞれにイベントを設定してあります(重なり順に一番下が「A」、真ん中が「B」、一番上が「C」になっています)。これらのタグ部分をクリックすると、onclickイベントが発生し、イベントを受け取ったタグの情報がメッセージとして表示されます。表示されたメッセージはクリックすると消えます。

例えば、3つ重なった<div>タグの一番上のもの(一番色の濃い部分)をクリックすると、こんな具合にメッセージが表示されます。

```
C-Event [in → in]
B-Event [in → mid]
A-Event [in → out]
```

C-Event [in → in]というのは、「C-Eventが実行された。イベントはinで発生し、inに送られた」ということを示しています。A (out), B (mid), C (in)のそれぞれにA-Event, B-Event, C-Eventという処理を割り当ててあり、どの処理がどういう順番で呼び出されるかがこれでよくわかりますね。

stop してみる

では、途中でstopでイベントの伝搬を停止してみましょう。id="mid"のタグを以下のように修正してみてください。

リスト4-17

```
<div id="mid" class="mid" v-on:click.stop="b_event">B
```

修飾子「stop」をつけました。これで3つの<div>タグをそれぞれクリックしてみてください。すると、上に重なっている<div>をクリックしても、下のA-Eventが呼び出されないことがわかるでしょう。イベントはC（in），B（mid)と送られ、A（out)には送られません。

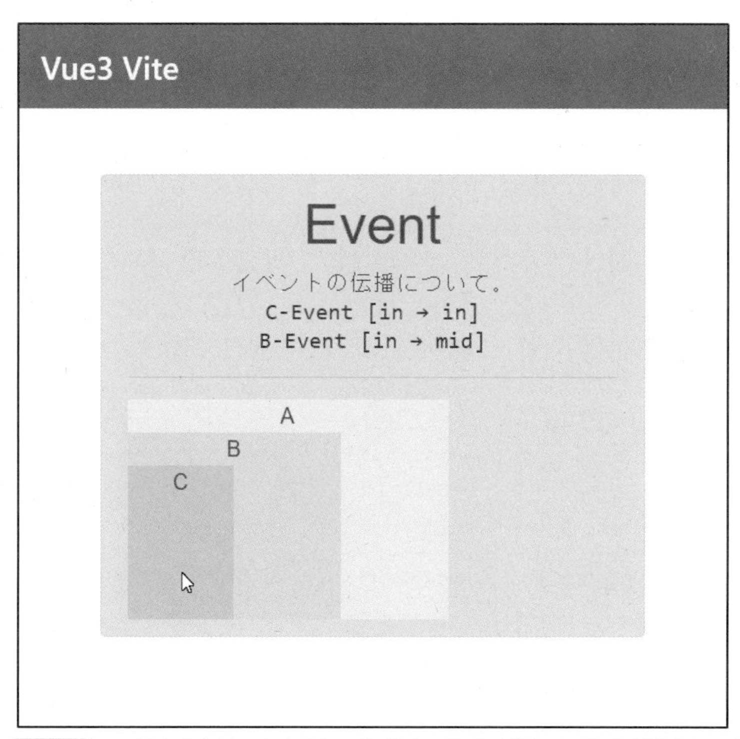

図4-16　一番上をクリックすると、C（in），B（mid)とイベントが送られ、A（out)には送られないのがわかる。

self してみる

今度は、selfを使ってみましょう。やはりid="mid"の<div>タグを修正して試してみることにします。

リスト4-18

```
<div id="mid" class="mid" v-on:click.self="b_event">B
```

これで、一番上にある<div>タグ(「in」の部分)をクリックしてみましょう。すると、inとoutのイベントが出力され、midのイベントが発生していないことがわかります。selfは、自身でイベントが発生していない限りイベントが発生しません。が、イベントそのものは認識しており、その下のA（out)にイベントは送られ、A-Eventが実行されます。

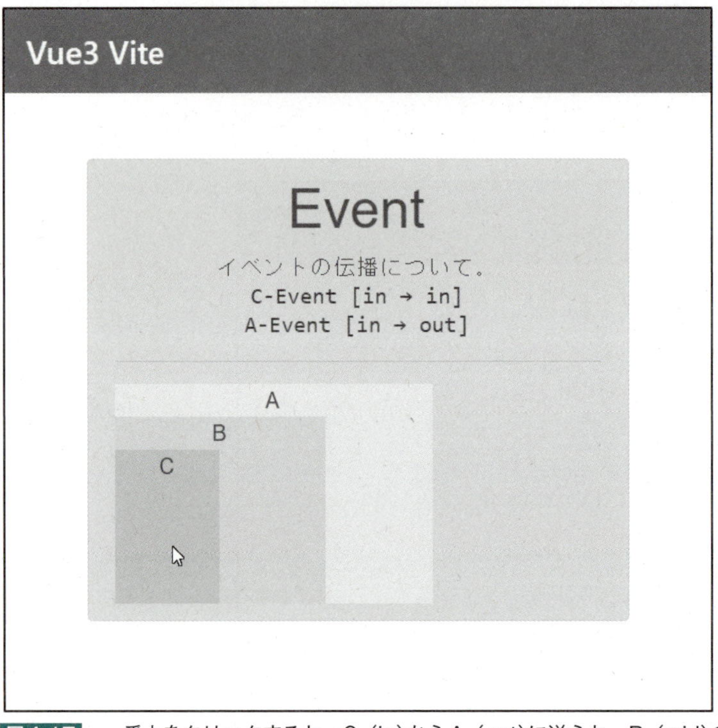

図4-17　一番上をクリックすると、C（in)からA（out)に送られ、B（mid)のイベントは発生しない。

Chapter 1
Chapter 2
Chapter 3
Chapter 4
Chapter 5
Chapter 6
Addendum

キーイベントについて

入力フィールド関係では、キー操作に関するイベントも用意されています。「keypress」「keydown」「keyup」といったもので、以下のような働きをします。

keypress	キーをタイプしたときに発生する
keydown	キーを押し下げた瞬間に発生する
keyup	キーを離した瞬間に発生する

これらのイベントでは、先のイベント関係の修飾子の他に、キーイベント専用の修飾子も用意されています。それらを使うことで、キーイベントの利用がより簡単になります。

では、キーイベント関連の修飾子の説明に入る前に、キーイベントを確かめるためのサンプルを作成しておきましょう。HelloWorld.vueを以下のように修正してください。

リスト4-19

```
<template>
  <div class="alert alert-primary">
    <h1>{{ title }}</h1>
    <pre v-on:click="clear">{{ message }}</pre>
    <hr>
    <div><input type="text" v-on:keydown="type"
      class="form-control"></div>
  </div>
</template>

<script>
export default {
  name: 'HelloWorld',
  data: function(){
    return {
      title: 'Event',
      message: '',
    }
  },
  methods: {
    type(event) {
      this.message += event.key + ' '
      if (event.key == "Escape") {
        this.message = ''
      }
      event.target.value = ''
    },
    clear() {
      this.message = ''
    }
  },
}
</script>
```

図4-18 入力フィールドでキーをタイプすると、押したキーがメッセージに追加されていく。

入力フィールドでキーをタイプすると、上に押したキーの情報が表示されていきます。例えば、「Hello」とすれば、「Shift H e l l o」というように表示されるでしょう。押したキーの文字だけでなく、特殊なキーはそのキーの名前も表示されます。Escキーを押すと、メッセージはクリアします。なお、これは半角英文字の直接入力モードで試してください。日本語入力モードになっていると、キーを押してもうまく動きませんよ。

実際にいろいろ操作していくと、さまざまなキーの情報が表示されるのが確認できます。

 キーイベントの修飾子について 

では、キーイベントの修飾子について整理しましょう。これは、特殊なキーのイベントを設定するためのものが中心です。

enter	Enter/Returnキーのイベント
tab	Tabキーのイベント
delete	Delete/Backspaceキーのイベント
esc	Esc（エスケープ）キーのイベント
space	スペースバーのイベント
up, down, left, right	上下左右キーのイベント

見ればわかるように、特殊な用途のキーに関する修飾子です。これをイベントに付加する

ことで、特定のキーのイベントを設定できるようになります。

キーごとにイベントを設定する

では、実際にこれらの修飾子を使ったサンプルを作成してみましょう。HelloWorld.vueを以下のように修正してください。

リスト4-20

```
<template>
  <div class="alert alert-primary">
    <h1>{{ title }}</h1>
    <pre>{{ message }}</pre>
    <hr>
    <div>
      <input type="text" class="form-control"
        v-on:keypress="type"
        v-on:keydown.delete="clear"
        v-on:keydown.space="space"
        v-on:keydown.enter="enter"></div>
  </div>
</template>

<script>
export default {
  name: 'HelloWorld',
  data() {
    return {
      title: 'Event',
      message: '',
    }
  },
  methods: {
    type(event) {
      if (event.key == 'Enter'){ return }
      this.message += event.key + ' '
      event.target.value = ''
    },
    clear() {
      this.message = ''
    },
    space() {
      this.message += '_ '
    },
    enter(event) {
```

```
        var res = this.message.split(' ').join('')
         this.message = res.split('_').join(' ')
         event.target.value = ''
      }
    },
  }
</script>
```

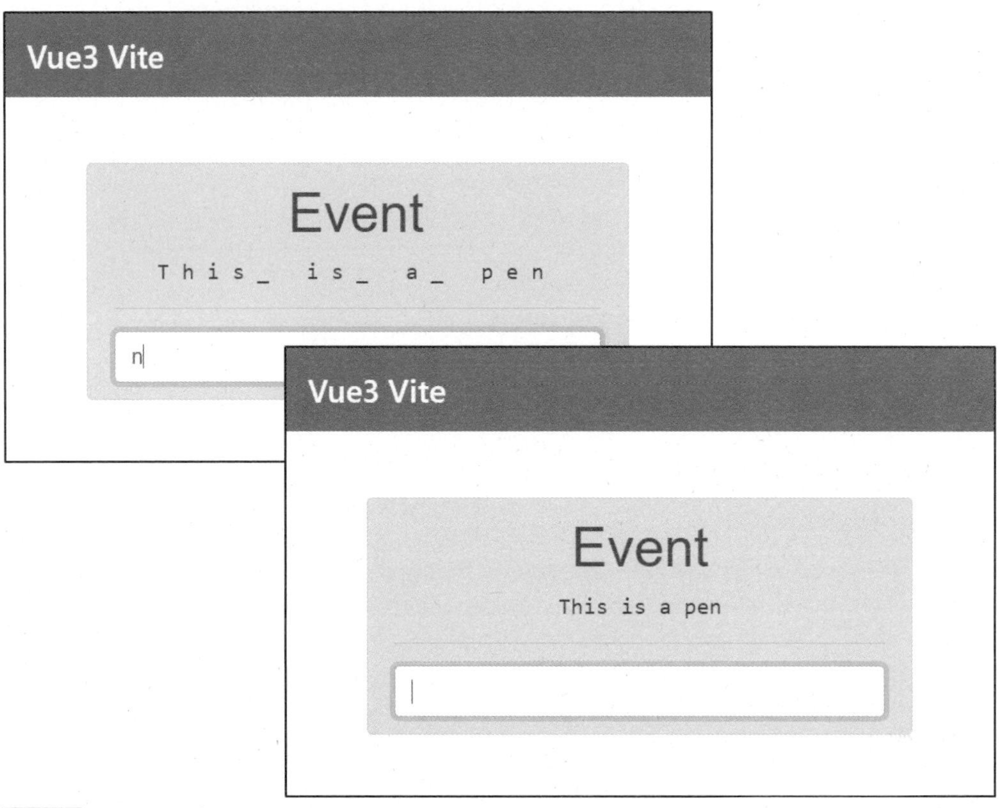

図4-19　キータイプするとスペースをあけて文字が表示されていく。Enter/Returnを押すとスペースが消え、ひとつづきの文になる。

先ほどと同様に、入力フィールドにテキストを入力すると、1文字ごとにスペースをあけてメッセージ部分に表示されます。そしてEnter/Returnキーを押すと、スペースが消えひとつづきのテキストに変わります。またdeleteキーを押すと表示がクリアされます。

複数のキーイベントを使う

では、今回イベントを設定している<input>タグを見てみましょう。ここでは以下のように記述されていました。

```
<input type="text"  class="form-control"
  v-on:keypress="type"
  v-on:keydown.delete="clear"
  v-on:keydown.space="space"
  v-on:keydown.enter="enter">
```

v-on:keypressで、キーをタイプしたときのイベント処理にtype関数を指定してます。その他、v-on:keydownでキーを押し下げた瞬間のイベント処理が3つ用意されています。

通常、onkeydown属性などで値を用意する場合は、同じ属性を複数用意することなどできません。が、この例のようにkeydownというイベント名に修飾子を付ける場合、同じイベントのv-onを複数用意できます。それぞれに修飾子を付け、「このキーのイベントにはこの関数」というようにキーごとに処理を割り振ることができるようになっているのです。

各v-onに割り当ててある関数は、すべてmethods内に用意してあります。それぞれやっていることは難しいものではありません。簡単にまとめると以下のようになります。

type	Enterキー以外のとき、タイプされたキーの文字にスペースを付けてmessageに追加する。
clear	messageを消去する。
space	アンダーバーをスペースの代わりにmessageに追加する。
enter	messageのスペースをすべて取り除き、アンダーバーをスペースに変換する。

typeのみkeypressイベントを使っていますね。このイベントは、keydownと違い、機能キー（Shiftキーなど）ではイベントが発生しない、という違いは頭に入れておきましょう。

機能キーの組み合わせ

キーの中でもちょっと特殊な働きをするのが、Ctrl、Shift、Alt、Metaといったキー、いわゆる機能キーと呼ばれるものです。これらはキーの入力を行なう際に利用します。例えば、「Ctrlキー＋クリック」みたいな操作、よくやるでしょう？

これら機能キーを扱うための修飾子があります。これは先ほどキーイベントの説明を行ないましたが、あのようなキーイベントでも使えますし、onclickのようなマウスで操作するイベントでも使うことができます。

では、以下に修飾子を整理しておきましょう。

shift	Shiftキーのイベント
control	Ctrlキーのイベント
alt	Altキーのイベント
meta	Windowsキーのイベント
exact	指定された以外の機能キーが押されていないことを示す

押された機能キーを表示する

では、実際にこれらを使った例を挙げましょう。HelloWorld.vueを以下のように修正してください。なお、リスト中の「……略……」の部分は、もとから書いてある部分を省略してあることを示します。それまで書いてあったスタイルの後に追記してください。

リスト4-21

```
<template>
  <div class="alert alert-primary">
    <h1>{{ title }}</h1>
    <pre>{{ message }}</pre>
    <hr>
    <div class="area"
      v-on:click="click"
      v-on:click.exact="exact"
      v-on:click.shift="shift"
      v-on:click.ctrl="ctrl"
      v-on:click.alt="alt">
        click here!
      </div>
  </div>
</template>

<script>
export default {
  name: 'HelloWorld',
  data: function(){
    return {
      title: 'Event',
```

```
      message: '',
    }
  },
  methods: {
    click() {
      this.message = 'click '
    },
    exact() {
      this.message += '**no any key**'
    },
    shift() {
      this.message += '[shift]'
    },
    ctrl() {
      this.message += '[ctrl]'
    },
    alt() {
      this.message += '[alt]'
    },
  },
}
</script>

<style>
……略……

.area {
  width:300px;
  height:100px;
  background-color: #fff;
  padding:10px;
  font-size:20pt;
}
</style>
```

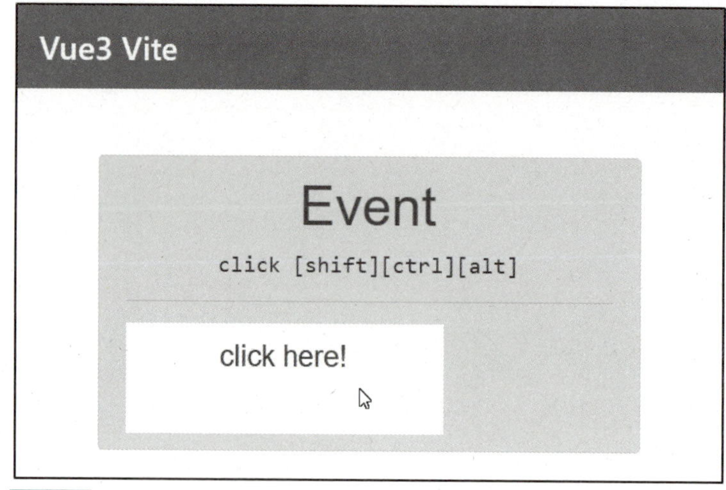

図4-20 白いエリアを機能キーを押した状態でクリックすると、押されたキーを表示する。

表示される白いエリアをマウスでクリックしてください。押された機能キーがメッセージに表示されます。また何も機能キーを押していないときは「**no any key**」と表示されます。

<div>のイベント設定

では、<div>タグにどのようにイベントが設定されているのか確認しましょう。このようになっていましたね。

```
<div class="area"
  v-on:click="click"
  v-on:click.exact="exact"
  v-on:click.shift="shift"
  v-on:click.ctrl="ctrl"
  v-on:click.alt="alt">
```

v-on:clickが全部で5つ用意されています。clickのみ、click.exact、その他clickに機能キーを追加したものが用意されます。これにより、クリック時に特定の機能キーを押していると、そのイベントが実行されることになります。

注意しておきたいのは、「複数の機能キーを押していたら、それら全部が呼び出される」という点です。例えば、Shiftキーと Ctrlキーを押してクリックしたら、click, shift, ctrlのすべての関数が実行されるのです。

exactの働き

非常に面白い働きをするのが「exact」です。例えば、サンプルで「何も機能キーを押さずにクリックした」としましょう。すると呼び出されるのは、clickとexactの2つです。v-on:click.exactは、クリック時に何も機能キーが押されていない状態であることを示します。

このexactは、機能キーと併用することもできるのです。例えば、v-on:click.shift.exactとすれば、「Shiftキーのみ押され、他の機能キーは押されていない状態」を示します。こんな具合に、「○○以外は押してない」というのをチェックするのにexactは用いられます。

ボタンの修飾子

マウスクリックに関するイベントでは、「どのボタンをクリックしたか」によって処理を行ないたい場合もあります。こうしたときのために、「イベントが発生したマウスボタン」を特定するための修飾子もあります。

left	左ボタン
right	右ボタン
middle	中央ボタン
exact	指定ボタン以外が押されていない

3つのボタンそれぞれに修飾子が用意されていますが、何もつけられていなければ、通常は左ボタンをクリックしたときにイベントが発生します。したがって、leftを意図的に使うことはあまり多くないかもしれません。

クリックしたボタンを表示する

では、これも例を挙げておきましょう。HelloWorld.vueを以下のように変更してください。

リスト4-22

```
<template>
  <div class="alert alert-primary">
    <h1>{{ title }}</h1>
    <pre>{{ message }}</pre>
    <hr>
    <div class="area"
      v-on:click.left.prevent="left"
      v-on:click.middle.prevent="middle"
      v-on:click.right.prevent="right">
```

```
        click here!
      </div>
    </div>
</template>

<script>
export default {
  name: 'HelloWorld',
  data: function(){
    return {
      title: 'Event',
      message: '',
    }
  },
  methods: {
    left() {
      this.message = '[left button]'
    },
    right() {
      this.message = '[right button]'
    },
    middle() {
      this.message = '[middle button]'
    },
  },
}
</script>
```

図4-21 白いエリアをクリックすると、押したマウスボタンを表示する。

先ほどと同様に、白いエリアをマウスボタンでクリックしてください。マウスのどのボタンでクリックしたかを表示します。

<div>タグのイベント属性を確認する

では、<div>タグにどのようにイベントの設定が用意されているのか確認してみましょう。サンプルではこうなっていました。

```
<div class="area"
  v-on:click.left.prevent="left"
  v-on:click.middle.prevent="middle"
  v-on:click.right.prevent="right">
```

left, middle, rightをそれぞれ指定したものが用意されています。これで、各ボタンごとに関数を割り当てて処理させていたのです。

preventについて

これらでは、「prevent」という修飾子もつけられています。これはどういう目的でしょうか。

このpreventを削除した場合、例えば右ボタンをクリックするとポップアップメニューが現れます。右クリックはポップアップメニューの呼び出しに使われるためです。イベントが発生した後、それが背後のタグに送られ、最終的にブラウザのシステムまで届いたところでポップアップメニューを表示する処理が実行されていたのですね。

preventを指定すると、そこでイベントを消費し、背後にイベントが伝えられなくなります。イベントが伝わらないため、メニューのポップアップもされなくなります。preventすることで、クリック時の本来の機能が呼び出されなくなったわけです。

コラム イベントの「消費」って？ Column

「イベントを消費する」って出てきましたけど、これ、どういうことかわかったでしょうか。イベントは上にあるタグからタグへと渡されていきます。これ、例えば「イベント＝ドーナツ」と考えてみましょう。

ある人から次の人にドーナツが渡される。で、途中で誰かが食べてしまう。すると、もうそこから先にはドーナツは渡されません(だって食べちゃったから)。イベントも同じで、あるところで「食べちゃう」と、そこでイベントはなくなってしまうんです。これが「イベントの消費」です。

あるところから先にイベントを渡したくないために、イベントを「食べちゃう」ことがあるんです。preventは、「そこで食べちゃえ！」という指令だったんですね。

Section 4-4 スロットを使いこなす

組み込まれる側の表示

次は、テンプレートの表示について考えてみましょう。テンプレートの継承では、コンポーネントを定義し、コンポーネントのタグを記述して、そこにレンダリングされたコンポーネントの表示をはめ込んで表示します。例えば、App.vueとHelloWorld.vueの場合、

```
<HelloWorld />
```

こんなタグをApp.vue側のテンプレート内に記述しておけば、そこにレンダリングされたHelloWorldコンポーネントのコンテンツがはめ込まれて表示されるわけです。

では、コンポーネントのタグを配置するところで、何らかのコンテンツを用意しておくような場合はどうでしょうか。

```
<HelloWorld>
This is sample component.
</HelloWorld>
```

このように記述したとしましょう。すると、HelloWorldコンポーネントが読み込まれると、この部分にはコンポーネントのレンダリングしたコンテンツがはめ込まれます(This is sample component.というテキストは消えます)。もし、HelloWorldコンポーネントが読み込めないと、そのまま「This is sample component.」と表示されます。

コンポーネントが表示されれば、タグ内に用意した「This is sample component.」は消えます。では、「消えてしまうんじゃなくて、表示するコンポーネントの中のどこかにはめ込んで再利用したい」という場合はどうするんでしょう？

このような場合に用いられるのが「スロット」という機能です。

スロットを使おう

スロットは、コンポーネント・タグの中に記述されたコンテンツを配置するための特殊なタグです。これはコンポーネントのテンプレート内に配置します。

```
<slot />
```

これでOK。このタグの部分に、コンポーネントを配置した側に用意したコンテンツがはめ込まれます。

これは、「コンポーネント」と「コンポーネントをタグとして配置した側」の関係をきっちりと把握してないと、何をいってるのかわけがわからなくなってしまいます。実際に簡単なサンプルを作りながら、スロットの働きを見ていきましょう。

ではサンプルのプロジェクトにあるApp.vueとHelloWorld.vueを使ってサンプルを作りましょう。まず、App.vueのテンプレート部分の修正をします。ここでは、HelloWorldコンポーネントを使った表示を用意してありましたね。では、App.vueの<template>部分を以下のように書き換えましょう。

リスト4-23――App.vue

```
<template>
  <div id="app">
    <HelloWorld title="slot">
      <p>***this is defalut text***</p>
    </HelloWorld>
  </div>
</template>
```

<HelloWorld>タグの中に<p>タグを追加してあります。普通は、コンポーネントが組み込まれるとここにそれが表示され、タグ内にある<p>タグは消えてしまいます。

スロットを利用する

では、スロットを利用してみましょう。HelloWorld.vueの内容を以下のように書き換えてみてください。

リスト4-24――HelloWorld.vue

```
<template>
  <div class="alert alert-primary">
    <h2>{{ title }}</h2>
    <p>{{ message }}</p>
```

```
    <hr>
    <div class="alert alert-light">
      <h3>Inner Slot</h3>
      <slot />
    </div>
  </div>
</template>

<script>
export default {
  name: 'HelloWorld',
  data: function(){
    return {
      title:'Slot',
      message: 'This is message.',
    }
  },
}
</script>
```

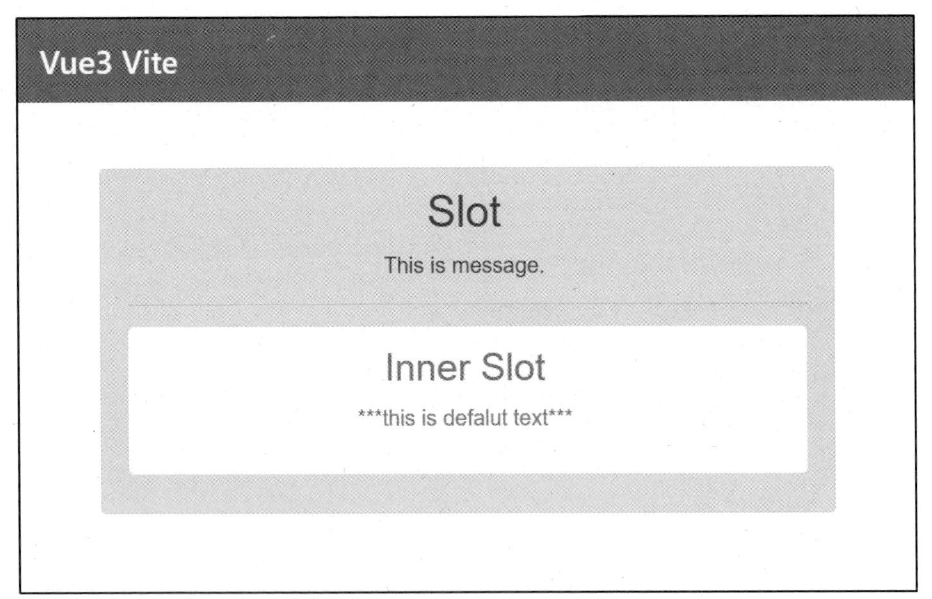

図4-22 HelloWorldタグが組み込まれるところにあった<p>タグのテキストが赤字で表示される。

ページをリロードして表示してみると、「This is message.」というメッセージの下に、「Inner Slot」とあり、その更に下に「***this is defalut text***」という表示が見えます。このテキストは、<HelloWorld>タグ内に<p>タグとして用意してあったものです。それが消されず、このようにHelloWorldコンポーネントの内部に組み込まれ表示されるのです。

テンプレートを見ると、<slot />というタグが用意されてているのがわかります。ここに、<HelloWorld>タグ内に記述してあったコンテンツの部分がはめ込まれるのが確認できるでしょう。

名前付きスロットを使う

スロットは、コンポーネント・タグ内に記述された内容をまるごと取り出して出力する働きをします。が、もしコンポーネント・タグの中に複数のタグなどで複雑な情報が記述されていたとしたらどうでしょう。その中から必要な情報を取り出して利用できるようにしたい、と思うはずです。

こうしたときに役立つのが「名前付きスロット」です。スロット用の名前を用意しておくことで、コンポーネント・タグ内から特定の値だけを取り出して利用できるようにするのです。これは、以下のように使います。

●スロットとして取り出す側の記述

```
<template v-slot:名前>
```

●名前を指定してスロットの内容を書き出す

```
<slot name="名前">
```

名前を指定してスロットを取り出したいと思うコンテンツは、<template>を使って用意します。そこに、v-slotという属性を使ってスロットの名前を指定しておきます。そして、<slot>を記述する際、name属性で書き出したいスロットの名前を指定すれば、その名前のスロットが書き出されます。

名前付きスロットを使う

では、実際に簡単な例を作ってみましょう。まず、App.vue側のテンプレートから修正しておきます。<template>タグ部分を以下のように書き換えましょう。

リスト4-25——App.vue

```
<template>
  <div id="app">
    <HelloWorld>
      <p>Begin!..</p>
      <template v-slot:first>
      ***First message***
      </template>
```

```
      <p>..Middle..</p>
      <template v-slot:second>
        ***Second message***
      </template>
      <p>..End</p>
      <template v-slot:third>
        ***Third message***
      </template>
    </HelloWorld>
  </div>
</template>
```

ここでは、<HelloWorld>タグの内部に3個の<p>タグと<template>を用意してあります。3つの<template>にはv-slotを使ってfirst, second, thirdと名前を指定してあります。

続いて、HelloWorld.vue側の修正です。やはり<template>タグの部分を以下のように書き直しましょう。

リスト4-26――HelloWorld.vue

```
<template>
  <div class="alert alert-primary">
    <h2>{{ title }}</h2>
    <p>{{ message }}</p>
    <hr>
    <div class="alert alert-light">
      <h3>Inner Slot</h3>
      <div class="alert alert-warning h5">
        <slot/>
      </div>
      <ul class="list-group">
        <li class="list-group-item">
          <slot name="first"/>
        </li>
        <li class="list-group-item">
          <slot name="second"/>
        </li>
        <li class="list-group-item">
          <slot name="third"/>
        </li>
      </ul>
    </div>
  </div>
</template>
```

Chapter 1 Chapter 2 Chapter 3 Chapter 4 Chapter 5 Chapter 6 Addendum

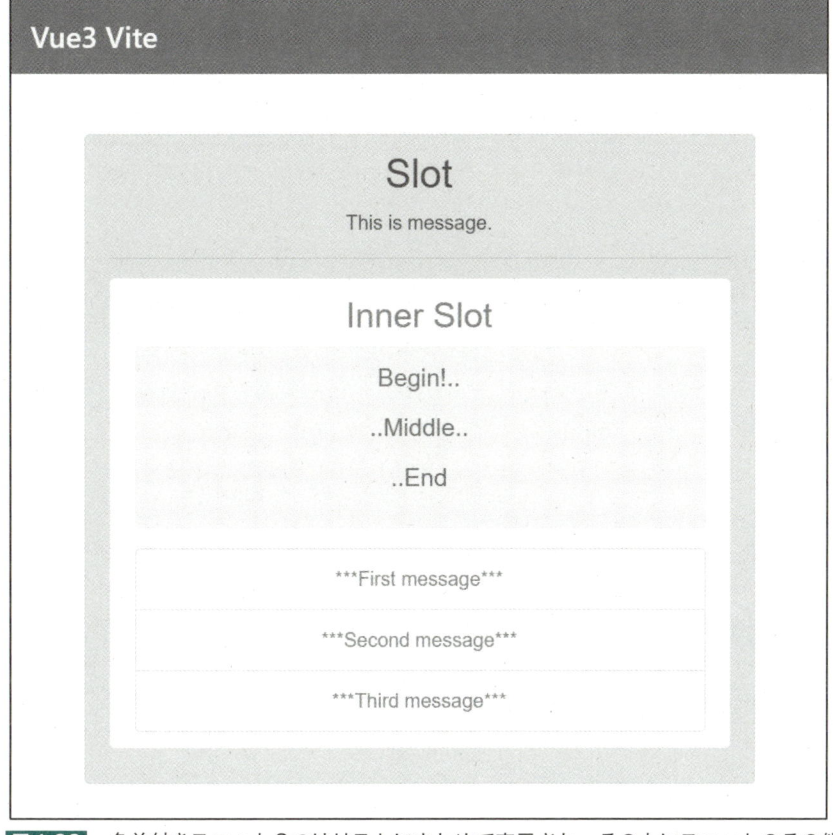

図4-23　名前付きスロット3つはリストにまとめて表示され、その上にスロットのその他の部分がまとめて表示される。

アクセスすると、3つの項目が並ぶリストが表示され、その上には残りの部分がまとめて表示されます。ここでは、以下のような形でスロットを表示しています。

●名前付きスロット

```
<li class="list-group-item">
  <slot name="first"/>
</li>
<li class="list-group-item">
  <slot name="second"/>
</li>
<li class="list-group-item">
  <slot name="third"/>
</li>
```

●その他のスロット

```
    <slot />
```

name属性を指定すると、その名前のスロットの内容が表示され、nameがないと名前付きでないスロット部分の内容がまとめて表示されます。

注意してほしいのは、<slot />で出力されるところには、名前付きのスロットは一切表示されない、という点です。name属性を付けた時点で、もうそのタグはスロットではなく名前付きスロットに切り替わっているのです。そのタグは<slot />からはずされ表示されません。

スロットに値を設定する

スロットに親コンポーネント側の値を表示する場合、親側で何らかの処理を行なって表示させたい場合もあるでしょう。dataなどで値を用意しておき、それを使って表示を作るような場合ですね。こうしたとき、用意された値はスロットにはめ込まれたときも使えるのでしょうか。試してみましょう。

まず、App.vue側を修正します。以下のように書き換えてください。

リスト4-27――App.vue

```
<template>
  <div id="app">
    <HelloWorld title="slot">
      <li class="list-group-item"
        v-for="obj in slotobjs"
        v-bind:key="obj.name">
        {{obj.name}} ({{obj.mail}})
      </li>
    </HelloWorld>
  </div>
</template>

<script>
import HelloWorld from './components/HelloWorld.vue'

export default {
  name: 'app',
  components: {
    HelloWorld
  },
  data() {
    return {
      slotobjs: [
        {name:'Taro', mail:'taro@yamada'},
        {name:'Hanako', mail:'hanako@flower'},
```

```
        {name:'Sachiko', mail:'sachiko@happy'},
      ],
    }
  }
}
</script>
```

ここでは、dataにslotobjsという名前で値を用意しておきました。これは配列になっており、nameとmailといった値を持つオブジェクトをまとめてあります。

そして<HelloWorld>タグ部分では、以下のようなものを中に入れてあります。

```
<li
    v-for="obj in slotobjs"
    v-bind:key="obj.name">
    {{obj.name}} ({{obj.mail}})
</li>
```

繰り返しを使い、slotobjsから順にオブジェクトを取り出して、<li>タグに内容をまとめて表示しています。このリスト部分をまるごとスロットとして渡そう、というわけです。

では、HelloWorld.vue側を修正しましょう。<template>部分を以下のように変更してください。

リスト4-28——HelloWorld.vue

```
<template>
  <div class="alert alert-primary">
    <h2>{{ title }}</h2>
    <p>{{ message }}</p>
    <hr>
    <div class="alert alert-light">
      <h3>Inner Slot</h3>
      <ol class="list-group text-left">
        <slot/>
      </ol>
    </div>
  </div>
</template>
```

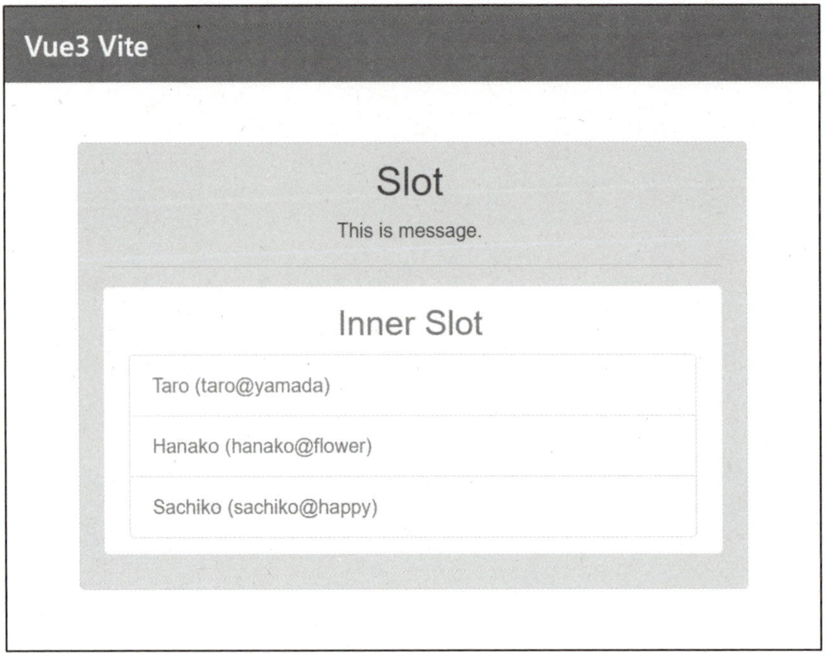

Vue3 Vite

Slot

This is message.

Inner Slot

Taro (taro@yamada)

Hanako (hanako@flower)

Sachiko (sachiko@happy)

図4-24　App.vue側に用意したデータを元に、リストをスロットとして表示する。

<ol>タグの中に、<slot />を用意しておきました。これで、App側で生成された<li>タグのリストがここに書き出され、リストとして表示されるようになります。つまり、HelloWorldコンポーネントではリストをまとめて表示する内容を用意しておき、実際に表示するデータはApp側で用意できるようになるのです。

ということは、さまざまなリストを表示するコンポーネントを同じように用意しておけば、データを用意して、表示に使いたいコンポーネントを組み込むことで、指定したコンポーネントの形でリスト表示できるようになります。そしてリストの表示スタイルを変えたければ、使うコンポーネントを変更するだけで済むようになります。

コラム　v-bind:keyってなに？　Column

今回、v-forで配列からオブジェクトを取り出し表示を行なっていますが、このとき、「v-bind:key」という属性も用意されていました。これって何でしょう？

これは、v-forで配列からオブジェクトを取り出し処理する際に使うキーを指定するものです。これまで、HTMLファイルにVue3の内容を直接記述していたときは特に問題なかったのですが、Node.jsプロジェクトでプロジェクトを実行するようになると、v-for利用時には、必ずこのv-bind:keyでキーを指定する必要があります。これを行なわないと、警告がコンソールに表示されます（表示自体はv-bind:keyがなくとも問題なく行なえます）。

トランジションとアニメーション

 トランジションで状態操作 

Vue3は、フロントエンドのさまざまな操作を行ないますが、中でも「状態を変化させる」という操作は非常に多いでしょう。ごく単純なところでは、用意した表示をON/OFFするようなものですね。

こうした操作は、直接スタイルやクラスを使って変更してもいいのですが、もっと便利な機能があります。それは「トランジション」というものを利用するのです。

トランジションは、スタイルシートの状態変化を扱うための機能です。スタイルを操作して表示を変化させるための便利な機能を提供します。これは以下のような形で記述します。

```
<transition name="名前">
……表示内容……
</transition>
```

<transition>タグそのものは、画面に表示はされません。これはトランジションが適用される範囲を示すためのものです。このタグの間に記述された部分が、トランジションを適用します。

表示をON/OFFする

では、トランジション利用のベースとなるものを作成しましょう。今回もHelloWorld.vueを書き換えて利用します。以下のように修正してください。

リスト4-29

```
<template>
  <div class="alert alert-primary">
    <h2>{{title}}</h2>
    <p>{{message}}</p>
```

Chapter 1
Chapter 2
Chapter 3
Chapter 4
Chapter 5
Chapter 6
Addendum

```
    <button class="btn btn-primary m-3"
      v-on:click="doAction">
    {{btn}}
    </button>
    <transition name="transit">
      <p v-if="flg" class="alert alert-light h5">
        Transition context!
      </p>
    </transition>
  </div>
</template>

<script>
export default {
  name: 'HelloWorld',
  data() {
    return {
      title: 'Trans&Anim',
      message:'This is Transition sample!',
      flg:true,
      btn:'Show/Hide',
    }
  },
  methods:{
    doAction(){
      this.flg = !this.flg
    },
  },
}
</script>
```

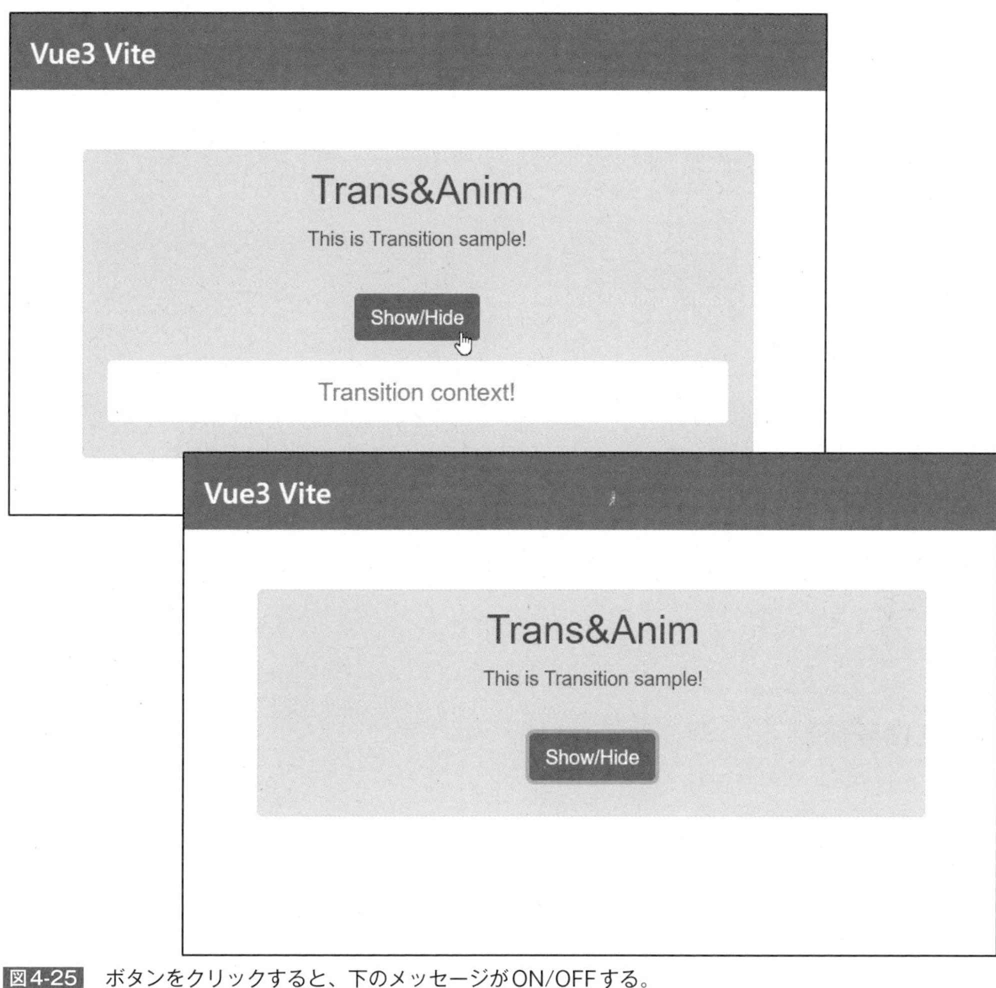

図4-25 ボタンをクリックすると、下のメッセージがON/OFFする。

画面にはボタンが1つあり、その下に「Transition!」とメッセージが表示されています。ボタンをクリックすると、このメッセージがON/OFFします。

「これがトランジションか！」なんて早合点しないように。これは、ただdoActionでflgの値を操作しているだけです。ここでは、こんな処理を行なっていますね。

```
doAction() {
  this.flg = !this.flg
},
```

flgの値を逆転しています。trueならばfalse、falseならばtrueに変わります。<transition>内に用意したタグを見ると、こうなっていました。

```
<p v-if="flg" class="alert alert-light h5">
```

```
  Transition context!
</p>
```

v-ifでflgの値をチェックしています。これがtrueなら表示され、falseなら表示されない、というわけです。

この動作そのものはトランジションは関係ありません。が、トランジションは、v-ifを使って表示をON/OFFする形で作成するのが基本です。ですから、「トランジションする要素にはv-ifが必須」と考えてもいいでしょう。

フェードイン／フェードアウト

では、トランジションを使いましょう。トランジションは、スタイルシートとして設定を用意します。トランジションは、あらかじめ決められたルールにしたがってってスタイルシートのクラスを定義します。これは、トランジションの名前の後に予約された名前を追加する形で指定します。主なクラス名は以下のようになります。

●Enter関係

消えていたものが画面に現れるときのトランジションです。これは以下のクラスが用意されています。

名前-enter-active	Enterトランジションがアクティブになったとき
名前-enter-from	Enterトランジション開始されるとき
名前-enter	Enterトランジションがスタートしたとき
名前-enter-to	Enterトランジションが完了したとき

●Leave関係

これはEnterとは逆で、画面にあるものが消えるときのトランジションです。こちらもEnterと同様のクラスが用意されます。

名前-leave-active	Leaveトランジションがアクティブになったとき
名前-leave-from	Leaveトランジションが開始されるとき
名前-leave	Leaveトランジションがスタートしたとき
名前-leave-to	Leaveトランジションが完了したとき

これらのクラスを用意し、Enterの開始時・終了時、Leaveの開始時・終了時の状態をそれぞれクラスとして定義しておくことで、トランジションの設定を行なうわけです。

フェードイン／フェードアウト

では、実際にクラスを用意してトランジションを行なってみましょう。HelloWorld.vueを以下のように書き換えてください。

リスト4-30

```
<template>
  <div class="alert alert-primary">
    <h2>{{title}}</h2>
    <p>{{message}}</p>
    <button class="btn btn-primary mb-3"
      v-on:click="doAction">
    {{btn}}
    </button>
    <transition name="transit">
      <p v-if="flg" class="alert p-3 h5 trans">
        Transition context!
      </p>
    </transition>
  </div>
</template>

<script>
export default {
  name: 'HelloWorld',
  data() {
    return {
      title: 'Trans&Anim',
      message:'This is Transition sample!',
      flg:true,
      btn:'Show/Hide',
    }
  },
  methods:{
    doAction(){
      this.flg = !this.flg
    },
  },
}
```

```
</script>

<style>
.trans {
  background-color:black;
  color: white;
  padding:10px;
  font-size:20pt;
}

.transit-enter-active {
  transition: opacity 0.5s;
}
.transit-leave-active {
  transition: opacity 5.0s;
}
.transit-enter {
  opacity: 0;
}
.transit-enter-from {
  opacity: 0;
}
.transit-enter-to {
  opacity: 1.0;
}
.transit-leave {
  opacity: 1.0;
}
.transit-leave-to {
  opacity: 0;
}

……他は省略……
</style>
```

Vue3 Vite

Trans&Anim

This is Transition sample!

Show/Hide

Transition context!

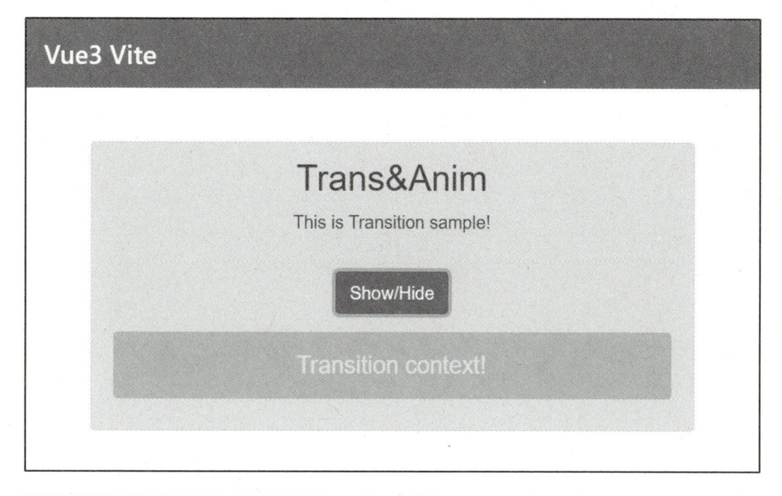

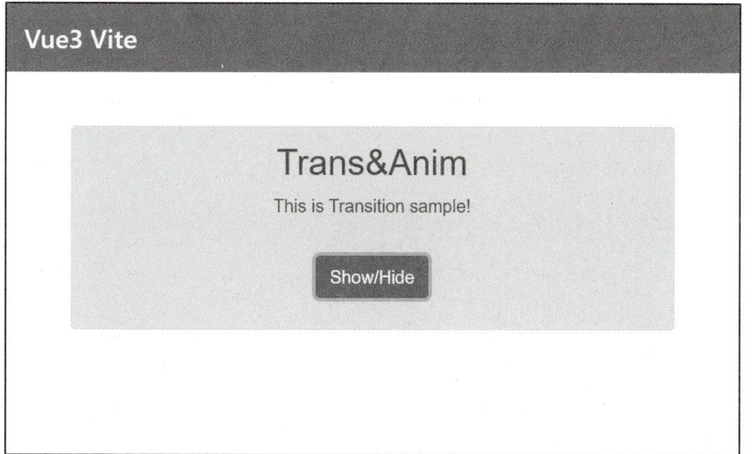

図4-26　ボタンをクリックすると、ゆっくりとメッセージが消えていく。もう一度クリックすると、ボタンが現れる。

ボタンをクリックすると、ゆっくりと下のメッセージが消えていきます。消えたところでまたクリックすると、今度はスピーディにメッセージが現れます。

クラスをチェック！

では、トランジション用のクラスがどのようになっているか見てみましょう。それぞれの役割ごとに分けて説明しましょう。

●アクティブ時の設定

```
.transit-enter-active {
  transition: opacity 0.5s;
}
.transit-leave-active {
  transition: opacity 5.0s;
}
```

ここでは、「transition」という項目が用意されています。これは、操作するスタイル名と経過時間を指定します。Enter（画面に現れる）のときには、opacityを0.5秒で変化させます。Leave（画面から消える）のときは、opacityを5秒かけて変化させます。

●Enterの設定

```
.transit-enter {
  opacity: 0;
}
.transit-enter-from {
  opacity: 0;
}
.transit-enter-to {
  opacity: 1.0;
}
```

Enterは、開始時点でopacityはゼロ、終了の際はゼロから1.0に変化するように設定しています。

●Leaveの設定

```
.transit-leave {
  opacity: 1.0;
}
.transit-leave-to {
  opacity: 0;
}
```

Leaveは逆です。開始時は1.0で、終了時がゼロです。これで、1.0からゼロに変化するように設定します。

3つをセットで考えよう

このように、トランジションのクラスは、Enter/Leaveと各activeの3つがセットになっています。activeのときにtransitionで経過時間を設定し、後はスタート時と終了時にopacityの値を用意します。この基本形さえわかれば、トランジションはすぐに使えるようになりますよ！

イベントを追加

トランジションは、一定の時間をかけて状態を変化させます。が、そうなると変化の前後になにかの操作を行なったりする必要も出てくるでしょう。例えば、「画面から消えたらメッセージを表示する」というような感じですね。

こうした操作は、トランジション用に用意されているイベントを利用することで設定できます。用意されているイベント用の属性には以下のようなものがあります。

●Enter関係のイベント

before-enter	Enter開始直前
enter	Enter開始
after-enter	Enter終了後
enter-cancelled	Enterキャンセル時

●Leave関係のイベント

before-leave	Leave開始直前
leave	Leave開始
after-leave	Leave終了後
leave-cancelled	Leaveキャンセル時

これらは、<transition>タグにv-onを使って関数などにバインドして設定します。例えば、v-on:before-enter="beforeEnter"とすれば、Enter開始直前にbeforeEnter関数が実行されるようになります。

イベントでメッセージを表示する

では、実際にイベントを利用する例を挙げておきましょう。HelloWorld.vueを以下のように書き換えてください。なお、<style>は省略しています。

リスト4-31

```
<template>
  <div class="hello">
    <h1>{{title}}</h1>
    <p>{{message}}</p>
    <hr/>
    <button v-on:click="doAction">
    {{btn}}
    </button>
    <transition name="transit"
        v-on:before-enter="startAction"
        v-on:before-leave="startAction"
        v-on:after-enter="endAction"
        v-on:after-leave="endAction">
      <p v-if="flg" class="trans">Transition!</p>
    </transition>
  </div>
</template>

<script>
export default {
  name: 'HelloWorld',
  props: {
    title:String,
  },
  data: function() {
    return {
      message:'Transition Sample!',
      flg:true,
      btn:'Hide',
    }
  },
  methods:{
    doAction: function(){
      this.flg = !this.flg
    },
    startAction: function(){
      if (this.flg){
        this.message = '現れます……'
```

```
      } else {
        this.message = '消えます……'
      }
    },
    endAction: function(){
      if (this.flg){
        this.btn = 'Hide'
        this.message = '現れました。'
      } else {
        this.btn = 'Show'
        this.message = '消えました。'
      }
    }
  },
}
</script>
```

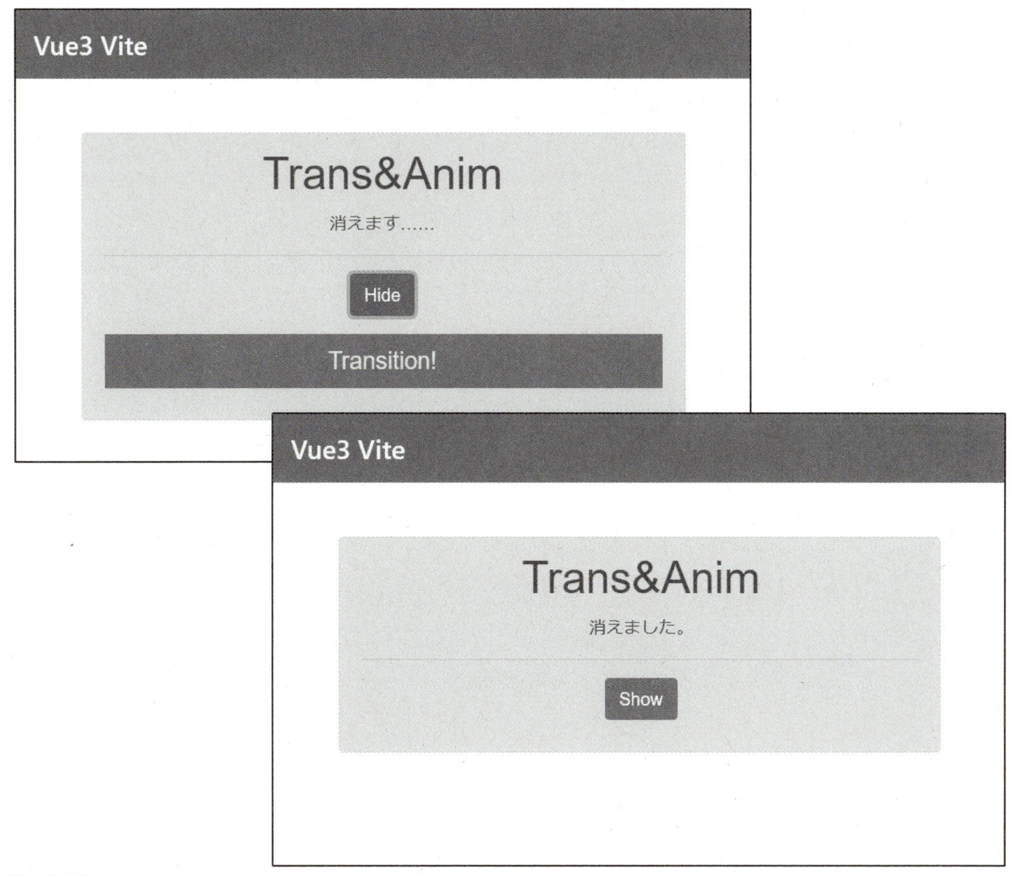

図4-27 ボタンをクリックすると、「消えます……」とメッセージが変わり、完全に消えたところで「消えました」と表示される。

修正したら、ボタンをクリックして表示を切り替えてみてください。「Hide」ボタンをクリックすると、メッセージが「消えます……」と変わります。それからゆっくりと表示が薄くなり、完全に消えたところで、メッセージが「消えました」に、ボタン表示が「Show」に変わります。

また現れるときは、「Show」ボタンを押すとメッセージが「現れます……」に変わり、完全に表示がされたところで「現れました」に変わります。このときボタン表示も「Hide」に戻ります。

こんな具合に、変化を開始するときと完了したときでメッセージが変わるようになっています。これを行なっているのがイベントなのです。今回の<transition>タグを見てみると、以下のように記述されていることがわかるでしょう。

```
<transition name="transit"
  v-on:before-enter="startAction"
  v-on:before-leave="startAction"
  v-on:after-enter="endAction"
  v-on:after-leave="endAction">
```

before-enterとbefore-leaveでは、startActionを設定しています。これにより、トランジション開始時にstartActionが実行されるようになります。また、after-enterとafter-leaveにはendActionを設定しています。これで表示・非表示のトランジションが完了したところでendActionが実行されるようになります。

ボタンクリック時の処理を行なうdoActionでは、単に this.flg = !this.flg でflgの値を操作しているだけです。それ以外のものは、すべてイベントを利用していることがわかるでしょう。

transformで動かす

これで、スタイルのopacityをなめらかに変化させて表示をON/OFFする基本的な仕組みはわかってきました。けれど、トラジションの機能はこれだけではないのです。

transitionには「transform」という値が用意されており、これを利用することでタグの表示を移動したり、回転したり拡大縮小したりすることが簡単に行なえるようになるのです。

これは、以下のような形でスタイルに記述をします。

```
transform: ○○ 値;
```

この○○の部分に、どういう形で動かすかを記述し、その後に必要な値を記述します。では、どのような動きが用意されているか簡単にまとめておきましょう。

●平行移動

表示要素を平行移動するものです。移動幅を示す値を指定します。例えば、「100px」といった具合です。

translateX	横方向に移動
translateY	縦方向に移動

●拡大縮小

表示要素を拡大縮小します。倍率を示す値を指定します。例えば、「0.5」とすれば半分に縮小し、「2.0」とすれば2倍に拡大します。

scale	縦横等倍に拡大縮小
scaleX	横方向に拡大縮小
scaleY	縦方向に拡大縮小

●回転

表示要素を時計回りに回転します。角度を示す値を指定します。例えば、「180deg」とすれば半回転します。

rotateX	X軸を中心に回転
rotateY	Y軸を中心に回転
rotateZ	Z軸を中心に回転

これらは1つだけでなく、スペースをあけて複数続けて記述することもできます。そうすることで「回転しながら拡大」というような複雑な動きも実現できます。

ベースとなる表示を用意

では、これらも試してみましょう。まず、ベースとなる表示を用意しておくことにします。HelloWorld.vueを以下のような形にしておきましょう。

リスト4-32

```
<template>
  <div class="alert alert-primary">
```

```
    <h1>{{title}}</h1>
    <p>{{message}}</p>
    <button class="btn btn-primary mb-3"
      v-on:click="doAction">
    Show/Hide
    </button>
    <transition name="transit">
      <p v-if="flg" class="trans">Transition!</p>
    </transition>
  </div>
</template>

<script>
export default {
  name: 'HelloWorld',
  data: function() {
    return {
      title:'Trans&Anim',
      message:'Transition Sample!',
      flg:true,
      btn:'Hide',
    }
  },
  methods:{
    doAction() {
      this.flg = !this.flg;
    },
  },
}
</script>

<style>
.transit-enter-active {
  transition: 1.0s;
}
.transit-leave-active {
  transition: 1.0s;
  opacity: 0.5;
}

…….transit-○○というクラスは上記以外削除……
……それ以外のクラスは、そのまま残す……
</style>
```

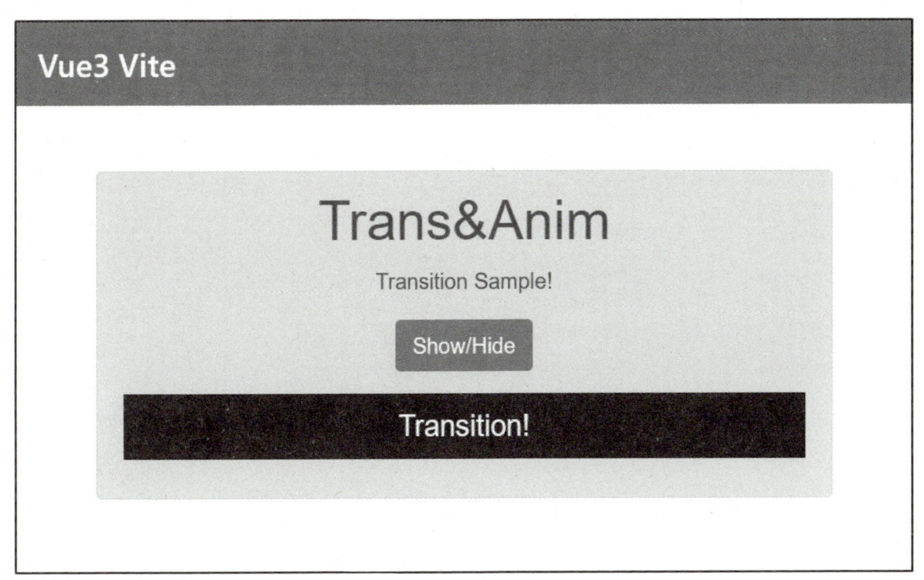

図4-28　ボタンをクリックするとメッセージがON/OFFされる。ただし何もエフェクトはない。

これは、メッセージの表示をON/OFFする部分だけを用意したものです。ボタンをクリックすることで、下のメッセージがON/OFFします。transitionに1.0sを指定し、1秒かけてON/OFFするようにしてあります。ただし、何の効果も設定していないので、現時点ではただ消えたり現れたりするだけです。

transformを試してみよう

では、実際にtransformを試してみましょう。先ほど作成したHelloWorld.vueの<style>タグ内に、transformを指定したクラスを追加して試してみることにします。

平行移動する

では、平行移動からです。以下のクラスを<style>内に記述してください。

リスト4-33
```
.transit-enter, .transit-leave-to {
transform: translateX(200px) translateY(-200px);
opacity: 0.1;
}
```

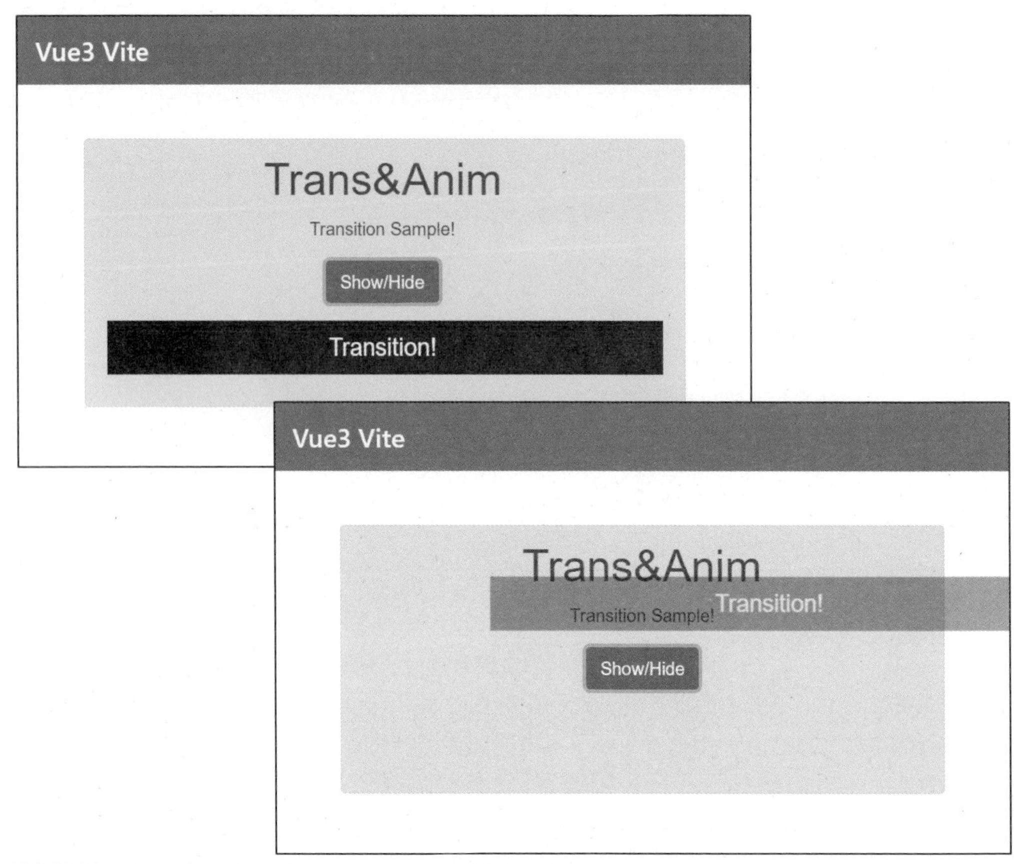

図4-29 ボタンをクリックすると、メッセージが右上に移動しながら消える。

ボタンをクリックすると、メッセージが右上に移動しながら消えていきます。再度クリックすると、右上から元の位置に戻ってきます。

ここでは、「translateX」と「translateY」を使って、右に200ドット、上に200ドット移動させています。

拡大縮小する

続いて、拡大縮小です。先ほど追記したクラスを以下のように書き換えてください。

リスト4-34

```
.transit-enter, .transit-leave-to {
  transform: scale(5.0);
  opacity: 0.1;
}
```

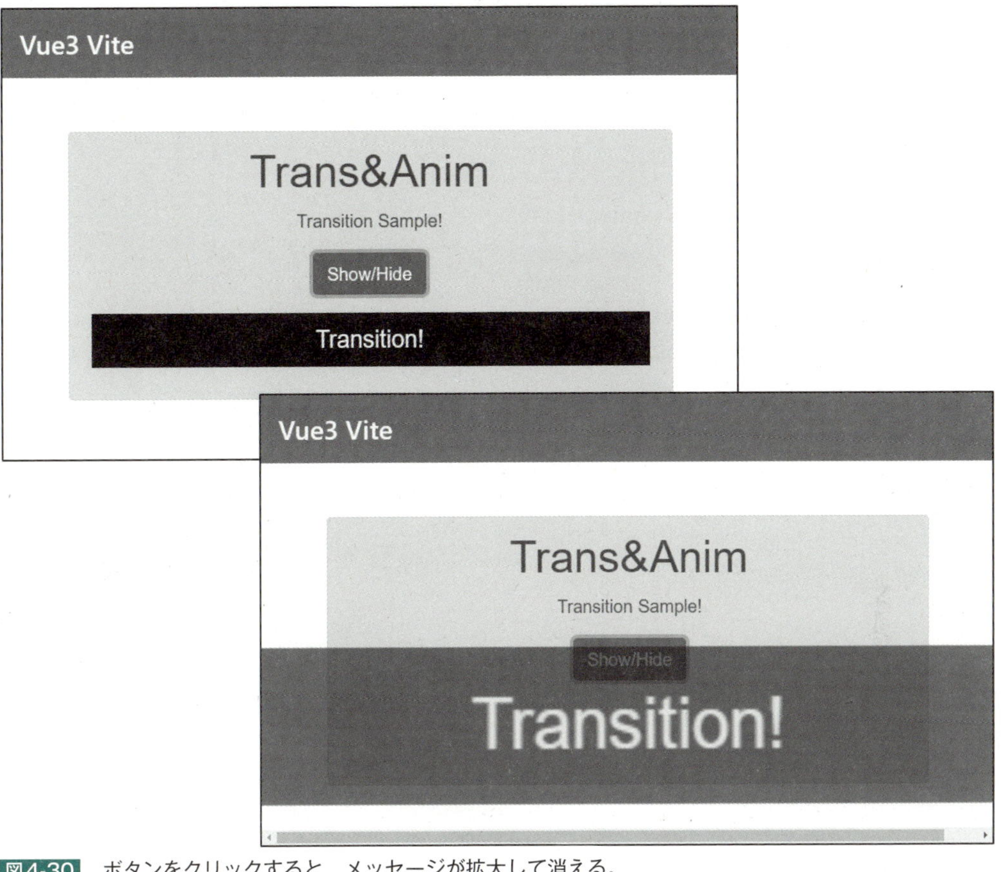

図4-30　ボタンをクリックすると、メッセージが拡大して消える。

ボタンをクリックすると、メッセージがその場で拡大しながら消えていきます。再度クリックすると、大きなサイズの状態から次第に縮小し、元のサイズに戻ります。

ここでは「scale」を使い、5倍に拡大しています。これだけでサイズを自由に拡大縮小できてしまうんですね！

回転する

後は、回転ですね。これも先ほど追記したクラスを書き換えて使いましょう。以下のように変更してください。

リスト4-35

```
.transit-enter, .transit-leave-to {
  transform: rotateZ(360deg);
  opacity: 0.1;
}
```

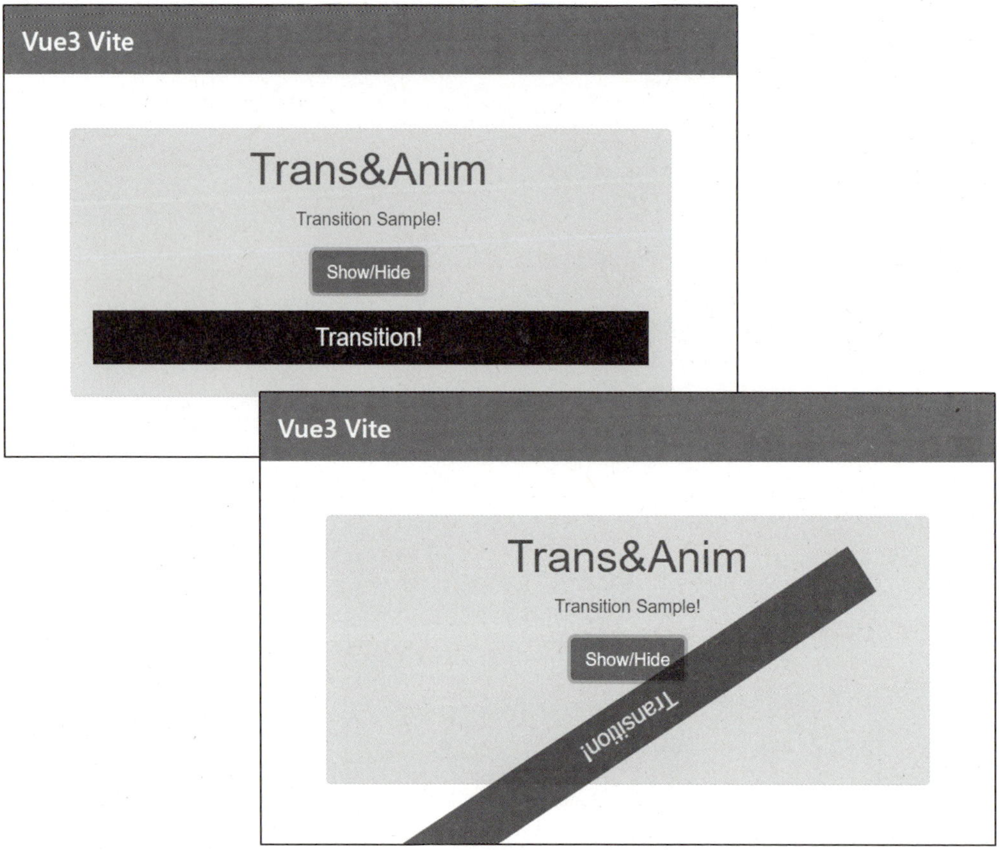

図4-31　ボタンをクリックすると、時計回りにメッセージが回転して消える。

ボタンをクリックすると、メッセージが時計回りに回転して消えます。再度クリックすると、逆周りに回転しながら現れます。

ここでは、rotateZを使っています。rotateXとrotateYは要素をX軸またはY軸に沿って回転させる感じになります。要素全体がそのままの向きで回転させたい場合はrotateZです。

ここでは、360degと値を設定していますね。degは、degreeのことで、1回転＝360で計算した角度になります。この他、2π(約6.28)を1回転とするradという単位も用意されています。

 キーフレームによる複雑なアニメーション 

transformを使うと、移動や回転、拡大縮小などができるようになり、ぐっとアニメーションらしい感じになってきます。が、動きそのものは依然として「ある状態から別の状態へ」という変化だけです。これをもっと複雑にできれば、更に面白い動きが作れますね。例えば、ジグザグに動いたりするアニメーションは作れるのでしょうか。

これは、作れるのです。これには「animation」というものを使います。スタイルに、以下のような形でアニメーションの指定をします。

```
animation: キーフレーム 経過時間 ;
```

このanimationは、キーフレームと呼ばれるものを使って要素を動かします。キーフレームというのは、動きの開始から終了までの間に「キー」と呼ばれるものを用意し、各キーの状態に変化しながら動かしていく働きをします。このキーフレームは以下のような形で定義します。

```
@keyframes 名前 {
  0% {
    ……開始時の設定……
  }
  ○○% {
    ……指定したパーセンテージでの状態設定……
  }
  ……必要なだけ用意……
  100% {
    ……完了時の設定……
  }
}
```

ちょっとわかりにくいかもしれませんね。キーフレームは、@keyframesというものを使って定義します。この{}の中には、○○%というように、動作全体の進行の度合いに応じて設定を用意しておきます。こうすることで、「開始時はこういう状態、50%まで進んだらこういう状態、……」というように、細かく状態の変化を記述していけるのです。

ジグザグに動く！

では、実際にキーフレームを作ってアニメーションを利用してみましょう。先ほどまでのサンプルをそのまま利用します。<style>タグの中に、以下のクラスを用意してください(transit-leave-activeとtransit-enter-activeは既に書いてあるので、それらを削除してから改めて記述しましょう。なお、その前のtransは消さないでください)。

リスト4-36

```
.transit-leave-active {
  animation: anim 5.0s;
}
```

```
.transit-enter-active {
  animation: anim 2.5s reverse;
}

@keyframes anim {
  0% {
    transform: translateX(0px) translateY(0px) rotateZ(0deg);
    opacity:1.0;
    background-color: #ddf;
  }
  25% {
    transform: translateX(250px) translateY(0px) rotateZ(0deg);
    opacity:1.0;
    background-color: #fdd;
  }
  50% {
    transform: translateX(0px) translateY(-100px) rotateZ(540deg);
    opacity:1.0;
    background-color: #dfd;
    }
  75% {
    transform: translateX(250px) translateY(-100px) rotateZ(540deg);
    opacity:1.0;
    background-color: #fdf;
  }
  100% {
    transform: translateX(0px) translateY(-200px) rotateZ(1080deg);
    opacity:0;
    background-color: #ffd;
  }
}
```

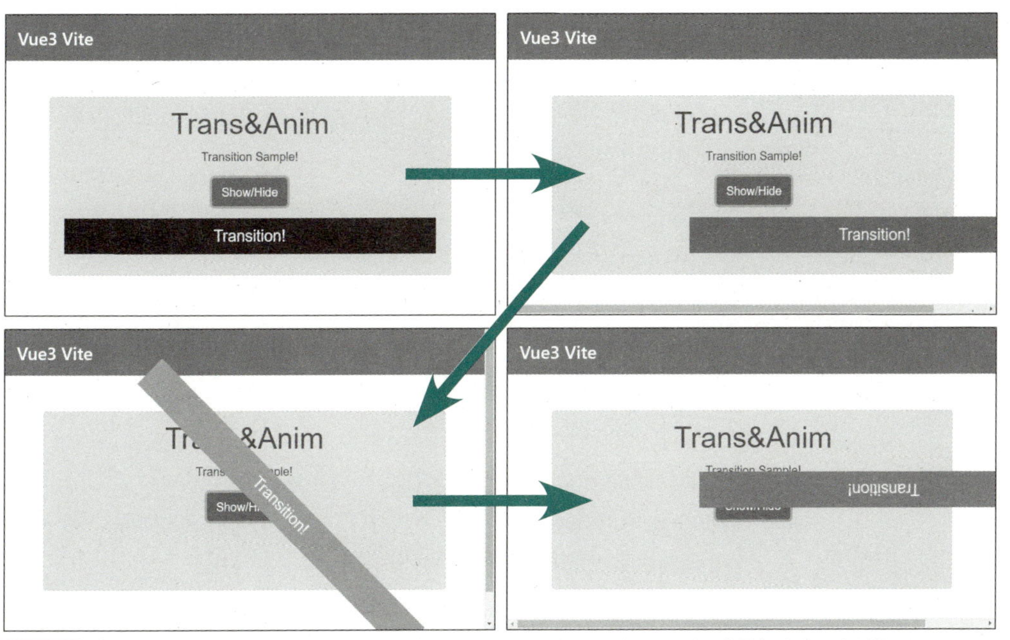

図4-32 クリックすると、メッセージがジグザグに動きながら、回転したり、背景色を変えたりしてアニメーションする。

ボタンをクリックすると、メッセージが右に左にとジグザグに動きながら上がっていきます。途中で回転したり、背景の色が変わったりと複雑な動きをします。サイドクリックすると、開始時のアニメーションを逆に再生してもとに戻ります。

ここでは、animというキーフレームを用意しています。これは、以下のように記述していますね。

```
@keyframes anim {
  0% {……略……}
  25% {……略……}
  50% {……略……}
  75% {……略……}
  100% {……略……}
}
```

25%ごとに状態を設定しています。用意されている設定項目は、transform、opacity、background-colorです。 このanimキーフレームは、transit-leave-activeとtransit-enter-activeの中で呼び出しています。これらの中では、それぞれ以下のようにanimを呼び出していますね。

```
animation: anim 5.0s;
animation: anim 2.5s reverse;
```

animationにanimを指定することで、animキーフレームによるアニメーションが行なわれるようになっていたのです。なお、transit-enter-activeにある「reverse」は、逆再生のことです。これをつけると、animを最後から最初に向けて再生します。

コラム トランジションって色も変えられる？ Column

今回のサンプルで、何が驚いたって「色がアニメーションする」ことでしょう。「これって色まで変えられるの？」と思った人。変えられるんです。

Vue3のアニメーションでは、スタイルシートに用意されている基本的なスタイルは、たいてい操作することができるのです。特に数値を使って設定できるスタイルは、だいたいトランジションやアニメーションで操作できると考えていいでしょう。例えば、color、font-size、border-widthといったものが思い浮かびますね。どんなものがアニメーションできるか、いろいろと試してみてください。

この章のまとめ

ということで、トランジションの使い方から、キーフレームによるアニメーションの基本までなんとかたどり着きました。トランジションとアニメーションは、実はまだまだ多くの機能があるのですが、ここで全部は説明しきれません。「こんな感じでアニメーションできる」という基本がわかれば今は十分、と考えてください。

今回は、Vue3のさまざまな機能を掘り下げて説明しました。はっきりいって、これらは全部、「知らなくても、とりあえずVue3は使える」というものです。ですから、「難しい、わけわかんない！」と思うなら、全部飛ばして次に進んでも全然構いません。

ただ、開発っていうのは、「必要最小限さえできればOK」というものじゃないんですね。それだけでは、人に見てもらえるWebは作れませんから。みんなが見て、「おっ？」と思ってもらえるためには、プラスアルファが必要です。ここで紹介したのは、そうしたプラスアルファの一部なのです。

ですから、1つか2つでもいいから、「これって面白そうだな」と感じたものを頑張って覚えて、使えるようになりましょう。それだけでも、Vue3の奥深さを実感できるはずですよ。

では、「何か1つぐらいは使えるようになりたい」と思う人のために、ここでのポイントを整理しておきましょう。

算出プロパティは意外に重要

算出プロパティのGetter/Setterというのをやりました。算出プロパティは、値を取り出すだけでなく設定もできるんでしたね。これが使えるようになると、かなり複雑な処理を必要とするプロパティを作れるようになります。今すぐ役に立つ！ というわけではないでしょうが、覚えておいて損のない機能です。

キーとマウスのイベントは最重要！

多分、この章で説明したものの中で、もっとも「使える！」という機能は、キーとマウスのイベントでしょう。特に、特定のキーや、機能キーを併用したマウスのイベント設定などは、使えるようになるとイベント処理がぐんとやりやすくなります。是非覚えておきたいものの1つですね！

スロットもそれなりに重要

スロット、なんだかよくわからなかった人も多いかもしれません。これは、「子コンポーネントに表示する内容を親コンポーネント側で用意できる仕組み」です。例えばここでの例で言うなら、HelloWorldコンポーネントに表示する内容を、これを組み込むAppコンポーネント側で用意できる、そのための仕組みがスロットなのです。

普通、コンポーネントは全部自分の中で表示を作成します。HelloWorldの表示は、全部HelloWorldで決めるものです。が、そこに、HelloWorldを組み込むAppで用意できる表示がある。これは、実際の開発に入るとかなり便利な機能です。でも、まぁ「今すぐ直ちに覚えないとダメ」というほどではないでしょう。

他のものは、それなりに

その他にもたくさんの機能を説明しました。プロパティのバリデーション、とりあえず忘れてもいいです。いずれ必要になったら再度読み返せばいいでしょう。トランジションとアニメーション、忘れていいです。これも使いたくなったときにもう一度読み返せばそれで十分です。

とりあえず、「この章でなにか覚えておきたい」と思ったら、キーとマウスのイベントからまず復習しましょう。スロットは、「なんだか難しい」と感じる人も多いと思うので、まぁ余裕があれば挑戦してみる、ぐらいに考えておきましょう。

とりあえず、Vue3の基本的な使い方は、既に前の章で一通り学んでいます。じゃあ、これでもう終わり？ いえいえ、そんなわけはありません。実は、Vue3は、まだまださまざまな機能が詰まっています。Vue3から登場した新しいコンポーネントのAPIや、いろいろと

Chapter 1
Chapter 2
Chapter 3
Chapter 4
Chapter 5
Chapter 6
Addendum

拡張するプログラムなどもあるのです。それらを使い、更にパワーアップした開発について、次の章で説明しましょう。

Chapter

5

Vue3を更に パワーアップしよう!

Vue3には、機能を拡張するためのプログラムがいろいろと用意されています。ここではそうしたものの中から、「Composition API」「Veu Router」「Veux」といったものについて使い方を説明しましょう。

Section 5-1 Composition APIを使おう

 コンポーネントは複雑すぎる！ 

ここまで、Vue3のコンポーネント作成についていろいろと学習をしてきました。これだけ時間をかけて学んでおいて、こういうことを言いたくはないのですが……。

コンポーネント、便利ですか？

実際に作ってみると、けっこう面倒くさいんですよね。propsにdataに算術プロパティ、ウォッチャ、methodsによるメソッド……。これらをきれいに役割分担して整理し組み立てていくのは、思ったよりも大変です。

これが、シンプルなコンポーネントならいいでしょう。しかし巨大で複雑なコンポーネントになってくると、これらをきっちり自分で管理するのはかなり大変になります。「もう少しシンプルですっきりわかりやすくまとめられる工夫が欲しかった」と誰しも思うことでしょう。

こうした「複雑になりすぎたコンポーネント」の問題を解消するため、Vue3の開発チームは、それまでとはまるで違う、全く新しいコンポーネントの仕組みを作り出しました。それが「Composition API」と呼ばれるものです。

propsとsetupだけ！

このComposition APIは、いろいろと散らばってしまった要素をもう一度1つにまとめ直すことを考えて作られました。この新しい仕組みによるコンポーネントの定義は、非常にシンプルです。

```
export default {
  props: 値,
  setup(props) {
    ……処理……
```

```
  }
}
```

これだけです。propsは、これまでと同じ。コンポーネントのタグに設定できる属性を管理します。そして、それ以外はすべてsetupというメソッドで処理します。このメソッドの引数にはpropsが渡されるので、そのまま属性として設定される値も利用できます。必要なければ引数(props)は省略しても構いません。

「それじゃあdataはどうするの？」「メソッドもsetupの中に書くの？」といろいろ疑問が湧いてくるでしょうが、まぁ落ち着いて。順番に説明していきましょう。

 コンポーネントを作ってみよう 

では、Composition APIを使ってコンポーネントを作成してみましょう。前章まで使ってきたvite_appをこの章でも利用することにします。「components」フォルダにあるHelloWorld.vueを開いて、以下のように書き換えてみてください。

リスト5-1

```
<template>
  <div class="alert alert-primary">
    <h1>{{title}}</h1>
    <p>{{msg}}</p>
  </div>
</template>

<script>
export default {
  props: {
    title: String,
    msg: String
  },
  setup(props) {
    console.log(props)
  }
}
</script>
```

ここでは、propsにtitleとmsgの2つの属性を用意し、setupではpropsの値をconsole.logに出力しています。これで、DevToolsのコンソールでpropsの内容が確認できるようになります。propsの値は、{{title}}というように名前を指定して{{}}で埋め込んであります。

ごく単純なコンポーネントですが、これまでのコンポーネントの書き方とはちょっと違っていることがわかりますね。

HelloWorldを表示する

では、このコンポーネントを埋め込んで表示しましょう。App.vueを開き、以下のように内容を書き換えてください。

リスト5-2

```
<template>
  <div id="app">
    <HelloWorld title="Composition API"
      msg="This is Composition API sample."/>
  </div>
</template>

<script>
import HelloWorld from './components/HelloWorld.vue'

export default {
  name: 'app',
  components: {
    HelloWorld
  },
}
</script>
```

図5-1　HelloWorldコンポーネントを表示する。

これで、「Composition API」とタイトル表示されたコンポーネントが現れます。ブルーの背景部分が、HelloWorldコンポーネントです。問題なく表示できることを確認しましょう。

ここでは、<HelloWorld />タグにtitleとmsgという属性を用意していますね。これがHelloWorldのpropsに渡され、それを{{}}で表示していたわけですね。

JSXでも使えるの？

Composition APIを利用したコンポーネントがちゃんと動きました。ここで次に進む前に、「これはJSXでも使えるのか？」を確認しておきましょう。

先に、「components」フォルダ内に「HelloJSX.jsx」というファイルを作成しましたね。あれを利用しましょう。以下のように内容を書き換えてください。

リスト5-3

```
export default {
  name: 'HelloJSX',
  props: {
    title: String,
    msg: String
  },
  setup(props) {
    return () => <div class="alert alert-primary">
      <h1>{props.title}</h1>
      <p>{props.msg}</p>
    </div>
  }
}
```

先ほどのHelloWorld.vueの内容をJSXに書き換えただけのものです。setupメソッドが少し変わっていますね。ここで戻り値が以下のようになっています。

```
return ()=> <div ……JSXの内容……>
```

returnにアロー関数を用意して、そこにJSXの内容を記述してあります。これで、問題なく表示が行なえるようになります。JSXを使うとちょっと書き方が変わるんですね。

では、これを埋め込んで表示してみてください。App.vueは以下のように修正すればいいでしょう。

リスト5-4

```
<template>
  <div id="app">
    <HelloJSX title="Composition API"
```

```
      msg="This is Composition API sample."/>
  </div>
</template>

<script>
import HelloJSX from './components/HelloJSX.jsx'

export default {
  name: 'app',
  components: {
    HelloJSX
  },
}
</script>
```

Chapter 1
Chapter 2
Chapter 3
Chapter 4
Chapter 5
Chapter 6
Addendum

表示される内容は、先ほどのHelloWorld.vueと全く同じです。が、こちらはJSXで表示が作られています。JSXを利用する場合も、ちゃんとComposition APIは使えることがわかりますね。

setupのreturnについて

この例を見て、「通常のコンポーネントとJSXではsetupの書き方が変わるのか」と思った人。いいえ。そうではないのです。

setupは、必要な処理をまとめて行なうためのものです。先ほどHelloWorld.vueで作成したサンプルでは、propsの値をテンプレートで表示しただけで、それ以外のもの(dataに相当する値やメソッドなど)はありませんでした。このため、特にreturnは書いてなかったのです。

が、setupでは、returnを書く場合もあります。returnした内容をもとにコンポーネントの表示が作成されるのです。JSXの場合、<template>でテンプレートを使ったりせず、表示内容をそのままJSXで記述します。ですから、returnを用意して、そこでJSXの値を返す関数を用意しておいたのです。

.vueファイルでも、同じようにsetupのreturnで表示内容を返す関数を用意することもできます。たとえば、HelloWorld.vueを以下のようにして表示させてみましょう。

リスト5-5

```
<script>
import { h, ref } from 'vue'

export default {
  props: {
```

```
    title: String,
    msg: String
  },
  setup(props) {
    return ()=> h('div',{class:'alert alert-primary'}, [
      h('h1', props.title),
      h('p', props.msg)
    ])
  }
}
</script>
```

これでも、全く問題なくHelloWorldコンポーネントが表示されます。この「setupのreturn」については、この後で具体的に利用するようになりますので、今はあまり気にしないでください。「JSXだからreturnがあるわけじゃないんだ」ということだけわかっていればそれで十分ですよ。

dataはダメ！ refを使え！

propsでコンポーネントタグの属性を扱えるのはわかりました。が、コンポーネントで一番多用するのは、それよりdataの値でしょう。こちらはどうなっているのでしょうか。

これが、Composition APIに移行するときのもっとも重要なポイントといえるでしょう。Composition APIには、「dataは、ない」のです！

では、どうやってテンプレート側で利用する値を用意するのか。それは、「ref」を使い、普通の変数として用意するのです。

refというのは、3章で「テンプレート参照」(this.$refsというやつですね)というものを使いましたが、あれとは別のものです。これはVue3に用意されている関数で、値の「参照」というものを作成するためのものです。

参照とは、「その値を指し示す値」のことです。これは、値があったとき、その値そのものではなく、「その値が保管されている場所」を示す値だ、と考えるとよいでしょう。

この参照は、以下のように利用します。

```
変数 = ref( 値 )
```

これで、指定した値の参照が作成されます。Composition APIでは、この値を利用します。普通の変数の値を使うこともできますが、その場合は「リアクティブ」にはなりません。リアクティブというの、覚えてますか？ そう、画面に表示した値を操作することで表示まで自動的に更新されるようになる働きのことでしたね。

この「リアクティブな値」として使うためには、必ずrefを使って値を用意する必要があるのです。

refと参照

refによる参照は、「値を示す値」です。これは、値そのものとは違った働きをします。普通の値は、変数に代入するとその値がコピーされて変数に入れられます。たとえば、

```
B = A
```

こんな具合にすると、変数Aに入っている値がコピーされてBに格納されるわけですね。AとBには同じ値が入っていますが、それぞれは別のものです(同じ値のものが2つあり、それぞれAとBに入っている)。ですから、AもBもそれぞれ別々に操作できます。

が、Aに入っているのがrefによる参照だったら？ Bには、参照の値がコピーされて格納されます。参照というのは、値のある場所を示す値でしたね？ ということは、Aの参照をBに代入すると、AもBも「同じ場所を指し示す値」が格納されることになります。このため、Aが参照している値を操作すると、Bが参照している値も同じように変わります(どっちも同じ値を参照してるのですから)。

この仕組みを使うことで、テンプレートに値を埋め込めるようにするのです。コンポーネントで参照の値を作成し、それをテンプレートに埋め込めば、どちらも同じ値を指し示すことになります。したがって、スクリプト側で参照している値を操作すれば、テンプレートに埋め込んである値お同じように変更され、表示が変わるようになるのです。

Chapter 1
Chapter 2
Chapter 3
Chapter 4
Chapter 5
Chapter 6
Addendum

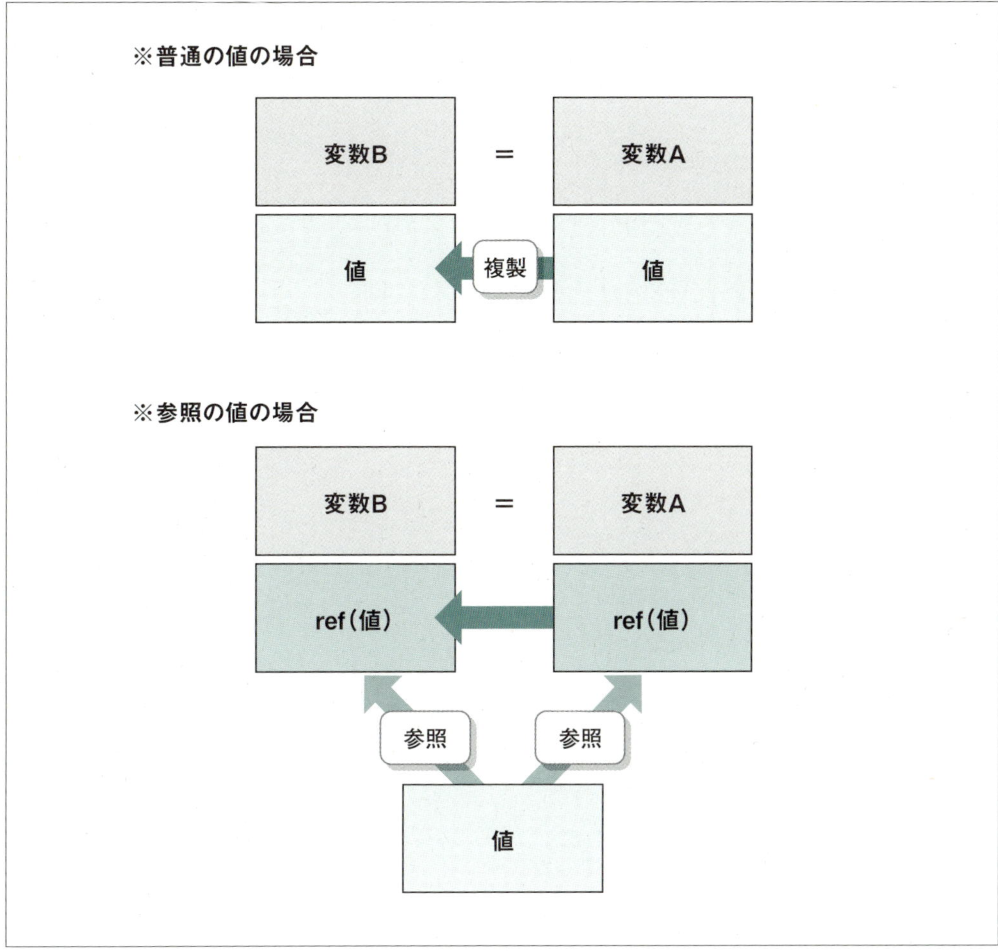

図5-2 普通の値は代入すると値が複製される。参照の場合は代入すると参照が複製されるだけで、指し示す値は同じものになる。

Chapter 1
Chapter 2
Chapter 3
Chapter 4
Chapter 5
Chapter 6
Addendum

refで値を用意する

では、refを使って作成する値はどのようにしてテンプレートに渡せばいいのでしょうか。これは、setupメソッドでその値をreturnすればいいのです。

```
setup(props) {
  const 定数 = ref ( 値 )
  return { 定数 }
}
```

こんな具合になります。setup内でrefを使って参照を作成し、それをreturnでオブジェクトにまとめて返すようにします。この返されたオブジェクトに用意されている値が、テンプレートで利用できるようになるのです。

refで値を表示する

では、実際にrefを使って値を表示させてみましょう。HelloWorld.vueの内容を以下のように書き換えてください。なお、先にApp.vueを修正してHelloJSXを表示するようにしていた場合は、もとの内容(リスト5-2)に戻して使いましょう。

リスト5-6

```
<template>
  <div class="alert alert-primary">
    <h1>{{title}}</h1>
    <p>{{data.msg}} ( {{data.count}} )</p>
  </div>
</template>

<script>
import { ref } from 'vue'

export default {
  props: {
    title: String
  },
  setup(props) {
    const data = ref({
      msg: 'This is ref-value!',
      count: 0
    })
    setInterval(()=>{
      data.value.count++
    }, 1000)
    return {
      data
    }
  }
}
</script>
```

図5-3　表示すると、数字がカウントされていく。

これで、メッセージのテキストの後に()で数字が表示されます。これは毎秒1ずつ増えていきます。表示されている値が後から操作できることがわかりますね。

refによる参照の利用

では、refによる値がどのように使われているのか見てみましょう。ここでは、setupの中で以下のような形で値を作成しています。

```
const data = ref({
  msg: 'This is ref-value!',
  count: 0
})
```

refを使い、dataという定数を作成しています。このrefの引数には、msgとcountという2つの値を持つオブジェクトを用意してあります。

作成された定数は、最後にreturnで返しています。

```
return {
  data
}
```

これで、dataがテンプレート側で利用できるようになります。テンプレートを見てみると、このような形で値が使われているのがわかるでしょう。

```
<p>{{data.msg}} ( {{data.count}} )</p>
```

dataの中にあるmsgとcountの値が{{}}で埋め込まれていますね。これで、refで作成された値が利用できるようになります。

スクリプト側で参照を使う場合

今回は、setIntervalを使ってcountの値を毎秒1ずつ増やしています。ここで実行している関数がどうなっているか見てみましょう。

```
setInterval(()=>{
  data.value.count++
}, 1000)
```

値を1増やしている部分に注目！ data.count++ではなく、data.value.count++となっていますね？ dataは、値そのものではなく参照だ、ということを思い出してください。refで参照している値は、valueというメソッドで得ることができます。つまり、data.valueで、dataが参照しているオブジェクトを取り出せるようになっているのですね。ここでは、その中のcountの値を利用するので、data.value.count++となっていたのですね。

コラム どうして定数なの？ Column

ここでは、const dataというように、定数として値を用意しています。「なんで定数なんだろう？」と不思議に思った人もいることでしょう。

定数は、値の変更ができない特殊な変数です。「定数にしたら、countの値を変更できなくなるんじゃないか？」と思った人。よく考えてください。const dataで定数にしたのは、msgやcountが入っているオブジェクトそのものではありませんよ。そのオブジェクトの「参照」です。

constにしたことで、dataに代入されている参照は変更できなくなります。つまり、参照しているオブジェクトを後から別のものに変更したりはできなくなるわけです。ただし、定数にしたのは参照であってオブジェクトそのものではありません。参照された場所にあるオブジェクトの中身は自由に変更できるのです。

定数にすることで、利用するオブジェクトが勝手に別のものに替えられたりするのを防ぐことができます。変数を使うより、定数のほうが安全なのです。

 refとreactive 

このrefによる参照はとても便利ですが、スクリプト内で値を利用するときに「参照のvalueを使わないといけない」という点がちょっと面倒ですね。ただ面倒だというだけでなく、スクリプトとテンプレートの値の記述が異なるため、混乱してしまいます。先ほどのcountの利用を見ると、こうなっていますね。

スクリプト内	data.value.count
テンプレート	data.count

同じ値を示していながら、書き方が違う。これはわかりにくいですし、バグなどがまじりやすくなるでしょう。

実をいえば、参照を作成するのはref以外にもあるのです。それは、「reactive」という関数です。これは以下のように利用します。

```
変数 = reactive( 値 )
```

このreactiveは、正確には値の参照を作成するものではありません。これは、「リアクティブ可能な値のコピー」を返すものです。refと違い、値をコピーして返しますが、それはリアクティブになっている、ということですね。ですから実質的にはrefと同じ働きをするものと考えて構いません。

では、先ほどのHelloWorldvueをreactive利用の形に書き換えてみましょう。

リスト5-7

```
<script>
import { ref, reactive } from 'vue'

export default {
  props: {
    title: String
  },
  setup(props) {
    const data = reactive({
      msg: 'This is ref-value!',
      count: 0
    })
    setInterval(()=>{
      data.count++
```

```
    }, 1000)
    return {
      data
    }
  }
}
</script>
```

これでも、全く同様に数字がカウントされていきます。動作そのものは、refでもreactiveでも違いがないことがわかるでしょう。ただし、reactiveでは、スクリプト内で値を利用する部分がわかりやすくなります。

```
setInterval(()=>{
  data.count++
}, 1000)
```

data内にあるcountの値は、data.countとなります。valueは必要ありません。テンプレートでの利用と書き方は全く同じになります。このほうがずっとわかりやすいですね！

「だったら、全部reactiveでいいじゃないか。refなんていらないだろう」と思った人。実は、そうもいかないのです。reactiveで作成できるのは、オブジェクトのみです。数字や真偽値のような基本型の値は使えないのです。これに対してrefはこうした基本型の値でもすべて参照として取り出すことができます。

というわけで、「基本型の値をリアクティブにしたい場合はref」「オブジェクトをリアクティブにするならreactive」と考えるとよいでしょう。

メソッドの利用

propsと基本的な値の利用はこれでわかりました。では、メソッドはどうでしょう？methodsによるメソッドの設定は使えるのでしょうか？

これも、実は使いません。どうするのかというと、setup内で変数に関数を代入しておき、この変数をテンプレートに割り当てればいいのです。では、実際にやってみましょう。HelloWorld.vueを以下のように書き換えてください。

リスト5-8

```
<template>
  <div class="alert alert-primary">
    <h1>{{title}}</h1>
    <p class="h5">{{data.msg}}</p>
```

```
    <div>
      <input type="number" v-model="data.num"
        min="0" class="form-control">
    </div>
    <button class="btn btn-primary m-3"
      v-on:click="action">Click</button>
  </div>
</template>

<script>
import { ref, reactive } from 'vue'

export default {
  props: {
    title: String
  },
  setup(props) {
    const data = reactive({
      msg: 'This is ref-value!',
      num: 0
    })
    const action = ()=> {
      let total = 0
      for(let i = 1;i <= data.num;i++) {
        total += i
      }
      data.msg = "Total: " + total
    }
    return {
      data, action
    }
  }
}
</script>
```

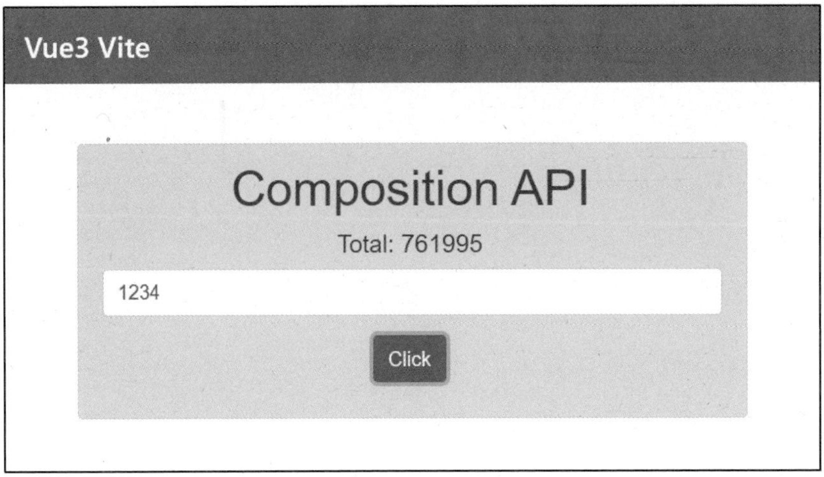

図5-4　数字を入力し、ボタンをクリックすると、その数字までの合計を計算し表示する。

今回は数字を入力するフィールドとボタンを用意しています。フィールドに適当に数字を入力し、ボタンをクリックすると、1からその数字までの合計を計算して表示します。

ここでは、actionという関数を定義し、これをボタンのクリックイベントに割り当てています。まず、setup内にaction関数を用意しておきます。

```
const action = ()=> {
  let total = 0
  for(let i = 1;i <= data.num;i++) {
    total += i
  }
  data.msg = "Total: " + total
}
```

関数を用意するといっても、このようにアロー関数を定数に代入する形で用意するのですね。こうして関数を代入した定数totalを、テンプレート側に渡すようにreturnを修正します。

```
return {
  data, action
}
```

これで、dataとactionがテンプレートで使えるようになりました。<button>タグを見てみると、このように書かれているのがわかります。

```
<button class="btn btn-primary m-3" v-on:click="action">
```

v-on:clickに"action"を指定することで、クリックすると定数actionに代入された関数が実行されるようになります。

 setupのcontextについて 

setupメソッドでは、引数にpropsが渡されました。実は、これ以外にも引数に渡される値があります。それは「context」というものです。

このcontextは、コンポーネントに関する重要な情報をひとまとめにしたオブジェクトです。ここには以下のような項目が含まれています。

attrs	コンポーネントタグに用意された属性をまとめたもの
slots	コンポーネント内に含まれるスロットをまとめたもの
emit	emitされた内容をまとめたもの

これらは、context.attrsというような形でアクセスし値を得ることができます。では、簡単な利用例を挙げておきましょう。HelloWorld.vueを以下のように修正してください。

リスト5-9

```
<template>
  <div class="alert alert-primary">
    <h1>{{title}}</h1>
    <p class="mt-3 h5">{{data.msg}}</p>
  </div>
</template>

<script>
import { ref, reactive } from 'vue'

export default {
  props: {
    title: String
  },
  setup(props, context) {
    const data = reactive({
      msg: 'This is ref-value!',
    })
    data.msg = context.attrs['msg'].toUpperCase()
    return {
      data
    }
```

Chapter 1 Chapter 2 Chapter 3 Chapter 4 Chapter 5 Chapter 6 Addendum

```
  }
}
</script>
```

タイトルとメッセージを表示するだけの単純なコンポーネントです。ここでsetupに用意されている処理を見てみましょう。

```
setup(props, context) {
  const data = reactive({
    msg: 'This is ref-value!',
  })
  data.msg = context.attrs['msg'].toUpperCase()
  return {
    data
  }
}
```

ここでは、propsにはtitleだけが用意されています。が、context.attrs['msg']という形でmsg属性の値を取得し、それをtoUpperCaseしてすべて大文字にした値をdata.msgに設定してテンプレートで表示させています。

では、これを利用するApp.vueのテンプレートを以下のようにしておきましょう。

リスト5-10

```
<template>
  <div id="app">
    <HelloWorld title="Composition API"
      msg="This is Composition API sample."/>
  </div>
</template>
```

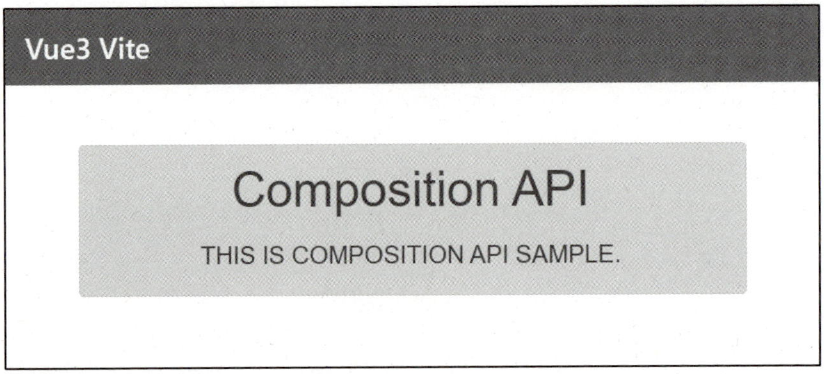

図5-5　msg属性がすべて大文字になってメッセージ表示される。

ここでは、<HelloWorld />にtitleとmsgを属性として用意してあります。これらがコンポーネントにタイトルとメッセージとして表示されます。メッセージは、すべて大文字に変更されて表示されているのがわかるでしょう。

HelloWorldコンポーネントのpropsには、titleはありますがmsgはありません。が、setupでcontext.attrs['msg']の値を取り出し利用することで、msg属性が存在するかのように機能しているのがわかります。こんな具合に、setupのcontextからコンポーネントの内容に直接アクセスすることで面白い効果を得ることもできます。

ただし、特別な理由がない限り、propsにmsgを用意して利用したほうが圧倒的にわかりやすく使いやすいのは確かですね。「こういうこともできる」と、「こうするのがよい」は、必ずしもイコールではありませんから。

従来方式か、Composition APIか？

以上、Composition APIを使ったコンポーネント作成の基本について説明をしました。ここで、改めて「Composition APIを使うべきなのか」について触れておきましょう。

Composition APIは、Vue3から新たにサポートされることになった、新しい方式のコンポーネント技術です。が、Vue3では、これまでのやり方でコンポーネントを作成することもできます(ただし、Vue2とは微妙に異なる書き方になっており、Vue3ではそれ以前と完全な互換性は保たれていません。そういった意味では、従来方式でも「Vue3の新しい書き方」といえます)。

「Composition APIを使うべきか」を考える前に、「なぜ、コンポーネントの仕組みを新しくしたのか」を考えるべきでしょう。

Composition APIを使う理由

なぜ、Composition APIを作ったのか。それは、従来方式の「あちこちに散らばったものを1つにまとめる」ためです。これまで、「データはdata、メソッドはmethods、算術プロパティはcomputed」といった具合に、あちこちに値や処理が散らばっていました。これはコンポーネントが巨大化してくると、全体の見通しが悪くなり、いろいろな問題を引き起こす要因となってきます。

そこで、「すべてをsetupにまとめる」という方式を新たに用意することにしたわけです。Composition APIは、したがって「これからのVueのスタンダードとなるコンポーネント方式」であるといえます。

ただし、現時点でComposition APIは完全ではありません。特に、外部のパッケージなどを利用しようとすると、いろいろ考えなければならないことが出てくるでしょう。現時点で、すべてのパッケージがComposition APIに対応しているわけではないのです。

そうした点から、当面は両方の書き方ができるようにしておく、というのがベストです。

methodsもcomputedも使える

「従来方式 vs. Composition API」というと、両者はカチッと2つに分かれているように思えるでしょうが、実はそういうわけでもないのです。

たとえば、Composition APIでは、従来のcomputedやmethodsも使うことができます。コンポーネントのオブジェクトの中に、以下のように用意すればいいのです。

```
export default {
  props: {
    ……プロパティ……
  },
  setup(props, context) {
    ……セットアップの処理……
    return {……値……}
  },
  computed: {
    名前 : {
      get:()=> {……処理……},
      set: (value)=> {……処理……}
    },
    ……必要なだけ用意……
  },
  methods: {
    名前() {
      ……処理……
    },
    ……必要なだけ用意……
  }
}
```

わかりますか？ コンポーネントの{}内に、computedやmethodsといった値を用意し、そこに算術プロパティやメソッドを用意すればいいのです。

ただし、setup内にプロパティやメソッドを用意するやり方と、computed/methodsを使うやり方では、書き方が微妙に違います。setup内ではthisは使いませんが、これらmethodsやcomputedの内部ではthisを付けて記述することになります。こうした違いがあるため、両者が混在すると混乱するきらいはあります。が、「この書き方のほうがわかりやすい」というならば、setupと同時にこれらを利用しても全く問題ありません。

少しずつ移行しよう！

無理にすべてをsetupにまとめなくともいいのです。setupとmethods/computedの両方を同時に使っても、ちゃんと両方の内容を認識してくれます。

「とりあえず移行できるものだけsetupに入れて、後は従来のまま」といった書き方ができるのがComposition APIの面白いところです。一度にすべてを新しい方式に移行する必要はありません。できるところだけ移行し、後は従来方式で書けるのです。

そして、Vue関連のプログラムのアップデート状況を見ながら、少しずつComposition APIに移行していけばいいのです。

ここまでは従来方式でコンポーネントを作成してきました。が、これより先は「書いて慣れる」ということで、可能な場合はなるべくComposition APIを使ってコンポーネントを書くことにしましょう。

Section 5-2 Vue Routerによるルーティング管理

複数ページを管理するには？

ここまで、さまざまなサンプルを作成してきましたが、すべてに共通することがあります。それは、「1枚のページで完結している」という点です。

Webサイトを作る場合、「1つのページだけでおしまい」ということのほうが少ないでしょう。大抵は多数のページを用意し、行き来しながら閲覧するようになっています。ところが、Vue3で作成したサンプルでは、こうしたものはありません。すべて1つのページだけです。これは、なぜでしょう？ たまたま複数のページを使うサンプルがなかっただけ？

いいえ、そうではありません。Vue3のようなフロントエンドフレームワークでは、基本的に「SPA」と呼ばれる形でWebアプリケーションを構築していくのが多いのです。SPAとは、「Single Page Application」のこと。その名の通り、「1つのページだけでできているWebアプリケーション」のことです。

最近の高度に進化したWebアプリケーションを見ると、その多くがSPAであることに気がつくでしょう。たとえば、Googleマップを見てください。世界中にアクセスしてマップを表示し、ショップなどの情報を表示することができますが、実はこれ、すべて「1つのページ」だけでできています。

GmailやGoogleドライブなどもそうですね。これらはラベルやフォルダを選択して表示が変わりますが、これは別に「そのラベルやフォルダのページに移動している」わけではありません。リンクをクリックすることでダイナミックにページの表示が変更されているだけなのです。

つまり、こうしたSPAのWebアプリケーションでは、表示の変更は「ページ移動」ではなく、ページ内のコンテンツをダイナミックに変更することで行なわれているのです。Vue3で作成するWebページも、このSPA方式で設計するのが基本です。すなわち、複数のページを作成して移動するのではなく、表示をそれぞれコンポーネントとして定義し、必要に応じてコンポーネントを入れ替えて表示を操作するのです。

Chapter 1
Chapter 2
Chapter 3
Chapter 4
Chapter 5
Chapter 6
Addendum

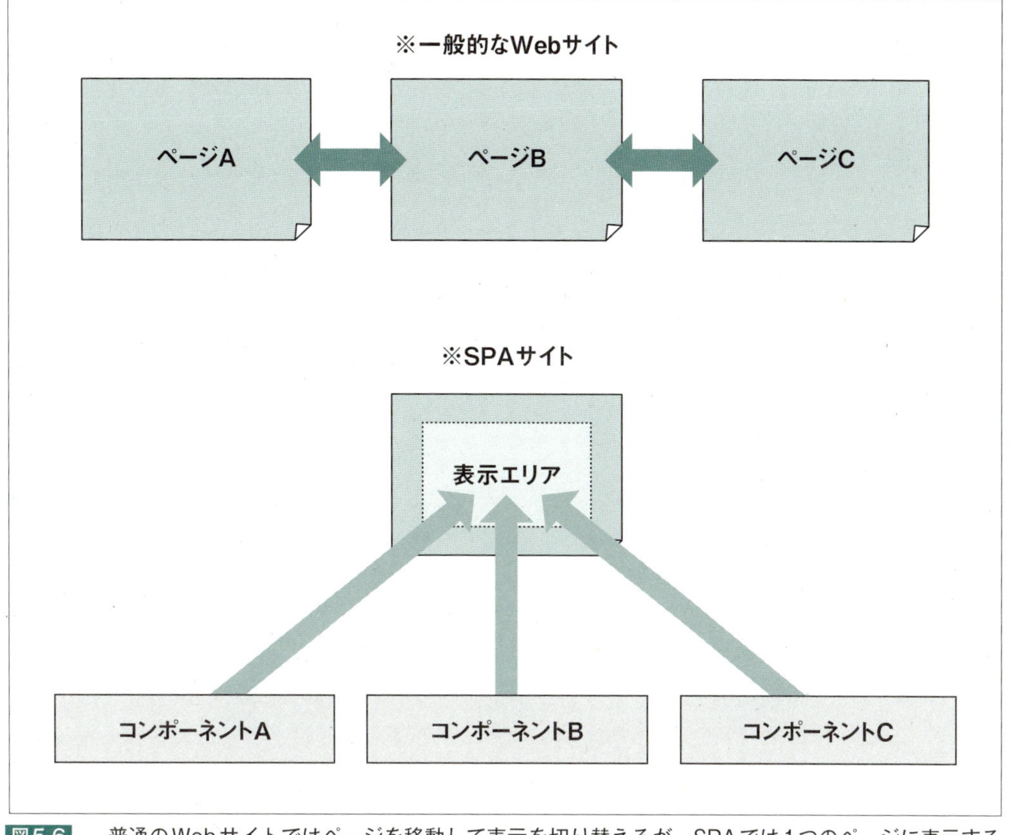

図5-6 普通のWebサイトではページを移動して表示を切り替えるが、SPAでは1つのページに表示するコンテンツを入れ替える。

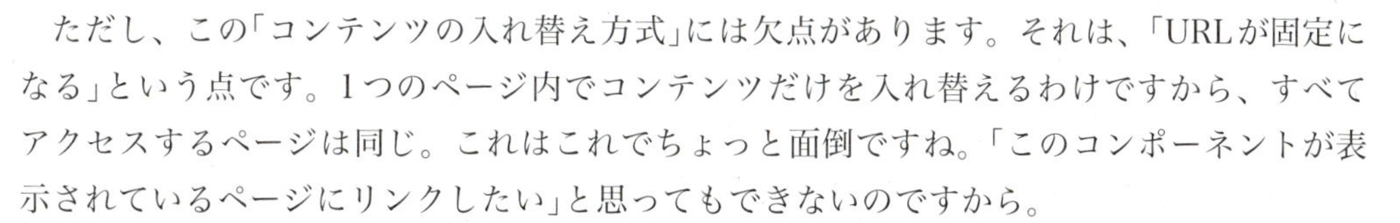

Vue Routerについて

ただし、この「コンテンツの入れ替え方式」には欠点があります。それは、「URLが固定になる」という点です。1つのページ内でコンテンツだけを入れ替えるわけですから、すべてアクセスするページは同じ。これはこれでちょっと面倒ですね。「このコンポーネントが表示されているページにリンクしたい」と思ってもできないのですから。

そこでVue3では、両者のいいとこ取りをした仕組みを考えることにしました。すなわち、特定のアドレスごとに表示するコンポーネントを割り当てる仕組みを用意したのです。「このアドレスにアクセスするとコンポーネントAが、こっちのドレスだとBが表示される」といった具合ですね。

こうした「アドレスごとに表示などを割り当てる仕組み」のことを「ルーティング」といいます。そして、ルーティングを実現する部品を「ルーター」と呼びます。Vue3における、このルーター機能を提供するのが「Vue Router」というパッケージです。

このVue Routerは、Vue3に標準で組み込まれてはいませんが、簡単に導入することができます。導入の方法を以下に整理しておきます。

CDN利用の場合

Vue Routerは、CDN (Content Delivery Network)を利用してスクリプトをダウンロードし利用できます。ベースとなるHTMLファイル(アプリケーションフォルダ内のindex.html)を開いて、<head>内に以下のようにタグを追記するだけです。

```
<script src="https://unpkg.com/vue-router@next"></script>
```

これで、Vue3に対応するVue Router 4.0.0がロードされるようになります。CDNは、インストールなども必要なく、ただタグを書くだけですから簡単でいいですね。

(ただし、本書はこの方式は使いません。次のnpmでインストールする方法を利用することにします)

npm利用の場合

Vue Routerは、npmでパッケージとして配布もされています。ここでは、この方式でVue Routerをインストールします。

Visual Studio Codeでアプリケーションを実行した状態になっていますか？ ではコンソールからCtrlキー＋Cキーで実行中の処理を一旦停止し、以下のように実行してください。

```
npm install vue-router@next
```

```
ターミナル  問題  出力  デバッグ コンソール                1: cmd

D:\tuyan\Desktop\vite_app>npm install vue-router@next
npm WARN vite_app@0.0.0 No description
npm WARN vite_app@0.0.0 No repository field.
npm WARN vite_app@0.0.0 No license field.
npm WARN optional SKIPPING OPTIONAL DEPENDENCY: fsevents@2.1.3 (node_modules\fsevents):
npm WARN notsup SKIPPING OPTIONAL DEPENDENCY: Unsupported platform for fsevents@2.1.3: wanted {"os":"darwin","arch":"any"} (current: {"os":"win32","arch":"x64"})

+ vue-router@4.0.0-beta.13
added 1 package and audited 305 packages in 2.629s

16 packages are looking for funding
  run `npm fund` for details

found 0 vulnerabilities


D:\tuyan\Desktop\vite_app>

行 16、列 11 (3 個選択)  スペース: 2  UTF-8  LF  Vue
```

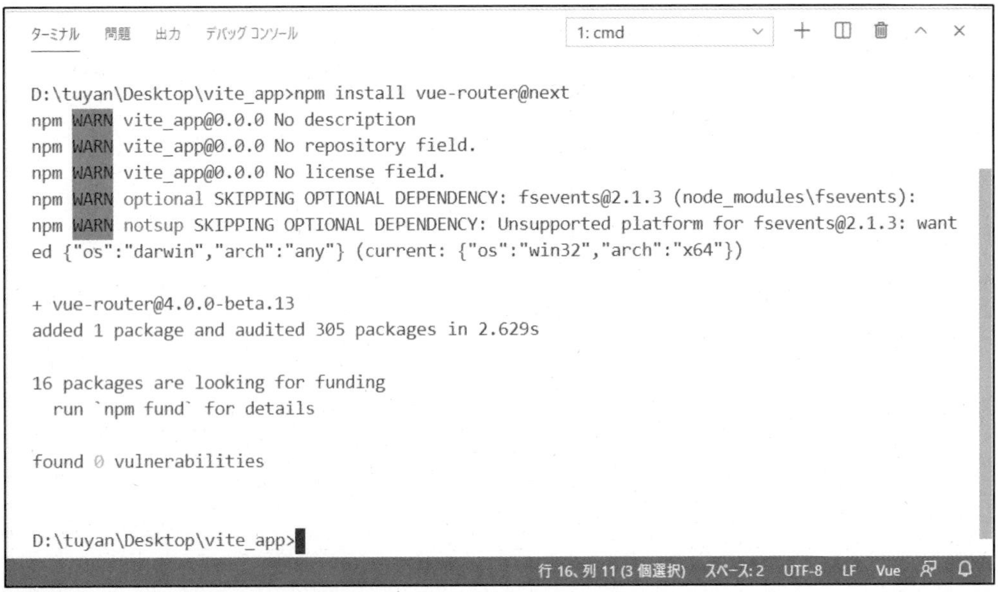

図5-7　npm installでVue Routerをインストールする。

注意してほしいのは、パッケージ名です。2020年10月現在、「npm install vue-router」では、Vueのver.2に対応したものがインストールされます。Vue3用は、「vue-router@next」と名前を指定する必要があります。

(将来的には「vue-router」でVue3対応のバージョンがインストールされるようになるかもしれません。このあたりはvue-routerの情報をチェックしてください)

これで、Vue Routerがアプリケーションにインストールされました！

コラム Vue Routerのバージョンについて Column

Vue3に対応するVue Routerは、ver.4以降になりますが、本書執筆の2020年11月現在、まだベータ版扱いになっています。本書では、vue-router@4.0.0-beta.13というバージョンをベースに説明を行ないます。ベータ版でも基本的には正式版と使い方などは同じはずですが、正式リリース時に一部の機能が変更されている可能性もないわけではない、ということをあらかじめお断りしておきます。

2つのコンポーネントを用意する

では、実際にVue Routerを使ってみましょう。Vue Routerは、既に述べたように「アドレスごとに表示コンポーネントを割り当てて表示を制御する」という仕組みを提供します。ということは、事前に表示するコンポーネントを用意しておく必要があるわけです。

ここでは、「components」フォルダにあるHelloWorld.vueとHelloJSX.jsxを使うことにしましょう。これらのコンポーネントを修正して簡単な表示を作成してみます。

リスト5-11――HelloWorld.vue

```
<template>
  <div class="alert alert-primary">
    <h1>{{data.title}}</h1>
    <p class="mt-3 h5">{{data.msg}}</p>
  </div>
</template>

<script>
import { ref, reactive } from 'vue'

export default {
```

```
  name: 'HelloWorld',
  setup(props, context) {
    const data = reactive({
      title:'HelloWorld',
      msg: 'This is HelloWorld component.',
    })
    return {
      data
    }
  }
}
</script>
```


リスト5-12――HelloJSX.jsx

```
import { ref, reactive } from 'vue'

export default {
  name: 'HelloJSX',
  setup(props) {
    const data = reactive({
      title:'HelloJSX',
      msg: 'This is JSX component sample.',
    })
    return () => (
      <div class="alert alert-warning">
        <h1>{data.title}</h1>
        <p>{data.msg}</p>
      </div>
    )
  }
}
```

どちらも同じ用内容です。setupでtitleとmsgという値を用意して、これらを表示するだけのものです。コンポーネントの表示切り替えがわかればいいだけですので、これで十分でしょう。

router.jsの作成

では、Vue Routerによるルーティングを実装しましょう。Vue Routerは、アドレスによって表示するコンポーネントを切り替えますが、これは「インストールしたら自動でやってく

れる」というわけではありません。どんなコンポーネントがあってどのアドレスに割り当てるか、開発者にしかわかりませんからね。したがって、「このアドレスにアクセスをしたらこのコンポーネントを割り当てる」といったルーティングの設定処理を自分で作成しておく必要があります。

では、アプリケーションフォルダ(ここでは「vite_app」フォルダ内の「src」フォルダ)の中に、「router.js」というファイルを新しく作成しましょう。そして、以下のように内容を記述してください。

リスト5-13

```
import { createRouter, createWebHistory } from 'vue-router'
import HelloWorld from './components/HelloWorld.vue'
import HelloJSX from './components/HelloJSX.jsx'

export const router = createRouter({
  history: createWebHistory(),
  routes: [
    {
      path: '/',
      name: 'index',
      component: HelloWorld,
    },
    {
      path: '/jsx',
      name: 'jsx',
      component: HelloJSX,
    },
  ],
})
```

これが、ルーティングの処理です。ここではトップページにHelloWorldコンポーネントを、/jsxというアドレスにHelloJSXコンポーネントを割り当てておきました。

では、このrouter.jsの内容を詳しく見ていきましょう。

Vue Routerとコンポーネントのインポート

最初に用意するのは、import文です。これは、Vue Routerから必要な関数などを用意する他、ルーティングで割り当てるコンポーネント類も用意しておきます。

```
import { createRouter, createWebHistory } from 'vue-router'
import HelloWorld from './components/HelloWorld.vue'
import HelloJSX from './components/HelloJSX.jsx'
```

この1行目にあるのが、Vue Routerにある関数をインポートする文です。Vue Routerは、'vue-router'と名前を指定します。ここでは、createRouterとcreateWebHistoryという2つの関数をインポートしてあります。これらは、ルーティングの作成に必要となる関数です。

createRouterによるRouterの作成

その次に用意されているのは、ルーティングを管理する「Router」というオブジェクトを作成する処理です。これは、先ほどインポートした「createRouter」という関数を使って作成します。この関数は、以下のように呼び出します。

```
createRouter({
  history: 《WebHistory》,
  routes: ルート情報の配列
}
```

引数にはオブジェクトを用意します。このオブジェクトには、historyとroutesという値が用意されます。

historyは、アクセス履歴を管理するオブジェクトです。これはこれは、インポートしたcreateWebHistory関数で作成したものをそのまま割り当てておきます。

ルート情報について

もう1つのroutesは、ルート情報のオブジェクトを配列にまとめたものを値として用意します。ルート情報のオブジェクトというのは、具体的には以下のような形で作成されたオブジェクトです。

```
{
  path: 割り当てるパス,
  name: 名前,
  component: 割り当てるコンポーネント
}
```

pathは、URLのドメイン名よりあとの部分になります。たとえば、http://localhost:3000/abcというアドレスに割り当てたいなら、'/abc'とpathに指定すればいいわけですね。

nameは、名前です。これは適当なものをテキストで指定すればいいでしょう。

componentには、あらかじめimport文でインポートしておいたコンポーネントを指定します。

今回作成したサンプルでは、以下のようにルート情報が用意されていました。

```
{
```

```
    path: '/',
    name: 'index',
    component: HelloWorld,
  },
  {
    path: '/jsx',
    name: 'jsx',
    component: HelloJSX,
  },
```

これで、'/'というパスにHelloWorld、'/jsx'にはHelloJSXコンポーネントが割り当てられていることがわかります。こんな具合に、必要なだけルート情報のオブジェクトを用意すればいいのです。

exportについて

これでRouterの作成は完了ですが、このcreateRouter関数、よく見るとこんな具合に書かれているのに気がつくはずです。

```
export const router = createRouter(……)
```

この最初にある「export」というのは？ これは、その値を外部から利用できるようにするためのものです。既にコンポーネントなどでも使われていましたね。

コンポーネントでは、「export default {……}」という形になってましたが、ここではちょっと書き方が違っています。

```
export 値
```

これで、そのスクリプトファイルをimportしたときに指定の値が取り出せるようになります。このrouterオブジェクトは、スクリプトを作成後、Vue3のアプリケーションに組み込む作業を行なう必要があります。このため、exportを使ってrouterオブジェクトが外部から利用できるようにしておいた、というわけです。

routerを利用する

では、作成したrouter.jsをアプリケーションに組み込んで使えるようにしましょう。これは、アプリケーションの最初に実行される処理である「main.js」を修正して行ないます。

ファイルを開いて、以下のように内容を修正してください。

リスト5-14

```
import { createApp } from 'vue'
import App from './App.vue'
import './index.css'
import { router } from './router'

var app = createApp(App)
app.use(router)
app.mount('#app')
```

ここでは、import { router } from './router' というようにして、先ほどrouter.jsに用意したrouterオブジェクトをインポートしています。そしてcreateAppでアプリケーション・オブジェクトを作成した後、「use」でrouterをアプリケーションに組み込んでいます。

```
app.use(router)
```

これでrouterがアプリケーションに組み込まれました。といっても、これは「使えるようになった」というだけで、まだ「指定のアドレスにアクセスしたら指定のコンポーネントが表示される」というようにはなっていません。そのためには、index.htmlに組み込まれているApp.vueのコンポーネントを修正する必要があります。

Appを作成する

では、Appコンポーネントを修正しましょう。ここでは、2つのコンポーネントの表示を切り替えるボタンと、コンポーネントが表示される専用タグなどを追記します。App.vueを開いて以下のように書き換えてください(なお、App.vueは、これまでと同じ感覚で書けるようにComposition APIは使っていません)。

リスト5-15

```
<template>
  <div id="app">
    <div>
      <router-link to="/" class="btn btn-primary mx-2">
        Go to Top
      </router-link>
      <router-link to="/jsx" class="btn btn-warning">
        Go to JSX
```

```
      </router-link>
    </div>
    <hr>
    <router-view></router-view>

  </div>
</template>

<script>
export default {
  name: 'app',
  created() {
    console.log("***** App Created! *****")
  },
  mounted() {
    console.log("----- App Mounted! -----")
  },
  data() {
    return {
      title:'Router'
    }
  }
}
</script>
```

Chapter 1
Chapter 2
Chapter 3
Chapter 4
Chapter 5
Chapter 6
Addendum

図5-8　2つのボタンをクリックすると表示されるコンポーネントが切り替わる。

Chapter 1
Chapter 2
Chapter 3
Chapter 4
Chapter 5
Chapter 6
Addendum

修正できたら、Visual Studio Codeのコンソールから「npm run dev」を実行してアプリケーションを実行しましょう。Webブラウザからhttp://localhost:3000/にアクセスすると、2つのボタンが表示されます。これらのボタンをクリックすると、その下にHelloWorldコンポーネントとHelloJSXコンポーネントが切り替わって表示されます。

よくスクリプトを見てみると、利用するコンポーネントを指定するcomponentsが用意されていません。表示コンポーネントはVue Routerによって組み込まれるため、Appコンポーネント内に用意しておく必要がないのです。

<router-link>と<router-view>

ここでは、Vue Routerの機能を利用するための2種類のタグが用意されています。それは、表示切り替えのためのリンクと、コンポーネントが表示される場所を指定するためのものです。

まず、表示切り替え用のリンクからです。これは、<a>タグを使わず、<router-link>というタグを使います。これは以下のように記述をします。

```
<router-link to="パス">
```

toという属性に、リンク先のパスを指定します。これは、routerオブジェクトに用意してあるルート情報のオブジェクトにあるpathの値をそのまま指定すればいいでしょう。これで、そのパスに表示を切り替えるリンクが作成できます。今回のサンプルでは、以下の2つのリンクを用意しておきました。

```
<router-link to="/" class="btn btn-primary mx-2">
<router-link to="/jsx" class="btn btn-warning">
```

classを使ってBootstrapのボタンとして表示されるようにしています。

では、この<router-link>をクリックして表示されるコンポーネントはどこに配置されるのでしょう？ それが、以下のタグになります。

```
<router-view></router-view>
```

この<router-view>というタグは、routerオブジェクトで割り当ててあるコンポーネントを組み込むためのものです。Vue Routerにより割り当てられているコンポーネントは、このタグに置き換わる形で組み込まれます。

この<router-view>は1つだけしか使えないわけではなく、複数配置することもできます。そうすると、指定のコンポーネントが複数表示されるようになります。

その他のアドレスは？

これで指定アドレスにアクセスすると指定のコンポーネントが表示されるというルーティングの基本的な仕組みができました。

ここで、ちょっと問題です。では、「routerに割り当ててないアドレスにアクセスしたらどうなる？」でしょうか。実際にやってみましょう。以下のアドレスにアクセスしてみてください。

```
http://localhost:3000/hoge
```

Chapter 1
Chapter 2
Chapter 3
Chapter 4
Chapter 5
Chapter 6
Addendum

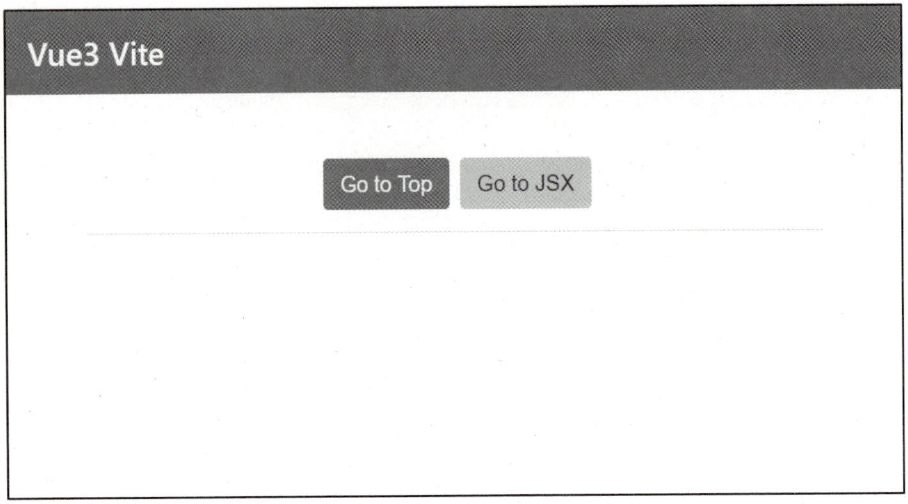

Vue3 Vite

Go to Top　Go to JSX

図5-9　/hogeにアクセスする。何もコンポーネントは表示されない。

アクセスしても、エラーなどにはなりません。ちゃんとページそのものは表示されます。が、HelloWorldやHelloJSXといったコンポーネントは表示されません。

つまり、ルーティングされていないアドレスにアクセスしても、「ページがない」というエラーにはならず、単にコンポーネントが表示されないだけなんですね。

ページはリロードされているか？

続いて、もう1つ問題です。アドレスごとに表示を切り替えることができるようになりましたが、ボタンをクリックして表示を切り替えるとき、ページはリロードされているのでしょうか？ それとも、されていない？

これは、DevToolsを使って確認できます。先ほど作成したApp.vueでは、createdとmountedに処理を用意しておきました。こういうものですね。

```
created() {
  console.log("***** App Created! *****")
},
mounted() {
  console.log("----- App Mounted! -----")
},
```

これで、Appコンポーネントが生成されたときとマウントされたときに、コンソール画面にメッセージが出力されるようになります。それを踏まえて、実際にアクセスをしてボタンをクリックし表示を切り替えてみましょう。

すると、アクセスした際にはコンソールにcreatedとmountedのメッセージが表示されますが、ボタンをクリックして表示を切り替えてもこれらは出力されないことがわかるでしょう。

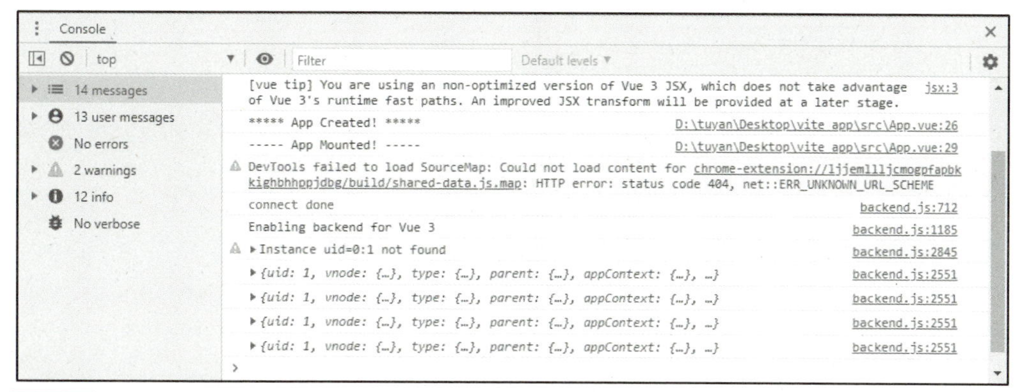

図5-10 DevToolsのコンソールで出力されるメッセージを確認する。

ページのロードは一度だけ！

これらのことから、ページがロードされるのは最初にアクセスしたときだけで、ボタンクリックで表示を切り替える際にはリロードがされていないことがわかります。表示されるコンポーネントとWebブラウザのアドレスバーのアドレスが変わるだけで、実際にはそのアドレスにジャンプしてページをリロードしているわけではないのです。

これが、SPAの特徴です。一見したところ、あちこちのアドレスにジャンプしているように見えますが、それは「アドレスバーとコンテンツをダイナミックに変更しているだけ」で、実際にはページの移動は全くされていないのです。不思議ですね！

名前付きビューの利用

このように1つのパスに1つのコンポーネントを割り当てるのはとても簡単です。では、複数のコンポーネントを表示させたい場合はどうすればいいのでしょうか。

これは、「名前付きビュー」と呼ばれるものを利用すればいいのです。これは、<router-view>タグに「name」属性で指定の名前のコンポーネントが表示されるようにするものです。

```
<router-view name="名前"></router-view>
```

こんな具合に、<router-view>ではname属性を使って組み込むコンポーネントの名前を指定することができます。

ただし、そのためには、router側で「複数コンポーネントの組み込み」「コンポーネントの名前の指定」を用意しておく必要があります。

では、実際にやってみましょう。まず、routerの修正です。router.jsを開いて、createRouterによるrouterオブジェクトの作成部分を以下のように修正しましょう(importは省略してあります)。

リスト5-16

```
export const router = createRouter({
  history: createWebHistory(),
  routes: [
    {
      path: '/',
      name: 'index',
      components:{
        default: HelloWorld,
        first: HelloWorld,
        second:HelloJSX
      },
    },
    {
      path: '/jsx',
      name: 'jsx',
      components:{
        default: HelloJSX,
        first: HelloJSX,
        second:HelloWorld
      },
    },
  ],
})
```


componentsの指定について

routesの配列に用意してあるルーティング情報の部分を見てください。コンポーネントを設定するcomponentという値の代わりに、components（sがついてます）というものが用意されています。これは、複数のコンポーネントに名前をつけて設定をするためのもので、以下のような形で記述されます。

```
components: {
  default: デフォルトのコンポーネント,
  名前: 割り当てるコンポーネント,
  ……必要なだけ用意……
```

```
}
```

defaultは、名前を指定しなかった場合に使われるコンポーネントです。それ以降には、使用するコンポーネントを名前を指定して記述していきます。ここでは、indexとjsxのルートにそれぞれ以下のようにコンポーネントを指定してあります。

●**indexルート**

```
components:{
  default: HelloWorld,
  first: HelloWorld,
  second:HelloJSX
},
```

●**jsxルート**

```
components:{
  default: HelloJSX,
  first: HelloJSX,
  second:HelloWorld
},
```

defaultにそれぞれHelloWorldとHelloJSXを指定していますね。その他、firstとsecondに各コンポーネントを割り当てています。よく見ると、firstとsecondに割り当てているコンポーネントが逆になっていますね。同じfirstでも、indexルートではHelloWorld, jsxルートではHelloJSXが割り当てられるわけです。

app.vueを修正する

では、app.vueを修正して、名前付きビューを使った表示を行なってみましょう。<template>タグの部分を以下のように書き換えてください(<script>部分は変更不要です)。

リスト5-17

```
<template>
  <div id="app">
    <div>
      <router-link to="/" class="btn btn-primary mx-2">
        Go to Top
      </router-link>
      <router-link to="/jsx" class="btn btn-warning">
        Go to JSX
      </router-link>
```

```
    </div>
    <hr>
    <h5>default view</h5>
    <router-view/>
    <hr>
    <h5>A & B</h5>
    <router-view name="first"></router-view>
    <router-view name="second"></router-view>
  </div>
</template>
```

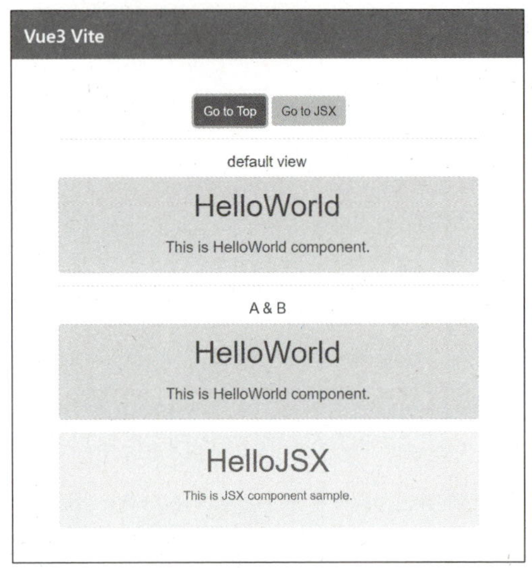

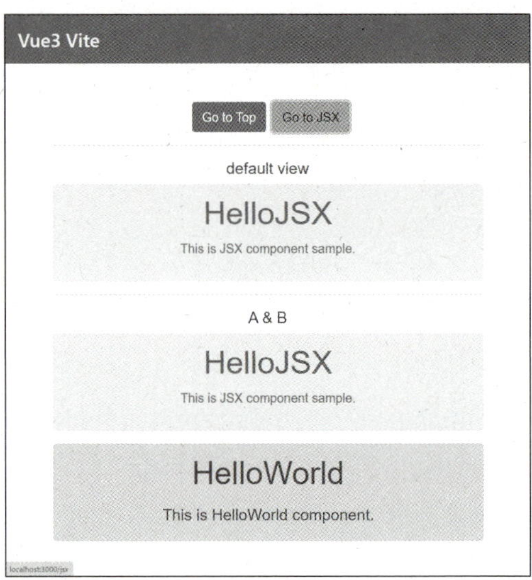

図5-11　ボタンをクリックして表示を切り替えると、デフォルトコンポーネントとA、Bの名前のコンポーネントが表示される。

トップページ(http://localhost:3000/)にアクセスすると、「default」というところにHelloWorldが、その下の「A & B」というところにHelloWorldとHelloJSXが表示されます。「Go to JSX」ボタンをクリックすると、defaultにはHelloJSXが表示され、その下の「A & B」にはHelloJSXとHelloWorldが入れ替わって表示されます。

ここでは、デフォルトのコンポーネントを表示するのに以下のようにタグを用意しています。

```
<router-view/>
```

名前も何も指定しない場合、デフォルトのコンポーネントがここに割り当てられます。その下には、「name」属性で名前を指定したビューが用意されています。

```
<router-view name="first"></router-view>
<router-view name="second"></router-view>
```

これで、上にname="first"、下にname="second"のコンポーネントが表示されるようになります。nameに割り当てているコンポーネントが違うため、ルートごとに表示が変わるのですね。

パラメータの利用

特定アドレスにアクセスして指定のコンポーネントを表示させるとき、必要な情報などを渡したいことがあるでしょう。このようなとき、アクセスするURLのパスにパラメータを用意して値を受け渡すことができます。たとえば、/indexにアクセスするとき、/index/123というようにして123という値を渡す、といったものですね。

パラメータを使って値を渡すことで、渡されたコンポーネント側でそれらの値を利用することができるようになります。ルーティングによりコンポーネントを切り替えるとき、パラメータを利用することでちょっとした情報を渡せれば、いろいろ便利な使い方ができそうです。

では、実際にパラメータを利用する例を作成してみましょう。まず、2つのコンポーネントから修正を行ないます。それぞれ、nameという属性を表示するようにしてあります。

リスト5-18――HelloWorld.vue

```
<template>
  <div class="alert alert-primary">
    <h1>{{data.title + ' [' + name + ']'}}</h1>
    <p class="mt-3 h5">{{data.msg}}</p>
  </div>
</template>

<script>
import { ref, reactive } from 'vue'

export default {
  name: 'HelloWorld',
  props:{
    name: String,
   },
  setup(props, context) {
    const data = reactive({
      title: 'Router',
      msg: 'This is HelloWorld component.',
    })
    return {
      data
    }
```

```
  }
}
</script>
```

リスト5-19——HelloJSX.jsx

```
import { ref, reactive } from 'vue'

export default {
  name: 'HelloJSX',
  props:{
    name: String
  },
  setup(props) {
    const data = reactive({
      title: 'Router',
      msg: 'This is JSX component sample.',
    })
    return () => (
      <div class="alert alert-warning">
        <h1>{data.title} [{props.name}]</h1>
        <p>{data.msg}</p>
      </div>
    )
  }
}
```


いずれもpropsにname: Stringという値を用意してあります。これをコンポーネントのタイトル横に表示するようにしておきました。

routerでパラメータを指定する

では、routerを修正してパラメータを用意しましょう。router.jsのcreateRouter関数の部分を以下に書き換えてください(importは省略)。

リスト5-20

```
export const router = createRouter({
  history: createWebHistory(),
  routes: [
    {
      path: '/',
      redirect: '/index/taro'
    },
```

```
    {
      path: '/index/:name',
      name: 'index',
      component: HelloWorld,
      props: true
    },
    {
      path: '/jsx/:name',
      name: 'jsx',
      component: HelloJSX,
      props: true
    },
  ],
})
```

パラメータは、pathのパス指定に用意します。たとえばindexルートの設定を見ると、このようになっているのがわかります。

```
path: '/index/:name',
```

この「:name」がパラメータです。パラメータは、このように最初にコロンをつけて「:名前」という形で記述をします。これで、その名前のパラメータが設定されます。ここでは、nameという名前のパラメータを用意していたわけです。

そして、その後にあるこの項目が重要になります。

```
props: true
```

これにより、パラメータがpropsに属性として渡されるようになります。'/index/:name'ならば、表示されるコンポーネント側では、props.nameとしてパラメータの値が得られるようになるのです。

リダイレクトについて

ここでは、もう1つ覚えておきたいポイントがあります。ルート情報のところで、最初に以下のようなものが追加されていますね。

```
{
  path: '/',
  redirect: '/index/taro'
},
```

これは、リダイレクトのルート設定なのです。これにより、pathに指定したアドレスにアクセスすると、redirectのアドレスにリダイレクトされます。非常に簡単に使えるものですから、ぜひここで覚えておきましょう！

Appコンポーネントを修正する

これでパラメータの準備はできました。最後に、Appコンポーネントの表示を修正します。app.vueの<template>部分を以下のように書き換えましょう。

リスト5-21

```
<template>
  <div id="app">
    <div>
      <router-link to="/index/taro" class="btn btn-primary mx-2">
        Go to Top
      </router-link>
      <router-link to="/jsx/hanako" class="btn btn-warning">
        Go to JSX
      </router-link>
    </div>
    <hr>
    <router-view></router-view>
  </div>
</template>
```

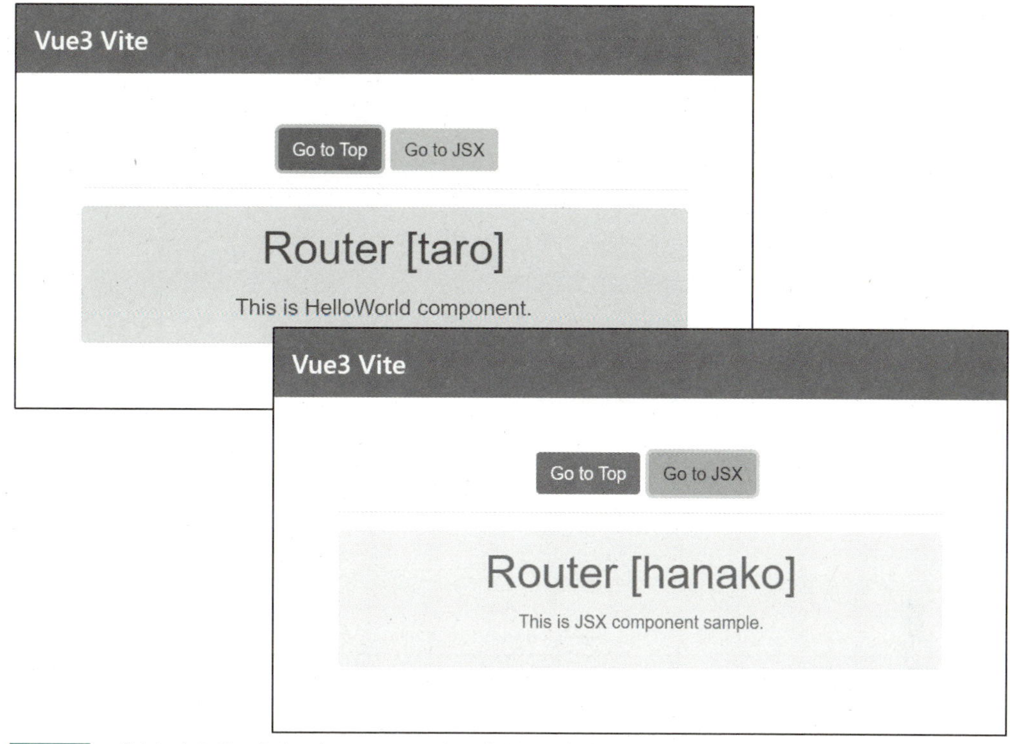

図5-12 ボタンをクリックすると、パラメータで渡された名前がコンポーネントに表示される。

修正できたら、実際にアクセスしてみましょう。トップページであるhttp://localhost:3000/にアクセスすると、/index/taroにリダイレクトされ、画面に「Router [taro]」と表示されます。「Go to JSX」ボタンを押すと、/jsx/hanakoにアクセスし、「Router [hanako]」と表示されます。それぞれ、'/index/名前'、'/jsx/名前'といったアドレスでアクセスするとパラメータに指定した名前がコンポーネントに渡され表示されるようになります。Webブラウザのアドレスバーからパラメータの値を直接書き換えてアクセスし、表示を確認してみるといいでしょう。

ここでは、<routerlink>タグで、to="/index/taro"というようにパラメータに名前を指定した形でアドレスを用意しています。これにより、taroやhanakoといった名前がパラメータで渡されていたんですね。ここでは直接テキストで指定していますが、{{}}でdataの値を埋め込むなどすれば、コンポーネント内からパラメータを設定することもできますね。

パラメータがない場合は？

ルーティングのコンテナとなるコンポーネント(ここではApp)から各コンポーネントに値を渡せるようになれば、コンポーネント間で連携した処理なども行なえるようになります。ただし、パラメータを付けないでアクセスをするとコンポーネントが表示されない、という問題もあります。たとえば、/jsxにアクセスすると、何も表示されないのです。

では、どうすればいいか。一番簡単なのは、リダイレクトを使うことです。たとえば、/

jsxにアクセスしたら、/jsx/nonameにリダイレクトするようにしておくのです。こうすれば、/jsxにアクセスしても「何も表示されない」ということにはなりません。

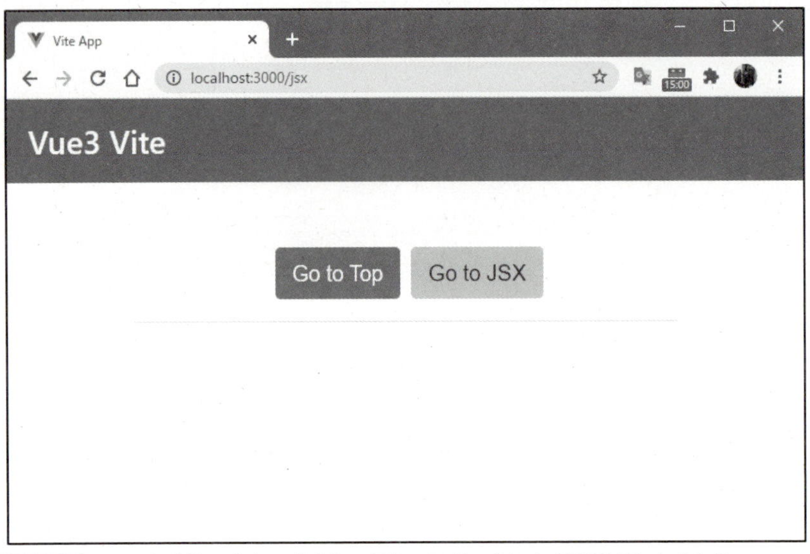

図5-13 /jsxに直接アクセスすると、何もコンポーネントが表示されなくなる。

Chapter 1
Chapter 2
Chapter 3
Chapter 4
Chapter 5
Chapter 6
Addendum

 :toの指定について 

パラメータなどを利用するようになると、<router-link>のtoで指定するアドレスを正確に記述するのが難しくなってきます。特に2つ3つとパラメータを付けるようになると、何をどういう順番に指定すればよかったのか、よくわからなくなってしまうでしょう。

このようなときには、「:to」という属性を使ってパスの指定を行なうとよいでしょう。これは、以下のような形でパスの指定を記述します。

```
:to="{name:'名前', params:{キー:'値', キー:'値', ……}}"
```

わかりますか？ JSONの記述の形式で、nameとparamsという2つの値を用意していますね。paramsには、更にパラメータの名前とキーをひとまとめにしたものを用意します。このようにルートの名前とパラメータをここに指定することで、それをもとに正しいパスを自動生成し設定してくれるのです。

たとえば、先ほどのapp.vueに用意した<router-link>を以下のように書き換えてみます。

リスト5-22

```
<router-link :to="{name:'index', params:{name:'TARO'}}"
  class="btn btn-primary mx-2">
```

```
  Go to Top
</router-link>
<router-link :to="{name:'jsx', params:{name:'HANAKO'}}"
  class="btn btn-warning">
  Go to JSX
</router-link>
```

:toの記述をよく見てください。nameには、router.jsで用意したルート情報のname値が指定されています。そしてparamsには、nameというパラメータを用意してあります。これなら、パスが正確に書いてあるか不安になることもありませんね！

Vue Routerには、この他にもルーティングに関するさまざまな機能が用意されていますが、とりあえずこれぐらいわかれば、自分のアプリケーションに簡単なルーティングを作成することはできるでしょう。実際にいろいろとコンポーネントを作成し、Vue Roterで表示を切り替えてみましょう。何度かrouterを書いてみれば、すぐに使いこなせるようになるでしょう。

Vuexによる状態管理

コンポーネント間の値の管理

Vue.jsは、表示するページをそれぞれ.vueファイルとして用意します。いい換えるなら、「ページそれぞれを別々のコンポーネントとして作成する」ということですね。つまり、Vue.jsでWeb開発をすると、どんどんコンポーネントが増えていくことになります。

この方式は、1つ1つのページですべてが完結するようなものは簡単に作れて便利なのですが、データがあちこちのコンポーネントに散らばってしまう、という問題があります。すべてのコンポーネントで利用するデータをまとめて保管場所があれば、ずいぶんと助かるでしょう。

そのために用意されたのが「Vuex」というプラグインなのです。Vuexは、さまざまなコンポーネントで共通して扱える「ストア」と呼ばれる保管場所を提供します。さまざまなコンポーネントで利用する値や、そうした値を使った処理などは、すべてストアの中に用意されます。

Vuexを用意する

では、Vuexを用意しましょう。Vuexの利用は、大きく分けて2つの方式があります。1つはCDNを使う方法、もう1つはnpmでパッケージをインストールする方法です。それぞれ簡単に説明しておきましょう。

CDNによる利用

CDN（Content DeliverryNetwork）を利用してVuexのスクリプトを読み込むのは、もっとも手軽にVuexを利用する方法でしょう。これはベースとなっているHTMLファイル（アプリケーションフォルダ内のindex.html）を開いて、<head>タグ内に以下のようなタグを追記するだけです。

```
<script src="https://unpkg.com/vuex@next/dist/vuex.cjs.js"></script>
```

これでVuexのスクリプトがロードされ使えるようになります。非常に手軽な方法ですが、本書ではこのやり方は採らず、次のnpm利用の方法を使うことにします。

npmによるインストール

Vuexはnpmのパッケージとして用意されているので、アプリケーション本体にVuexをインストールして使うのも簡単です。Visual Studio Codeでコンソールで実行中の処理をCtrlキー＋Cキーで停止してください。そして、以下のコマンドを実行してください。これでインストールされます。

```
npm install vuex@next
```

```
ターミナル　問題　出力　デバッグ コンソール　　1: cmd
D:\tuyan\Desktop\vite_app>npm install vuex@4.0.0-beta.4
npm WARN vite_app@0.0.0 No description
npm WARN vite_app@0.0.0 No repository field.
npm WARN vite_app@0.0.0 No license field.
npm WARN optional SKIPPING OPTIONAL DEPENDENCY: fsevents@2.1.3 (node_modules\fsevents):
npm WARN notsup SKIPPING OPTIONAL DEPENDENCY: Unsupported platform for fsevents@2.1.3: want
ed {"os":"darwin","arch":"any"} (current: {"os":"win32","arch":"x64"})

+ vuex@4.0.0-beta.4
added 1 package from 1 contributor and audited 306 packages in 2.455s

16 packages are looking for funding
  run `npm fund` for details

found 0 vulnerabilities


D:\tuyan\Desktop\vite_app>
行 17、列 2　スペース: 2　UTF-8　LF　JSON
```

図5-14　npm installでvuexをインストールする。ただし本書ではまだ正式版が出ていないためベータ版を使っている。

Vuexのバージョンについて Column

Vue3に対応するVuexはver.4以降になりますが、本書執筆の2020年11月現在、まだベータ版扱いになっています。このため、本書ではver. 4.0.0beta4というバージョンをベースに説明を行ないます。

本書で使っているバージョンをインストールする場合は、以下のようにコマンドを実行してください。

```
npm install vuex@4.0.0-beta.4
```


Vuexの基本を理解する

では、Vuexはどのように使うのが、簡単に説明しましょう。Vuexは「ストア」を使って値を管理します。このストアは、以下のような形で利用します。

●スクリプトを用意する

Vuexでは、ストアを管理するためのスクリプトを用意する必要があります。そのスクリプトにより、変数や必要な処理などを用意します。

●$storeを利用する

コンポーネントなどからVuexの変数や処理などを利用するためには、$storeという値が用意されます。これはVuexのオブジェクトが保管されており、この中から値などを取り出すことができます。

ストア用のスクリプトさえきちんと用意できれば、後は$storeから簡単に利用できるようになります。では、やってみましょう。

ファイルの作成

では、Vuexでスクリプトファイルを用意します。ここではアプリケーションのフォルダ内に「store.js」という名前でファイルを用意しましょう。Visual Studio Codeのエクスプローラーで「VITE_APP」の右側にある「新しいファイル」を選択してファイルを作成してください。

store.jsにスクリプトを記述する

では、作成したファイルにスクリプトを記述しましょう。store.jsを開いて以下のように記入してください。

リスト5-23

```
import { createStore } from 'vuex'

export const store = createStore({
  state () {
    return {
      message: 'This is store data.'
    }
  }
})
```

スクリプトの内容をチェック！

では、どのようなスクリプトが書かれているのか、確認していきましょう。最初にimport文が書かれていますね。

```
import { createStore } from 'vuex'
```

'vuex'というのがVuexのパッケージ名です。ここから、「createStore」という関数をインポートします。これがストアを作成するものになります。この関数は、以下のような形で利用します。

```
export const store = createStore(……)
```

引数にはストアに関する情報をまとめたオブジェクトを指定します。そして代入した定数をそのままexportしていますね。これで、storeが外部から利用できるようになります。

ステートに値を保管する

Vuexを使うためには、createStoreを利用してstoreオブジェクトを作成する、というのはこれでわかりました。問題は、この引数がどうなっているか、ですね。引数のオブジェクトには、「state」というメソッドを用意します。これは以下のような形をしています。

```
state () {
  return オブジェクト
}
```

単純に、オブジェクトをreturnするだけのものです。このオブジェクトの中に、storeで利用する値をまとめておくのです。

このstateは、「ステート」と呼ばれます。ステート(state)は、ストアに保管する値を用意しておくものです。コンポーネントのdataに相当するようなものをイメージすればいいでしょう。

ここでは、以下のような形で値が用意されていますね。

```
state () {
  return {
    message: 'This is store data.'
  }
}
```

returnするオブジェクトに、ステートとして扱う値を用意しています。ここでは、messageという値を用意しておきました。このmessageをコンポーネント側で利用しよう、というわけです。

storeをアプリケーションに組み込む

では、作成したstore.jsの内容をアプリケーションに組み込んで使えるようにしましょう。これには、最初に実行される「main.js」を修正します。以下のように内容を書き換えてください。

リスト5-24

```
import { createApp } from 'vue'
import App from './App.vue'
import './index.css'
import { store } from './store.js'

var app = createApp(App)
app.use(store)
app.mount('#app')
```

先にVuex Routerでrouterを組み込んでいました。そのままでもいいのですが、不必要にわかりにくくなってしまうので、ここではrouterを取り除いてstoreだけを組み込むことにします。importでstore.jsからstoreをインポートし、それをapp.useでアプリケーションに組み込んでいます。やり方はVue Routerのときと同じですからだいたいわかりますね。

Appを修正する

続いて、Appコンポーネントを修正します。先にVue Routerを利用する形に書き換えていましたから、シンプルにHelloWorldコンポーネントを表示するだけの形に戻しておきましょう。app.vueを開いて以下のように変更しておいてください。

リスト5-25

```
<template>
  <div id="app">
    <HelloWorld/>
  </div>
</template>

<script>
import HelloWorld from './components/HelloWorld.vue'

export default {
  name: 'app',
  components: {
    HelloWorld
  },
}
</script>
```

これでHelloWorldコンポーネントを利用する準備が整いました。後は、HelloWorldでストア内のmessageステートを利用するだけです。

Chapter 1
Chapter 2
Chapter 3
Chapter 4
Chapter 5
Chapter 6
Addendum

ストアの値を利用する

では、ストアの値をテンプレートで利用してみましょう。HelloWorld.vueを書き換えて使うことにします。なお、Vuexは、Composition APIベースで利用しようとするとちょっと困ることがあるため、ここでは従来方式でコンポーネントを作成していきます(これについてはもっと後で触れます)。

では、以下のように中身を変更してください。

リスト5-26

```
<template>
  <div class="alert alert-primary">
    <h1>{{data.title}}</h1>
    <p class="mt-3 h5">{{$store.state.message}}</p>
  </div>
</template>

<script>
import { ref, reactive } from 'vue'

export default {
  setup(props) {
    const data = reactive({
      title: 'Vuex',
    })
    return {
      data
    }
  }
}
</script>
```

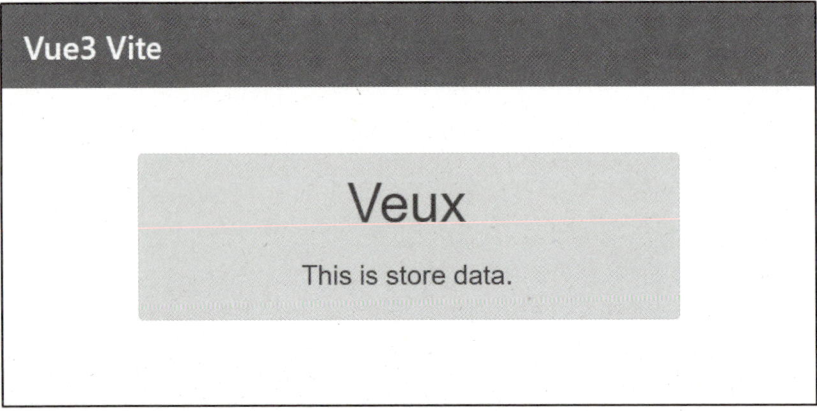

図5-15 アクセスすると、ストアのmessageを表示する。

修正できたら、Webブラウザでアクセスしてみましょう。すると、タイトルの下に「This is store data.」とメッセージが表示されます。これが、ストアに用意したmessageの内容です。

ここでは、こんな具合にメッセージを表示しています。

```
<p class="mt-3 h5">{{$store.state.message}}</p>
```

$storeが、ストアに保管された値がまとめられているオブジェクトです。その中のstateにあるmessageを取り出して表示しています。こんな具合に、$storeを利用すれば、ストアの値を取り出したりする操作が簡単に行なえるのです。

 ミューテーションを使う 

では、ストアの値の取り出し方がわかったところで、今度は値を書き換えてみましょう。まず、store.jsの内容を少し書き換えます。

コンポーネント側でストアの値を操作するのは、そう難しくはありません。「$store.stateがあるんだから、ここから値を変更するだけだろう？」と誰もが思うでしょう。

が、実をいえば、$store.stateの値を直接書き換えたりする操作は、推奨されていないのです。

ストアはさまざまなコンポーネントで共用されます。各コンポーネントから直接値を書き換えるやり方は問題を引き起こす場合もあります。

では、ストアにあるステートを操作するにはどうすればいいのか。それは、値の操作を行なう処理をストア側に用意すればいいのです。そしてコンポーネント側では、ストアに用意する処理を呼び出すだけにすれば、どのコンポーネントからも安全に呼び出すことができます。

ミューテーションとは？

これには「ミューテーション」という機能を使います。これは、storeオブジェクト作成時に用意するオブジェクト内に以下のような形で用意します。

```
mutations: {
  名前： (変数)=> {……処理……},
  ……必要なだけ用意……
},
```

mutationsは、関数をまとめたオブジェクトとして値を用意します。この関数では、引数は最低でも1つ用意されますが、これにはstateオブジェクト($store.stateに相当するもの)が渡されます。ここから必要な値を取り出し操作すればいいのです。

ミューテーションをコミットする

このミューテーションの機能をコンポーネント側から呼び出すには、ちょっと変わった方法を使います。ミューテーションは、$storeから直接呼び出して実行するわけではありません。どうするかというと、「commit」というメソッドを利用します。

```
{{ $store.commit( 名前 ) }}
```

このように記述します。引数には、実行するミューテーションの名前を指定します。これにより、指定されたミューテーションの実行がストア側に送られ、ストアは適当なタイミングでそこにある処理を呼び出し、ステートの更新などが行なわれるのです。

counterを操作するミューテーション

では、実際にミューテーションを使ってみましょう。まず、ストアのスクリプトを修正します。store.jsを以下のように修正してください。

リスト5-27

```
import { createStore } from 'vuex'

export const store = createStore({
  state () {
    return {
      message: 'This is store data.',
      counter: 0,
    }
  },
  mutations: {
    count: (state)=> {
      state.counter++
    },
    reset: (state)=> {
        state.counter = 0
    }
  },
})
```

ここでは、mutationsに、countとresetという値を用意してみました。countはstate.counterの値を1増やし、resetはstate.counterをゼロに戻します。どちらもシンプルなものですから、詳しい説明は不要でしょう。

クリックしてカウントする

では、ミューテーションの機能を利用しましょう。HelloWorld.vueを書き換えて使います。以下のように修正してください。

リスト5-28

```
<template>
  <div class="alert alert-primary">
    <h1>{{data.title}}</h1>
    <p class="mt-3 h5">{{$store.state.message}}</p>
    <hr>
    <div class="btn btn-secondary"
      @click="$store.commit('count')"
      @click.ctrl="$store.commit('reset')">
      <a class="h5">
        clicked: {{ $store.state.counter }}
      </a>
    </div>
  </div>
</template>

<script>
import { ref, reactive } from 'vue'

export default {
  setup(props) {
    const data = reactive({
      title: 'Vuex',
    })
    return {
      data
    }
  }
}
</script>
```

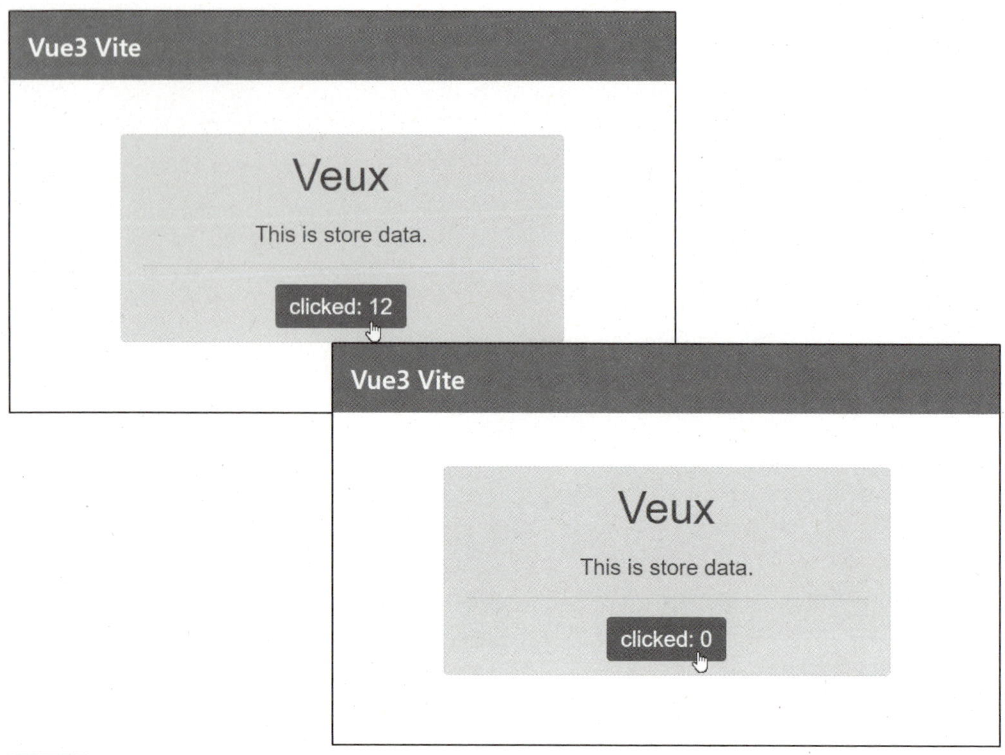

図5-16　クリックすると数字をカウントする。Ctrlキーを押してクリックすると、ゼロに戻る。

修正したら、アクセスして動作を確かめてみましょう。先ほどと同じように、「clicked: 0」のメッセージ部分をクリックすると、数字が1ずつ増えていきます。また、Ctrlキーを押した状態でクリックすると、数字がゼロに戻ります。

@ = v-on

では、どのようにしてミューテーションを呼び出しているのか、イベントを設定している<div>タグ部分を見てみましょう。

```
<div class="btn btn-secondary"
    @click="$store.commit('count')"
    @click.ctrl="$store.commit('reset')">
```

ここでは、onclickイベント用に2つの属性を用意しています。@clickと@click.ctrlですね。この@clickというのは、v-on:clickのことです。v-on:は、@で代用することができます。慣れればこちらのほうがシンプルで書きやすいでしょう。

いずれも、$store.commitメソッドを呼び出しています。引数には、それぞれ'count'と'reset'を指定しています。これで、mutationsのcountとresetをそれぞれ実行していたのです。

ミューテーションの引数指定

このミューテーションは、commitで名前を指定するだけです。引数にはstateが自動的に渡されます。ということは、独自に引数などを渡すことはできないのか……と思ったかもしれません。

が、実は違います。ちゃんと引数を指定することもできるんですよ。やってみましょう。まず、先ほどstore.jsに記述したmutationsを以下のように書き換えてみます。

リスト5-29

```
mutations: {
  count: (state, n)=> {
    state.counter+= n
  },
  reset: (state)=> {
      state.counter = 0
  }
},
```

見ればわかるように、countの引数にnが追加されています。このように、引数を追加する場合は、stateの後に追加します。第1引数は必ずstateが渡されるので、これは削除しないように！

そして、呼び出す際には、commitメソッドに引数を追加してやればいいのです。これも、HelloWorld.vueのクリック操作を行なっている<div>タグ部分を書き換えてみましょう。

リスト5-30

```
<div class="alert alert-dark"
  @click.exact="$store.commit('count',1)"
  @click.shift="$store.commit('count',2)"
  @click.ctrl="$store.commit('count',3)">
  <a class="h5"
    @click.stop="$store.commit('reset')">
    clicked: {{ $store.state.counter }}
  </a>
</div>
```

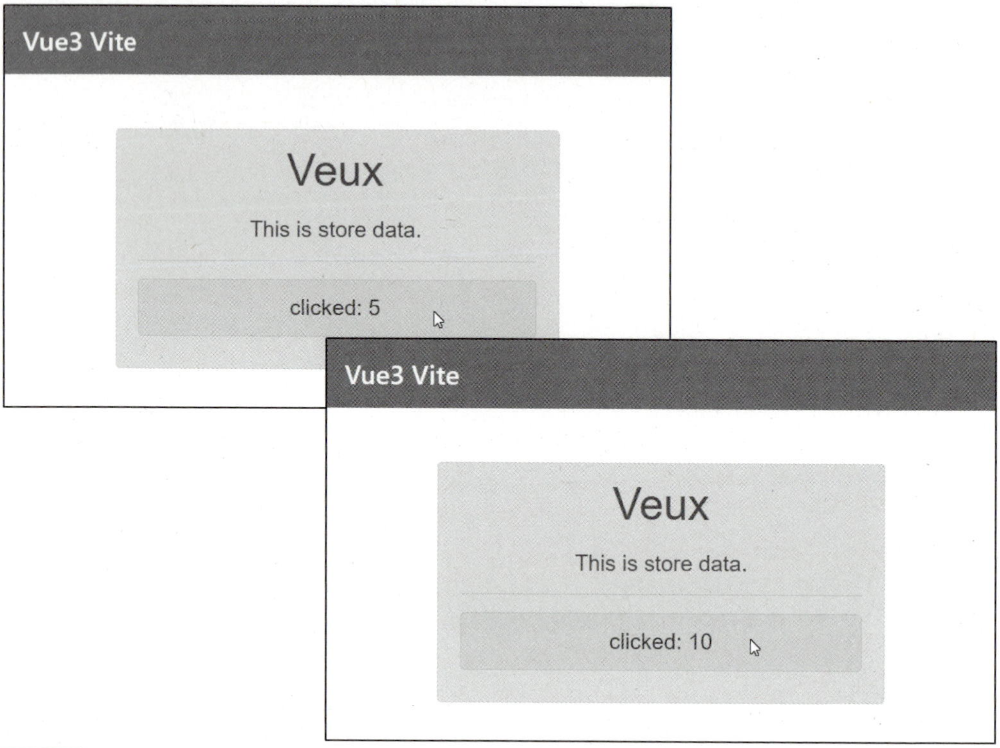

Vue3 Vite

Veux

This is store data.

clicked: 5

Vue3 Vite

Veux

This is store data.

clicked: 10

図5-17 普通にクリックすると1、Shiftキーを押しながらだと2，Ctrlキーを押しながらだと3，Shiftキーと Ctrlキーを同時に押せば5ずつ数字が増えていく。

修正したら、動作を確かめましょう。今回は、普通にクリックすると1ずつ数字が増えますが、Shiftキーを押しながらクリックすると2ずつ増え、Ctrlキーを押しながらだと3ずつ増えるようになります。更には、ShiftキーとCtrlキーを同時に押してクリックすれば、一度に5ずつ増えていきます。

ここでのcountの呼び出しを見てみると、@click.exact="$store.commit('count',1)" というように、commitの第2引数に数字が追加されているのがわかります。この値が、countミューテーションの第2引数nに渡されていたのです。

typeを利用したオブジェクト引数

引数が渡せるのはこれでわかりました。では、1つだけでなく、たくさんの引数を用意したい場合はどうするのでしょうか。これは、必要な値を1つのオブジェクトにまとめて引数に渡すのです。

オブジェクトを利用した場合のやり取りについても例を挙げておきましょう。まず、store.jsファイルの修正です。mutationsの部分を以下のように書き換えてください。

リスト5-31

```
mutations: {
  count: (state, obj)=> {
    state.message =obj.message
    state.counter += obj.add
  },
  reset: (state)=> {
    state.message = "reset!"
    state.counter = 0
  }
},
```

ここでは、第2引数にobjという値を用意し、その中のmessageとaddの値を取り出して、state.messageとstate.counterを書き換えています。

では、これを利用するように、index.vueを修正しましょう。クリック操作を行なう<div>タグの部分を以下のように書き換えてみてください。

リスト5-32

```
<div class="alert alert-secondary"
    @click.exact="$store.commit({type:'count', message:'add 1!', add:1})"
    @click.shift.exact="$store.commit({type:'count', message:'add 5!', ↲
      add:5})"
    @click.ctrl.exact="$store.commit({type:'count', message:'add 10!', ↲
      add:10})">
  <a @click.stop="$store.commit('reset')">
    clicked: {{ $store.state.counter }}
  </a>
</div>
```

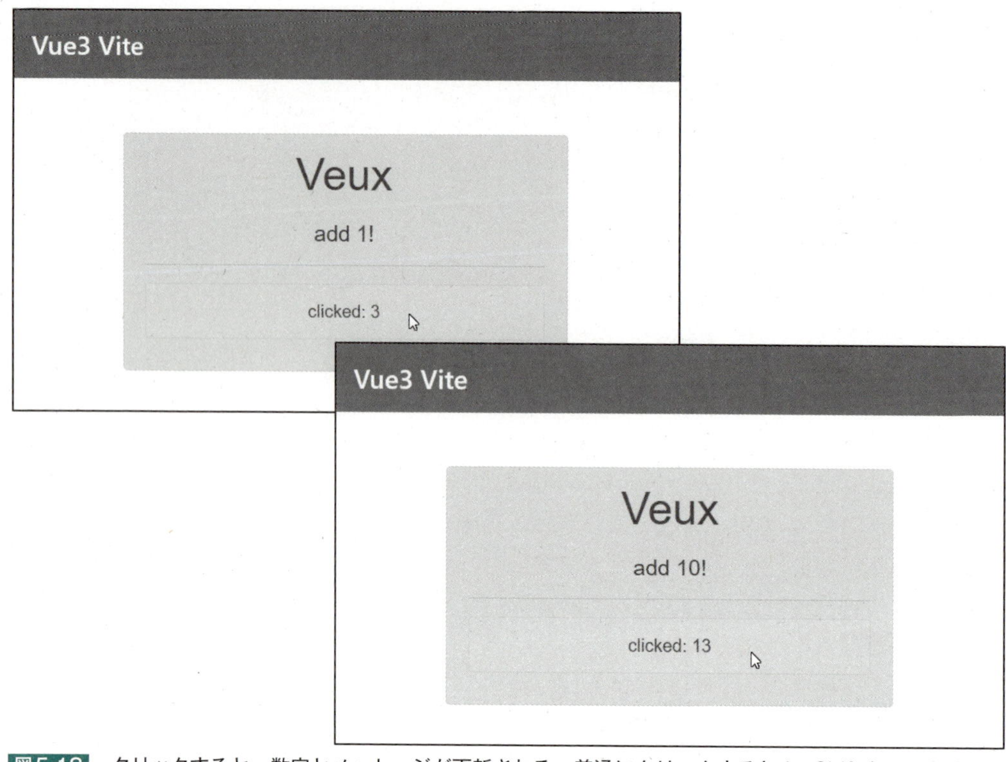

図5-18 クリックすると、数字とメッセージが更新される。普通にクリックすると1、Shiftキー＋クリックで5，Ctrlキー＋クリックで10増えていく。

今度は、クリックすると1，Shiftキー＋クリックで5，Ctrlキー＋クリックで10増えていきます。また同時にメッセージも更新されるようになりました。

呼び出している部分を見てみると、ちょっと書き方が変わっていますね。こんな具合になっています。

```
$store.commit({type:'count', message:'add 1!', add:1})
```

commitの引数には、1つのオブジェクトだけがよいされています。その中で、typeという値に、実行するミューテーション名が指定されています。そして、messageとaddにそれぞれ値が渡されています。

こんな具合に、すべての引数を1つのオブジェクトにまとめてミューテーションを呼び出すこともできます。この場合、呼び出すミューテーションはtypeプロパティとして用意します。このtypeがないと実行できないので注意しましょう。

アクションを利用する

ミューテーションは、ステートを利用した処理を実行するためのものですが、この他に「アクション」というものもあります。これは、ミューテーションを実行するための仕組みです。たとえば複数のミューテーションを続けて呼び出し実行するような場合に用いられます。

このアクションは、以下のような形で記述します。

```
actions: {
  名前 :( 引数 )=> {
    ……呼び出す処理……
  },
  ……必要なだけ記述……
}
```

書き方は、ミューテーションとほとんど同じです。名前の後に関数の定義を用意し、そこに処理を記述します。

引数は、第1引数に必ずcontextというオブジェクトが渡されます。このオブジェクトの「commit」メソッドを使って、ミューテーションを実行できます。

カウンターとメッセージをアクションで更新する

では、実際に簡単なサンプルを作って、アクションの動きを確認しましょう。store.jsを以下のように書き換えてください。

リスト5-33

```
import { createStore } from 'vuex'

export const store = createStore({
  state: ()=> {
    return {
      message: 'count number.',
      counter: 0,
    }
  },
  mutations: {
    count: (state, n)=> {
      state.counter += n
    },
    say: (state, msg)=> {
      state.message =msg
```

```
    },
    reset: (state)=> {
      state.counter = 0
      state.message ='reset!!'
    },
  },
  actions: {
    doit: (context)=> {
      var n = Math.floor(Math.random() * 10)
      context.commit('count', n)
      context.commit('say', 'add ' + n + '!')
    },
  }
})
```

今回はいろいろと変更があるので全リストを掲載しておきました。mutationsには、count, say, resetの3つのミューテーションを用意しておきました。そしてactionsには、doitというアクションを用意してあります。この中で、ランダムに数字を用意し、countとsayを実行しています。

このアクションを利用するようにテンプレートを修正します。HelloWorld.vueの、イベントを設定した<div>タグ部分を以下のように書き換えてください。

リスト5-34

```
<div class="alert alert-secondary"
  @click="$store.dispatch('doit')">
  <a class="h5"
    @click.stop="$store.commit('reset')">
    clicked: {{ $store.state.counter }}
  </a>
</div>
```

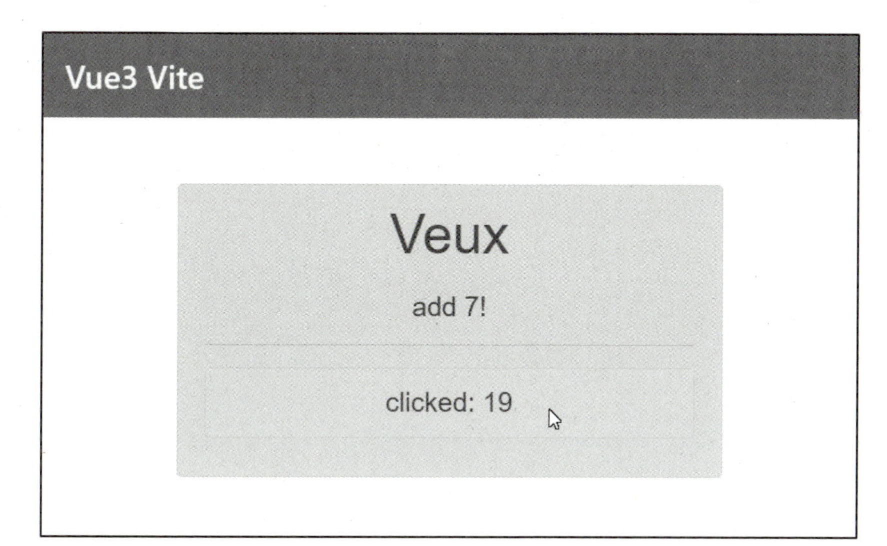

図5-19 クリックすると、0～9までの整数がランダムに追加され、メッセージが更新される。

ここでは、メッセージをクリックすると、0～9のランダムに選んだ数字をcounterに加算します。合わせてメッセージも更新されます。

アクションを実行しているイベント属性を見ると、@click="$store.dispatch('doit')" となっていることがわかります。$store.dispatchでアクションが実行され、そこからcountとsayミューテーションが呼び出されているのがよくわかるでしょう。

 vuex-persistedstateを利用する 

実際にいろいろと試してみると、ページをリロードしたらcounterステートの値が初期状態のゼロに戻ることに気がついたはずです。ストアの値は、ページがロードされた際に生成されるので、リロードすればすべて初期化されてしまいます。

では、ページをリロードしても値をずっと保持し続けることはできないのか。これには、vuex-persistedstateというプラグインプログラムを利用します。

このvuex-persistedstateは、Vuexのステートを、ローカルストレージに保管し、終了後も消えないようにするプラグインです。ローカルストレージというのは、前に「3-4 計算アプリケーションを作ろう」のところで登場しましたが覚えてますか？ ブラウザにデータを保存しておくためのものでしたね。これを利用することでステートの値が常に保持されるようにしてくれました。

vuex-persistedstateは、CDNを利用する方法とnpmでインストールする方法が用意されています。それぞれ簡単にまとめておきましょう。

Chapter 1
Chapter 2
Chapter 3
Chapter 4
Chapter 5
Chapter 6
Addendum

CDNを利用する

まずは、CDN（Content Delivery Network）を利用した方法からです。これは、ベースとなっているHTMLファイル（アプリケーションフォルダ内のindex.html）を開いて、<body>タグ内に以下のタグを追記するだけです。

リスト5-35
```
<script src="https://unpkg.com/vuex-persistedstate/dist/vuex-↲
  persistedstate.umd.js"></script>
```

これでvuex-persistedstateがロードされ利用可能になります。ただし、本書ではこの方法は採りません。次のnpm利用の方式を使います。

npmでインストールする

vuex-persistedstateはnpmで配布されていますから、npm installでインストールして使えます。Visual Studio Codeのターミナルを選択し、Ctrlキー＋Cキーで実行中の処理を停止してください。そして以下のコマンドを実行しましょう。

```
npm install vuex-persistedstate
```

```
ターミナル  問題  出力  デバッグ コンソール        1: cmd

D:\tuyan\Desktop\vite_app>npm install vuex-persistedstate
npm WARN vuex-persistedstate@3.1.0 requires a peer of vue@^2.0.0 but none is installed. You
 must install peer dependencies yourself.
npm WARN vuex-persistedstate@3.1.0 requires a peer of vuex@^2.0.0 || ^3.0.0 but none is ins
talled. You must install peer dependencies yourself.
npm WARN vite_app@0.0.0 No description
npm WARN vite_app@0.0.0 No repository field.
npm WARN vite_app@0.0.0 No license field.
npm WARN optional SKIPPING OPTIONAL DEPENDENCY: fsevents@2.1.3 (node_modules\fsevents):
npm WARN notsup SKIPPING OPTIONAL DEPENDENCY: Unsupported platform for fsevents@2.1.3: want
ed {"os":"darwin","arch":"any"} (current: {"os":"win32","arch":"x64"})

+ vuex-persistedstate@3.1.0
added 2 packages from 2 contributors and audited 308 packages in 4.486s

16 packages are looking for funding
  run `npm fund` for details

found 0 vulnerabilities


D:\tuyan\Desktop\vite_app>

行 7、列 1 (183 個選択)  スペース: 2  UTF-8  LF  Vue
```

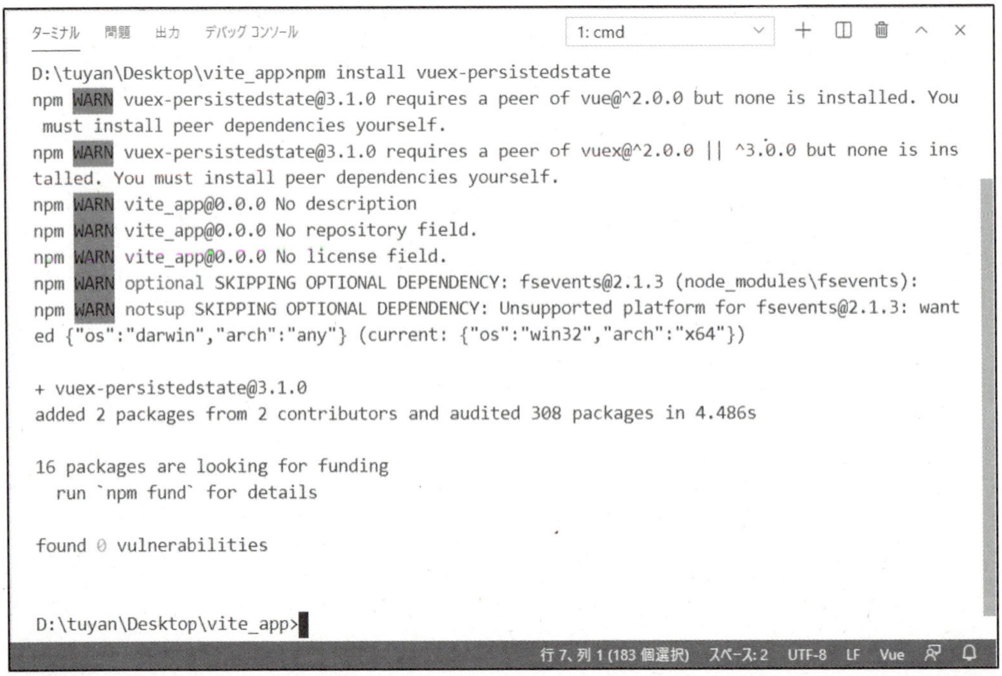

図5-20 npm installコマンドで、vuex-persistedstateをインストールする。

これで、vuex-persistedstateがプロジェクトに組み込まれます。vuex-persistedstateは、ver. 4.x以降からVue3に対応しています。ただし本書執筆時はリリース前だったため、旧バージョンで動作確認しています。

 Vuexでvuex-persistedstateを利用する 

では、vuex-persistedstateを利用してみましょう。これは、Vuexを作成している「store.js」ファイルで組み込み作業を行ないます。では、store.jsを開いて、以下のように書き換えましょう。

リスト5-36

```
import { createStore } from 'vuex'
import createPersistedState from "vuex-persistedstate"

export const store = createStore({
  state: ()=> {
    return {
      message: 'count number.',
      counter: 0,
    }
  },
  mutations: {
    doit: (state)=> {
      var n = Math.floor(Math.random() * 10)
      state.counter += n
      state.message = 'add ' + n + '.';
    },
    reset: (state)=> {
      state.counter = 0;
      state.message = "reset now."
    },
  },
  plugins: [
    createPersistedState(),
  ],
})
```

ここではサンプルとして、メッセージと数字を保管するstate、そしてランダムに数字を加算するdoitとリセットするresetを持つmutationsを用意してあります。これにvuex-persistedstateを追加しています。

これで、ステート関係がすべてローカルストレージに保存され、ブラウザを閉じたりした後もずっと値が保持されるようになりました。

vuex-persistedstateの組み込み

では、スクリプトをチェックしましょう。まず最初に、vuex-persistedstateから必要なオブジェクトをインポートしています。

```
import createPersistedState from "vuex-persistedstate"
```

createPersistedStateは、vuex-persistedstateに用意されている関数です。これを使って、実際にVuexにvuex-persistedstateを組み込んでいるのが、この部分です。

```
plugins: [
  createPersistedState(),
],
```

pluginsは、プラグインを設定するためのもので、ここでcreatePersistedState関数を呼び出し、生成されるPersistedStateというオブジェクトを追加しています。

vuex-persistedstate利用に必要な処理は、これだけです。pluginsにオブジェクトを追加するだけで、stateに用意された値はすべてローカルストレージに保管されるようになります。その他の操作や、ステート利用の方法を書き換えたりする必要は全くありません。

Chapter 1
Chapter 2
Chapter 3
Chapter 4
Chapter 5
Chapter 6
Addendum

ステートの動作を確かめる

では、実際にステートの動作を確かめてみましょう。HelloWorld.vueの<template>を以下のように書き換えてください。

リスト5-37

```
<template>
  <div class="alert alert-primary">
    <h1>{{data.title}}</h1>
    <p class="mt-3 h5">{{$store.state.message}}</p>
    <hr>
    <div class="alert alert-dark"
        @click="$store.commit('doit')">
      <a class="h5"
        @click.stop="$store.commit('reset')">
        clicked: {{ $store.state.counter }}
      </a>
```

```
    </div>
  </div>
</template>
```

クリックすると0～9の値をランダムに追加していきます。ある程度操作したら、実行中のアプリケーションを終了し、コマンドプロンプトまたはターミナルから「npm run dev」でサーバーを再起動してみましょう。次にアクセスしたときも、ちゃんと最後の値とメッセージが再現されるのがわかるでしょう。vuex-persistedstateにより、counterとmessageの値がローカルストレージに保管され、次回アクセスの際に復元されるようになっているのです。

値が保持されるため、Vue Routerなどを使ってルーティングを作成した場合も、すべての表示で同じ値が利用できます。また複数のWebページを用意する場合も(同じドメインであれば)値を共有することができるようになります。

メモアプリを作ろう！

アプリケーション作成に挑戦！

Vuexで、データを保存できるようになりました。保存ができると、それなりに使えるアプリケーションが作れるようになってきます。

ここでは簡単なサンプルとして、メモ書きのアプリケーションを作ってみましょう。シンプルですが、それなりに使えますよ。

メモアプリは、メモの入力フォームと、保存されているメモのリストです。フォームにメモのタイトルと内容を書いて「save」ボタンを押せばそれが保存されます。

保存されているメモは、デフォルトでは一度に5個だけ表示するようにしてあります（これは簡単に調整できます）。リストの下には、<prev と next> という表示があり、これをクリックして前後のページに移動できます。

Memo_app

Title

find

Memo

save

Vue3超入門スケジュール (2020-10-8 19:10)

来週の打ち合わせ (2020-10-8 19:9)

Vue3超入門スケジュール (2020-10-8 16:44)

Vue3変更点 (2020-10-8 15:2)

今度の日曜日の予定 (2020-1-17 8:41)

< prev　next >

図5-21　メモアプリの画面。フォームとメモのリストからなる。

リスト表示されるのは、メモのタイトルと作成日時のみです。リストに表示されている項目をクリックすると、上のフォームにそのメモのタイトルとコンテンツが表示されます。コンテンツ部分は、選択してコピーするなどできます。タイトル部分をクリックすると元の一覧表示に戻ります。

Memo_app

Title

来週の打ち合わせ

find

Memo

10/15 出版社と打ち合わせ。駅前で10:00に待ち合わせる。

save delete

Vue3超入門スケジュール (2020-10-8 19:10)

来週の打ち合わせ (2020-10-8 19:9)

Vue3超入門スケジュール (2020-10-8 16:44)

Vue3変更点 (2020-10-8 15:2)

今度の日曜日の予定 (2020-1-17 8:41)

< prev next >

図5-22 リストの項目をクリックすると、そのメモの内容が表示される。

また、入力フォームは検索にも利用できます。タイトルのフィールドに検索したいテキストを入力し、「Find」ボタンを押すと、そのテキストをタイトルに含むものをすべて検索しリスト表示します。

Memo_app

Title

Vue3 find

Memo

save

Vue3超入門スケジュール (2020-10-8 19:10)

Vue3超入門スケジュール (2020-10-8 16:44)

Vue3変更点 (2020-10-8 15:2)

< prev next >

図5-23 タイトルフィールドにテキストを書き、「Find」ボタンを押すと、そのテキストをタイトルに含むメモを検索しリスト表示する。

プロジェクトを作る

では、実際に作成してみましょう。今回は、これまで使ってきたプロジェクトではなく、新しいプロジェクトとして作成することにしましょう。

では、コマンドプロンプトまたはターミナルを起動して、「cd Desktop」でデスクトップに移動してください。そして、以下のコマンドを実行しましょう。

```
npm init vite-app memo_app
```

```
Microsoft Windows [Version 10.0.18362.1082]
(c) 2019 Microsoft Corporation. All rights reserved.

D:¥tuyan>cd Desktop

D:¥tuyan¥Desktop>npm init vite-app memo_app
npx: installed 7 in 2.401s
Scaffolding project in D:¥tuyan¥Desktop¥memo_app...

Done. Now run:

  cd memo_app
  npm install (or `yarn`)
  npm run dev (or `yarn dev`)


D:¥tuyan¥Desktop>
```

図5-24 npm install vite-appでプロジェクトを作成する

これで、「memo_app」というフォルダにアプリケーションが作成されます。Visual Studio Codeでこのフォルダを開き、「ターミナル」メニューから「新しいターミナル」を選んでターミナルビューをウインドウに表示しましょう。そして、以下を実行します。

```
npm install
```

これで必要なパッケージがアプリケーションにインストールされました。続いて、アプリケーションで利用するVuexとvuex-persistedstateをインストールしましょう。以下のコマンドを実行してください。

```
npm install vuex@next
npm install vuex-persistedstate
```

これで必要なパッケージがすべて揃いました。では、アプリケーションのファイル類の作成に進みましょう。

（※なお、本書執筆時点ではVuexが正式リリース前であるため、ベータ版であるvuex@4.0.0-beta.4を利用して説明をしています）

index.htmlの作成

まずは、アプリケーションのベースとなるHTMLファイルからです。「memo_app」フォ

ルダ内にあるindex.htmlを開いて以下のように書き換えましょう。

リスト5-38

```
<!DOCTYPE html>
<html lang="en">
<head>
  <meta charset="UTF-8">
  <link rel="icon" href="/favicon.ico" />
  <meta name="viewport" content="width=device-width, initial-scale=1.0">
  <title>Vite App</title>
  <link rel="stylesheet" href="https://stackpath.bootstrapcdn.com/ ↲
    bootstrap/4.5.0/css/bootstrap.min.css" >
  <script src="https://code.jquery.com/jquery-3.5.1.slim.min.js"> ↲
    </script>
  <script src="https://cdn.jsdelivr.net/npm/popper.js@1.16.0/dist/umd/ ↲
    popper.min.js"></script>
  <script src="https://stackpath.bootstrapcdn.com/bootstrap/4.5.0/js/ ↲
    bootstrap.min.js"></script>
</head>
<body>
  <h1 class="bg-secondary text-white h4 p-3">Memo_app</h1>
  <div class="container">
    <div id="app"></div>
  </div>
  <script type="module" src="/src/main.js"></script>
</body>
</html>
```

ここでは、<head>内にBootstrap関連のCDNを読み込むようにしてあります。またアプリケーション本体は<div id="app">に組み込まれるようにしています。基本的に、これまで使ってきたアプリケーション(vite_appなど)とほぼ同じものですから改めて説明は不要でしょう。

main.jsとApp.vueの作成

続いて、アプリケーションのメイン処理である「main.js」を作成します。以下のように内容を修正してください。

リスト5-39

```
import { createApp } from 'vue'
```

```
import App from './App.vue'
import './index.css'
import { store } from './store'

var app = createApp(App)
app.use(store)
app.mount('#app')
```

ここでは、VueのcreateApp関数、index.css、App.vue、そしてstoreといった部品をインポートしています(storeはこの後で作ります)。ごく基本的なものですね。

続いて、index.htmlに組み込むアプリケーション本体であるApp.vueを作成しましょう。以下のように変更してください。

リスト5-40

```
<template>
  <Memo />
</template>

<script>
import Memo from './components/Memo.vue'

export default {
  name: 'App',
  components: {
    Memo
  }
}
</script>
```

今回は、Memo.vueというコンポーネントを読み込んで表示するようにしてあります。これがメモアプリのプログラムになります。

store.jsの作成

続いて、Veuxのストアを用意する「store.js」を作成しましょう。アプリケーションのフォルダ(「memo_app」フォルダ)の中の「src」フォルダ内に「store.js」というファイルを作成し、以下のように記述してください。

リスト5-41

```
import { createStore } from 'vuex'
import createPersistedState from "vuex-persistedstate"

export const store = createStore({
  state: ()=> {
    return {
      memo: [],
      page: 0,
    }
  },
  mutations: {
    insert: (state, obj)=> {
      var d = new Date()
      var fmt = d.getFullYear() + '-' + (d.getMonth() + 1)
          + '-' + d.getDate() + ' ' + d.getHours() + ':'
          + d.getMinutes()
      state.memo.unshift({
          title: obj.title,
          content: obj.content,
          created: fmt
      })
    },

    set_page: (state, p)=> {
      state.page = p;
    },

    remove: (state, obj)=> {
      for (let i = 0; i < state.memo.length; i++) {
        const ob = state.memo[i]
        if (ob.title == obj.title
              && ob.content == obj.content
              && ob.created == obj.created){
          alert('remove it! --' + ob.title)
          state.memo.splice(i, 1)
          return
        }
      }
    },
  },
  plugins: [
    createPersistedState(),
  ],
})
```

ここでは、メモの内容を管理するmemoと、表示しているページ番号を保管するpageという値をステートとして用意しています。この他、mutationsに以下のような関数を用意してあります。

```
insert: (state, obj)
```

新しいメモを追加するためのものです。引数objにはメモのタイトルとコンテンツをまとめたものが渡されます。これらの内容と、投稿された日時のテキストを新たに追加したものをmemoステートの最初に追加します。

```
set_page: (state, p)
```

表示するページの移動です。引数pは整数値で指定します。表示ページを表すpageステートの値を引数pに更新します。

```
remove: (state, obj)
```

メモの削除を行なうためのものです。引数objには、削除するメモのオブジェクトが渡されます。メモのオブジェクトにはタイトル、コンテンツ、作成日時の情報が保管されていますので、memoの中からこれらすべてが完全一致する項目を調べ、それを削除します。

Memo.vueの作成

最後に、メモの本体となるMemoコンポーネントを作成しましょう。デフォルトで、「components」フォルダには「HelloWorld.vue」というファイルが用意されていますね。このファイル名を「Memo.vue」に変更してください。Visual Studio Codeを利用しているなら、エクスプローラーからHelloWorld.vueを右クリックし、「名前の変更」メニューを選べば、ファイル名を変えられます。

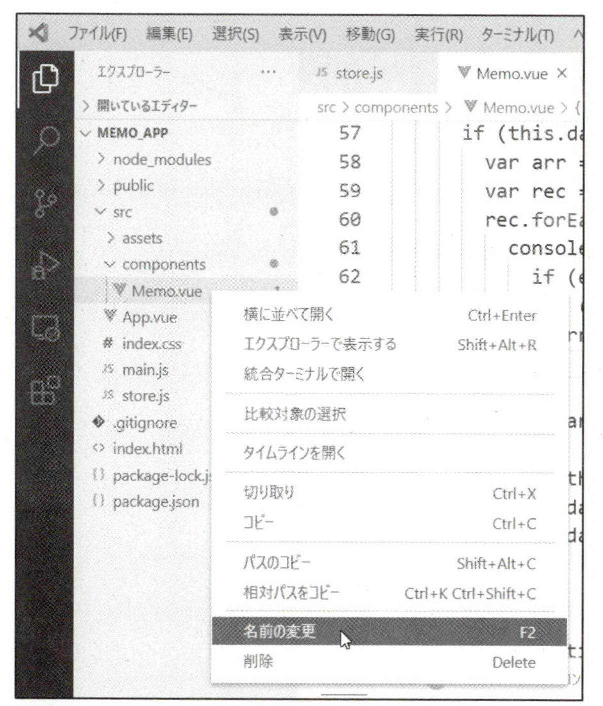

図5-25 「名前の変更」メニューを選んでファイル名をMemo.vueに変える。

ファイル名をMemo.vueに修正できたら、ファイルを開いて以下のようにソースコードを書き換えてください。今回はけっこう長いので、間違えないように注意しましょう！

リスト5-42

```
<template>
  <section class="alert alert-primary">
    <div class="form-control-group row">
      <label class="col-12 text-left h5">Title</label>
      <input type="text" name="title"
        class="form-control col-9 ml-2"
        v-model="data.title" @focus="set_flg">
      <button @click="find" class="btn btn-primary col-2 ml-2">
        find</button>
    </div>
    <div class="form-control-group mt-3">
      <label class="col-12 text-left h5">Memo</label>
      <textarea name="content" class="form-control"
        v-model="data.content"></textarea>
    </div>
    <div>
      <button class="btn btn-info m-2" @click="insert">save</button>
      <transition name="del">
        <button class="btn btn-info m-2" v-if="data.sel_flg != false"
```

```
          @click="remove">delete</button>
      </transition>
    </div>
    <ul class="list-group">
      <li v-for="item in page_items"
        @click="select(item)"
        class="list-group-item list-group-item-action text-left">
        {{ item.title }} ({{ item.created }})
      </li>
    </ul>
    <hr>
    <div>
      <span class="btn btn-secondary mr-2" @click="prev">&lt; prev</span>
      <span class="btn btn-secondary ml-2" @click="next">next &gt;</span>
    </div>
  </section>
</template>

<script>
import { ref, reactive, computed, onMounted } from 'vue'
import { useStore } from 'vuex'
export default {
  setup(props) {
    // リアクティブデータ
    const data = reactive({
      title:'',
      content:'',
      num_per_page:5,
      find_flg: false,
      sel_flg: false,
      sel_item: null,
      store: useStore(),
    })

    // フラグの初期化
    const set_flg = ()=> {
      if (data.find_flg.value || data.sel_flg != false){
          data.find_flg = false
          data.sel_flg = false
          data.title = ''
          data.content = ''
      }
    }

    // 項目の選択
```

```
const select = (item)=> {
  data.find_flg = false
  data.sel_flg = true
  data.title = item.title
  data.content = item.content
  data.sel_item = item
}

// 検索の設定
const find = ()=> {
  data.sel_flg = false
  data.find_flg = true
}

// メモの追加
const insert = ()=> {
  data.store.commit('insert',
    {title:data.title,
      content:data.content})
  data.title = ''
  data.content = ''
}

// 選択項目の削除
const remove = ()=> {
  if (data.sel_flg){
    data.store.commit('remove', data.sel_item)
    set_flg()
  }
}

// 次のページ
const next = ()=> {
  page.value++
}

// 前のページ
const prev = ()=> {
    page.value--
}

// メモ全体
const memo =computed(()=> data.store.state.memo)

// ページの表示項目
```

```
  const page_items = computed(function() {
    if (data.find_flg){
      var arr = []
      var rec = data.store.state.memo
      rec.forEach(element => {
        console.log()
          if (element.title.toLowerCase().indexOf
              (data.title.toLowerCase()) >= 0){
            arr.push(element)
          }
      })
      return arr
    } else {
      return data.store.state.memo.slice(
        data.num_per_page * data.store.state.page,
        data.num_per_page * (data.store.state.page + 1))
    }
  })

  //表示ページを表す値
  const page = computed({
    get: ()=> {
      return data.store.state.page
    },
    set: (p)=> {
      var pg = p > (data.store.state.memo.length - 1)
        / data.num_per_page ?
        Math.ceil((data.store.state.memo.length - 1)
        / data.num_per_page) - 1 : p
      pg = pg < 0 ? 0 : pg
      data.store.commit('set_page', pg)
    }
  })

  // マウント時の処理
  onMounted(()=>{
    data.store.commit('set_page',0)
  })
  // 戻り値
  return {
    data, set_flg, select, find,
    insert, remove, next, prev,
    memo, page_items, page,
  }
},
```

```
}
</script>
```

これで完成です！ 実際にコンソールから「npm run dev」を実行してアプリケーションの動作を確認しましょう。

Memo.vueのテンプレートをチェック！

では、Memo.vueの内容をチェックしていきましょう。まずは、テンプレート部分からです。ここでは、フォーム関連(テキストの入力コントロール2つとボタンが3つ)と、メモを表示するリスト、ページを移動するリンクといったものが用意されています。

●タイトルの入力フィールド

```
<input type="text" name="title"
  class="form-control col-9 ml-2"
  v-model="data.title" @focus="set_flg">
```

タイトルを入力するフィールドは、name="title"として用意してあります。v-model="title"で、titleデータに値をバインドしてあります。また、@focus="set_flg"で、この入力フィールドにフォーカスが移ったら(要するに選択して入力状態になったら)、set_flgを実行します。

●検索ボタン

```
<button @click="find" class="btn btn-primary col-2 ml-2">
  find</button>
```

検索ボタンは、@click="find"として、クリックしたらfindを実行するようにしてあります。

●コンテンツのテキストエリア

```
<textarea name="content" class="form-control"
  v-model="data.content"></textarea>
```

コンテンツは、<textarea>タグとして用意してあります。これは、v-model="content"としてcontentデータにバインドしてあります。

●保存ボタン

```
<button class="btn btn-info m-2" @click="insert">save</button>
```

入力したフォームの値をメモとして保存するボタンです。これは、@click="insert" として、insertを実行しています。

●削除ボタン

```
<transition name="del">
  <button class="btn btn-info m-2" v-if="data.sel_flg != false"
      @click="remove">delete</button>
</transition>
```

削除のボタンは、リストから項目をクリックして、メモの内容がフォームに表示されたときに使えるようにします。そこで、<transition>を使ってトランジションを使うことにします。<button>には、v-if="data.sel_flg != false" と指定し、data.sel_flgの値がfalseでない場合に表示し、falseのときは非表示になるようにしておきます。

また、肝心のボタンの処理は、@click="remove" としてクリックしたらremoveを実行するようにしておきます。

●メモのリスト

```
<ul class="list-group">
  <li v-for="item in page_items"
    @click="select(item)"
    class="list-group-item list-group-item-action text-left">
    {{ item.title }} ({{ item.created }})
  </li>
</ul>
```

メモのリストは、<ul>と<li>でリスト表示します。<li>には、v-for="item in page_items"を用意して、page_itemsから順に値をitemに取り出して繰り返し表示を行ないます。

表示する<li>内には、@click="select(item)"を指定し、クリックしたらselectを実行するようにしてあります。また表示する内容は、{{ item.title }}と{{item.created}}の値を使っています。

●ページの移動リンク

```
<span class="btn btn-secondary mr-2" @click="prev">&lt; prev</span>
<span class="btn btn-secondary ml-2" @click="next">next &gt;</span>
```

ページの移動は、実は<a>タグではなく、<span>を使っています。これに@clickで、

prevとnextを実行するように設定しています。これらの関数で、ページ移動を行なうようにしてあるのです。

Memo.vueのスクリプトをチェック！

では、<script>タグにあるスクリプトをチェックしていきましょう。まずはdataプロパティからです。ここでは以下のような値が用意されています。

```
const data = reactive({
  title: '',
  content: '',
  num_per_page: 5,
  find_flg: false,
  sel_flg: false,
  sel_item: null,
  store: useStore(),
})
```

titleとcontentは、既に説明したように、タイトルの入力フィールドとテキストエリアの値をv-modelでバインドするものです。これらの中に、入力された値が保管されます。

num_per_pageは、1ページあたりの表示数を示します。ここでは5にしてありますが、この数字を変更すれば、一度にいくつのメモを表示するか設定できます。

その後のfind_flgは検索実行中を示す変数です。これがtrueならば検索中、falseならばそうでないことを示します。

sel_flgは、項目を選択した状態かどうかを示す変数。これは、選択状態でない場合はfalseになり、選択した場合はそのメモのオブジェクトが設定されます。最後のsel_itemは、項目が選択されているときに、選択された項目のオブジェクトを保管します。

ストアの扱い

最後のstoreは、Vuexのストア(store.js)を代入しておくためのものです。これはVuexに新たに用意されたuseStoreという関数を使って行なっています。

```
store: useStore(),
```

これで、data.storeとしてストアを利用できるようになりました。しかし、なぜ、こんなことをするのでしょう。this.$storeで利用すればいいはずですよね？

これは、Composition API特有の問題なのです。後ほど改めて触れますが、Composition

APIでは、setup内でthisが使えません。このため、this.$storeが得られないのです。そこで、Vue3のComposition API用に新たにuseStoreという関数を用意し、setup内から直接定数にストアの内容を設定できるようにしたのです。これにより、this.$storeを使う必要はなくなりました。

setup内のメソッド定義

さて、setupの続きを見ていきましょう。setupには、よく見るとメソッドも用意されていますね。ここで用意されている3つのメソッドは以下のようになります。

●set_flg

フラグの設定を行なうものです。find_flgがtrueで、sel_flgがfalseでない場合(検索中か選択中のとき)には、これらをfalseに戻し、titleとcontentを空にします。つまり、検索や選択中の状態から元の状態に戻すための処理です。

●select

項目を選択し、その内容をフォームに表示する処理です。これは意外と簡単です。find_flgをfalseにし、sel_flgに選択するメモのオブジェクトを代入し、titleとcontentにメモのタイトルと内容をそれぞれ設定します。

●find

検索を実行します。これも非常に簡単で、sel_flgをfalseにし、find_flgをtrueにするだけです。検索した項目の表示は、page_itemsでこれらの変数に応じて行なってくれますから、ここではただ変数の値を操作するだけでいいのです。

●insert

メモの追加です。これは、data.store.commitを使い、memoストアのinsertを実行します。引数には、{title: data.title, content: data.content}というようにしてメモのタイトルと内容をオブジェクトにまとめたものを用意します。

●remove

メモの削除を行なうものです。これも、実は意外と簡単です。削除は、まずsel_flgがfalseでないかチェックをしています。falseでないということは、何かのメモが選択された状態ということです。removeは、選択したメモを削除するものなので、選択されてないと実行できません。

実際の削除処理は、data.store.commitでmemoストアのremoveを実行するだけです。このとき、引数にsel_itemを渡します。メモが選択されているときは、このsel_itemに選択したメモのオブジェクトが入っているので、それをremoveに渡してやるのです。
最後にset_flgを呼び出して元の状態(選択されていない状態)に戻しておしまいです。

●next/prev

前後のページに移動する処理ですね。これも非常に簡単で、pageの値を1増やしたり減らしたりするだけです。pageは、算術プロパティで、そのままストアのpageを変更します。それにより、page_itemsで表示する項目が変更され、画面のリストが更新されるというわけです。

算術プロパティについて

続いて、算術プロパティです。これも、実はsetupに用意できます。ここでは、以下のような形で算術プロパティが用意されています。

●getのみの場合

```
const 定数 =computed(()=>{
  ……処理……
})
```

●get/setの場合

```
const page = computed({
  get: ()=> {
    ……処理……
  },
  set: (p)=> {
    ……処理……
  },
})
```

computedという関数の中に、getとsetの処理を行なう関数が用意されています。getのみの場合はそのまま関数を引数に指定すればいいですし、get/setを行なう場合は{}内にオブジェクトとしてgetとsetというプロパティを用意しておきます。これで算術プロパティとして扱われるようになります。
では、ここで用意している算術プロパティについてざっと整理しておきましょう。

●page_items

これが、一番複雑そうなものでしょう。page_itemsは、現在、リストに表示されるメモの配列を表すプロパティです。

これは、そのときの状態によって取り出す値が変わります。ここでの処理は、以下のような構造になっていることがわかるでしょう。

```
if (data.find_flg){
        ……検索時の表示……
} else {
        ……それ以外のときの表示……
}
```

find_flgをチェックし、検索時とそうでないときで異なるメモ配列を返すようにしているのです。

一番複雑なのは、検索時の表示です。これは、memo配列のすべてのメモについて繰り返し処理をしています。取り出したメモのtitleの中に、入力フィールドに記入したテキスト(ここでは、v-modeでバインドされてdata.titleに入っています)が含まれているかどうかを調べ、含まれていたならそれを別の変数に取り出していきます。

「あるテキストの中に別のテキストが含まれているかどうか」は、indexOfというメソッドで調べることができます。また、そのままだと大文字と小文字が異なるだけで「違う文字だよ」と判断してしまうので、toLowerCaseというメソッドを使い、すべて小文字にしたものをindexOfでチェックするようにしています。こうすれば、大文字か小文字かに関係なくテキストをチェックできます。こうしてテキストを含む項目を配列にまとめて返すのです。

検索時でない場合は、表示ページ番号data.store.state.pageとページあたりの項目数data.num_per_pageを使って、現在のページに表示する項目をmemoから取り出し返します。コンポーネントのスクリプト内からステートを利用する場合は、「data.store.state.○○」というように、data.store.stateの後にステート名をつけて指定します。

●page

pageは、現在のページ数を示す値です。この値は、data.store.state.memo.pageの値をそのまま返せばOKです。

が、値を設定するときは注意が必要です。ページ番号は、最初がゼロとなるようにしてあります。したがって、マイナスの数字は使えません。また、最後のページより先の番号も使えません。それらをチェックして、マイナスならゼロに、最後のページより大きければ最後のページに設定し直して変更するようにしています。

値の変更は、data.store.commitメソッドで、memoにあるset_pageミューテーションを呼び出して行なっています。直接、data.store.state.memo.pageの値を書き換えることはしません。

 onMountedも忘れずに！ 

最後に、onMountedも用意されています。これは、イベントフック(イベントにより呼び出されるもの)と呼ばれる関数です。これは、import部分でvueパッケージからインポートすることで利用可能になります。

従来方式のコンポーネントでは、createdやmountedといった値を用意していました。が、Composition APIでは、vueパッケージから必要なイベントフックの関数をインポートすることで、setup内にその値を用意できるようになります。関数名は、「onイベント」というように変更されています。mountedならば、「onMounted」となります。

注意したいのは、「onCreatedはない」という点です。Composition APIは、コンポーネントが生成される段階でsetupが呼び出されますから、別途onCreatedを用意する必要がないのです(このためMemo.vueでは従来のcreatedを使っています)。

ここで使ったonMountedは、従来方式のmountedに相当するもので、コンポーネントがマウントされる際に実行する処理です。このように記述されていますね。

```
onMounted(()=>{
  data.store.commit('set_page',0)
})
```

引数にはアロー関数を用意します。その中で、マウント時の処理を用意します。ここでは、data.store.commitを使い、memoストアのset_pageを呼び出して、表示ページをゼロにしています。ストアの値は、ローカルストレージに保存されますから、次にアクセスしたときには最後に表示していたページが表示されるようになります。

 Composition API利用の注意事項 

このMemoは、Composition APIベースでコンポーネントの定義を行なっています。Composition APIはVue3から新たに登場した機能であるため、まだ荒削りな部分があります。利用の上で注意しておきたい点もいくつかあるのです。最後にComposition API利用の注意点について触れておきましょう。

thisは、使わない！

Composition APIのコンポーネントのスクリプトを見て、「thisが使われていない」ことに気づいた人はいるでしょうか。これは、Composition APIの大きな特徴の1つです。

Vue2までは、コンポーネントはdataやmethodsやcomputedなどさまざまなものに分散されて書かれていました。このため、全体をまとめて利用しようとすると、常に「this.○○」というように、thisの中の○○を使う、というように指定する必要がありました。

Vue3のComposition APIは、基本的にthisを使いません。setup内に用意されたものはすべて名前だけで直接指定し利用することが可能です。

Composition APIは今後に期待！

現時点ではまだ「computedやmethodsをsetupに移すのは問題が多い」ということを理解しておく必要があります。Vuexのように、パッケージ関係がまだComposition APIに完全に対応する形になっていないことが多いのです。

Composition APIは、完全に移行せずとも、必要ならば「computedやmethodsを使ってComposition API以前のやり方で書ける」ことを忘れないでください。とりあえずdataの部分だけをsetupに移行し、後はComposition APIのアップデート状況を見ながらcomputedやmethodsを少しずつsetupに移していく、といったやり方も可能なのです。慌てて「最初から全部Composition APIで行くんだ」と考えず、できるところから移行していきましょう。

この章のまとめ

ここでは、Vue3を拡張する機能についていろいろと取り上げました。アプリケーションの作り方が大きく変わって、混乱した人も多いかもしれません。

よくよく読んでいけば、スクリプトの中で記述される、具体的にVue3の機能を利用する部分はほとんど同じことに気づいたでしょう。しかし、新たな機能をアプリケーションに組み込むとそれなりに注意しなければいけない点も増えてくるのは確かです。また、「この新しい機能、本当にいるの？」と思えるものもあるかもしれませんね。

では、この章でのポイントを整理しておきましょう。

Composition APIは、ぜひ！

ここでの最大の目玉は、新しいコンポーネント技術であるComposition APIでしょう。これは、これから先、主流となるものと言えるので、ぜひ基本的な使い方を覚えておきましょう。

次の章では、ほぼすべてがComposition APIに移行する予定です（App.vue以外）。そこで、少しずつ慣れていけばいいでしょう。

Vue Routerは、後回しにしてOK ！

ルーティングを行なうVue Routerは、はっきりいえば「なくてもいいもの」です。これは、ある程度以上のコンポーネントを組み合わせるようになって初めて必要になるものです。ですから、当分は「そういうものもあって使えるよ」ということだけわかっていれば十分です。無理して使えるようになる必要はありません。

Vuexによるストアの基本は必須！

Vuexを使うと、ストアにステートとして値をまとめることができます。これは、ちょっとわかりにくいのでできれば覚えたくないな……と思った人も多いでしょう。が、基本であるステートとミューテーションの使い方だけは覚えておいてください。これは必ず後で役に立ちます。特に多くのデータを扱うWebアプリケーションを作る場合は、Veuxは必須と考えましょう。

なお、Vuexの基本を覚えるときは、あわせてvuex-persistedstateプラグインの組み込み方も覚えておきましょう。「vuex-persistedstateは、Vuexの一部なんだ」ぐらいに考えて、必ずセットで使えるようにしましょう。

後は、応用技術だけ？

これで、Vue3アプリケーションに必要な知識が一通り揃った、といっていいでしょう。Vue.jsでのページごとのコンポーネントによる開発、Vuexとvuex-persistedstateによるストアの利用。このへんまでわかれば、複数のページを使い、さまざまなデータを保存して動くアプリケーションが作れるようになります。作れるアプリケーションの幅は既にかなり広くなっているはずですよ。

後は、更に一歩進めて、データベースなども使えるようになるといいですね。また、他のサイトにアクセスしてデータを取得したりするのもできると面白そうです。というわけで、次回はVue3の更なる応用を考えていきましょう。

コラム Vuexのデータはどこにある？ Column

vuex-persistedstateを使うことで、Vuexのデータをずっと保存することができるようになりました。いつアクセスしても、データはちゃんと最後の状態のまま表示されるのがわかるでしょう。では、このデータは一体どこにあるのでしょうか？

これは、既に触れたように「ローカルストレージ」と呼ばれるもので保管されています。これは、Webブラウザに用意されているデータの保管機能です。つまり、ブラウザごとにデータは保管されます。別のブラウザでアクセスをすると、保管されているデータは表示されなくなります。

このローカルストレージは、Webブラウザのデベロッパーツールからアクセスすることができます。デベロッパーツールのウインドウから「Application」というリンクをクリックすると、左側にアプリケーションで使われている各種機能の項目がリスト表示されます。ここから「Storage」という項目内にある「Local Storage」という項目の中にサイトのローカルストレージの情報がまとめられています。

Vue3関連の場合、「http://localhost:3000/」という項目の中にデータが保管されています。この中の「Vuex」という項目に保存されたデータがまとめられています。memoアプリで保存したメモの内容もすべてここにあります。

見ればわかるように、uex-persistedstateではVuexのデータはすべてJSON形式のテキストとして保存されています。ここから直接値を選択して編集することもできますし、データを追加したり削除したりすることも可能です。Vuexを利用したアプリを作成するときは、ここで直接値の状態を確認しながら作業していくといいでしょう。

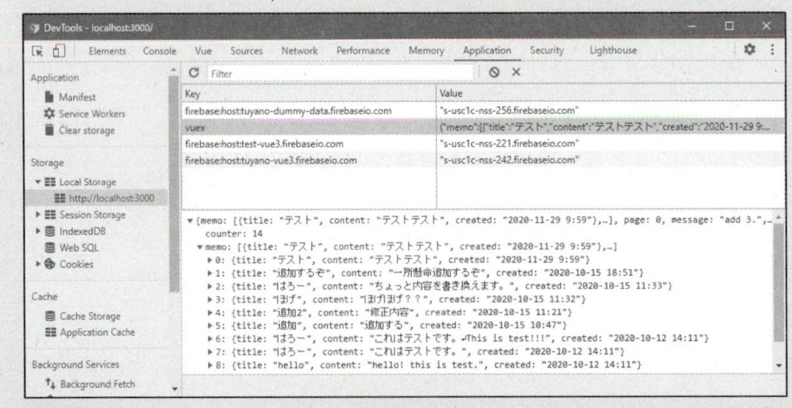

図5-26 デベロッパーツールのローカルストレージにはVuexのデータが保存されている。

Chapter

6

外部サービスを利用しよう！

Vue3は、Webページの中だけで動きます。このため、Webページだけではできないことは、外部のサービス等の力を借りる必要があります。ここではネットワークにアクセスする「axios」、そしてデータベースやユーザー認証などを提供する「Firebase」をVue3から利用する方法について説明しましょう。

Section 6-1 axiosで外部サイトにアクセス！

「データ」の扱いを考えよう

Vue3の知識もだいぶ身についてきました。既にここまでの説明で、Vue3を使った簡単なアプリケーションぐらいは作れるようになっているはずです。「まだ全然、そうは思えないぞ？」という人も、よく考えてください。「ここまで説明した内容を、すべて、完璧に理解できていたら、多分アプリケーションぐらい作れるかも」とは思うでしょう？

もちろん、なかなかそこまできっちりマスターすることはできませんよね。いろいろ取りこぼしている事柄も多いでしょう。そのために「全然作れる気がしない」と感じてしまう人も多いはずです。でも、ここまでの説明をもう一度しっかりと復習し、取りこぼしたことを少しずつ拾って自分のものにしていけば、それなりのことはできるようになります。

ただ、それでもまだまだできないことはたくさんあります。その最大の要因が「データの扱い」です。

巨大データはどう扱う？

本格的なアプリケーションを作ろうと思った場合、たくさんのデータをどう扱うかを考えないといけません。既に、Vuexを使ってコンポーネントで使うデータを管理する方法などは学びました。

しかしアプリケーション全体で多量のデータを利用するような場合には、また別のやり方を知る必要があります。例えばAmazonのような巨大サイトでは、数億(あるいはそれ以上？)の商品データを扱っていることでしょう。これ、テキストファイルやローカルストレージに保管して管理するのはほぼ不可能です。もっと別のデータ管理の方法を考えないといけません。

1つは、外部のサイトにアクセスして必要なデータを取り出してくる、といった方法が考えられるでしょう。あるいはデータベースを利用してデータを処理する、といったやり方も考えられるかもしれません。どちらにせよ、そのための技術を身につけていく必要があります。

こうした「Vue.jsの標準的な機能ではできないこと」があった場合、どうするか。それは、Vue.jsにパッケージを追加して機能拡張するのです。そうすることで、それまで使えなかった機能が使えるようになります。

axiosってなに？

まずは、「外部サイトにアクセスする」という方法から考えてみることにしましょう。

ここでは、「axios」というパッケージを使ってみましょう。このaxiosは、HTTP通信のための機能を提供するパッケージです。

HTTP通信というと何だか難しそうな感じがしますが、要するに「Webサーバーにアクセスして必要な情報をやり取りする機能」のことです。JavaScriptには、Ajaxといって、Webサーバーにアクセスする機能が用意されていますが、これはあまり使いやすいとはいえません。それを更に使いやすくしたのがaxiosです。

これは、Vue.jsのためのパッケージというわけではなく、JavaScriptの一般的なライブラリです。ですから、使い方を覚えておけば、Vue.jsに限らず、さまざまなWeb作成で応用することができます。

axiosのインストール

では、axiosを用意しましょう。これはいくつかやり方がありますが、ここではnpmでプロジェクトにインストールして使うことにしましょう。Visual Studio Codeで「vite_app」は開いていますか？ 前章の最後に「memo_app」を作成したままになっている人は、改めて「vite_app」フォルダを開いておきましょう。

そして「ターミナル」メニューから「新しいターミナル」を選び、現れたターミナルのビューで以下のようにコマンドを実行してください。これで、axiosがインストールできます。

```
npm install axios
```

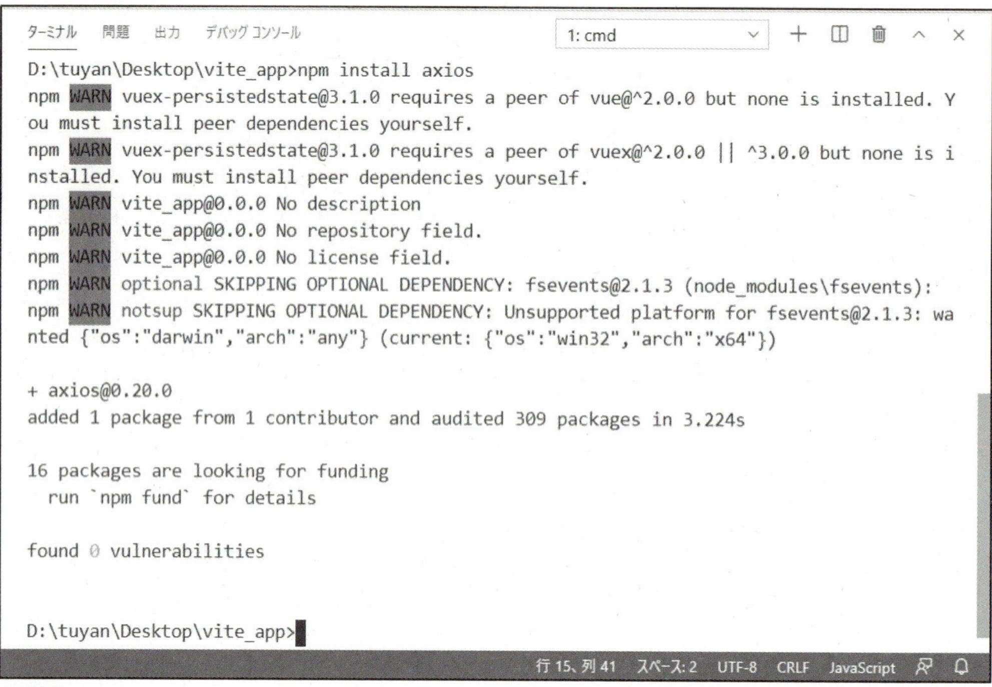

図6-1 npm installでaxiosをインストールする。

axiosでサイトにアクセスするには？

では、axiosを使って、Webサイトにアクセスする手順を説明しましょう。手順といっても、実は非常に簡単です。まず、axiosのライブラリをインポートします。

```
import axios from 'axios'
```

importは、もう何度も登場していますからおなじみですね。fromに指定したパッケージをインポートするものでした。これで、axiosというオブジェクトにaxiosの機能が組み込まれます。後は、このaxiosオブジェクトから必要な処理を呼び出して利用すればいいのです。

getでデータを得る

もっとも単純な「指定アドレスにアクセスしてデータを受け取る」処理は、以下のように行なうことができます。

```
変数 = await axios.get( アドレス )
```

axiosの「get」というメソッドを使います。引数にアクセスするアドレスを指定すれば、そこにアクセスして結果となるオブジェクトを返します。取り出したデータそのものが返されるわけではないので注意してください。

データは、返されたオブジェクトの「data」というプロパティに保管されています。getの戻り値を変数で受け取り、そこからdataを取り出せばいいわけですね。

 同期処理と非同期処理 

ここで、「axiosの前にある、awaitってなんだろう？」と思った人もいるでしょう。これは、非同期処理のために使われるキーワードなのです。

非同期処理というのは、「同期しないで実行できる処理」です。といっても、何のことだかわからないかもしれませんね。

コンピュータの処理というのは、「何かの処理を実行し、完了する」という作業の積み重ねだ、ということは何となくわかるでしょう。JavaScriptのプログラムも、「最初の文を実行し、それが完了したら次の行に進んで実行する」という感じで動いています。1つ実行してはそれが完了し、次を実行してはそれが完了し……ということを繰り返していくわけです。これが「同期処理」です。

では非同期処理はどうなのか。これは「処理を実行したら、完了する前に次に進む」というものなのです。時間がかかる処理があると、同期処理の場合はプログラムが完了するまで長い時間がかかるようになります。そこで、時間のかかる処理部分を「とりあえずこれやっておくから、先に進んで」というように、すぐに処理を次に進めてしまうようにしたのです。そしてその時間がかかる処理は、バックグラウンドで他の処理と並行して進められます。

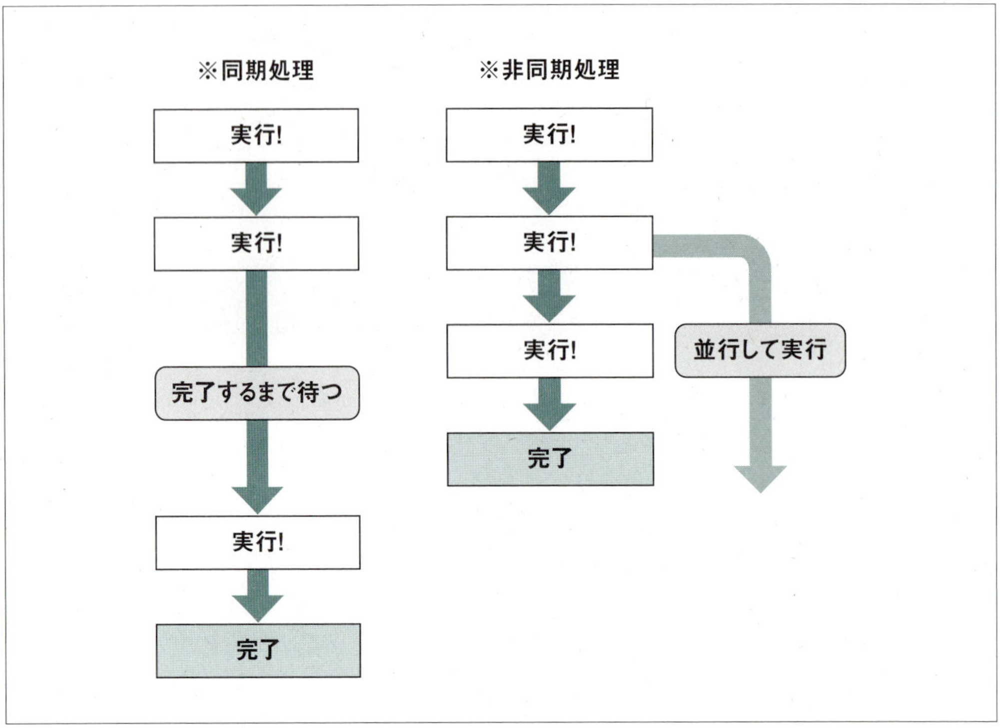

※同期処理
実行!
実行!
完了するまで待つ
実行!
完了

※非同期処理
実行!
実行!
並行して実行
実行!
完了

図6-2　同期処理と非同期処理。非同期では、時間のかかる処理をメイン処理から切り離し、そのまま処理を進めることができる。

awaitとasync

このawaitというのは、非同期処理を利用する際に用いられるものです。これは、「非同期処理を同期処理的に実行する」ためのものです。本来非同期で実行される処理を「処理が終わるまで待って次に進む」ようにするのです。

これは、関数やメソッドの定義と一緒に利用します。こんな感じです。

```
async 関数 ( 引数 ){
    await 非同期処理
}
```

awaitを利用する場合は、それが入っている関数の冒頭に「async」というキーワードをつけておく必要があります。

先ほどのaxios.getも、本来は非同期処理です。が、awaitをつけて呼び出すことで、指定したアドレスにアクセスし、その結果を受け取る(非同期では、実行したら次に進んでしまうので、結果を戻り値として受け取れません)ことができるわけです。非同期なのに、普通の同期処理と同じ感覚で扱えるようになるのですね。

テキストファイルを表示する

では、実際にaxios.getによるデータの取得を行なってみましょう。ここでは、これまで使っていた「vite_app」プロジェクトを利用します。このプロジェクトにテキストファイルを用意して、これをaxiosで読み込ませてみましょう。

「vite_app」内には「public」というフォルダが用意されています。これが、そのまま公開されるファイル類を保管しておくところです。ここに「data.txt」という名前でファイルを作成してください。そして、簡単なテキストを記述しておきましょう。

HelloWorldを修正する

では、実際にaxiosの機能を使ってみることにしましょう。今回も、HelloWorldコンポーネントを修正して動作を確かめることにします。「components」フォルダ内の「HelloWorld.vue」ファイルを開き、以下のように書き換えてください。

リスト6-1

```
<template>
  <section class="alert alert-primary">
    <h1>{{data.title}}</h1>
    <p>{{data.message}}</p>
    <textarea v-model="data.mydata" rows="5"
      class="form-control"></textarea>
  </section>
</template>

<script>
import axios from 'axios'
import { reactive, onMounted } from 'vue'

const url = "/data.txt"

export default {
  setup(props) {
    const data = reactive({
      title:'Axios',
      message:'This is axios sample.',
      mydata: '',
    })
    const getData = async()=> {
      let result = await axios.get(url)
      data.mydata = result.data
```

```
    }
    onMounted(()=> {
      getData()
    })
    return { data, getData }
  },
}
</script>
```

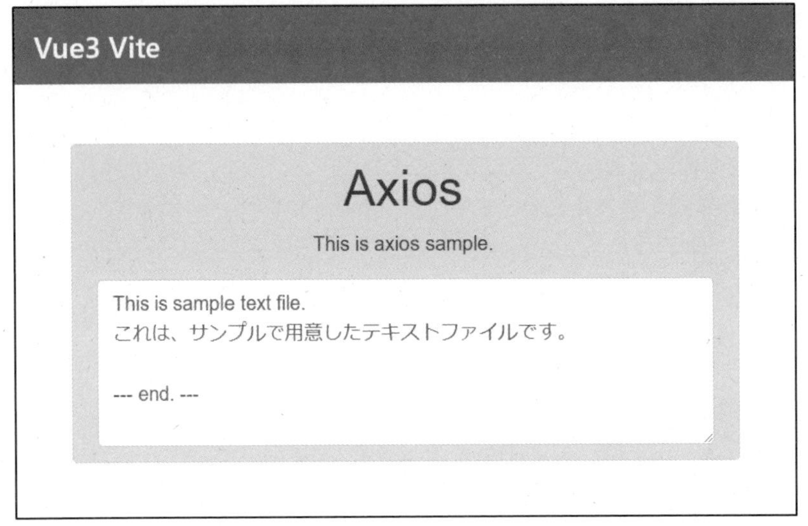

図6-3 http://localhost:3000/axiosにアクセスすると、「public」フォルダにあるdata.txtの中身を読み込んで表示する。

修正したら、まだプロジェクトを実行中の場合はCtrlキー＋Cキーを押して一度終了してから、npm run devで開発モードでプロジェクトを実行してください。そして、http://localhost:3000 にWebブラウザからアクセスをしてみましょう。これで、data.txtに書いたテキストがテキストエリア内に表示されます。

「public」フォルダについて

ここでは「public」フォルダにファイルを配置していましたね。このフォルダは、静的ファイル(イメージファイルなど、ファイルをそのまま表示するだけのもの)を扱うためのフォルダで、ここに入れてあるファイルはそのままファイル名を指定してアクセスすることができます。例えば、data.txtファイルは、http://localhost:3000/data.txtにアクセスするとその内容が表示されます。

図6-4　http://localhost:3000/data.txtにアクセスすると、data.txtの内容がそのまま表示される。

コンポーネントをチェックする

では、作成したHelloWorld.vueを見てみましょう。まず、テンプレート部分です。ここでは、読み込んだdata.txtの内容を以下のようにして表示しています。

```
<textarea v-model="data.mydata" rows="5"
        class="form-control"></textarea>
```

今回は、v-modelを使ってdata.mydataが表示されるようにしています。このmydataにどういう値が設定されているのか、それが今回のポイントと言っていいでしょう。

スクリプトの処理

では、<script>タグの部分を見てみましょう。ここでは最初にaxiosを読み込んで使えるようにしています。

```
import axios from 'axios'
import { reactive, onMounted } from 'vue'
```

これで、axios変数にaxiosのオブジェクトが読み込まれます。後はこのaxiosを使って処理を行なえばいいわけですね。他に、reactiveもvueからインポートしておきました。

その後に、アクセス先のアドレスをあらかじめ変数に用意してあります。

```
const url = "/data.txt"
```

アドレスは、同じサイト内にアクセスするなら、このようにドメイン名の部分を省略して、パスの部分だけ書いてもOKです。

setupの用意

export内では、まずsetupが用意されています。これで、リアクティブなデータが一通り用意されます。

```
setup(props) {
  const data = reactive({
    title:'Axios',
    message:'This is axios sample.',
    mydata: '',
    const getData = async()=> {……},
  })
  return { data, getData }
},
```

ここでは、title, message, mydataといった値が用意されていますね。mydataは、先ほどテキストエリアにv-modelで連携させていました。

後は必要なデータをaxiosでロードし、このmydataに設定する処理を用意するだけです。これを行なうのが、getDataメソッドです。

getDataについて

getDataは、内部にawaitの処理を持っているため、asyncメソッドとして定義する必要があります。これは以下のような形で定義されます。

●基本の書き方

```
async function() {
  ……非同期処理……
}
```

●アロー関数の場合

```
async () => {
  ……非同期処理……
}
```

今回、getDataではaxios利用の処理を用意しています。それが非同期で行なわれている部分なのです。

```
const getData = async()=> {
  let result = await axios.get(url)
  data.mydata = result.data
}
```

async()=>{……}というようにして関数を定義してあります。これでgetDataを呼び出すとawait axios.getで指定のアドレスからデータを取得し、それをdata.mydataに設定します。dataは、まるごとリアクティブになっていますから、mydataを変更すれば、それがv-modelに設定されているテキストエリアの表示も更新されるのです。

 onMountedについて 

最後に、コンポーネントがマウントされた際の処理もsetupに用意してあります。この部分ですね。

```
onMounted(()=> {
  getData()
})
```

onMountedは、コンポーネントがマウントされた際に呼び出されるイベントフックでしたね。ここでは、画面にコンポーネントが表示された際にgetDataを実行してデータを表示するようにしてあります。

 axiosを非同期処理で実行するには？ 

このawaitを使って同期処理にしたネットワークアクセスは、処理も非常にわかりやすくていいのですが、もともと非同期だったaxiosの機能を同期っぽく呼び出しているものです。本来、非同期ということは、処理に割と時間がかかるもの、と考えていいでしょう。それを、waitを使って「処理が終わるまで待って続きをやる」というようにしていたのですね。

今回は比較的簡単な処理でしたからこれでいいんですが、awaitの後にもいろいろと処理が待っているような場合、「awaitで終わるまで待ってから続き」というやり方では遅くて仕方ない、ということもあるでしょう(例えばデータをダウンロードするのに数十秒もかかった場合、その間、全く操作ができなかったら利用する側はかなりイライラするでしょう？)。

こうした場合も、非同期で処理するようにすればすぐに反応が返ってくるため、(データの表示までは待たされますが)ユーザーが操作できずに苛つくことはありません。というわけで、「axiosを非同期で処理する」というやり方も知っておきましょう。

```
axios.get( アドレス).then((引数)=>{
  ……完了後の処理……
})
```

getは、awaitをつけず普通に呼び出すと、「Promise」というオブジェクトを返します。このPromiseは、「非同期処理が終わった後に実行する処理の予約」みたいなものです。このPromiseオブジェクトの「then」というメソッドを呼び出し、その引数に関数を用意しておくと、このPromiseを返した非同期処理がすべて完了した後でその関数が実行されるようになるのです。

この例でいえば、getの処理が終わってデータの取得が完了すると、thenの引数にある関数が呼び出されるわけですね。この関数には引数があって、実行していた非同期処理に関する情報などはこの引数から得られるようになっているのです。

getDataを修正する

では、実際にやってみましょう。先ほどのaxiosを使った処理を非同期で実行するように修正してみます。HelloWorldコンポーネントのgetDataを以下のように書き換えてみてください。

リスト6-2

```
const getData = ()=> {
  const url = "/data.txt"
  axios.get(url).then((result)=> {
    data.mydata = result.data
  })
}
```

先ほどと全く同じようにdata.txtにアクセスして内容を表示します。今回は、getDataにはasyncはついていません。そして以下のような形で処理を実行しています。

```
axios.get(url).then((result)=> {……})
```

同期処理に比べるとちょっとわかりにくいですが、「getの後にthenを呼び出して、そこに関数を用意する」という基本がわかっていれば、それほど複雑ではないでしょう。そして関数内では、以下のようにして取得したテキストを表示しています。

```
data.mydata = result.data
```

関数の引数に渡されるresultオブジェクトの「data」というプロパティに、取得したテキストデータが保管されています。これをmydataに設定することでテキストエリアに表示されるようになります。

この「thenを使った非同期処理」は、axiosに限らず、JavaScriptの多くの非同期処理で使われるやり方です。「非同期処理の基本形」として、ここでしっかり覚えておきたいですね！

 JSONデータのサイトを活用しよう

自分で用意してあるデータをaxiosで読み込むのは簡単にできましたね。では、外部のサイトにアクセスしてデータを読み込んでみましょう。

ここでは、JSONPlaceholderというWebサービスを利用することにしましょう。これは、JSONのダミーデータを公開しているサイトです。アドレスは以下の通りです。

```
https://jsonplaceholder.typicode.com
```

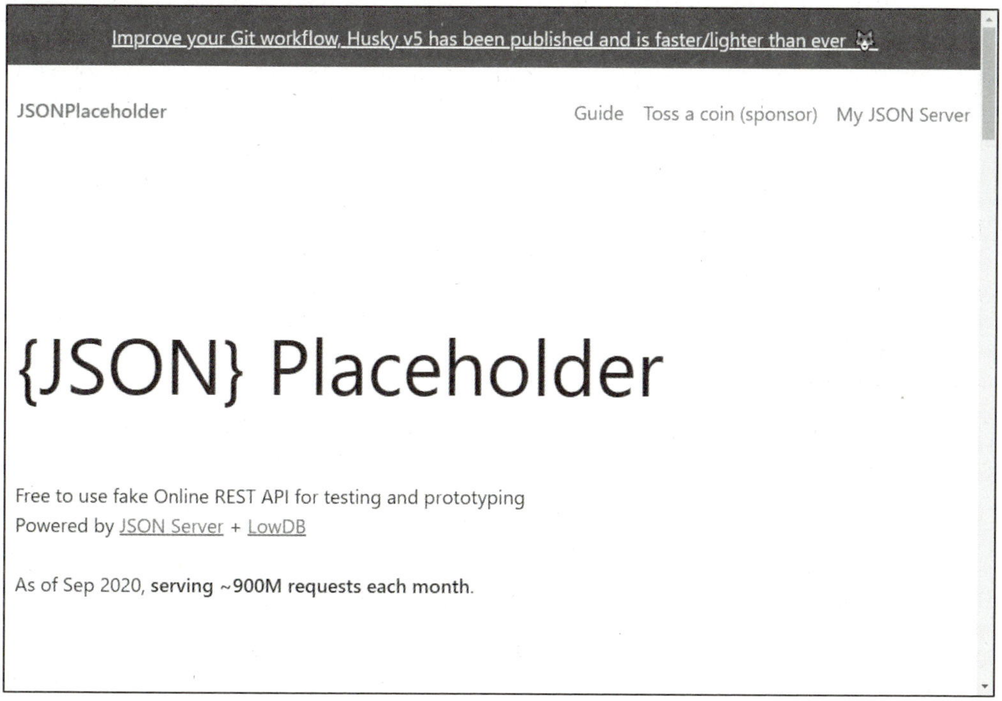

Improve your Git workflow, Husky v5 has been published and is faster/lighter than ever

JSONPlaceholder Guide Toss a coin (sponsor) My JSON Server

{JSON} Placeholder

Free to use fake Online REST API for testing and prototyping
Powered by JSON Server + LowDB

As of Sep 2020, serving ~900M requests each month.

図6-5 JSONPlaceholderのサイト。

ここでは、さまざまな形でJSONデータを配布しています。今回は、簡単なデータベースのデータのようなものを使ってみることにします。これは以下のようなアドレスになります。

●用意される全データ(100個)を全部取得する

```
https://jsonplaceholder.typicode.com/posts/
```

●指定のID番号のデータを取得する

```
https://jsonplaceholder.typicode.com/posts/番号
```

サイトからデータを取得する

では、JSONPlaceholderサイトからデータを取得し表示してみましょう。例として、ID = 1のデータを取り出し、その内容を表示してみます。HelloWorld.vueの内容を以下のように書き換えてください。

リスト6-3

```
<template>
  <section class="alert alert-primary">
    <h1>{{data.title}}</h1>
    <p>{{data.message}}</p>
    <table class="table table-light table-striped">
      <tbody class="text-left">
      <tr>
        <th style="width:200px;">User ID</th>
        <td>{{data.json_data ? data.json_data.userId : '-'}}</td>
      </tr>
      <tr>
        <th>ID</th>
        <td>{{data.json_data ? data.json_data.id : '-'}}</td>
      </tr>
      <tr>
        <th>Title</th>
        <td>{{data.json_data ? data.json_data.title : '-'}}</td>
      </tr>
      <tr>
        <th>Body</th>
        <td>{{data.json_data ? data.json_data.body : '-'}}</td>
      </tr>
      </tbody>
    </table>
  </section>
</template>

<script>
import axios from 'axios'
```

```
import { reactive, onMounted } from 'vue'

let url = "https://jsonplaceholder.typicode.com/posts/"

export default {
  setup(props) {
    const data = reactive({
      title:'Axios',
      message:'This is axios sample.',
      json_data: null,
    })
    const getData = ()=> {
      let id = 1 // ☆id番号
      axios.get(url + id).then((result)=> {
        console.log(result.data)
        data.json_data = result.data
      })
    }
    onMounted(()=> {
      getData()
    })
    return { data, getData }
  },
}
</script>
```

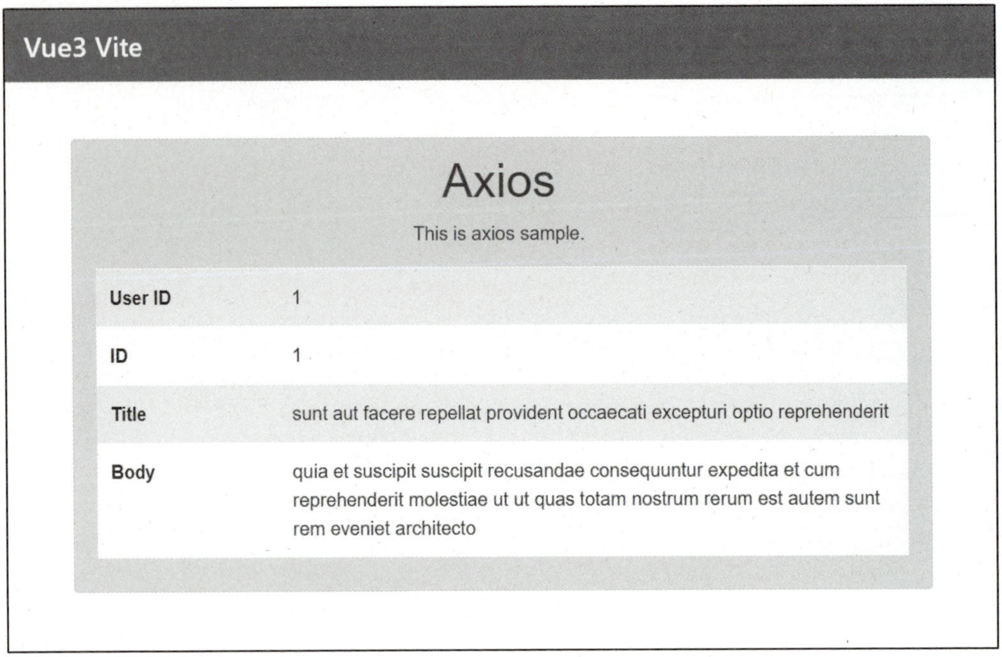

Vue3 Vite

Axios

This is axios sample.

User ID	1
ID	1
Title	sunt aut facere repellat provident occaecati excepturi optio reprehenderit
Body	quia et suscipit suscipit recusandae consequuntur expedita et cum reprehenderit molestiae ut ut quas totam nostrum rerum est autem sunt rem eveniet architecto

図6-6　アクセスすると、JSONPlaceholderからID = 1のデータを表示する。

保存したら、/axiosにアクセスしてみましょう。JSONPlaceholderからID = 1のデータを取り出してテーブルにまとめて表示します。リストの中の☆マークの「let id = 1」というのが、取り出しているデータのID番号です。この数字をいろいろと書き換えて表示を試してみましょう。

JSONデータの扱い

では、アクセスしたデータがどのように扱われるのか見てみましょう。まず、setupでのdataの内容をチェックしておきましょう。

```
const data = reactive({
  title:'Axios',
  message:'This is axios sample.',
  json_data: null,
})
```

titleとmessageの他に、「json_data」という値を用意していますね。これが、取得したJSONデータを保管しておくためのものです。値は初期値でnullにしてあります。

では、このjson_dataにどのように値が設定されるか見てみましょう。ここでは、JSONPlaceholderの/post/1にアクセスをしています。このアドレスからは以下のようなデータが送られてきます。

```
{
  "userId": 1,
  "id": 1,
  "title": "sunt aut facere ……略……",
  "body": "quia et suscipit……略……"
}
```

userId, id, title, bodyといった要素を持つデータですね。JSONの形式になっていますが、送られてくるのは、あくまで「ただのテキスト」です。この点をしっかり頭に入れておいてください。

そして、getDataでは、送られてくるデータは以下のようにしてjson_dataに設定しています。

```
(result)=> {
  data.json_data = result.data
}
```

先にdata.txtにアクセスしたのと同じですね。getで受け取った結果からdataの値を取り出し、json_dataに設定しています。そしてテンプレート部分ではそこから以下のような形で値を取り出しています。

```
{{data.json_data ? data.json_data.userId : '-'}}
```

もう、この段階では、json_dataはJavaScriptのオブジェクトになっていることがわかります。JSONデータのテキストを送るだけのサイトにアクセスしたのに、それがいつの間にかテキストからオブジェクトに変わっているのです。

初期値にはnullを設定していますから、axiosで値が得られて初めてjson_dataの値はオブジェクトになるのですね。実をいえば、axios.getでアクセスをし、結果を受け取った段階で、既にJSONデータはJavaScriptのオブジェクトになっていたのです。axiosでは、getで受け取ったデータの形式がJSONだと、自動的にオブジェクトに変換して渡してくれるのです。素晴らしい！

入力したIDのデータを表示する

今度は、methodsにaxiosの処理を用意し、ボタンクリックで呼び出すサンプルを考えてみましょう。先ほどのJSONPlaceholderを使って、ID番号を入力するとそのデータを取り出し表示させてみます。

では、HelloWorld.vueを以下のように書き換えてください。

リスト6-4

```
<template>
  <section class="alert alert-primary">
    <h1>{{data.title}}</h1>
    <p>{{data.message}}</p>
    <div class="form-group">
      <input type="number" class="form-control"
        v-model="data.id" />
      <button class="btn btn-primary m-2"
        @click="doClick">Click</button>
    </div>
    <table class="table table-light table-striped">
      <tbody class="text-left">
      <tr>
        <th style="width:200px;">User ID</th>
        <td>{{data.json_data ? data.json_data.userId : '-'}}</td>
      </tr>
      <tr>
        <th>ID</th>
        <td>{{data.json_data ? data.json_data.id : '-'}}</td>
      </tr>
      <tr>
        <th>Title</th>
        <td>{{data.json_data ? data.json_data.title : '-'}}</td>
      </tr>
      <tr>
        <th>Body</th>
        <td>{{data.json_data ? data.json_data.body : '-'}}</td>
      </tr>
      </tbody>
    </table>
  </section>
</template>

<script>
import axios from 'axios'
import { reactive } from 'vue'

let url = "https://jsonplaceholder.typicode.com/posts/"

export default {
  setup(props) {
```

```
    const data = reactive({
      title:'Axios',
      message:'This is axios sample.',
      id:0,
      json_data: null,
    })
    const doClick = ()=> {
      axios.get(url + data.id).then((result)=> {
        data.json_data = result.data
      })
    }
    return { data, doClick }
  },
}
</script>
```

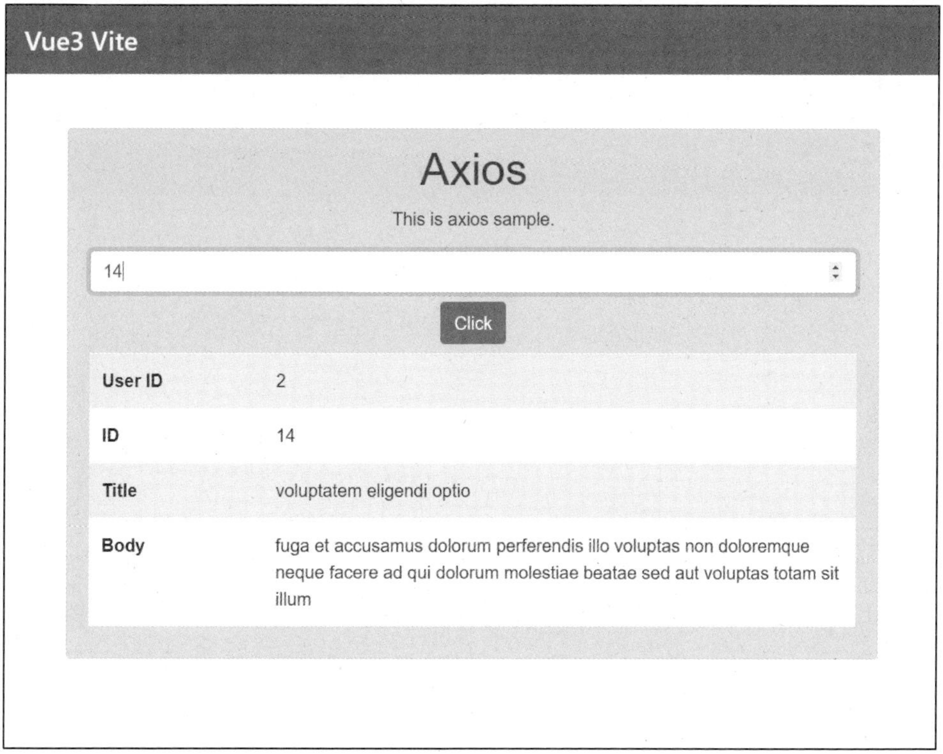

図6-7　入力フィールドに番号を入力しボタンをクリックすると、そのID番号のデータが表示される。

修正したら、アクセスして動作を確かめてみましょう。入力フィールドにID番号を入力し、ボタンをクリックすると、そのID番号のデータを取得して表示します。

doClickの処理をチェック

ここでは、<button @click="doClick">というようにクリックするとdoClickを呼び出すようにしています。ここでの処理を見ると、こうなっていますね。

```
const doClick = ()=> {
  axios.get(url + data.id).then((result)=> {
    data.json_data = result.data
  })
}
```

入力フィールドに入力された値はv-model="data.id"により、this.idに保管されています。この値を取り出し、urlにつけてaxios.getにアクセスをしています。そしてthen内のアロー関数で、引数のresultからdataを取り出し、this.data.json_dataに設定しています。

どうです、非同期を使ったaxios.getの処理にもだいぶ慣れてきたでしょう？ 実際に何度か書いて動かせば、非同期処理はどうやるのか何となくわかってくるものです。

エラー対策はどうする？

ネットワークアクセスを行なう場合、注意しないといけないのは「必ずアクセスに成功するとは限らない」ということでしょう。

アクセスしたアドレスが間違っていたり、あるいはサーバーが停止していたり、データが存在しなかったり、さまざまなことが原因でエラーが発生します。そのような場合、どう対処すればいいのでしょうか。

これには、catchというメソッドを使います。

```
axios.get( アドレス ).then(……).catch((error)=>{……エラー処理……})
```

get.thenの後に、更にメソッドチェーンを使ってcatchを記述します。thenと同じように、引数には関数を用意します。その関数の引数に、エラーの情報をまとめたオブジェクトが渡されます。

エラー対策を追加する

では、実際に使ってみましょう。先ほどのサンプルで、methods部分を以下のように書き換えてみてください。

リスト6-5

```
const doClick = ()=> {
  axios.get(url + data.id).then((result)=> {
    data.json_data = result.data
  }).catch((error)=>{
    data.message = 'ERROR!'
    data.json_data = null
  })
}
```

Vue3 Vite

Axios

ERROR!

123

Click

User ID	-
ID	-
Title	-
Body	-

図6-8　100より大きい数字を入力するとERROR!と表示される。

修正したら、入力フィールドに1～100の整数以外の値を書いてボタンクリックしてみましょう。すると「ERROR!」とメッセージが表示され、テーブルがクリアされます。データが見つからないと、サーバーからHTTP 404エラーというエラーコードが送られてきます。それにより、catchにジャンプして処理が実行された、というわけです。

ネットワークアクセスの限界

Webサイトから JSONデータを取得し利用する方法はわかりました。しかし、実をいえばaxiosなどJavaScriptによるネットワークアクセスでさまざまなデータを利用しようとすると、いろいろな制約があることも確かです。

●静的データを得るだけ

JSONでデータを公開するところなどにアクセスできても、基本は「あらかじめ用意されたデータを読み込むだけ」です。複雑なデータを扱うようになると、例えばデータベースなどを設置してさまざまなデータを作成したり、取り出したりする必要があるでしょう。

けれどそうしたことを行なうためには、サーバー側にデータベース利用のプログラムを設置しないといけません。Vue3のようにフロントエンドだけでは難しいのです。

●実はアクセスできないサイトもある

JavaScriptでは、外部サイトへのアクセスにいろいろと制限があります。CORS（Cross-Origin Resource Sharing、オリジン間リソース共有）という仕組みがあって、サーバー側で「どのサイトからアクセスしてきてもOKですよ」と設定されているところはデータを取得できます。

けれど「あらかじめ指定したところ以外からはアクセスできませんよ」と設定しているところでは、JavaScriptでデータを取り出せないのです。

いろいろなことをやろうとすると、どうしてもVue3が「Webブラウザの中だけで動いている」ということの限界が見えてきます。サーバー側に何もプログラムを持たないVue3では、いろいろできないことも多いのです。

では、もっと高度な処理はVue3では作れないのか。例えば、データベースを使ったり、ユーザー認証でログインさせたり、そうした複雑な機能はVue3で実装できないのでしょうか。

いいえ！ 実は、「Webページ側だけにしかプログラムを用意できない」というVue3でもデータベースなどを使えるようにする魔法のサービスがあるのです。その代表とも言えるのが、Googleが提供する「Firebase」というサービスです。

次は、このFirebaseを利用して、データベースアクセスやユーザー認証などの機能をVue3から使えるようにする方法について説明をしていきましょう。

FirebaseとREST API

データベースサービスを使おう！

もっと高度で複雑なWebアプリケーションを作ろう！ と考えるとき、Vue3にはないさまざまな機能が必要となってきます。その代表的なものは「データベース」でしょう。

データベースは、多量のデータを扱う際に重要になる技術です。たくさんのデータから必要なものを取り出し扱うためには必須のものといっていいでしょう。通常、Webアプリケーションを開発する際には、データベースも同時に用意し、サーバー側にプログラムを設置して必要なデータをデータベースから取り出しながら動くように設計します。

が、Vue3のようにサーバー側の本格的な環境を持たないフロントエンド(クライアント側＝ブラウザ側のこと)だけのWebアプリケーションでは、サーバーにデータベースを組み込んでやり取りする、といったことができません。

サーバーにプログラムを用意できない、フロントエンドだけの開発ではデータベースは使えないのか？ 確かに、以前ならばそうでした。が、今は違います。データベースの機能をサービスとして提供してくれるところがあるのです。それが「Firebase」です。

Firebaseってなに？

Firebaseというのは、Googleが提供するクラウドサービスです。Webサイトにアクセスし、各種の設定や作成を行ない、後は自分のプログラムから、ネットワークアクセスするようにしてサービスを利用します。用意されているサービスは、データベース、ユーザー認証、ストレージ、アプリケーションのホストなど多岐にわたります。これらすべてが、Webページの中からJavaScriptで利用できるようになるのです。

このFirebaseは、本格的なデータベース機能を組み込めないスマートフォンなどで広く使われています。また、Vue3のようにWebサイトにデータベース機能を組み込むような場合にも用いられます。

Firebaseは、以下のアドレスで公開されています。

```
https://firebase.google.com
```

図6-9 Firebaseのサイト。

ここからFirebaseに登録し、データベースの設定などを行ないます。利用の際には、Googleアカウントが必要になります。おそらくほとんどの人は既にアカウントを持っていると思いますが、もしまだGoogleのアカウントを持っていないという人は、以下のアドレスにアクセスしてあらかじめアカウントを登録しておいてください。

```
https://accounts.google.com/SignUp?hl=ja
```

図6-10 Googleのアカウント登録ページ。ここで必要事項を記入してアカウントを作成できる。

Firebaseプロジェクトを作ろう

では、Firebaseを使っていきましょう。Firebaseでは、データベースを利用する際にはまずプロジェクトを作成します。

Firebaseのサイトにある「使ってみる」ボタンをクリックしてください。「Firebase へようこそ」と表示されたページに移動します。これは「Firebaseコンソール」と呼ばれるFirebaseの管理画面です。ここでプロジェクトを作成します。

では、ここにある「プロジェクトを作成」ボタンをクリックしてください。

図6-11 Firebaseコンソールのページ。ここでプロジェクトを管理する。

●1. プロジェクト名

画面に、作成するプロジェクトの設定が現れます。ここで、プロジェクトの名前を入力します。「プロジェクト名」という入力フィールドに名前を記入してください。これは、ユニーク(同じ値が他にないこと)である必要があります。既に使われている名前は使えません。本書では、「tuyano-vue3」という名前でサンプルを作成しますが、この名前はもう使えないので、それぞれで自分のプロジェクトの名前を考えてください。

なお、G-Suite (Google Workspace)アカウントの人は、「親リソースを選択」というボタンで使用ドメインを選択する必要があります。

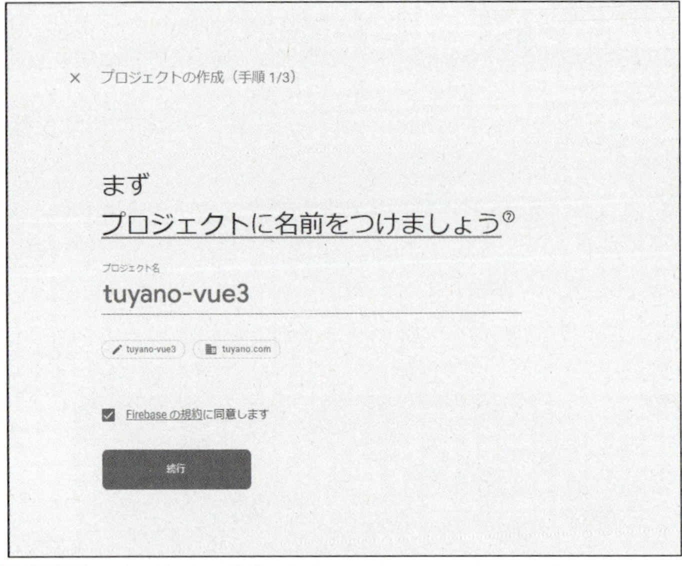

図6-12　プロジェクト名を入力する。

●2. Googleアナリティクスの指定

続いて、Firebase 向け Google アナリティクスの設定を使用する画面になります。今回は、「このプロジェクトでGoogleアナリティクスを有効にする」をOFFにしておいてください。これで、その下の「プロジェクトを作成」ボタンが選択できるようになります。

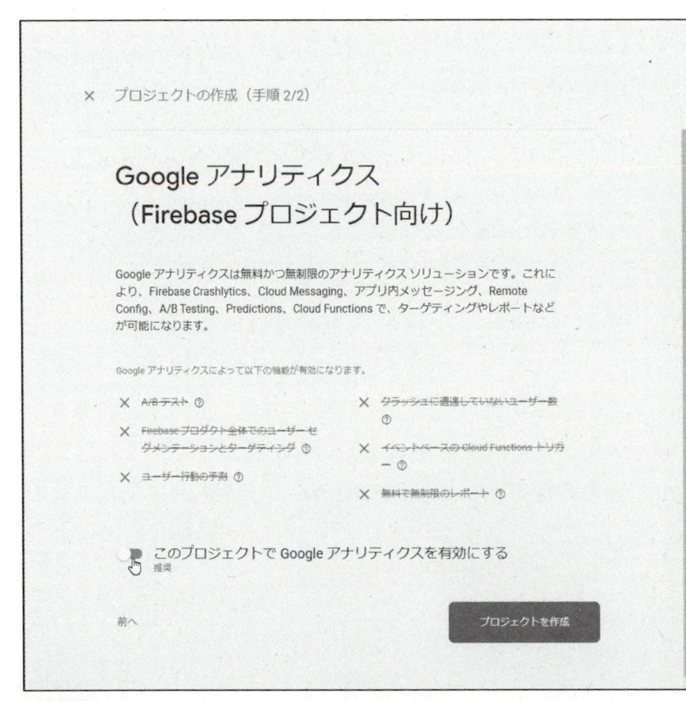

図6-13　Googleアナリティクスを設定する。

●3. プロジェクトを作成する

「プロジェクトを作成」ボタンをクリックすると、プロジェクトの作成を開始します。しばらく待っていると、「新しいプロジェクトの準備ができました」と表示されるので、「続行」ボタンをクリックします。

図6-14　作成の作業が完了すると、このような画面になる。

 プロジェクトのオーバービュー 

プロジェクトが作成されると、プロジェクト利用のためのページが現れます。左側にメニューのようなエリアがあり、右側にはプロジェクト名といくつものパネルのような表示が並んだ画面になります。これは「オーバービュー」という画面で、プロジェクトを管理するFirebaseコンソールのホームページのようなものです。ここから必要な作業を選択してプロジェクトの操作を行ないます。

図6-15 プロジェクトのオーバービュー画面。

コラム Firebaseは、無料なの？ Column

実際にプロジェクトを作成したところで、「これって、タダで使えるの？ それとも料金がかかるんだろうか」と不安になった人もいるんじゃないでしょうか。

これは、両方とも正解です。つまり、「無料」でもあるし、「有料」でもあるのです。Firebaseは、非常に幅広い機能を持っており、プランによって使える機能などが変わってきます。基本的な機能は無料で使えますが、あまりアクセス数が多くなったり、データベースのデータ数が大きくなってくると、無料枠では使えなくなり、有料プランに切り替えることになるでしょう。

要するに、「ある程度アクセスやデータ量が増えるまでは無料で使える」と考えてください。なお、プロジェクトを作成するとデフォルトで無料プランに設定されますから、作っただけで料金を請求されることはありません。ご安心を。

データベースを作ろう

では、作成したプロジェクトにデータベースを作成しましょう。オーバービューの左側に見えるリストから「開発」をクリックし、プルダウンして現れた項目の中から「Realtime Database」をクリックしてください。これは、Firebaseに用意されているデータベース機能の1つです。

図6-16 「Realtime Database」と表示された部分をクリックする。

「Realtime Database」画面

これで、「Realtime Database」という表示に切り替わります。ここで、Realtime Databaseというデータベースの作成や、使い方の説明などを見ることができます。

では、データベースを作成しましょう。「データベースを作成」ボタンをクリックしてください。

図6-17 「Database」の表示。ここでデータベースを作成する。

セキュリティルールの設定

画面に「Realtime Database のセキュリティ ルール」というダイアログが現れます。これは、アクセスを制限するか開放するかを設定するものです。

「ロックモードで開始」を選ぶと、プロジェクトにデプロイしたアプリケーションでのみ利用ができ、それ以外からはデータアクセスできなくなります。「テストモードで開始」を選ぶと、今から30日間、どこからでも自由にアクセスできるようになります。

ここでは、「テストモード」を選択し、「有効にする」ボタンをクリックしましょう。

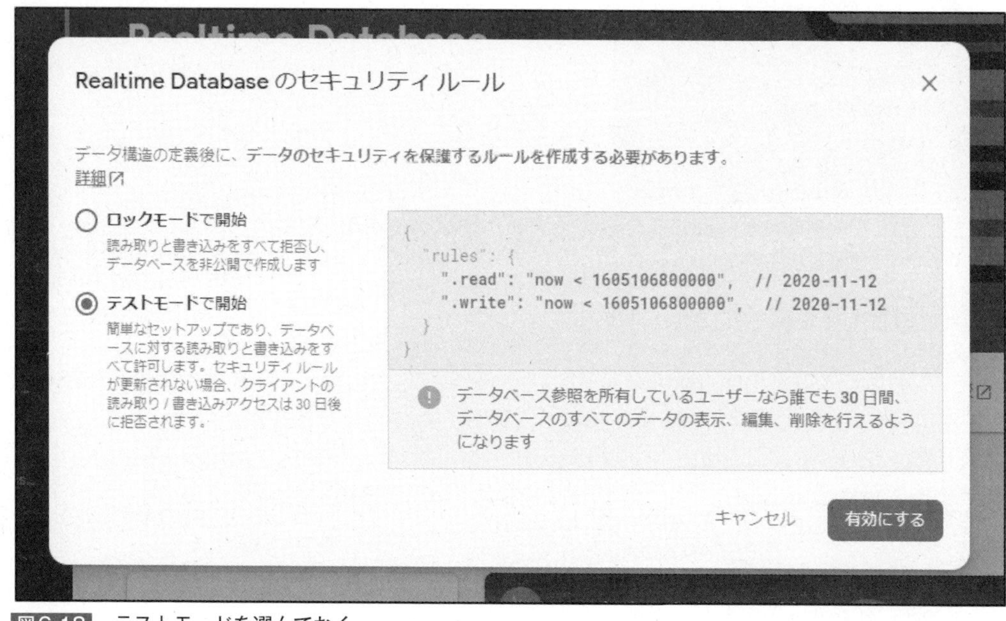

図6-18 テストモードを選んでおく。

データベースが準備できた

ダイアログが消え、「プロジェクト名：null」(サンプルでは、tuyano-vue3: null)という表示になります。これは、まだデータが何もない状態であることを表します。ここに、データを追加して作成していくのです。

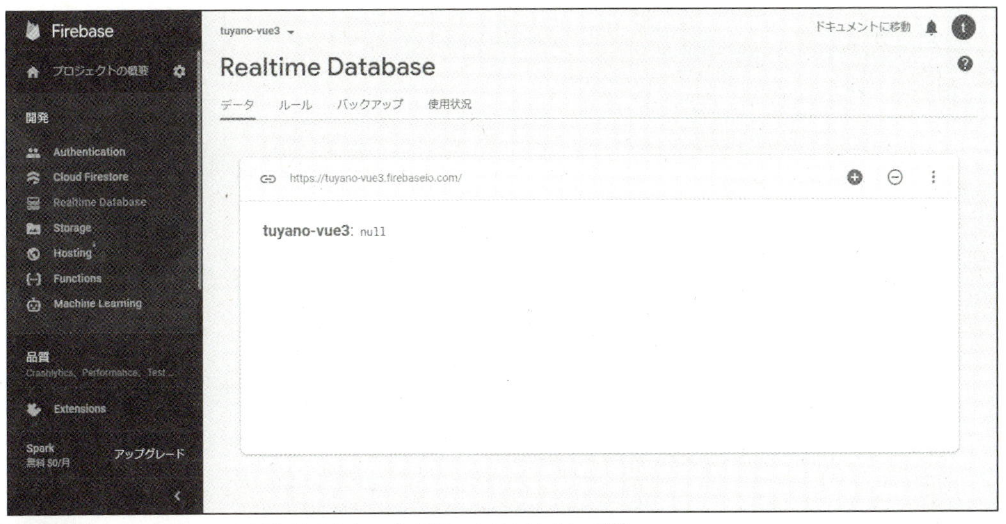

図6-19　データベースの用意ができた。まだデータは何もない状態。

personデータを作成する

データベースのところには、プロジェクト名の項目が1つだけ表示されています。ここにデータを追加していきます。

マウスポインタを移動すると、項目の右側に「＋」マークが表示されるので、これをクリックしましょう。これで新たな項目が用意されます。

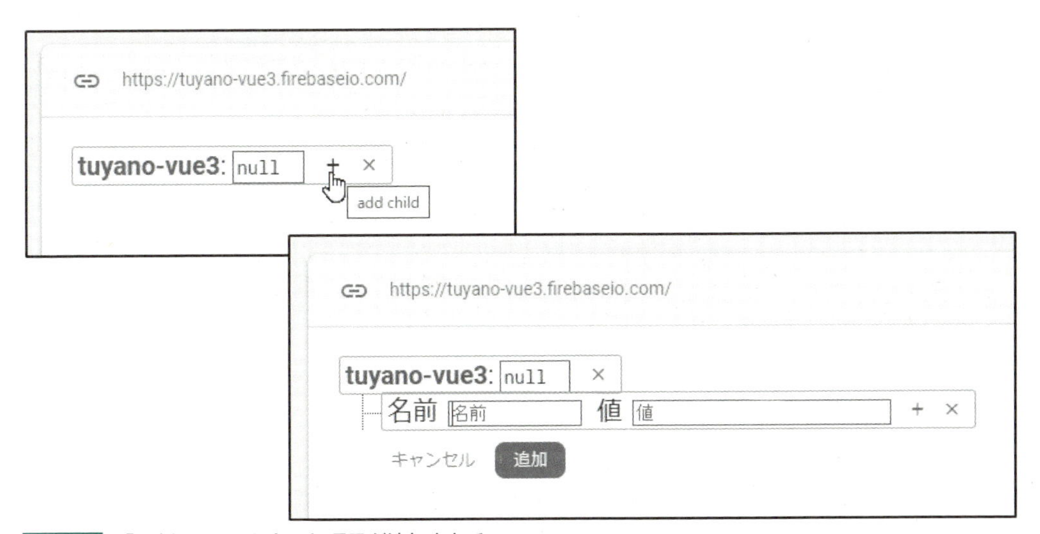

図6-20　「＋」をクリックすると項目が追加される。

名前に「person」と入力します。これがデータベースの名前になります。

図6-21　「person」と名前を入力。

「person」の右側の「＋」を追加し、新たに項目を追加します。そして「taro@yamada」と名前を記入します。これがデータのIDになります。

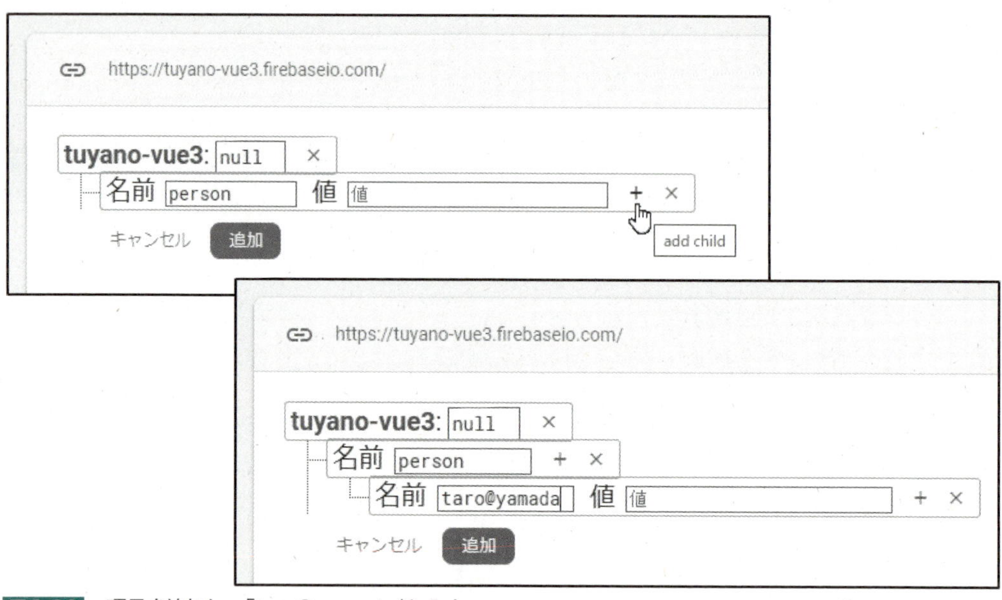

図6-22　項目を追加し、「taro@yamada」と入力。

「taro@yamada」の「＋」を3回クリックします。これで、「taro@yamada」の下に3つの項目が追加されます。

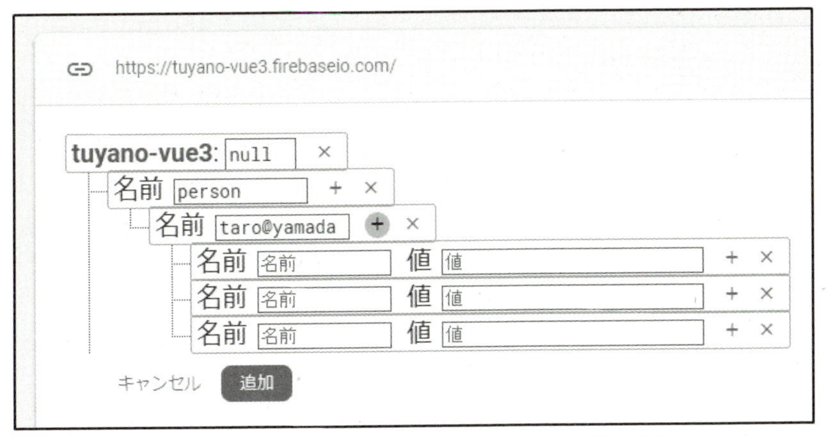

図6-23 「taro@yamada」の「＋」を３度クリックし、３つの項目を追加する。

追加した3つの項目に、以下のように名前と値を記入をします。これがpersonのtaro@yamadaというIDのデータになります。

名前：name	値：山田太郎
名前：tel	値：999-999
名前：age	値：36

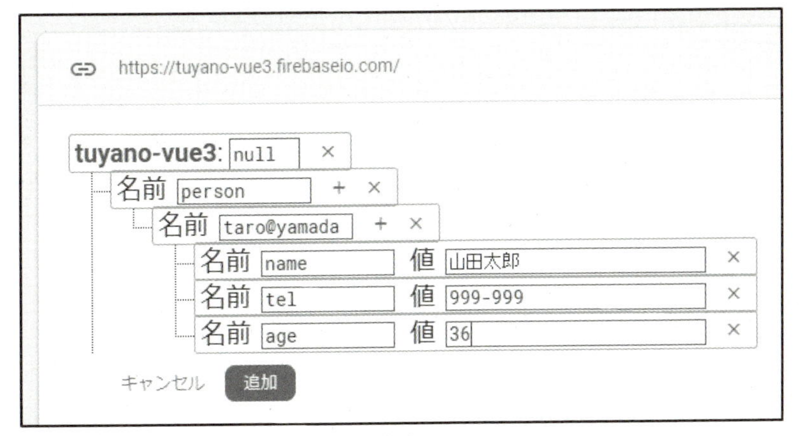

図6-24 3つの項目にそれぞれ値を入力する。

「person」の「＋」をクリックして項目を追加し、「hanako@flower」と入力します。これが2つ目のデータのIDになります。

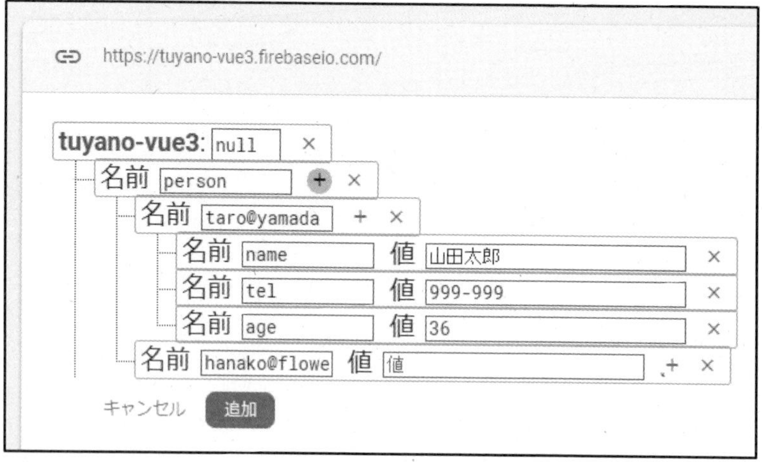

図6-25 「person」の「＋」をクリックし、追加した項目に「hanako@flower」と入力する。

「hanako@flower」の「＋」を3度クリックして3つの項目を作成し、以下のように入力します(値はそれぞれ適当に変えて構いません。が、名前は必ず揃えてください。

名前：name	値：田中花子
名前：tel	値：888-888
名前：age	値：42

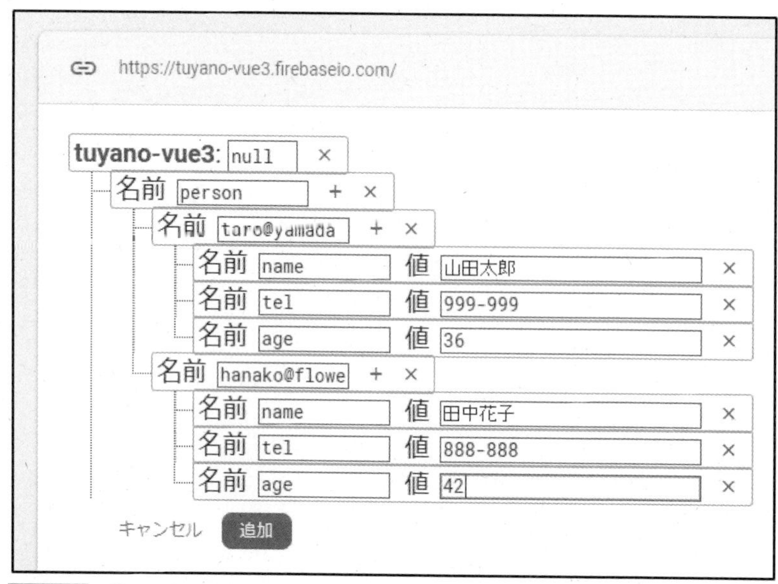

図6-26 「hanako@flower」に3つ項目を追加し、名前と値を入力する。

データの作成の仕方はこれでわかりましたね。「person」の「＋」をクリックしてIDとなるメールアドレスを入力し、そのIDの「＋」を3度クリックして保管する値の項目を用意して「name」「tel」「age」という名前で値を記入します。

やり方がわかったら、それぞれでダミーのデータをいくつか追加してみてください。

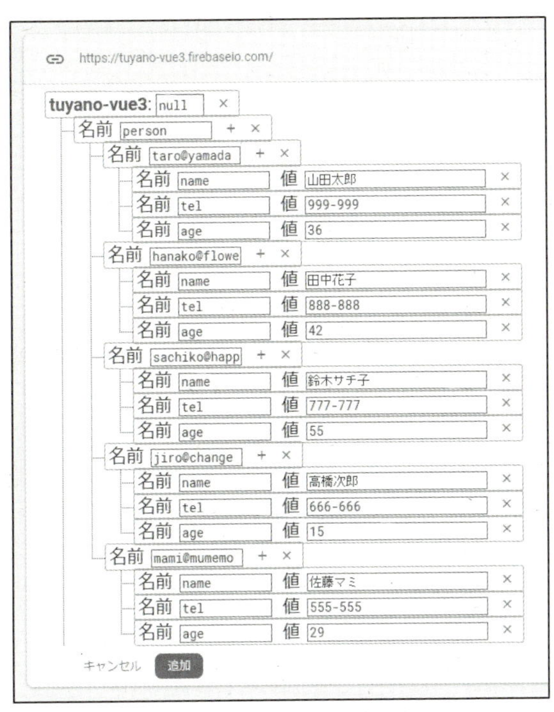

図6-27　同様に、いくつかデータを追加する。

一通りデータを入力したら、一番下の「追加」ボタンを押してください。これでデータが保存され、データベースに追加されます。

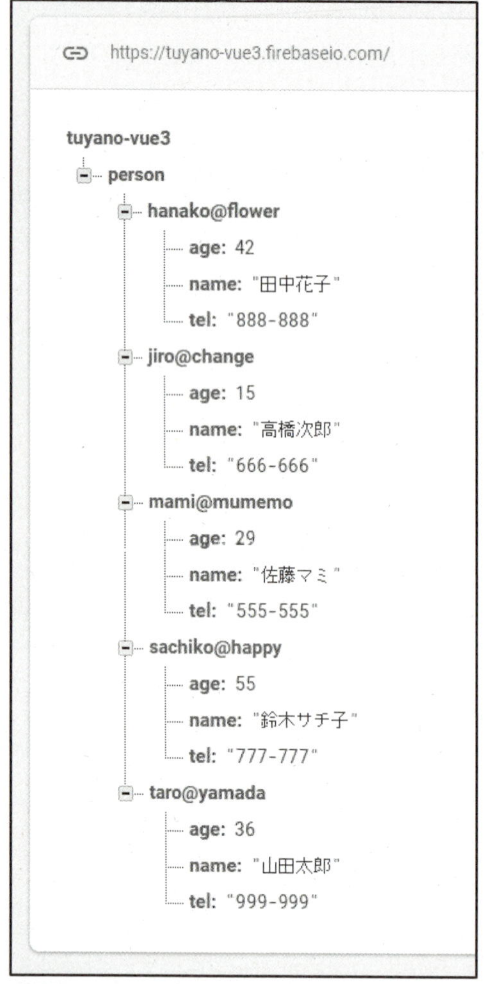

図6-28 「追加」ボタンで、データが追加されたところ。データが階層的に整理され表示される。

データベースにアクセスしよう

これでデータはできました。では、Webブラウザからデータベースにアクセスしてみましょう。ブラウザで、以下のようにアドレスを記入してアクセスしてみてください。

```
https:// プロジェクト .firebaseio.com/person.json
```

先ほど入力したデータが、JSON形式のテキストになって表示されます。Firebaseは、こんな具合にWebから簡単にアクセスできるようになっているのです。

{"hanako@flower":{"age":42,"name":"田中花子","tel":"888-888"},"jiro@change":{"age":15,"name":"高橋次郎","tel":"666-666"},"mami@mumemo":{"age":29,"name":"佐藤マミ","tel":"555-555"},"sachiko@happy":{"age":55,"name":"鈴木サチ子","tel":"777-777"},"taro@yamada":{"age":36,"name":"山田太郎","tel":"999-999"}}

図6-29　Webブラウザからアクセスすると JSON データが表示される。

axios でデータベースにアクセスする

では、作成したデータベースにアクセスをしてみましょう。HelloWorld.vue をここでも使うことにします。ファイルの内容を以下のように書き換えてください。なお、リストの☆マークにある「プロジェクト」の部分は、それぞれが作成したプロジェクト名に書き換えてください。

リスト6-6

```
<template>
  <section class="alert alert-primary">
    <h1>{{data.title}}</h1>
    <p>{{data.message}}</p>
    <table class="table table-light table-striped">
      <thead class="table-dark text-center">
        <tr><th>Name</th><th>Mail</th><th>Age</th></tr>
      </thead>
      <tbody class="text-left">
      <tr v-for="(item, key) in data.fire_data">
        <td>{{item.name}}</td>
        <td>{{item.age}}</td>
        <td>{{key}}</td>
      </tr>
      </tbody>
    </table>
  </section>
</template>

<script>
import axios from 'axios'
import { onMounted, reactive } from 'vue'
```

```
let url = "https://プロジェクト.firebaseio.com/person.json" //☆

export default {
  setup(props) {
    const data = reactive({
      title:'Firebase',
      message:'This is Firebase sample.',
      fire_data: null,
    })
    const getData = ()=> {
      axios.get(url).then((result)=> {
        data.fire_data = result.data
      })
    }
    onMounted(()=> {
      getData()
    })
    return { data }
  },
}
</script>
```

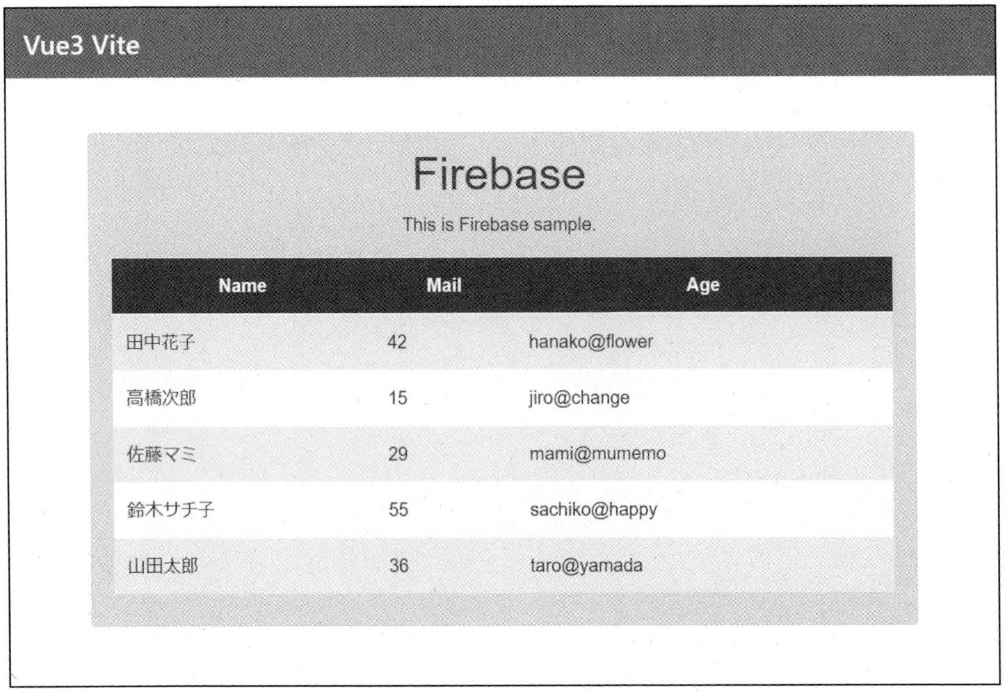

Vue3 Vite

Firebase

This is Firebase sample.

Name	Mail	Age
田中花子	42	hanako@flower
高橋次郎	15	jiro@change
佐藤マミ	29	mami@mumemo
鈴木サチ子	55	sachiko@happy
山田太郎	36	taro@yamada

図6-30 アクセスすると、Firebaseに用意したデータがリスト表示される。

修正したら、実際にWebブラウザからhttp://localhost:3000にアクセスしてみましょう。すると、先ほどFirebaseに用意したデータがリスト表示されます。axiosで、無事にFirebaseにアクセスできました！

アクセスはaxios.getするだけ！

では、どのようにFirebaseにアクセスしているのか見てみましょう。アクセスは、methods内にあるgetDataに用意してあります。

```
const getData = ()=> {
  axios.get(url).then((result)=> {
    data.fire_data = result.data
  })
}
```

見ればわかるように、処理自体は前にJSONPlaceholderにアクセスしたときと全く同じですね。axiosの処理は何も問題はありません。axios.getでurlにアクセスをし、thenのアロー関数でresult.dataを取り出してdata内にあるfire_dataに設定するだけです。

Firebaseから取得したデータの構造

むしろ問題は、取り出したデータをテンプレートで表示する部分にあるかもしれません。ここでは、以下のようにしてデータを表示しています。

```
<tr v-for="(item, key) in data.fire_data">
  <td>{{item.name}}</td>
  <td>{{item.age}}</td>
  <td>{{key}}</td>
</tr>
```

fire_dataには、取り出したpersonデータがまとめられています。データがどのような構造になっていたか思い出してみましょう。メールアドレスをキーにしてオブジェクトが保管されていましたね？ そして、各オブジェクトの中に、name, tel, ageといった項目が用意されていました。

したがって、オブジェクトからは「キー」と「その値」の両方を取り出して処理しないといけません。v-forを見てみるとこうなっています。

```
v-for="(item, key) in data.fire_data"
```

fire_dataから順に値とキーを取り出し、それぞれをitemとkeyに代入して繰り返しを行なっています。繰り返しでは、item.nameで名前、item.ageで年齢、そしてkeyでメールアドレスを表示しています。Firebaseを使う場合は、「どういう構造でデータを作ったか」をよく考えて、必要な値を取り出しましょう。

特定のデータを表示しよう！

単純に、すべての値を表示するのはこれでできるようになりました。次は、特定のデータを取り出して表示させてみましょう。

これは、以下のような形でアクセスを行なえばできます。

```
https://プロジェクト.firebaseio.com/person/キー.json
```

アドレスがちょっと変わっていますね。personの中にあるデータは、そのキーの値を指定して直接取り出せるのです。例えば、/person/taro@yamada.jsonというようにアクセスすると、taro@yamadaのデータを取り出すことができます。

では、これも試してみましょう。HelloWorld.vueの内容を以下のように書き換えてください。これも☆マークのurlは各自のプロジェクト名に変更してください。

リスト6-7

```
<template>
  <section class="alert alert-primary">
    <h1>{{data.title}}</h1>
    <p>{{data.message}}</p>
    <div class="form-inline my-2">
      <input type="text" v-model="data.find"
        class="form-control">
      <button @click="getData" class="btn btn-primary">
        Click</button>
    </div>
    <div class="alert alert-light">
      {{data.fire_data}}
    </div>
  </section>
</template>

<script>
import axios from 'axios'
import { onMounted, reactive } from 'vue'
```

```
let url = "https://プロジェクト.firebaseio.com/person/" //☆

export default {
  setup(props) {
    const data = reactive({
      title:'Firebase',
      message:'This is Firebase sample.',
      find: '',
      fire_data: {},
    })
    const getData = ()=> {
      let id_url = url + data.find + '.json'
      axios.get(id_url).then((result) => {
        data.message = 'get ID=' + data.find
        if (result.data != null) {
          data.fire_data = result.data
        } else {
          data.fire_data = 'no data found...'
        }
      }).catch((error)=>{
        data.message = 'ERROR!'
        data.fire_data = {}
      })
    }
    onMounted(()=> {
      getData()
    })
    return { data, getData }
  },
}
</script>
```

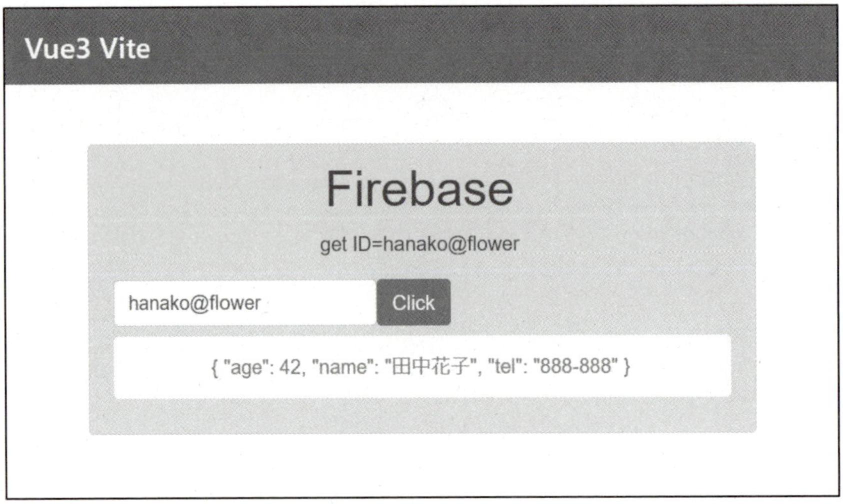

Vue3 Vite

Firebase

get ID=hanako@flower

hanako@flower Click

{ "age": 42, "name": "田中花子", "tel": "888-888" }

図6-31 取り出すキーの値(メールアドレス)を入力しボタンをクリックすると、そのデータが表示される。

今回は、入力フィールドとボタンが1つページに用意されます。フィールドに取り出したいデータのキーを記入し、ボタンをクリックすると、そのキーのデータが取り出され表示されます。

データ取得の流れを整理

では、スクリプトを見てみましょう。今回は、以下のようにベースとなるアドレスを用意してあります(リストの☆マークの部分です)。

```
let url = "https://プロジェクト.firebaseio.com/person/"
```

これに、取り出すデータのキーとなる値を付け足してアドレスを完成させています(「プロジェクト」には、それぞれが作成したプロジェクト名が入ります)。フィールドに入力したテキストは、v-modelでdata.findにバインドされていますから、この値を付け足していけばいいわけですね。

```
let id_url = url + data.find + '.json'
```

後は、axios.get(id_url)でアクセスを行ない、thenの関数で受け取った値の処理を行ないます。注意しておきたいのは、「サーバーから返されるのは、指定したキーの値となるオブジェクトだけだ」という点です。

person.jsonにアクセスしたときのように、全データが返されてそれをv-forで処理するようなことはありません。返されるのは1つの値だけですから、そのままjson_data内の値を{{}}で出力するだけにしてあります。

キーが見つからないと？

ここで、存在しないキーを指定して検索した場合はどうなるでしょうか？ 実は、エラーにはなりません。「no data found...」と表示されるでしょう。

キーが存在しない場合、axios.getの戻り値(thenのアロー関数の引数)は、nullになります。値が得られないことが原因でcatchに飛ばされることはありません。ですから、if (result.data != null) というようにして、null時の対応を用意しておいたのですね。

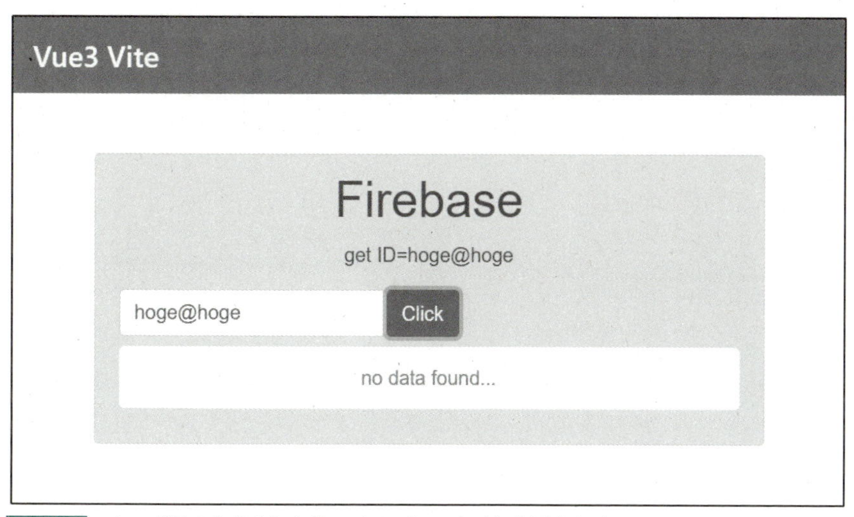

図6-32　キーが見つからないと「no data found...」と表示される。

Section 6-3 Realtime Databaseをマスターしよう

インデックスを追記する

Firebaseのデータベースアクセスのやり方はだいたいわかりました。が、単純に「全データを取り出す」「指定したキーで値を取り出す」というだけでは、行なえることは限られてきます。もっと本格的にデータベースとして使うためには、いろいろと覚えないといけないことがたくさんあります。それらを順に整理していきましょう。

まずは、「検索」についてです。指定のキーで値を取り出すことはできるようになりましたが、これだけではちょっと不便すぎます。もっとさまざまな検索が行なえるようになりたいですね。

そのためには、実はFirebase側にちょっとした仕掛けをしておかないといけません。それは、「インデックス」の設定です。

Firebaseは、「NoSQL」と呼ばれるデータベースです。一般に広く使われているデータベースは、「SQL」というタイプのものが多いでしょう。SQLは、データアクセスのための専用言語で、この言語を使って複雑なアクセスを行なうのです。

が、Firebaseは、SQLは使わないため、複雑なアクセスは行なえません。また特定の項目で検索を行なうためには「インデックス」と呼ばれるものを設定し、「この項目でデータを取り出すよ」ということを知らせておかないといけないのです。

ルールを修正する

では、Firebaseコンソールにアクセスし(https://console.firebase.google.com)、作成したプロジェクトをクリックして開いてください。そして、左側のメニューから「開発」内の「Realtime Database」をクリックし、データベースを表示しましょう。

Chapter 1 Chapter 2 Chapter 3 Chapter 4 Chapter 5 Chapter 6 Addendum

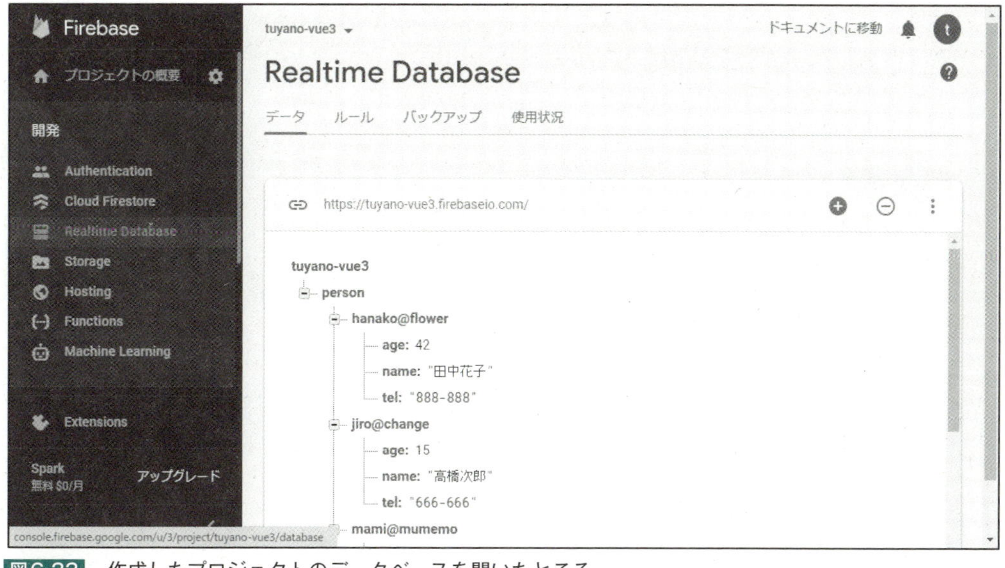

図6-33 作成したプロジェクトのデータベースを開いたところ。

開いたら、データベースの内容が表示されているエリアの上部にある「ルール」というリンクをクリックしましょう。これで、データベースアクセスの設定が表示されます。これは、デフォルトでは以下のように記述されているでしょう(数値や年月日の値はそれぞれ異なります)。

リスト6-8

```
{
  "rules": {
    ".read": "now < 160……略……",  // 年-月-日
    ".write": "now < 160……略……",  // 年-月-日
  }
}
```

データ ルール バックアップ 使用状況

ルールを編集 ルールをモニタリング

ルール プレイグラウンド

```
1 {
2   "rules": {
3     ".read": "now < 1605106800000",  // 2020-11-12
4     ".write": "now < 1605106800000",  // 2020-11-12
5   }
6 }
```

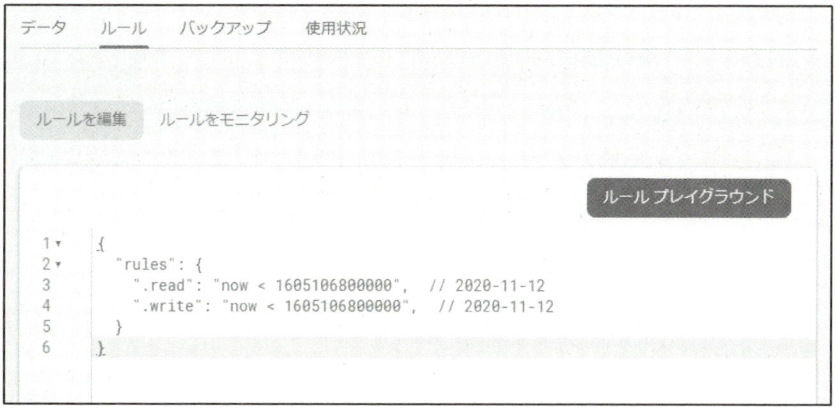

図6-34 「ルール」をクリックすると、設定が表示される。

見ればわかるように、JSONデータとして設定が用意されています。これに、項目のインデックスに関する設定情報を追加すればいいのです。

では、このルールの内容を以下のように書き換えてください。

リスト6-9

```
{
  "rules": {
    "person": {
        ".indexOn":["name","tel","age"]
    },
    ".read": "now < 160……略……",  // 年-月-日
    ".write": "now < 160……略……",  // 年-月-日
  }
}
```

書き換えたら、「公開」ボタンをクリックして公開します。これで、設定が更新され、インデックスが追加されます。

ここでは、"rules"という項目に、新たに以下の項目を追加しました。

```
"person" : {
    ".indexOn":["name","tel","age"]
},
```

これは「person」データに「indexOn」という設定を追加するものです。このindexOnが、インデックスの設定です。ここでは配列を値に用意していますね。これにより、name, tel, ageの項目にインデックスが追加され、それらで値の並べ替えとフィルター処理（検索）ができるようになるのです。

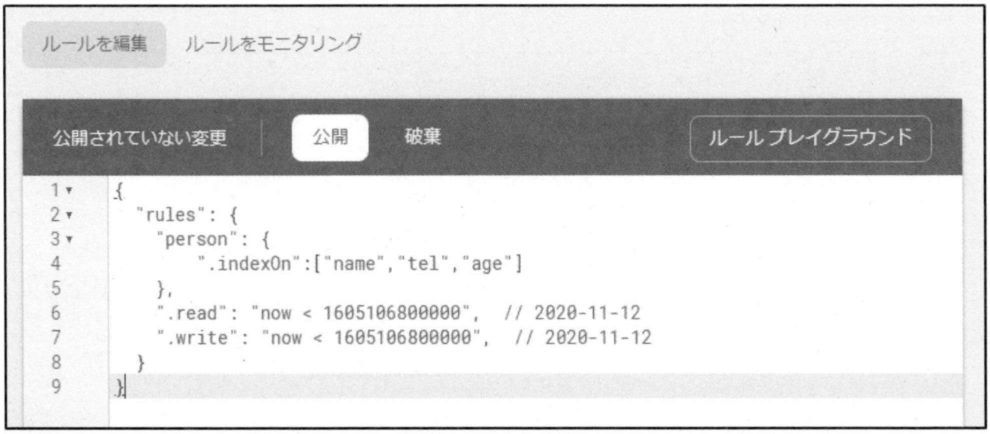

ルールを編集　ルールをモニタリング

公開されていない変更　公開　破棄　ルール プレイグラウンド

```
1 {
2   "rules": {
3     "person": {
4         ".indexOn":["name","tel","age"]
5     },
6     ".read": "now < 1605106800000",  // 2020-11-12
7     ".write": "now < 1605106800000",  // 2020-11-12
8   }
9 }
```

図6-35　内容を追記し、「公開」ボタンをクリックする。

キーによる検索を書き直す

では、インデックスを利用した検索を行なってみましょう。先ほど、personのキー（taro@yamadaなど）を指定してデータを表示しましたが、あれを検索利用の形に書き直してみましょう。

では、HelloWorld.vueの内容を以下のように書き換えて下さい。なお、☆マークの「プロジェクト」のところには、各自作成のプロジェクト名に置き換えてください。

リスト6-10

```
<template>
  <section class="alert alert-primary">
    <h1>{{data.title}}</h1>
    <p>{{data.message}}</p>
    <div class="form-inline my-2">
      <input type="text" v-model="data.find"
        class="form-control">
      <button @click="getData" class="btn btn-primary">
        Click</button>
    </div>
    <div class="alert alert-light">
      {{data.fire_data}}
    </div>
  </section>
</template>

<script>
import axios from 'axios'
import { onMounted, reactive } from 'vue'

let url = "https://プロジェクト.firebaseio.com/person.json? ↵
  orderBy=%22$key%22&equalTo=%22" //☆

export default {
  setup(props) {
    const data = reactive({
      title:'Firebase',
      message:'This is Firebase sample.',
      find: '',
      fire_data: {},
    })
    const getData = ()=> {
      let id_url = url + data.find + '%22'
```

```
      axios.get(id_url).then((result) => {
        data.message = 'get ID=' + data.find
        if (result.data != null) {
          data.fire_data = result.data
        } else {
          data.fire_data = 'no data found...'
        }
      }).catch((error)=>{
        data.message = 'ERROR!'
        data.fire_data = {}
      })
    }
    onMounted(()=> {
      getData()
    })
    return { data, getData }
  },
}
</script>
```

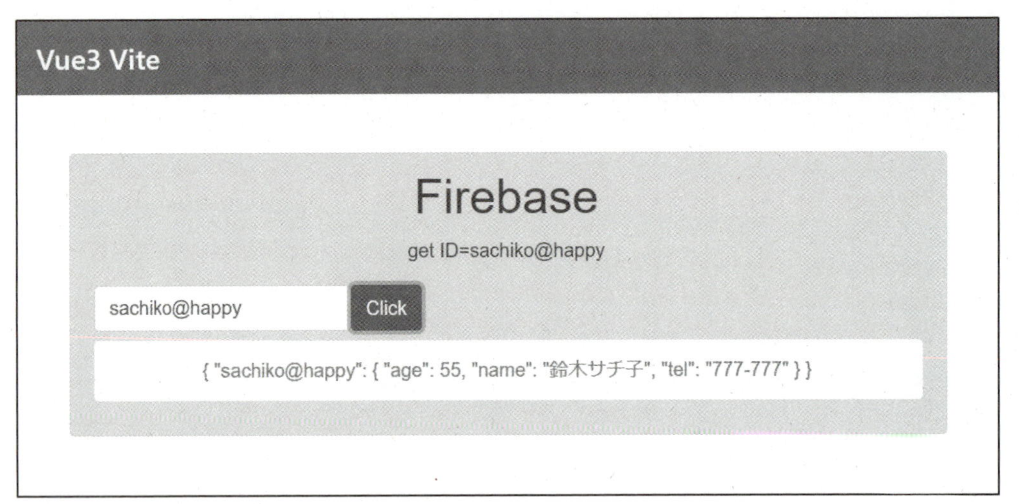

図6-36 キーとなるメールアドレスを記入しボタンを押すと、そのデータを表示する。

アクセスしたら、入力フィールドにキーとなるメールアドレスを記入し、ボタンをクリックしてください。そのキーのデータが表示されます。

検索のためのURLをチェック！

ここでのポイントは、アクセスするアドレスです。ここでは、まずurlに以下の値を用意しています。

```
let url = "https://プロジェクト.firebaseio.com/person.json?↵
  orderBy=%22$key%22&equalTo=%22"
```

そして入力された値がバインドされているthis.findを使い、以下のようにアドレスを完成させています。

```
let id_url = url + find + '%22'
```

これで、キーによる検索を行なうアドレスができました。といっても何だかよくわからないですね。もう少しわかりやすく整理すると、パスの部分はこうなっています。

```
~/person.json?orderBy="$key"&equalTo="検索テキスト"
```

ここでは、person.jsonの後に、?と&記号を付けて2つの項目が記述されています。これは「クエリーテキスト」と呼ばれるもので、アドレスを使って必要な情報をサーバーに送るのによく用いられます。

用意された項目は以下のようなものです。

```
orderBy="$key"
```

検索の際には、まずこれを用意する必要があります。このorderByは、どの項目でデータを並べ替えるかを指定するものです。これは、検索の際には必ず用意する必要があります。また、値は検索の対象となる項目を指定します。ここでは、キーから検索するので、"$key"としています(キーの場合は、$をつけて"$key"とします)。

```
equalTo="検索テキスト"
```

このequalToは、指定した値と等しいデータを取り出すためのものです。例えば、equalTo="a"とすれば、orderByで指定した項目の値が"a"のものだけを取り出します。

得られる値は微妙に違う！

これで、キーを指定してデータを取り出せるようになりました。「さっきとやっていることは同じじゃないか」と思うかもしれません。が、実は同じではないんです。

先ほど(リスト6-7)でtaro@yamadaを検索した場合、得られる値はこうなっていました。

```
{ "age": 36, "name": "山田太郎", "tel": "999-999" }
```

キーはなく、キーに設定された値だけが取り出されていましたね。ところが今回の場合は、取り出されるのは以下のようなデータになるのです。

```
{ "taro@yamada": { "age": 36, "name": "山田太郎", "tel": "999-999" } }
```

オブジェクトの中にtaro@yamadaのキーがあり、それに値となるオブジェクトが用意されています。キーも含めたものがオブジェクトの中にまとめられているのがわかるでしょう。こちらのほうが、得られるデータを扱いやすいですね。

コラム %22って、なに？ Column

ここで使ったアドレスを見ると、説明と微妙に違っているのに気がついたかもしれません。例えば、こんな具合です。

```
orderBy="$key" → orderBy=%22$key%22
```

実は、この2つは同じものなのです。Webのアドレスは、"などの記号類は直接記入することができません。このため、特殊なコードに変換して記述をします。"記号は、%22と記述するようになっているのです。

年齢の範囲を指定して検索する

今度は、範囲を指定して検索を行なってみましょう。ageを使い、「○○歳以上、○○歳以下」というようにしてデータを検索してみます。

では、HelloWorld.vueの内容を以下のように書き換えてください(☆マークの「プロジェクト」にはそれぞれのプロジェクト名を入れてください)。

リスト6-11

```
<template>
  <section class="alert alert-primary">
    <h1>{{data.title}}</h1>
    <p>{{data.message}}</p>
    <div class="form-inline my-2">
      <input type="text" v-model="data.find"
        class="form-control">
```

```
      <button @click="getData" class="btn btn-primary">
        Click</button>
    </div>
    <ul v-for="(item, key) in data.fire_data"
        class="list-group">
      <li class="list-group-item text-left">
        <strong>{{key}}</strong><br>{{item}}</li>
    </ul>
  </section>
</template>

<script>
import axios from 'axios'
import { reactive } from 'vue'

let url = "https://プロジェクト.firebaseio.com/person.json? ↵
  orderBy=%22age%22" //☆

export default {
  setup(props) {
    const data = reactive({
      title:'Firebase',
      message:'This is Firebase sample.',
      find: '',
      fire_data: {},
    })
    const getData = ()=> {
      let range = data.find.split(',')
      let age_url = url + "&startAt=" + range[0]
          + "&endAt=" + range[1]
      axios.get(age_url).then((result) => {
        data.message = 'get ID=' + data.find
        if (result.data != null) {
          data.fire_data = result.data
        } else {
          data.fire_data = 'no data found...'
        }
      }).catch((error)=>{
        data.message = 'ERROR!'
        data.fire_data = {}
      })
    }
    return { data, getData }
  },
}
```

```
</script>
```

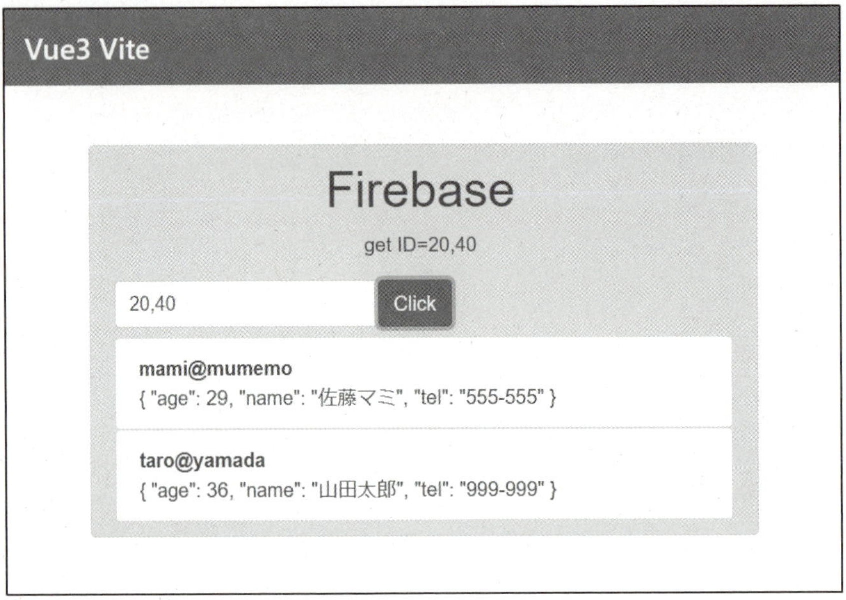

図6-37 「20,40」というように、最小と最大の年齢をカンマで区切って記述しボタンを押すと、その範囲のデータを検索し表示する。

修正できたら、入力フィールドに年齢の最小値と最大値をカンマで区切って書いてください。例えば、20〜40歳の範囲で検索したいなら、「20,40」と記入します。そしてボタンをクリックすると、指定した範囲のデータをリスト表示します。

startAtとendAt

今回のサンプルでは、アクセスするアドレスがまた変わっています。整理すると、こんな感じになっていたのです。

```
〜/person.json?orderBy="age"&startAt=開始&endAt=終了
```

urlという変数に用意されているのは/person.json?orderBy="age"というアドレスですが、getDataではこれに更に&startAt=range[0]&endAt=range[1]という形の値を付け加えてアドレスを完成させています。

ここでは、クエリーテキストの部分に3つの項目を用意してあります。それぞれ以下のような役割を果たしています。

```
orderBy="age"
```

これは先ほども使いましたね。データを並べ替えるのに使う項目を指定するものでした。今回は年齢で検索するため、"age"を指定しています。

```
startAt=開始
```

データの開始の値を指定するものです。このstartAtにより、指定した値以降のもの(値より大きいもの)を取り出します。

```
endAt=終了
```

これは、データの終了の値を指定します。endAtにより、指定した値以前のもの(値より小さいもの)を取り出します。

このstartAtとendAtは、もちろんそれぞれ片方だけでも使うことができます。また、これらは数字だけでなく、テキストでも指定することができます。例えば、startAt="c"&endAt="e"とすれば、c～eの範囲の値を取り出すことができるのです。

データを追加しよう

検索以外にも、データベース操作で必要なことはあります。もっとも重要なのは、新しいデータを追加することでしょう。

データの追加は、以下のようなアドレスにアクセスをします。

```
https://プロジェクト.firebaseio.com/person/キー.json
```

データを保存するキーをアドレスの最後に「キー.json」という形で指定します。このようにアドレスを指定して、axiosの「put」というメソッドを使い、アクセスを行ないます。

```
axios.put( アドレス , オブジェクト )
```

第1引数にデータを追加するキーを指定したアドレスを用意し、第2引数に保管するオブジェクトを用意して呼び出します。これで、指定のキーにオブジェクトが値として追加されます。注意したいのは、「既にそのキーが使われていた場合は、上書きされる」という点です。そこにあった値は消えてしまうので、保存するキーが既に使われているかチェックしてから実行するようにしたほうが良いでしょう。

personにデータを追加する

では、実際に試してみましょう。Firebaseのpersonに、新たにデータを追加するサンプルを考えてみます。HelloWorld.vueの内容を以下のように書き換えて下さい(☆の「プロジェクト」には各自のプロジェクト名を入れてください)。

リスト6-12

```
<template>
  <section class="alert alert-primary">
    <h1>{{data.title}}</h1>
    <p>{{data.message}}</p>
    <div class="text-left">
    <div class="form-group">
      <label>Email</label>
      <input type="text" v-model="data.email"
        class="form-control">
    </div>
    <div class="form-group">
      <label>Name</label>
      <input type="text" v-model="data.username"
        class="form-control">
    </div>
    <div class="form-group">
      <label>Age</label>
      <input type="number" v-model="data.age"
        class="form-control">
    </div>
    <div class="form-group">
      <label>Tel</label>
      <input type="text" v-model="data.tel"
        class="form-control">
    </div>
    <button @click="addData"
      class="btn btn-primary my-3">
      Click</button>
    </div>
    <ul v-for="(item, key) in data.fire_data"
        class="list-group">
      <li class="list-group-item text-left">
        <strong>{{key}}</strong><br>{{item}}</li>
    </ul>
  </section>
</template>
```

```
<script>
import axios from 'axios'
import { onMounted, reactive } from 'vue'

let url = "https://プロジェクト.firebaseio.com/person" //☆

export default {
  setup(props) {
    const data = reactive({
      title:'Firebase',
      message:'This is Firebase sample.',
      email:'',
      username:'',
      tel:'',
      age:0,
      fire_data: {},
    })
    const addData = ()=> {
      if (data.username == '') {
        console.log('no-username!')
        return
      }
      let add_url = url + '/' + data.email + '.json'
      let item = {
        'name': data.username,
        'age': data.age,
        'tel': data.tel
      }
      axios.put(add_url, item).then((re)=>{
        data.email = ''
        data.username = ''
        data.age = 0
        data.tel = ''
        getData()
      })
    }
    const getData = ()=> {
      let all_url = url + ".json"
      axios.get(all_url).then((result) => {
        data.message = 'get all data.'
        data.fire_data = result.data
      }).catch((error)=>{
        data.message = 'ERROR!'
        data.fire_data = {}
      })
```

```
    }
    onMounted(()=> {
      getData()
    })
    return { data, addData, getData }
  },
}
</script>
```

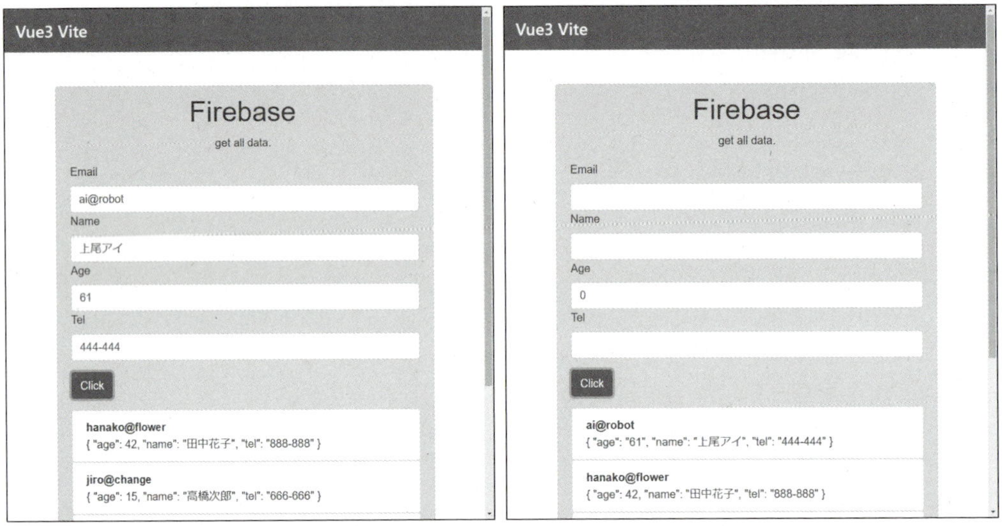

図6-38　フォームに入力しボタンを押すと、その内容がFirebaseに追加される。

今回は、email, name, age, telといった項目からなるフォームが用意されています。フォームの下には、データの一覧がリストにまとめられて表示されます。フォームに値を記入し、ボタンをクリックすると、emailに指定した値をキーにしてデータが追加されます。今回は、既にキーがあるかどうかチェックしていないので、キーがあった場合は上書き保存されます。

スクリプトをチェック！

ここでは、4つの入力フィールドが用意されています。それぞれ、v-modelを使い、email, username, tel, ageといった値にバインドされています。これらの値を使って、入力されたデータを利用できるわけですね。

今回は、アクセス先のアドレスのベースとして以下のような値を用意してあります。

```
let url = "https://プロジェクト.firebaseio.com/person"
```

新たにデータを追加するときは、この後に"/キー.json"というようにしてアクセスすれば、指定のキーにデータを追加できます。また全データがほしければ、この後に".json"とつけてアクセスすればいいわけです。

データの追加は、addData関数で行なっています。ここでは、まずemailの値をキーに指定してアドレスを作成しています。

```
let add_url = url + '/' + data.email + '.json'
```

そして、残る3つの値(username, age, tel)を1つのオブジェクトにまとめます。これが、emailのキーの値となります。

```
let item = {
  'name': data.username,
  'age': data.age,
  'tel': data.tel
}
```

アドレスと値のオブジェクトが用意できたら、axios.putを使ってアクセスします。そして作業完了後は、各フィールドを初期状態に戻し、全データの表示を行なうgetDataを呼び出しておきます。

```
axios.put(add_url, item).then((re)=>{
  data.email = ''
  data.username = ''
  data.age = 0
  data.tel = ''
  getData()
})
```

これで追加処理は完了です。意外に簡単にできてしまいました。

後は、全データを取得して表示するgetData関数ですね。これは、urlに'.json'をつけたアドレスにaxios.getでアクセスし、取り出したデータをfire_dataに設定するだけです。

```
let all_url = url + ".json"
axios.get(all_url).then((result) => {
  data.message = 'get all data.'
  data.fire_data = result.data
}).catch((error)=>{
  data.message = 'ERROR!'
  data.fire_data = {}
})
```

このあたりの処理はもう何度もやりましたからだいたいわかることでしょう。慣れてくると、axios.getによるデータ取得は決まりきった作業を行なうだけなので意外と簡単ですね。

データの削除

続いて、データの削除についても説明しておきましょう。削除も、基本的にはデータの追加と同じようなアドレスを使います。

```
https://プロジェクト.firebaseio.com/person/キー.json
```

追加との違いは、axiosで呼び出すメソッドの違いです。削除は「delete」というメソッドを利用するのです。

```
axios.delete( アドレス )
```

これで、アクセスしたアドレスのキーをデータベースから削除します。データの追加がわかっていれば、やり方はほぼ同じですからすぐにできるようになるでしょう。

Firebaseからデータを削除する

では、これもサンプルを挙げておきましょう。HelloWorld.vueの内容を以下のように書き換えて下さい(☆の「プロジェクト名」には各自のプロジェクト名を入れてください)。

リスト6-13

```
<template>
  <section class="alert alert-primary">
    <h1>{{data.title}}</h1>
    <p>{{data.message}}</p>
    <div class="text-left">
    <div class="form-group">
      <label>Email</label>
      <input type="text" v-model="data.email"
        class="form-control">
    </div>
    <button @click="delData"
      class="btn btn-primary my-3">
      Click</button>
    </div>
    <ul v-for="(item, key) in data.fire_data"
```

Chapter 1 Chapter 2 Chapter 3 Chapter 4 Chapter 5 Chapter 6 Addendum

```
      class="list-group">
    <li class="list-group-item text-left">
      <strong>{{key}}</strong><br>{{item}}</li>
  </ul>
</section>
</template>

<script>
import axios from 'axios'
import { onMounted, reactive } from 'vue'

let url = "https://プロジェクト.firebaseio.com/person" //☆

export default {
  setup(props) {
    const data = reactive({
      title:'Firebase',
      message:'This is Firebase sample.',
      email:'',
      fire_data: {},
    })
    const delData =()=> {
      if (data.email == '') {
        console.log('no-username!')
        return
      }
      let del_url = url + '/' + data.email + '.json'
      axios.delete(del_url).then((re)=>{
        data.message = data.email + 'を削除しました。'
        data.email = ''
        getData()
      })
    }
    const getData = ()=> {
      let all_url = url + ".json"
      axios.get(all_url).then((result) => {
        data.fire_data = result.data
      }).catch((error)=>{
        data.message = 'ERROR!'
        data.fire_data = {}
      })
    }
    onMounted(()=> {
      data.message = 'get all data.'
      getData()
```

```
    })
    return { data, delData, getData }
  }
}
</script>
```

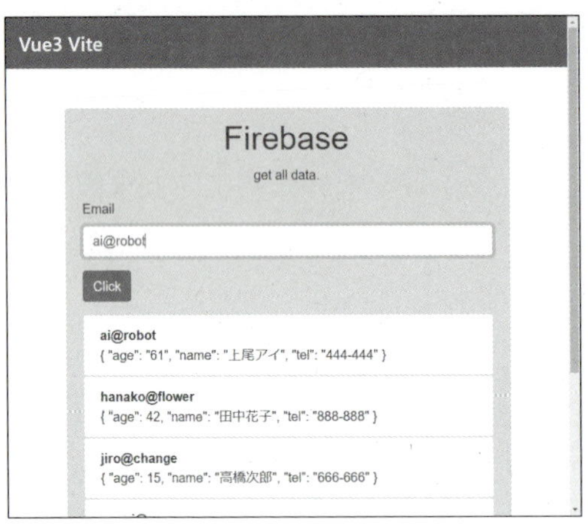

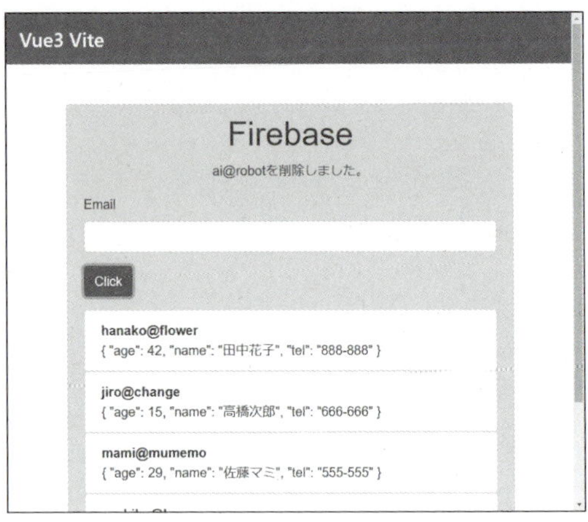

図6-39　キーとなるメールアドレスを入力し、ボタンを押すと、そのキーのデータが削除される。

今回は、Emailを入力するフィールドが1つあるだけです。ここに、削除したいデータのメールアドレスを記入し、ボタンを押すと、そのデータが削除されます。実に簡単！

削除処理をチェック

では、どのように削除を行なっているのか見てみましょう。まず、ベースとなるアドレスを変数に用意しておきます。

```
let url = "https://プロジェクト.firebaseio.com/person"
```

これは、データの追加のときと同じですね。これに、削除するキーを追加して、アクセス先のアドレスを完成させます。

```
let del_url = url + '/' + data.email + '.json'
```

これで「～/person/メールアドレス.json」といったアドレスができました。これを用いて、delData関数で削除処理を行なっています。

```
axios.delete(del_url).then((re)=>{
  data.message = data.email + 'を削除しました。'
```

```
    data.email = ''
    getData()
  })
```

axios.deleteで削除を実行。そして実行後に呼び出されるthenの関数で、messageとemailの値を変更し、getDataを呼び出して表示データを更新します。削除処理そのものはaxios.deleteを呼び出すだけですから簡単ですね。

 Realtime Databaseのポイントは、アドレス！ 

ここまでの説明でだいたいわかってきたことと思いますが、FirebaseのRealtime Databaseを使いこなすためのポイントは、一にも二にも「アドレス」です。どういうアドレスにアクセスすればどういう結果になるのか、それをしっかりと理解しておく必要があります。

Realtime Databaseは、JSONの形式でデータを管理します。JSONデータというのは、{}の中にキーと値が組み込まれている形になっていますね。この「キーと値」が重要です。

Firebaseでは、これらのデータにアクセスする際には、取り出したいキーまでアドレスに含め、最後に「.json」をつけてアクセスをします。例えば、personの中のtaro@yamadaの値を取り出したければ、「～/person/taro@yamada.json」となるわけです。更には、taro@yamadaのnameを取り出すなら、「～/person/taro@yamada/name.json」とすればいいのです。またpersonのデータすべてを取り出すなら、「～/person.json」になるわけですね。

そして、その値を操作する場合は、「どういう形でアクセスするか」を決めるだけです。axiosの場合、操作に使ったメソッドをまとめるとざっと以下のようになります。

get	データを取り出す
put	データを保存する
delete	データを削除する

「～/person/taro@yamada.json」というアドレスにgetでアクセスすればその値が取り出せるし、putでアクセスすれば値を保存できる。またdeleteでアクセスすればその値とキーを削除できる。そういう仕組みになっているのです。

この「アクセスするアドレスと、どのメソッドを使うか」で、Realtime Databaseのデータはすべて操作できます。この基本をしっかりと理解しましょう。

コラム 公開するなら「書き込み」はOFFに！ Column

ここではテスト用に読み書きを外部に公開する形でRealtime Databaseを使用していますが、実際のアプリケーションで利用しようとすると、この状態はあまり好ましくありません。勝手にデータが書き換えられたり削除されたりする危険があるからです。

この後で、ユーザー認証を利用してデータベースを使う方法などについても説明をしますが、とりあえず「安全にデータベースを公開し使えるようにしたい」と思うなら、「データの読み取りのみ許可し、書き込みを許可しない」ようにしておきましょう。これは、Realtime Databaseの「ルール」で設定できます。ルールには、".read"と".write"という項目が記述されていますが、それらを以下のように設定しておきます。

```
".read": true,
".write": false,
```

これで「公開」ボタンを押して公開すれば、データの変更ができなくなります。データを修正したい場合は、Firebaseコンソールにアクセスして手動で編集すればいいでしょう。

Firebase SDKを活用しよう！

Firebase SDKとは？

これで、FirebaseのRealtime Databaseについてはなんとか使えるようになりました。しかし、Firebaseにはその他にもたくさんの機能があります。それらについても、同様に「決まったアドレスにアクセスすればOK」というわけではありません。

またRealtime Databaseにしても、これはテスト用に自由にアクセスできるように設定してあるから可能なわけで、正式公開するプログラムでこんな危険な状態でデータベースを公開するわけにはいきません。

きちんとFirebaseを使おうとするなら、「アドレスを指定して簡単アクセス」ではなく、きちんとしたセキュリティをもとに安全なアクセスが行なえるような仕組みを考える必要があります。というより、Firebaseにはそういう仕組みがちゃんと備わっていて、Realtime Database以外は(いえ、実はこれも含めて)この仕組みを使ってアクセスするようになっているのです。

この「Firebaseに安全にアクセスする仕組み」を提供するのが「Firebase SDK」と呼ばれるプログラムです。これを利用することで、より本格的にFirebaseを利用できるようになります。

プロジェクトにWebアプリケーションを追加する

Firebase SDKを利用するには、まず利用するFirebaseプロジェクトにそのための設定を作成する必要があります。

Firebaseコンソールの画面で、左上に「プロジェクトの概要」という表示があります。その右側の歯車アイコンをクリックし、「プロジェクトを設定」という項目を選んでください。これで、このFirebaseプロジェクトの設定画面が現れます。

この画面には「マイアプリ」という表示があります。ここに、このプロジェクトを利用するアプリケーションを登録します。こうすることで、登録されたアプリケーションだけがプロジェクトにアクセスできるようにしているのです。

図6-40 プロジェクトの設定画面を表示する。

Webアプリケーションを作成する

では、Webアプリケーションを登録しましょう。「マイアプリ」というところにいくつか丸いアイコンが並んでいますね。これが、作成するアプリケーションの種類を示します。この中から、Webアプリケーションのアイコン(「</>」というアイコン)をクリックしてください。画面にアプリケーション名(アプリケーションのニックネーム)を入力する表示が現れます。ここに「vue3-app」と入力し、「アプリを登録」ボタンをクリックしましょう。

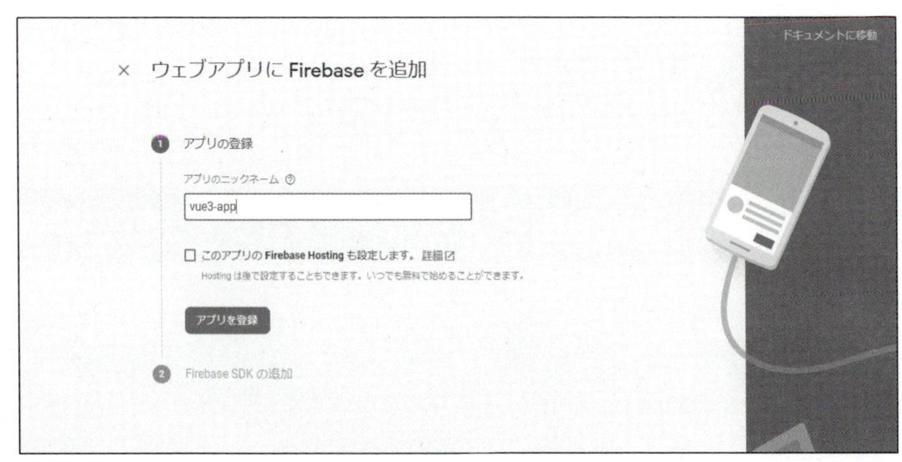

図6-41 アプリケーションのニックネームを記入し、登録する。

Firebase SDKの追加

画面に「ウェブアプリにFirebaseを追加」という表示が現れます。この「②Firebase SDKの追加」という表示の下に、いくつかの<script>タグが表示されます。この部分をコピーしてください。これが、CDNでFirebase SDKを利用するために必要な記述です。コピーしたこの部分は、どこかに保管しておきましょう。

コピーができたら、「コンソールに進む」ボタンをクリックすると、Firebaseコンソールに戻ります。

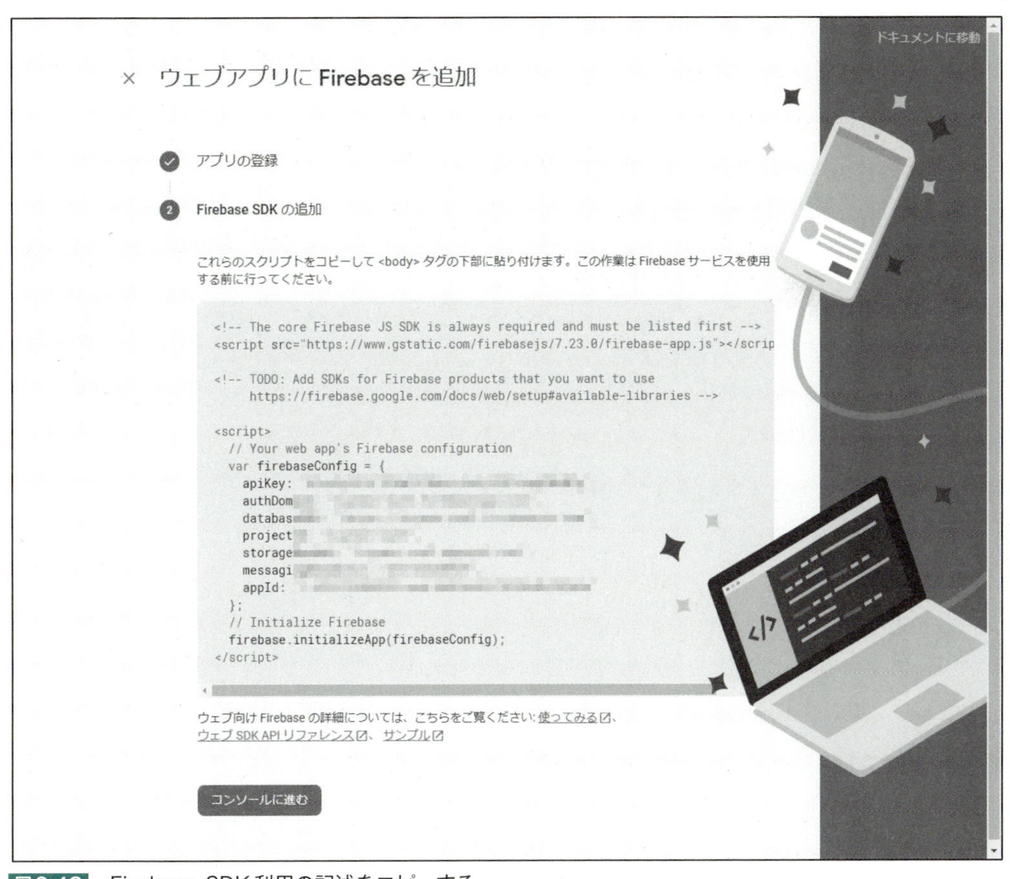

図6-42　Firebase SDK利用の記述をコピーする。

CDNによるFirebase SDKの利用

Firebase SDKを利用するには、大きく2通りの方法があります。1つはCDN（Content Delivery Network）を利用する方法、もう1つはnpmを使ってパッケージをインストールする方法です。

まずは、CDNを利用する方法から説明しましょう。FirebaseのCDNは、Firebase本体と、各種サービスのスクリプトから構成されています。以下に主なAPIのリンクをまとめておきましょう。

●Firebase本体

```
<script src="https://www.gstatic.com/firebasejs/7.23.0/firebase-app.
  js"></script>
```

●Realtime Database

```
<script src="https://www.gstatic.com/firebasejs/7.23.0/firebase-
  database.js"></script><script>
```

●認証機能

```
<script src="https://www.gstatic.com/firebasejs/6.2.0/firebase-auth.
  js"></script>
```

●Firestore（もう１つのデータベース）

```
<script src="https://www.gstatic.com/firebasejs/6.2.0/firebase-
  firestore.js"></script>
```

●ストレージ利用

```
<script src="https://www.gstatic.com/firebasejs/6.2.0/firebase-
  storage.js"></script>
```

例えば、Realtime Databaseを使うならば、Firebase本体のリンクと、Realtime Database用のリンクの2つを用意する必要があります。その他の機能を利用する場合、Firebase本体の他にそれぞれのサービス用のリンクを追記します。

index.htmlを修正する

では、実際にCDNでFirebase SDKを組み込んでみましょう。ここではFirebase本体と、Realtime Databaseを利用できるようにしてみます。

アプリケーションフォルダ内にあるindex.htmlを開いて、その内容を以下に書き換えてください。

リスト6-14

```
<!DOCTYPE html>
<html lang="en">
<head>
  <meta charset="UTF-8">
```

```
  <link rel="icon" href="/favicon.ico" />
  <meta name="viewport" content="width=device-width, initial-scale=1.0">
  <title>Vite App</title>
  <link rel="stylesheet" href="https://stackpath.bootstrapcdn.com/ ↵
    bootstrap/4.5.0/css/bootstrap.min.css" >
  <script src="https://code.jquery.com/jquery-3.5.1.slim.min.js"> ↵
    </script>
  <script src="https://cdn.jsdelivr.net/npm/popper.js@1.16.0/dist/umd/ ↵
    popper.min.js"></script>
  <script src="https://stackpath.bootstrapcdn.com/bootstrap/4.5.0/js/ ↵
    bootstrap.min.js"></script>
</head>
<body>
  <h1 class="bg-secondary text-white h4 p-3">Vue3 Vite</h1>
  <div class="container">
    <div id="app"></div>
  </div>

  <!-- Firebase SDKの記述 -->
  <script src="https://www.gstatic.com/firebasejs/7.23.0/firebase- ↵
    app.js"></script>
  <script src="https://www.gstatic.com/firebasejs/7.23.0/firebase- ↵
    database.js"></script>
  <script>
  // Your web app's Firebase configuration
  var firebaseConfig = {
    apiKey: "APIキー",
    authDomain: "プロジェクト.firebaseapp.com",
    databaseURL: "https://プロジェクト.firebaseio.com",
    projectId: "プロジェクト",
    storageBucket: "プロジェクト.appspot.com",
    messagingSenderId: "メッセージID"
    appId: "アプリケーションID"
  }
  // Initialize Firebase
  firebase.initializeApp(firebaseConfig)
  </script>
  <!-- Firebase SDK ここまで -->

  <script type="module" src="/src/main.js"></script>
</body>
</html>
```

index.htmlの中に、先ほど「Firebase SDKの追加」でコピーした内容を付け足しただけです。コピーした内容は、Firebase利用のためのリンク(<script>タグ)と、Firebaseのセットアップを行なうJavaScriptのスクリプトからなります。

リンクについては既に触れましたね。Firebase本体と利用したいサービスのスクリプトをロードするための<script>タグでした。今回は、Firebase本体とRealtime Databaseのスクリプトをロードするようにしてあります。

 Firebaseの初期化とfirebaseConfig 

Firebase利用のポイントは、その後の<script>タグにあります。ここでは、まず「firebaseConfig」という値を用意しています。これはこのような形になっています。

```
var firebaseConfig = {
  apiKey: "APIキー",
  authDomain: "プロジェクト.firebaseapp.com",
  databaseURL: "https://プロジェクト.firebaseio.com",
  projectId: "プロジェクト",
  storageBucket: "プロジェクト.appspot.com",
  messagingSenderId: "メッセージID"
  appId: "アプリケーションID"
}
```

Firebaseを利用する上で必要となる値がここにまとめられています。これらの値は、自分で用意するのではなく、アプリケーション登録時にFirebaseが自動生成したものをそのままコピーして使います。アプリケーションごとにこの内容は変わりますので、必ず自分が登録したアプリケーションの設定を使ってください。

この設定情報を用意した後、Firebaseを初期化します。

```
firebase.initializeApp(firebaseConfig)
```

firebaseのinitializeAppというメソッドを使って初期化を行ないます。引数には、先ほどのfirebaseConfigを指定します。これで、Firebaseが使える状態になりました！

 personデータを表示する 

では、Vue3のコンポーネントからFirebase SDKを使ってデータを取り出してみましょう。今回もHelloWorld.vueを使います。この内容を以下のように書き換えてください。

リスト6-15

```
<template>
  <section class="alert alert-primary">
    <h1>{{data.title}}</h1>
    <p>{{data.message}}</p>
    <table class="table table-light table-striped">
      <thead class="text-center">
        <tr><th>Name</th><th>Mail</th><th>Age</th></tr>
      </thead>
      <tbody class="text-left">
      <tr v-for="(data, key) in data.fire_data">
        <td>{{data.name}}</td>
        <td>{{data.age}}</td>
        <td>{{key}}</td>
      </tr>
      </tbody>
    </table>
  </section>
</template>

<script>
import { onMounted, reactive } from 'vue'

const person = firebase.database().ref('person/')

export default {
  setup(props) {
    const data = reactive({
      title:'Firebase',
      message:'This is Firebase sample.',
      id:0,
      fire_data: null,
    })
    const getData = ()=> {
      person.once('value', (snapshot)=>{
        data.fire_data = snapshot.val()
      })
    }
    onMounted(()=> {
      getData()
    })
    return { data, getData }
  },
}
</script>
```

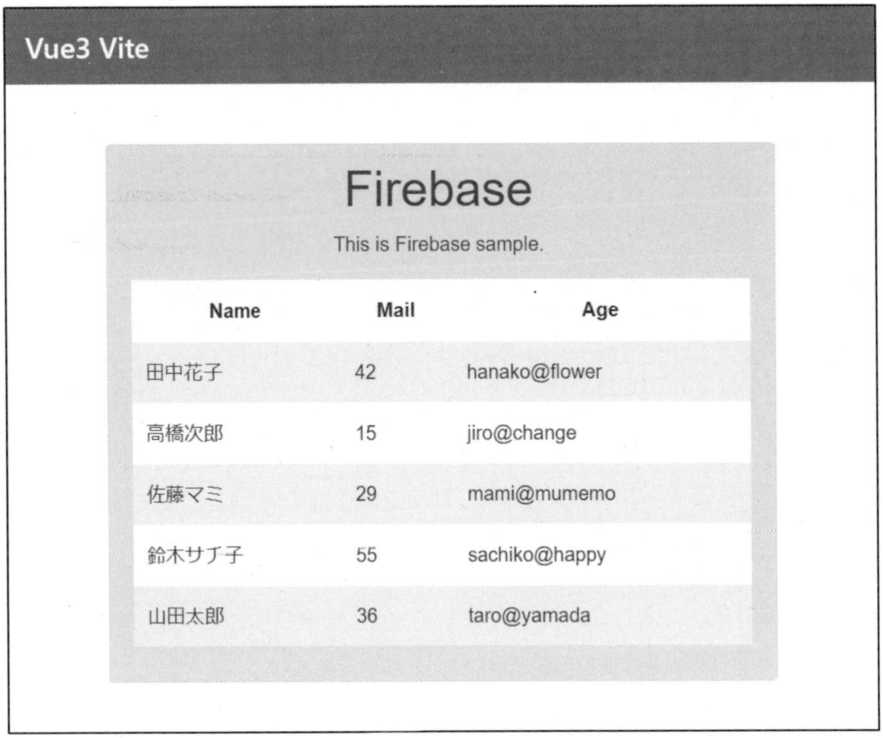

Vue3 Vite

Firebase

This is Firebase sample.

Name	Mail	Age
田中花子	42	hanako@flower
高橋次郎	15	jiro@change
佐藤マミ	29	mami@mumemo
鈴木サチ子	55	sachiko@happy
山田太郎	36	taro@yamada

図6-43 Realtime Databaseのpersonのデータを表示する。

アプリケーションを「npm run dev」で実行してWebブラウザからアクセスをしてみましょう。Realtime Databaseに作成したpersonのデータが表示されます。

では、どのようにしてRealtime Databaseにアクセスをしているのか見てみましょう。まず最初に、Databaseオブジェクトから、personの参照オブジェクトを取り出します。

```
const person = firebase.database().ref('person/')
```

firebaseは、Firebaseのオブジェクトです。ここから、使用するサービスのオブジェクトを取り出します。それを行なっているのが、databaseメソッドです。これで、Realtime Databaseを利用するための「Database」というオブジェクトが得られます。

その後の「ref」は、Realtime Databaseのデータから、特定の項目を参照するオブジェクトを取り出すものです。ここでは、ref('person/') と呼び出していますね？ これで、データベースのpersonの値を参照するオブジェクトが得られます。

onceでアクセスする

取り出したpersonから、更に「once」というメソッドを呼び出して、personのデータを取り出します。この部分ですね。

```
person.once('value').then((snapshot)=>{
  data.fire_data = snapshot.val()
})
```

onceは、参照オブジェクトに一度アクセスし結果を得るためのメソッドです。第1引数に'value'と指定することで、値が得られます。第2引数のアロー関数は、アクセス完了後に呼び出される処理を用意します。引数のsnapshotには、アクセスに関する情報がオブジェクトとしてまとめられ渡されます。

ここでは、snapshot.valメソッドの値を取り出し、それをfire_dataに設定しています。このvalは、取得したデータをオブジェクトとして取り出すものです。Realtime Databaseのデータは、基本的にすべてJSON形式で取り出されますから、それがそのままJavaScriptのオブジェクトに変換され取り出されると考えていいでしょう。

後は、fire_dataをもとにテンプレート側でデータを一覧表示するだけです。これは既に何度もやっていることなので改めて説明するまでもないでしょう。

npmでFirebase SDKを利用する

CDNを利用したFirebase利用の基本はこれでわかりました。次は、npmを使ってFirebase SDKをインストールし利用してみましょう。

では、Visual Studio Codeのコンソールで、実行中の処理をCtrlキー＋Cキーで中断してください。そして、以下のコマンドを実行します。

```
npm install firebase
```

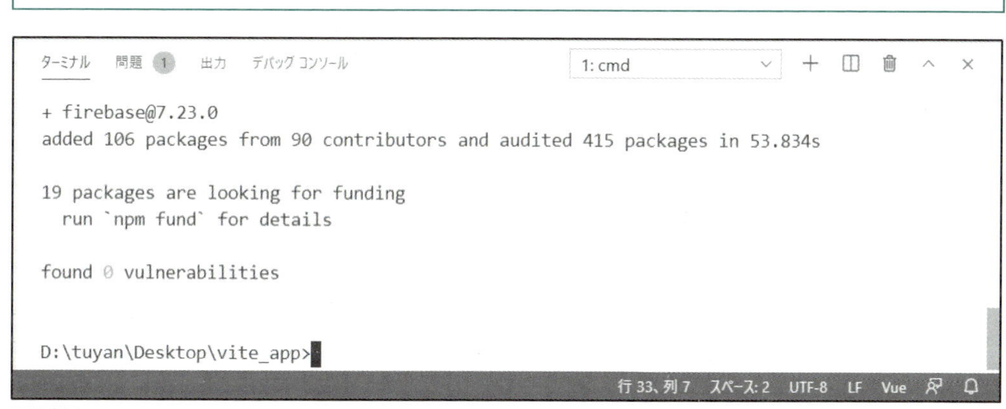

図6-44 npm installでfirebaseをインストールする。

これでFirebase SDKのパッケージがインストールされます。後は、これを利用した処理をコンポーネントに用意すればいいわけですね。

その前に、先ほどindex.htmlに記述したCDN利用のための記述を削除しておきましょう。リスト6-14の<!-- Firebase SDKの記述 -->から<!-- Firebase SDK ここまで -->の部分を削除してください。

コンポーネントを修正する

では、HelloWorld.vueにFirebase SDK利用のための処理を追記しましょう。先ほど、CDNを利用する形でコンポーネントを作成しました。その<script>タグのexport defaultより前の部分を以下のように書き換えてください。

リスト6-16

```
<script>
import { onMounted, reactive } from 'vue'
import firebase from 'firebase'

// Your web app's Firebase configuration
var firebaseConfig = {
  apiKey: "APIキー",
  authDomain: "プロジェクト.firebaseapp.com",
  databaseURL: "https://プロジェクト.firebaseio.com",
  projectId: "プロジェクト",
  storageBucket: "プロジェクト.appspot.com",
  messagingSenderId: "メッセージID"
  appId: "アプリケーションID"
}

// Initialize Firebase
firebase.initializeApp(firebaseConfig)

const person = firebase.database().ref('person/')
```

これで、先ほどと同様にRealtime Databaseのpersonのデータが表示されます。CDNと違い、npmでインストールした場合は、まずimportでfirebaseをロードして初期化を行なう必要があります。が、初期化できてしまえば、後はCDNでもnpmでも全く同じです。

 ソーシャル認証を使おう！ 

Firebaseは、データベースだけしか用意されていないわけではありません。他にもいろいろなサービスが用意されています。中でも非常に大きいのが「ソーシャル認証」の機能が提供されていることでしょう。

ソーシャル認証というのは、GoggleやTwitter、Facebookといったサービスのアカウントを使ってログインする機能のことです。Firebaseには、さまざまな方式の認証機能が用意されています。自分でユーザー名とパスワードを入力してログインするようなものもあれば、ソーシャルサービスのアカウントでログインする機能も用意されているのです。

自分でユーザーを管理する場合、ユーザーの登録や管理などを自分で行なわないといけません。これって、けっこう面倒くさいんですね。が、ソーシャル認証を使えば、ユーザー管理はすべてソーシャルサービスにおまかせできます。ちょっと処理を追加するだけで、簡単にログイン機能が組み込めるのです。

では、実際にやってみましょう。まず、Firebaseコンソールにアクセスし(https://console.firebase.google.com)、作成したプロジェクトを開いてFirebaseコンソールを開いてください。

 Authenticationにアクセス！ 

プロジェクトを開いたら、左側のメニューから「開発」内にある「Authentication」をクリックしてください。これが、ユーザー認証に関する機能を設定するものです。初期状態では、画面の右側に「Authentication」と表示がされ、そこに「始める」というボタンが表示されているでしょう。これをクリックすると、Authenticationが有効になり、右側に認証の設定に関する項目がいろいろと表示されます。ここで、認証に関する各種の設定を行ないます。

図6-45 「Authentication」の画面。

ログイン方法を設定する

Authenticationで最初に行なうのは、ログイン方法の設定です。つまり、「どういう方法でログインするか」を決めるのです。

では、「ログイン方法を設定」というボタンをクリックしてください。ログイン方法の一覧リストが表示された画面に変わります。ここから、利用したい項目を選択して設定をします。一般的な「メール/パスワード」による方式から各種のソーシャルアカウントを利用するものまで、さまざまな方法が用意されていることがわかるでしょう。

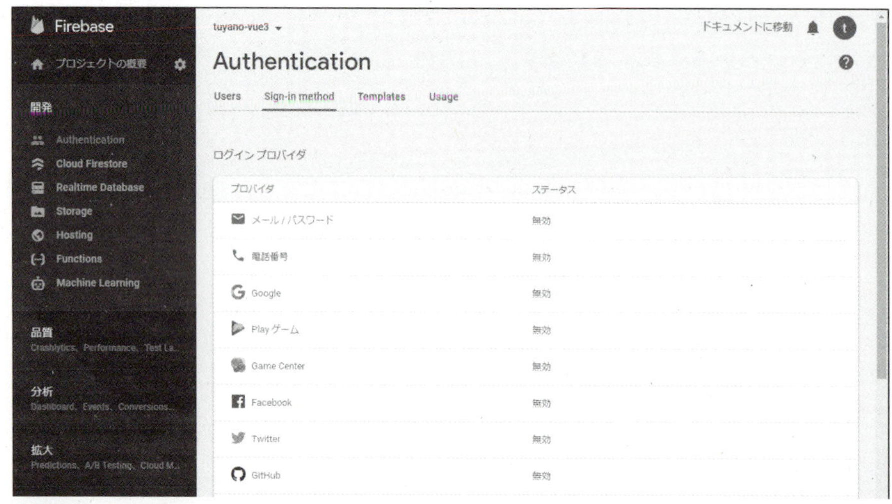

図6-46 ログイン方法の画面。さまざまな方法が用意されています。

Googleアカウントの設定

では、Googleアカウントによる認証を設定しましょう。リストから「Google」をクリックしてください。Googleアカウントによるログインのための設定が現れます。ここで以下のように設定を行ないます。

有効にする	これをクリックしてONにします。これでGoogleアカウントによるログインが使えるようになります。
プロジェクトの公開名	プロジェクト名として使われるものです。これは、ログインのためのスクリプトなどで使われます。デフォルトのままで構いません。
プロジェクトのサポートメール	自分のメールアドレスを選択しておきます。
外部プロジェクトの ID をホワイトリストに追加します（オプション）	他のGoogleプロジェクトと連携して動かすためのものです。何もする必要はありません。
ウェブSDK設定	Webで利用する場合の設定情報です。これもデフォルトのままで設定する必要はありません。

これらを設定し、「保存」ボタンをクリックすれば、Googleアカウントによるログインが使えるようになります。

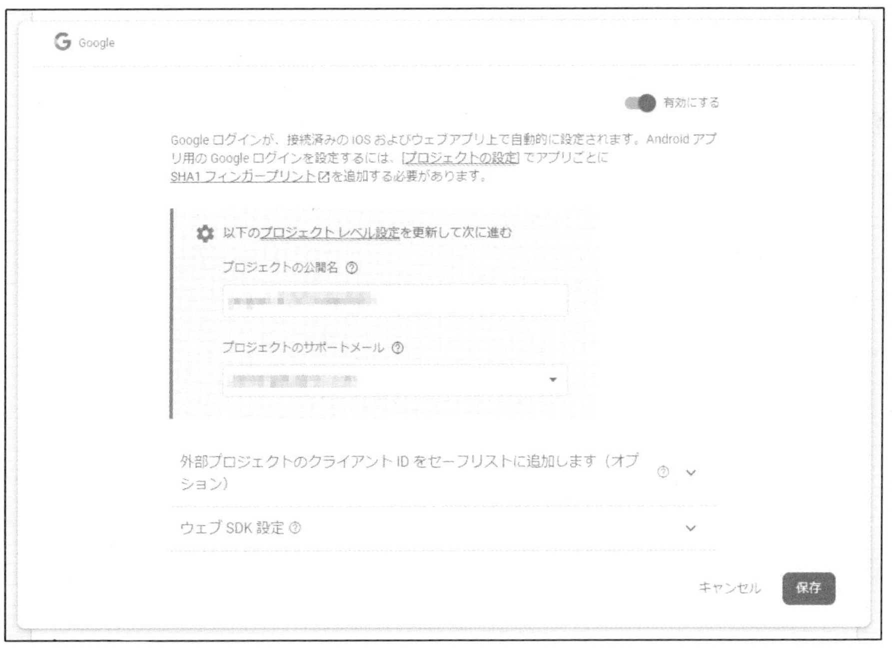

図6-47 Google認証の設定を行なう。

Google認証の手順

では、実際にGoogle認証を利用してみることにしましょう。まず、基本的な処理の流れをここで整理しておきます。

●firebaseの初期化

```
import firebase from "firebase"

var firebaseConfig = {
  apiKey: "APIキー",
  authDomain: "プロジェクト.firebaseapp.com",
  databaseURL: "https://プロジェクト.firebaseio.com",
  projectId: "プロジェクト",
  storageBucket: "プロジェクト.appspot.com",
  messagingSenderId: "メッセージID"
  appId: "アプリケーションID"
}

firebase.initializeApp(firebaseConfig)
```

firebaseの初期化は、既に説明しましたね。firebaseをimportし、設定情報をまとめたfirebaseConfigを用意して、これを引数にinitializeAppを呼び出します。これは、Firebaseの機能を利用する際の基本です。

ここまでが、実際に利用する前の準備部分ですね。これから先が、実際のユーザー認証処理になります。

●OAuthProviderの作成

```
var provider = new firebase.auth.GoogleAuthProvider()
```

firebaseから、GoogleAuthProviderオブジェクトを作成します。これは、OAuthProviderと呼ばれるものの1つで、認証の処理を行なうための機能を提供するものです。GoogleAuthProviderは、Googleアカウントによる認証のための機能を提供するOAuthProviderです。

●ポップアップでGoogle認証する

```
firebase.auth().signInWithPopup(《Provider》).then(function(引数) {
    ……略……
})
```

firebase.authで、認証のためのオブジェクトを取り出せます。signInWithPopupは、ポップアップウインドウを開いてGoogle認証を行なうためのものです。これは非同期で実行されます。現れたウインドウでユーザーが認証を行なうと、その後のthenに用意した関数が実行されます。

認証に必要な処理は、これだけ。これでGoogleアカウントによる認証が行なえるのです。

 Google認証を使ってみる 

では、実際にGoogle認証を使ってみることにしましょう。先ほどまで使っていたHelloWorld.vueをそのまま再利用することにします。内容を以下のように書き換えてみてください。なお、firebaseConfigの部分は、それぞれのプロジェクトの設定に書き換えてください。

リスト6-17

```
<template>
  <section class="alert alert-primary">
    <h1>{{data.title}}</h1>
    <p>{{data.message}}</p>
  </section>
</template>

<script>
import { onMounted, reactive } from 'vue'
import firebase from 'firebase'

// Your web app's Firebase configuration
var firebaseConfig = {
  apiKey: "APIキー",
  authDomain: "プロジェクト.firebaseapp.com",
  databaseURL: "https://プロジェクト.firebaseio.com",
  projectId: "プロジェクト",
  storageBucket: "プロジェクト.appspot.com",
  messagingSenderId: "メッセージID"
  appId: "アプリケーションID"
}

// Initialize Firebase
firebase.initializeApp(firebaseConfig)

const person = firebase.database().ref('person/')
var provider = new firebase.auth.GoogleAuthProvider()
```

Chapter 1 Chapter 2 Chapter 3 Chapter 4 Chapter 5 Chapter 6 Addendum

```
export default {
  setup(props) {
    const data = reactive({
      title:'Firebase',
      message:'This is Firebase sample.',
      id:0,
      fire_data: null,
    })
    const authNow = ()=> {
      firebase.auth().signInWithPopup(provider)
        .then((result)=> {
          data.message = result.user.displayName + ', '
            + result.user.email
        })
    }
    onMounted(()=> {
      authNow()
    })
    return { data, authNow }
  },
}
</script>
```

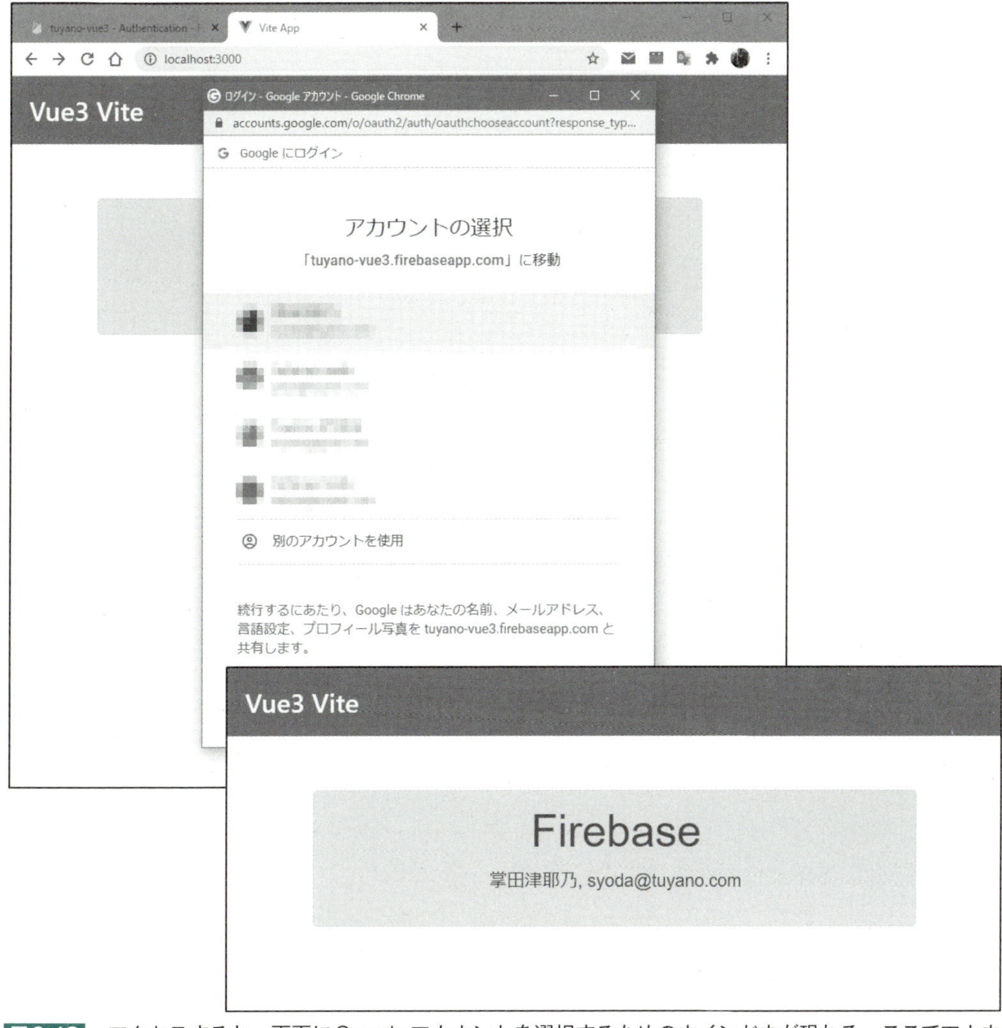

図6-48 アクセスすると、画面にGoogleアカウントを選択するためのウインドウが現れる。ここでアカウントを選ぶと、そのアカウントのメールアドレスとユーザー名が表示される。

修正ができたら、Visual Studio Codeのターミナルからnpm run devでアプリケーションを実行し、Webブラウザでアクセスをしてください。既にアクセスしている人はリロードしましょう。

アクセスすると、画面にGoogleアカウントを選択するためのウインドウがポップアップして現れます。ここでアカウントを選択すると、ポップアップウインドウが消え、選択したアカウントのメールアドレスと利用者名が表示されます。

（※なお、ブラウザの設定によっては、ポップアップウインドウがブロックされ表示されない場合もあります。その場合はポップアップを許可して再度試してください）

認証処理の流れをチェック！

では、認証はどのようにして行なっているのか見てみましょう。ここでは、authNowというメソッドに認証処理を用意してあります。ここではsignInWithPopupを呼び出し、その後のthenの関数でログイン後の処理を行なっています。この部分ですね。

```
firebase.auth().signInWithPopup(provider)
  .then((result)=> {
    data.message = result.user.displayName + ', '
      + result.user.email
  })
```

ログインしたユーザーの情報は、result.userで得ることができます。この値はオブジェクトになっており、「user」という値に認証したユーザーに関する値が用意されます。このresult.userの中に、認証したユーザーに関する情報が以下のようにまとめられています。

providerID	利用しているOAuthProviderのID
uid	ユーザーに割り当てられたID
displayName	表示される名前
email	メールアドレス
phoneNumber	電話番号

これらは、常にすべての値が得られるわけではありません。phoneNumberなどは設定されていない場合もあるでしょう。ここでは、displayNameとemailの値を取り出してmessageに設定しています。

なお、認証を行なわず、アカウント選択のウインドウを閉じた場合は、thenの処理は実行されません。

ログイン状態でデータベースアクセスするには？

とりあえず、Firebaseを使ってログインすることはできるようになりました。が、これはまだ「ソーシャル認証を使ってログインを行なう」というだけです。ログインした状態を保持して、それに応じて処理を行なうようにはなっていません。

また、このユーザー認証は、そのままFirebaseのデータベースへのアクセスでも利用できます。ここまでの処理は、すべて「公開されたデータベース」を使っていました。つまり、「誰でもアクセスできる状態」になっていたのです。

まぁ、データベースの学習用ならこれでも問題ありませんが、実際に作ったアプリケーションを公開するとなると、このままでは問題があります。公開された状態では、誰がどのようにデータベースにアクセスするかわかりません。勝手に内容を改ざんされてしまう危険もあるのです。

せっかくユーザー認証の仕方がわかったのですから、データベースを非公開にし、「ユーザー認証してログインしたユーザーだけがアクセスできる」というようにしてみましょう。

データベースのアクセス権を設定する

では、実際にソーシャル認証を使ってデータベースにアクセスをしてみましょう。まず最初に、Firebaseのデータベースの設定を変更します。

Firebaseコンソール(https://console.firebase.google.com)にアクセスし、作成したFirebaseプロジェクトを開いてください。そして左側のリストから「開発」内の「Realtime Database」を選択し、右側の表示部分にある「ルール」をクリックします。これでデータベースのルール設定が表示されます。

ここに表示された設定の内容を書き換えましょう。以下のように修正し、「公開」ボタンで公開してください。

リスト6-18

```
{
  "rules": {
    "person" : {
            ".indexOn":["name","tel","age"]
    },
    ".read": "auth != null",
    ".write": "auth != null"
  }
}
```

ここでは、readとwriteの値を "auth != null" と変更しています。authは、ログインユーザーの情報です。つまり、"auth != null" と設定することで、ログインしたユーザーがnullではない(つまりログインしている)場合にのみreadとwriteが利用できるようになります。

ルールを編集　ルールをモニタリング

公開されていない変更　公開　破棄

```
{
  "rules": {
    "person": {
        ".indexOn":["name","tel","age"]
    },
    ".read": "auth != null",
    ".write": "auth != null",
  }
}
```

ルール プレイグラウンド ×
シミュレーション タイプ
読み取り
ロケーション
https://tuyano-vue3.firebaseio.com
/
認証済み
実行

図6-49　Realtime Databaseのルールを修正する。

コラム axiosでデータが取れない！ Column

データベースのルール設定を変更すると、これまでaxiosでFirebaseにアクセスしていたプログラムはすべて動かなくなります。アクセスしてもデータが取れなくなるのです。

先にaxiosを使ってRealtime Databaseにアクセスした処理は、公開されたアドレスにgetアクセスしてデータを取得するもので、これはデータベースが非公開になると使えません。認証ユーザーのみアクセスできるように修正すると、もうデータはやり取りできなくなります。

ログインするとデータベースを表示する

では、ソーシャル認証でログインをするとRealtime Databaseのデータベースが表示される、という処理を作成してみましょう。HelloWorld.vueの内容を以下のように書き換えてください。例によってfirebaseConfigの内容はそれぞれのプロジェクト向けに修正しましょう。

リスト6-19

```
<template>
  <section class="alert alert-primary">
    <h1>{{data.title}}</h1>
    <p>{{data.message}}</p>
    <table class="table table-light table-striped">
      <thead class="text-center">
        <tr><th>Name</th><th>Mail</th><th>Age</th></tr>
      </thead>
      <tbody class="text-left">
      <tr v-for="(data, key) in data.fire_data">
        <td>{{data.name}}</td>
        <td>{{data.age}}</td>
        <td>{{key}}</td>
      </tr>
      </tbody>
    </table>
  </section>
</template>

<script>
import { onMounted, reactive } from 'vue'
import firebase from 'firebase'

// Your web app's Firebase configuration
var firebaseConfig = {
  apiKey: "APIキー",
  authDomain: "プロジェクト.firebaseapp.com",
  databaseURL: "https://プロジェクト.firebaseio.com",
  projectId: "プロジェクト",
  storageBucket: "プロジェクト.appspot.com",
  messagingSenderId: "メッセージID",
  appId: "アプリケーションID"
}

// Initialize Firebase
firebase.initializeApp(firebaseConfig)

var provider = new firebase.auth.GoogleAuthProvider()
const person = firebase.database().ref('person/')

export default {
  setup(props) {
    const data = reactive({
      title:'Firebase',
      message:'This is Firebase sample.',
```

```
      fire_data: null,
    })
    const authNow = ()=> {
      firebase.auth().signInWithPopup(provider)
        .then((result)=> {
          data.message = result.user.displayName + ', '
            + result.user.email
          getData()
        })
    }
    const getData = ()=> {
      person.once('value', (snapshot)=>{
        let res = snapshot.val()
        data.fire_data = res
      })
    }
    onMounted(()=> {
      authNow()
    })
    return { data, authNow, getData }
  },
}
</script>
```

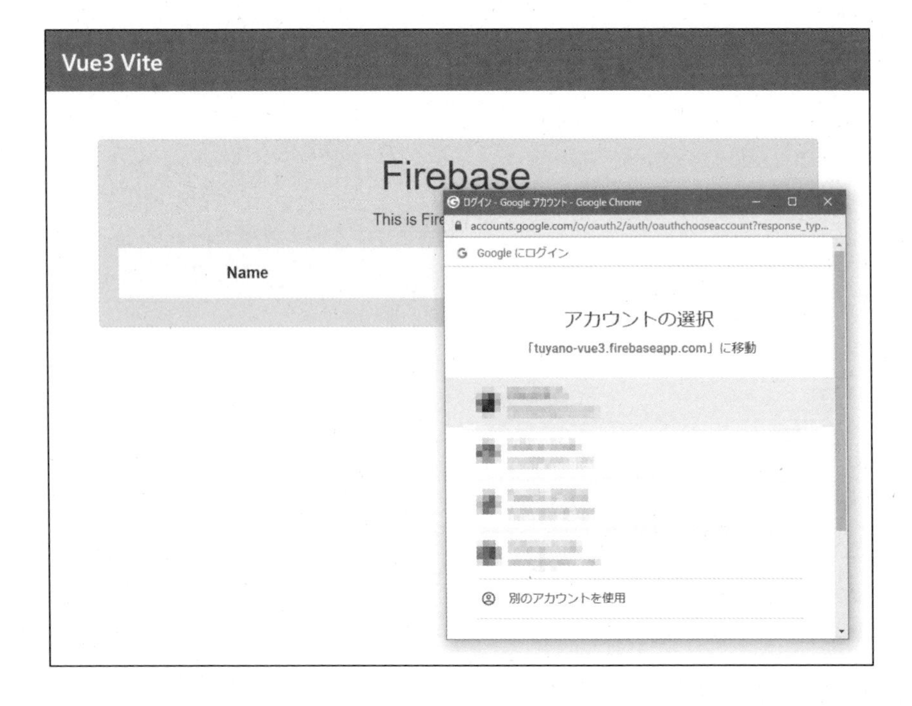

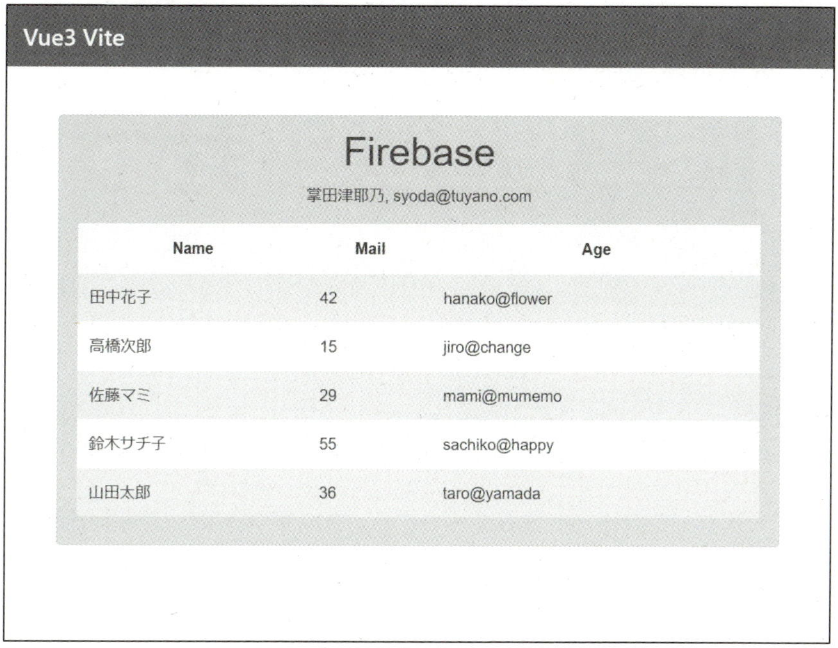

Vue3 Vite

Firebase

掌田津耶乃, syoda@tuyano.com

Name	Mail	Age
田中花子	42	hanako@flower
高橋次郎	15	jiro@change
佐藤マミ	29	mami@mumemo
鈴木サチ子	55	sachiko@happy
山田太郎	36	taro@yamada

図6-50　アクセスするとデータは表示されないが、Googleの認証画面からログインするとデータが表示されるようになる。

Webブラウザでアクセスするかリロードすると、最初はデータが表示されません。そしてすぐにGoogleのログインのためのウインドウが現れます。ここでログインすると、データが表示されるようになります。ログインをしないと表示されないままです。

今回は、ソーシャル認証の処理をauthNow、データベースアクセスをgetDataにそれぞれまとめており、ページが作成されたときと、authNowでログインが完了したときにそれぞれgetDataを呼び出すようにしています。アクセスしたばかりのときはRealtime Databaseからデータは得られません。authNowでログインした後でgetDataすると、今度はデータが取り出せます。

今回やっていることは、既にこれまで試した機能だけです。認証とデータベースアクセスを組み合わせれば、こんな具合にメンバー制のサイトなども作れるようになるのです。

Section 6-5 ミニ伝言板を作ろう

 ミニ伝言板を作ってFirebaseをマスター！ 

既にFirebase SDKはインストールされていますし、ユーザー認証など一部の機能も使っています。またFirebaseデータベースの作成や設定など基本的なこともわかっていますね。あとはFirebase SDKのいくつかの機能を覚えてデータベースにアクセスできるようになれば、安全なアプリケーションを作れるようになるでしょう。

そこで、簡単な利用例として、Googleのソーシャル認証でログインし投稿するミニ伝言板を作ってみましょう。

ログインして使う伝言板

作成するのは、ミニ伝言板です。アクセスすると、画面にGoogleアカウントの認証ウインドウが現れるので、認証をしてください。認証ウインドウが消え、伝言メッセージが表示されます。

メッセージは最新のもの10個が表示されます。入力フィールドになにか書いて「投稿」ボタンを押せば、その場で投稿できます。また、左上に表示されているログインユーザー名の部分をクリックすると、ログアウトや再ログインが行なえます。

Board_app

[login:掌田津耶乃]

投稿しました。

Message

投稿

Messages

投稿してみます。問題なさそう？

Hanako YAMADA (2020-10-13 21:2:41)

とりあえず、全部動くようになった。問題はないかな？　いろいろ確かめてみよう。

掌田津耶乃 (2020-10-13 20:59:12)

テストで投稿するね～❤

Tuyano SYODA (2020-10-13 20:41:56)

This is test.

掌田津耶乃 (2020-10-13 20:36:27)

図6-51　ログインすると、最新の投稿が表示される。その場で投稿もできる。

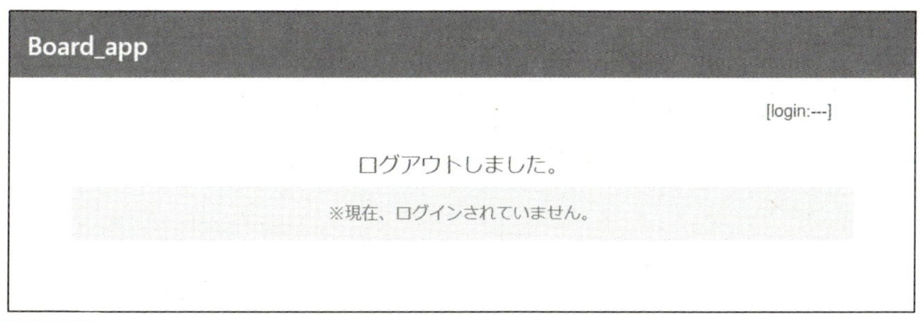

図6-52　ログアウトすると、投稿された伝言も表示されなくなる。投稿もできない。

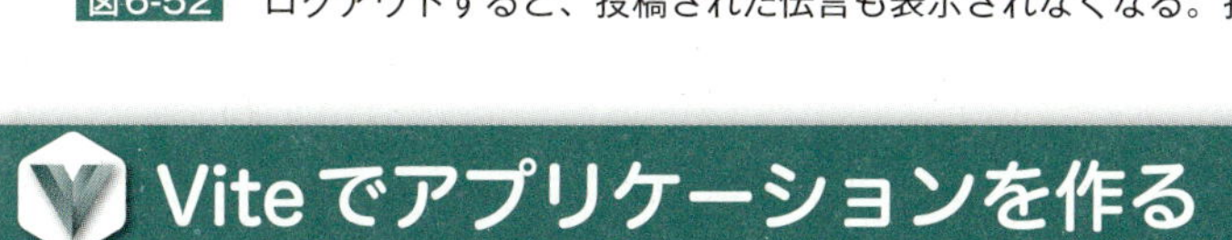

Viteでアプリケーションを作る

では、実際に作成していきましょう。今回は、新しいアプリケーションとして作成してみることにします。Vue3のアプリケーション作成に用いられる「Vite」を利用することにしましょう。

コマンドプロンプトまたはターミナルのアプリケーションを起動し、「cd Desktop」でデスクトップに移動してください。そして、以下のように実行しましょう。

```
npm init vite-app board_app
```

```
コマンド プロンプト
Microsoft Windows [Version 10.0.18362.1082]
(c) 2019 Microsoft Corporation. All rights reserved.

D:¥tuyan>cd Desktop

D:¥tuyan¥Desktop>npm init vite-app board_app
npx: installed 7 in 3.451s
Scaffolding project in D:¥tuyan¥Desktop¥board_app...

Done. Now run:

  cd board_app
  npm install (or `yarn`)
  npm run dev (or `yarn dev`)


D:¥tuyan¥Desktop>
```

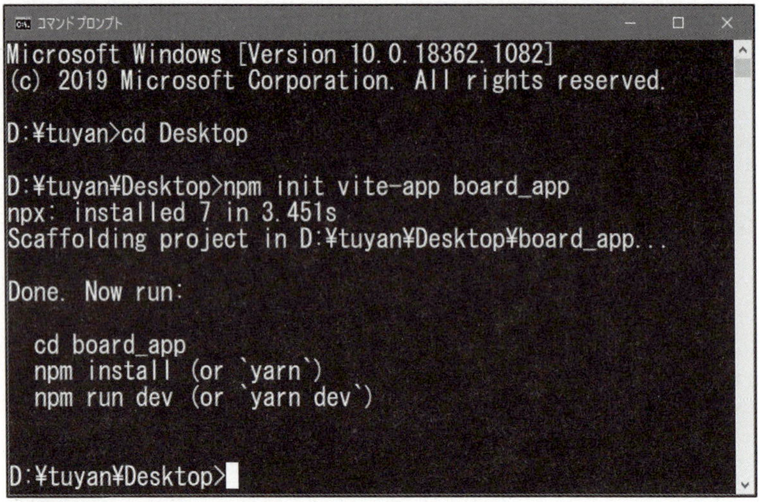

図6-53 npm init vite-appでアプリケーションを作る。

これで「board_app」フォルダが作成され、その中にアプリケーション関連のファイルが保存されます。作成されたら、アプリケーションに必要なパッケージ等の組み込みを行ないます。そのまま「cd board_app」でフォルダ内に移動してコマンドを実行してもいいですし、Visual Studio Codeを利用してもいいでしょう。この場合は新しいウインドウを開き、「board_app」フォルダをドラッグ＆ドロップしてフォルダを開いてから「ターミナル」メニューの「新しいターミナル」を選んでターミナルのビューを呼び出し、ここでコマンドを実行します（コマンドプロンプト等を使う人は「board_app」フォルダまでcdコマンドで移動してから実行してください）。

実行するコマンドは以下の2つです。

```
npm install
npm install firebase
```

npm installで必要なパッケージを組み込み、npm install firebaseでFirebase SDKをインストールします。今回のアプリケーションは、これだけあれば問題なく動作します。

index.htmlを修正する

では、アプリケーションのファイル類を作成していきます。まずは、アプリケーションにアクセスした際に読み込まれるindex.htmlからです。「board_app」内にあるこのファイルを開いて以下のように書き換えましょう。

リスト6-20

```
<!DOCTYPE html>
<html lang="ja">
<head>
  <meta charset="UTF-8">
  <link rel="icon" href="/favicon.ico" />
  <meta name="viewport" content="width=device-width, initial-scale=1.0">
  <title>Board App</title>
  <link rel="stylesheet" href="https://stackpath.bootstrapcdn.com/ ↵
    bootstrap/4.5.0/css/bootstrap.min.css" >
  <script src="https://code.jquery.com/jquery-3.5.1.slim.min.js"> ↵
    </script>
  <script src="https://cdn.jsdelivr.net/npm/popper.js@1.16.0/dist/umd/ ↵
    popper.min.js"></script>
  <script src="https://stackpath.bootstrapcdn.com/bootstrap/4.5.0/js/ ↵
    bootstrap.min.js"></script>
</head>
<body>
  <h1 class="bg-secondary text-white h4 p-3">Board_app</h1>
  <div class="container">
    <div id="app"></div>
  </div>
  <script type="module" src="/src/main.js"></script>
</body>
</html>
```

これまで利用してきた「vite_app」のindex.htmlとほとんど同じですね。Bootstrap関連のリンクを追加した他、タイトルの<h1>を用意するなどしているだけです。

App.vueを修正する

続いて、App.vueを修正します。以下のリストのように書き換えてください。これも基本的な内容はこれまでとほぼ同じですが、利用するコンポーネント名を変更しています。

リスト6-21

```
<template>
  <Board />
</template>

<script>
import Board from './components/Board.vue'

export default {
```

```
  name: 'App',
  components: {
    Board
  }
}
</script>
```

今回は、「components」フォルダのBoard.vueというコンポーネントを利用するようにしてあります。それ以外は特に変更らしいものもありません。

Board.vueを作成する

では、アプリケーションの本体部分となるコンポーネントを作成しましょう。「components」フォルダの中には「HelloWorld.vue」というファイルが用意されていますね。これの名前を「Board.vue」に変更しましょう。そして、以下のように記述をします。今回は少し長いスクリプトになるので間違えないように落ち着いて記述してくださいね！

またfirebaseConfigの内容はそれぞれのプロジェクト向けに修正しましょう。

リスト6-22

```
<template>
  <section>
    <div class="alert h6 text-right"
      @click="doLogin">[login:{{data.user != null ? data.user. ↵
        displayName : '---'}}]</div>
    <h2>{{title}}</h2>
    <p class="h5">{{data.message}}</p>
    <div v-if="data.user" class="alert alert-primary">
      <div class="form-group text-left">
        <label class="h5">Message</label>
        <div class="form-row">
          <div class="col-10">
            <input v-model="data.msg" class="form-control">
          </div>
          <button @click="add" class="btn btn-primary col-2">投稿 ↵
            </button>
        </div>
      </div>
    <h3 class="my-3">Messages</h3>
    <ul v-for="(item, key) in data.fire_data"
        class="list-group text-left">
```

```
      <li class="list-group-item">
        <div class="h5">{{item.msg}}</div>
        <div class="small text-right">{{item.user}} ({{item.posted}}) ↲
          </div>
      </li>
    </ul>
    </div>
    <div v-else>
      <div class="alert alert-warning">
        ※現在、ログインされていません。
      </div>
    </div>
  </section>
</template>

<script>
import { onMounted, reactive } from 'vue'
import firebase from 'firebase'

// Your web app's Firebase configuration
var firebaseConfig = {
    apiKey: "APIキー",
    authDomain: "プロジェクト.firebaseapp.com",
    databaseURL: "https://プロジェクト.firebaseio.com",
    projectId: "プロジェクト",
    storageBucket: "プロジェクト.appspot.com",
    messagingSenderId: "メッセージID",
    appId: "アプリケーションID"
}

// Initialize Firebase
firebase.initializeApp(firebaseConfig)

var provider = new firebase.auth.GoogleAuthProvider()
const person = firebase.database().ref('board/')

export default {
  setup(props) {
    const data = reactive({
      title:'Board',
      message:'ミニ伝言板。最新の投稿を表示します。',
      user: null,
      msg:'',
      num_per_page:10, //☆取り出すデータ数
      fire_data:{},
```

```
})
// ログイン処理
const login = ()=> {
  firebase.auth().signInWithPopup(provider)
      .then((result)=> {
    data.user = result.user
    data.message = 'ログインしました。'
    firebase.database().ref('board')
        .orderByKey()
        .limitToLast(data.num_per_page)
        .on('value', (snapshot)=> {
      if (firebase.auth().currentUser != null){
        let arr = []
        let result = snapshot.val()
        for(let item in result){
          arr.unshift(result[item])
        }
        console.log(arr)
        data.fire_data =arr
      } else {
        data.fire_data = {}
      }
    })
  })
}
// ログアウト処理
const logout = ()=> {
  firebase.auth().signOut()
  data.user = null
  data.fire_data = {}
  data.message = 'ログアウトしました。'
}
// ログイン・ログアウト実行
const doLogin = ()=> {
  if (firebase.auth().currentUser == null){
    login()
  } else {
    logout()
  }
}
// メッセージ追加
const add = ()=> {
  if (firebase.auth().currentUser == null){
    alert('ログインしないと投稿できません。')
    return
```

```
      }
      let user = firebase.auth().currentUser
      console.log(user)
      let d = new Date()
      let dstr = d.getFullYear() + '-' + (d.getMonth() + 1) + '-'
        + d.getDate() + ' ' + d.getHours() + ':' + d.getMinutes()
        + ':' + d.getSeconds()
      let id = d.getTime()
      let obj = {
        msg: data.msg,
        user: user.displayName,
        posted: dstr,
      }
      firebase.database().ref('board/' + id).set(obj)
      data.msg = ''
      data.message = '投稿しました。'
    }
    onMounted(()=> {
      if (firebase.auth().currentUser == null){
        login()
      }
      console.log(firebase.auth().currentUser)
    })
    return { data, login, logout, doLogin, add }
  },
}
</script>
```


これですべて完成です。保存したら実際に動かして動作を確認しましょう。認証はGoogleアカウントを使うため、できれば複数のGoogleアカウントで動作を確認できるといいですね。また、Firebaseのプロジェクトに「board」という値としてメッセージを保管していくので、これも動かしてみてどう変化するか確認してみるといいでしょう。

Firebase SDK利用のポイント

今回は、Firebase SDKをどのように利用してアプリケーションが動いているか、が最大のポイントとなるでしょう。ユーザー認証やFirebaseからのデータ取得などは既に説明をしていますので、ポイントだけ簡単にまとめておきましょう。

まず、setupに用意されているdata変数についてざっと内容を確認しておきましょう。ここでは以下のようなものが用意されています。

```
const data = reactive({
  title: アプリケーションのタイトル,
  message: メッセージ,
  user: ログインしているユーザーのオブジェクト,
  msg: フィールドに入力したメッセージ,
  num_per_page: 取り出すメッセージ数,
  fire_data: Firebaseから取得したデータ,
})
```

messageは、タイトルの下に表示される各種情報を表示するためのものです。入力して送信するメッセージはmsgになります。またログインするとユーザー情報をまとめたオブジェクトがuserに保管され、これを使ってログイン状況がわかるようになっています。

ログイン

Googleアカウントを使ったソーシャル認証の処理は、login関数で行なっています。これは既に使ったものですからわかりますね。

```
firebase.auth().signInWithPopup(provider)
      .then((result)=> {
    data.user = result.user
    data.message = 'ログインしました。'
```

このように行なっています。signInWithPopupで認証のウインドウをポップアップ表示し、ログインしたらthis.data.userにresult.userを保管し、メッセージを表示します。

ログアウト

ログアウトの処理も、firebase.auth()で得られたオブジェクトのメソッドを使って行ないます。これはlogout関数に用意されています。

```
firebase.auth().signOut()
data.user = null
data.fire_data = {}
data.message = 'ログアウトしました。'
```

ログアウトは、「signOut」メソッドを呼び出すだけです。その後、data.user、data.fire_dataを初期化し、メッセージを表示します。

データの取得

メッセージデータの取得は、Realtime Databaseからboardのデータにアクセスして取り出すだけです。が、少しだけ手を加えています。

```
firebase.database().ref('board')
    .orderByKey()
    .limitToLast(data.num_per_page)
    .on('value', (snapshot)=> {……
```

「orderByKey」は、キーをもとに並べ替えるメソッドです。ここではキーに投稿日時の情報を設定しているので、これにより古いものから順に取り出されます。

その後の「limitToLast」は、最後からいくつかだけを取り出すためのものです。引数に指定した数だけを取り出します。これで、もっとも新しいものからnum_per_page個だけが取り出されるようになります。

データが得られると、onに用意した関数が呼び出されます。ここで繰り返しを使い、新しいものから順に並ぶような形で配列を作り直して表示をしています。

データの追加

データの追加は、Databaseオブジェクトの「ref」と「set」というメソッドを使います。refでデータの参照先を示すReferenceオブジェクトを取り出し、setでそれに値を設定するわけです。

ここでは、以下のようにして新しいデータを追加しています。

```
let obj = {
  msg: data.msg,
  user: user.displayName,
  posted: dstr,
}
firebase.database().ref('board/' + id).set(obj)
```

objに、保管する値をオブジェクトにまとめたものを用意しています。そして、ref('board/' + id)で、/board/《ID番号》という値の参照を取り出し、setでそれに値を保管しています。

ここでは、現在の時間(時刻をミリ秒換算した数値)を元に、ID番号を作成しています。それを使い、boardの中に指定したIDをキーとしてデータを保管しているのですね。Firebaseでデータベースにどのように値が保管されているかを確認すると、この「refで指定した参照の値がどういうものか」がよくわかるでしょう。

図6-54　Firebaseのデータベースに保管されているboardデータ。ID番号をキーにして保管されている。

この章のまとめ

ここでは、他のサイトにアクセスし、さまざまなデータをやり取りする方法について説明をしました。説明の多くは、Firebaseの利用について説明をしましたが、axiosを利用すればいろいろなアクセスができるようになるはずです。

が、とにかくたくさん詰め込んだため、「何が何だかわからない」という人も多いことでしょう。ここで、「最低限、これだけでも覚えておいて！」というポイントを整理しておきましょう。

axiosはgetだけは使えるようになろう！

外部へのアクセスの基本は、axiosです。これは、getで指定のアドレスにアクセスして情報を取り出せました。これ自体はそう難しくはありませんが、このgetが「非同期処理」ということで、いろいろ面倒なことを覚えないといけませんでした。

非同期の処理は、こうしたネットワークアクセスでは多用されますから、なるべく非同期を使ったやり方に慣れておいたほうがいいでしょう。

Firebaseでデータベースを利用する手順を覚えよう

Firebaseは、まずプロジェクトを用意して、そこにRealtime Databaseを作り、データを組み込んでいきました。この基本的な操作手順はしっかりと覚えておきましょう。Firebaseにデータさえ用意できれば、後はいろいろな使い方ができるのですから。

「ミニ伝言板」は、将来の宿題

それ以外のものは、とりあえず今すぐ理解できなくても構いません。ここでは最後にミニ伝言板を作ってみましたが、ここで利用したFirebase SDKの機能は、Firebaseの利用を更にステップアップするパワフルなものです。これは今すぐ理解する必要はありませんが、いつか使えるようになれば本格的にFirebaseと連携したアプリケーションを開発できるようになります。

これから先はどうするの？

さて。これで本書の解説はすべて終わりです。「まだまだ全然わからない」という人も多いかもしれませんね。それはやむを得ないでしょう。なにしろ、途中途中で「これとこれだけ覚えれば、後は忘れてOK」なんていってきたんですから。ただ、わからないことばかりかもしれませんが、わからないなりに「何となくこういうことをいってるんだろうな」といった漠然としたイメージぐらいは、つかめたのではないでしょうか。

今はわからなくとも、何となく「こういうことかな」というイメージが頭にあれば、将来、また復習して学び直したときに理解する力がアップします。ですから、今すぐ全部理解できないからといって諦めないで！

この本を読み終わって、「わからないけど、でもVue.jsについてもうちょっと頑張って勉強してみたい」と思ったなら、こんな具合に進めていきましょう。

まずは、この本を最初からおさらい！

ざっと本を読んで「よくわからない」となったとき、別の本を買ってまた最初から読む人は意外と多いようです。が、それはちょっともったいと思いませんか？ せっかく既に格好の参考書があるというのに。

本は、一度読めばおしまい、というものではありません。まずは、この本を最初からもう一度しっかりと読んでおさらいすることから始めましょう。このとき注意してほしいのは、「書いてあるリストをすべて自分で打ち込んで動かす」ということです。

プログラミングの上達は、「どれだけのソースコードを書いたか」で決まります。コピペでは絶対に上達しません。これは断言できます。書くことで、「なぜここでこれを使うのか」「これは何のためにあるのか」といったことを自然に考えるようになります。そうして書かれているソースコードの意味が少しずつわかってくるのです。

サンプルで遊ぼう！

一通りおさらいを終わったら、一度目よりもぐっとVue.jsの理解は深まっているはずです。そうなったら、ここで作成したサンプルアプリケーションを使って、いろいろと書き換えて遊んでみましょう。「こういう機能はつけられないかな」「こうしたらもっと便利になるかな」と、いろいろな機能を考えながら、あれこれ書き換えてみてください。

プログラミングというのは、「小さな部品の寄せ集め」です。小さな機能の作り方を少しずつ覚えていくことで、それらの機能を組み合わせてもっと大きな処理を作れるようになっていきます。あまり高度なことを目指さず、小さな機能からコツコツと作っていきましょう。

オリジナルのアプリケーションに挑戦！

いろいろな機能の作り方が身についてきたら、思い切って「オリジナルアプリケーション」に挑戦してみましょう。

アプリケーションの作成というのは、単にプログラミングの能力だけが必要とされるわけではありません。作るアプリケーションを考え、それを設計し、どういう機能をどのように実装していくか、考えないといけないことは山のようにあります。そして、それらをあれこれ悩みながら作っていくことで、アプリケーション作成に必要な経験を積み上げていくことができるのです。

「なるほど。じゃあ、そこまでできたら、その後は……？」なんて思った人。そこまできたら、あなたは既に立派なプログラマですよ。もうこの本の筆者からの助言なんて必要ないはずです。「次はこういうのを作ろう」といったアイデアが自然と湧いてくるようになっていることでしょう。

では、あなたの作品といつの日かインターネットのどこかで出会えることを願って——。

2020. 11 掌田津耶乃

Addendum

JavaScript超入門！

Vue3を学ぶためには、JavaScriptの知識が必要です。が、ただ「変数や構文ぐらいはわかる」というだけでは、Vue3を学ぶにはちょっと心もとない。関数やオブジェクトについても多少の知識は必要です。そうした基礎知識について、ここで超圧縮して説明しましょう！

Section A-1

JavaScriptの基本を超簡単おさらい！

この章の目的は？

Vue3を使うためには、JavaScriptの基本について理解しておかなければいけません。「JavaScriptってよく知らない」という人のために、その基本をここでおさらいしておきましょう。が、その前に、「この小さな入門が何のためにあるのか？」について簡単に説明しておきます。

この章の目的は、「JavaScriptに関する必要最小限の知識を詰め込んで、なんとかVue3の説明が読めるようにする」ということです。このため、細かな文法の説明などは全部すっ飛ばして、必要最低限の知識だけをコンパクトに頭に詰め込んでいきます。

ですから、ここはざっと斜め読みして、「なんとなくわかった気になれたら、それでOK」と割り切って考えて下さい。これで「JavaScriptをマスターする」なんてことは考えないように。

「JavaScriptはあんまりよく知らないけど、とにかくすぐにVue3の説明を読みたい」という人は、とりあえずここで最低限の知識を詰め込んでおけば、「読んでもなんとなく意味がわかった気になる」ぐらいにはなるでしょう。が、怒涛のソースコードをすべて完璧に理解しようと思ったら、きちんとしたJavaScriptの入門書を買ってきっちり学ぶ必要があります。

これは、いわば「カバンに入れっぱなしの折りたたみ傘」です。いずれきちんとしたものを買うにしても、今はとりあえずこれで間に合わせたい、そういう人のためのもの。きちんと理解したい人は、それなりの入門書を手に入れてきっちり学習してくださいね！

値と変数について

まずは、JavaScriptの基本的な文法について、ごくざっとまとめておきましょう。最初に、値と変数についてです。プログラミングの基本は「値」ですから。

数の値

数の値は、その数字を普通に書くだけです。小数点は、ドット(.)記号を使います。また負の値は半角のマイナスを前につけます。他に余計なものを付けてはいけません。例えば「1,000」なんて具合にカンマを付けたりするとエラーになります。

```
例）123          0.001          100000.01
```

テキストの値

テキストは最初と最後にクォート記号("または')をつけて書きます。どちらの記号を使っても、働きは全く同じなので悩む必要はありません。

```
例）"Hello"          'あいう'          'This is "Vue3" ! '
```

真偽値

真偽値は「真か、偽か」という二者択一の状態を示すのに用いられる値です。これは「true」「false」という2つの値しかありません。

```
例）true          false
```

変数について

変数は、値を保管しておくための入れ物です。プログラミング言語では、必要な値を変数に入れておき、この変数を使って計算などを行います。さまざま変数を用意して計算したり表示したりして処理を行なっていきます。

●変数の宣言

```
var 変数
let 変数
```

●値の代入

```
変数 = 値
```

●値の取得

```
取り出し先 = 変数
```

●**宣言と代入**

```
var 変数 = 値
let 変数 = 値
```

変数を作るには「var」か「let」というキーワードを使います。「何がどう違うの？」と思うでしょうが、慣れないうちは「だいたい同じもの」と考えて構いません。両者は働きが微妙に違うのですが、その違いを意識するようになるのはJavaScriptにある程度習熟してからですから。

定数について

一度値を設定したら二度と変更できない入れ物が「定数」です。これは、最初に以下のように宣言をして使います。定数は、宣言をしたときに値を設定し、それ以後は一切変更できません。

●**定数の宣言と代入**

```
const 定数 = 値
```

四則演算について

数字の計算の基本は「四則演算」ですね。これは、パソコンのキーボードについている「+」「-」「*」「/」といった記号を使って行います。また「%」という記号で、割り算の余りを計算することもできます。他、演算の優先順位を示す()も利用できます。

```
例）
var x = 12 + 34 - 56
y = (1 / 2) * 3
```

テキストの演算

テキストの値は「＋」記号を使って他のテキストとつなげることができます。これは、つなげる値がテキストでなくとも構いません。どちらかがテキストであれば、もう一方をテキストに変換して1つにつなげます。

```
例）
var x = "abc" + 123
y = x + "end"
```

比較演算について

「比較演算子」は、2つの値を比較する式です。これは以下のような演算子が用意されています(AとBを比べる形で記述します)。

A == B	AとBは等しい
A != B	AとBは等しくない
A < B	AはBより小さい
A <= B	AはBと等しいかそれより小さい
A > B	AはBより大きい
A >= B	AはBと等しいかそれより大きい

これらの演算子を使った式は、真偽値の値として扱うことができます。式が成立する場合はtrue、しない場合はfalseになります。これは、この後の制御構文の条件などで使われます。

文の書き方

ここまでのところで、値を変数に入れたり定数を作ったりという例を見てきました。これら「何かを実行するためのまとまった記述」は「文」と呼ばれます。プログラミングというのは、この文を1つ1つ記述していく作業なのです。

JavaScriptでは、文は「改行」か、あるいは「セミコロン」で終わりを示します。こんな具合ですね。

```
AAA
BBB
CCC
```

あるいは、こういう書き方もできます。

```
AAA;
BBB;
CCC;
```

更には、こんな書き方をすることも可能です。

```
AAA;BBB;CCC
```

1つ1つの文が、改行されて書かれているか、あるいは最後にセミコロンがつけられていれば、JavaScriptは文を理解できます。

以前は、「最後にセミコロンを付けて改行」というスタイルが基本でした。しかし最近では「改行して終わるときはセミコロンを付けない」書き方が広まりつつあります。本書でも、このスタイルを基本にしていきます。

なお、基本は「改行で文は終わり」なのですが、長くなってくると文の途中で改行することもあります。これは、この先いろいろリストを見ていけば、「あれ、ここで改行しているな」ということに気がつくようになるでしょう。リストを見ながら体感的に書き方を覚えていくようにしましょう。

コメントについて

スクリプトの中には、処理とは関係のないテキストを書いておくこともできます。これは「コメント」と呼ばれ、以下のように書きます。

```
// 文の最後までコメント
```

```
/*
この間すべてコメント
*/
```

//記号は、その後から改行されるまでをコメントとみなします。また/*と*/は、間に挟んだ部分をすべてコメントとみなします。コメントは、スクリプトの説明などをメモしておくのに大変重宝します。

制御構文について

処理の流れを制御するためのものが「制御構文」です。これは条件によって処理を分岐させる「条件分岐」と、決まった処理を繰り返し実行する「繰り返し」があります。

if構文

ifは「条件分岐」の基本となる構文です。このif文は、条件に応じて実行する処理を変更するのに使います。条件には、真偽値を指定します。一般的には、この前に出てきた「比較演算の式」を条件に使うと考えておけばいいでしょう。

●**if文の基本形(1)**

```
if ( 条件 ) {
  ……正しいときの処理……
}
```

●**if文の基本形(2)**

```
if ( 条件 ) {
  ……正しいときの処理……
} else {
  ……正しくないときの処理……
}
```

switch構文

3つ以上の分岐処理が必要な場合もあります。こういうときに用いられるのが、「switch」構文です。

●**switchの基本形**

```
switch( 条件 ){
case 値1:
  ……値1のときの処理……
  break
case 値2:
  ……値2のときの処理……
  break

……必要なだけcaseを用意する……

default:
  ……それ以外のときの処理……
}
```

while構文

whileは、もっとも簡単な繰り返し構文です。条件を指定し、それがtrueである間は繰り返しを続けます。条件がfalseとなると繰り返しを抜け、次に進みます。

●**while文の基本形**

```
while ( 条件 ){
```

```
  ……繰り返す処理……
}
```

for構文

「for」構文も繰り返しのためのものですが、whileに比べるとかなり複雑な形をしています。

●for文の基本形

```
for ( 初期化 ; 条件 ; 後処理 ) {
  ……繰り返す処理……
}
```


配列について

多量のデータ処理をするときに用意されているのが「配列」です。配列は、たくさんの値をまとめて保管することのできる特別な変数です。

配列には、値を保管しておく入れ物が多数用意されています。これらの入れ物には「インデックス」という番号が順に割り振られており、値を使って値をやり取りできます。

●配列の値の書き方

```
[ 値1, 値2, …… ]
```

●配列の作成

```
変数 = [ 値1, 値2, …… ]
```

●配列の値のやり取り

```
配列 [ 番号 ] = 値
変数 = 配列 [ 番号 ]
```

配列に保管されている値は、変数名の後に[]という記号でインデックスの番号を指定してやり取りをします。例えば、Aという変数に配列が入っているなら、A[0] とか A[1] というようにして保管されている値をやり取りします。このインデックス番号は、ゼロ番から順に割り振られます。

配列のfor構文

JavaScriptには「配列専用のfor」が用意されています。これは以下のように記述します。

```
for ( 変数 in 配列 ){
    ……繰り返し処理……
}
```

このfor構文では、配列から順にインデックスの値を取り出して変数に代入します。繰り返し部分では、このインデックス番号を使って配列から値を取り出し利用します。

 関数について 

関数は、メインのプログラムから切り離し、いつでも実行できるようにした小さなプログラムです。この関数は、Vue3ではけっこう重要な役割を果たします。

関数の基本的な形は、以下のようになります。2通りの書き方を挙げておきます。

●関数の書き方(1)

```
function 関数 ( 引数 ) {
    ……実行する処理……
}
```

関数は、「function」「関数の名前」「引数」の3つの要素でできています。「function」は、関数を作るときのキーワードです。そして、その後にその関数の名前を用意します。

引数は、関数が必要とする値を渡すためのものです。これは、いくつでも用意できます。2つ以上の引数を用意したい場合は、それぞれをカンマ(,)記号でつなげて書きます。また引数を何も用意しなくても構いません。

関数の書き方(2)

関数は、「値」として変数や定数に入れて利用することもできます。この場合は、以下のような書き方をします。

```
変数 = function ( 引数 ) {
    ……実行する処理……
}
```

引数や{}の書き方などは(1)と全く同じです。また、どちらの書き方をしても働きは全く同じです。「普段は(1)の書き方をするけど、こういうときは(2)の書き方をする」というような使い分けも全くありません。どういうときでも、2つのどちらの書き方をしても構いません。

２つの書き方の例を挙げましょう。

●(1)の書き方

```
function hello(){
  alert("hello")
}
```

●(2)の書き方

```
const hello = function(){
  alert("hello")
}
```


これらは、どちらの書き方をしても、関数の動作や使い方は全く同じです。違いは一切ありません。この2つは、「同じもの」なんです。この点を忘れないように！

こうして定義した関数は、以下のようにしてどこからでも呼び出すことができます。

```
関数 ( 引数 )
```

例えば、この手前で例に挙げた「hello」という関数の場合は、「hello()」と記述するだけでいいのです。こんな具合ですね。

```
const hello = function(){
  alert("hello")
}

hello()
```

これで、hello関数を呼び出し実行することができます。注意したいのは、引数の記述でしょう。引数がいろいろと付いている場合は、正しく引数に値を用意しないとうまく呼び出せないこともあります。

関数の利用例

プログラミングの学習で何より大切なのは、1つ1つの細かな命令や関数を覚えることではありません。ざっとスクリプト全体を見て、なんとなく「こういうことをやってるんだろうな」とイメージできるようになる、ということなのです。

では、関数の利用例を見てみることにしましょう。実際に動かす必要はありませんよ。「こんな感じで書いて動くんだ」というイメージで考えて下さい。

リストA-1

```
function hello(name){
  alert('こんにちは、' + name + 'さん！')
}

hello('たろう')
```

これは、Webブラウザに表示されるWebページの中で動いているJavaScriptの例です。実行すると、「こんにちは、たろうさん！」というアラートが表示される、というスクリプトです。

最初のfunction hello(name){ ～ } の部分が、関数を定義している部分ですね。そして、その後にある「hello('たろう')」というのが、関数を呼び出して実行している部分です。

関数の定義は、こんな具合にfunction ○○()で始まり、その後の{}の部分に処理を記述します。そしてその関数を実行するには、○○()というように関数名とその後の()の部分(引数ですね)を書いて呼び出します。

これが、関数の利用の基本です。「定義」と「呼び出し」のやり方さえわかれば、関数は使えるのです。

関数と戻り値

関数には、処理をただ実行するだけのものと、結果を返すものがあります。結果を返す関数では、関数の処理の中で「return」というものを使います。

```
function 関数 ( 引数 ) {
  ……実行する処理……
  return 値
}
```

このreturnは、そこで処理を抜け、指定した値を呼び出し元に送り返す働きをします。値を返す関数は、変数などと同じく、返す値と同じ感覚で扱うことができます。例えば、こんな具合です。

リストA-2

```
function a(){
  return "A"
}
function b(){
  return "B"
}
```

```
let x = a() + b()
```

これで、変数xには "AB" というテキストが代入されます。a関数とb関数は、それぞれ"A"と"B"という値を返します。ということは、これらは"A"および"B"と同じものとして扱えるのです。

関数は「値」だ！

関数の書き方で紹介したもののうち、(2)の書き方は、あんまり見たことないな、と思った人も多いことでしょう。こういう書き方ですね。

```
変数 = function ( 引数 ) {……}
```

この書き方からわかるように、関数というのは「値」なのです。これは、function (引数) {……}という関数を、変数に代入する文なのですね。

関数は、「オブジェクト」です。オブジェクトについては後で触れますが、「関数といっても、なにか特別なものではなくて、ただの値なんだ」ということは知っておきましょう。

「値っていっても、処理を実行するためのものじゃないか。普通の値のように他の変数に入れたりできないだろう？」と思った人。いいえ、できるんです。

リストA-3

```
function a(){
  return "hello"
}

let b = a
let c = a()
```

例えば、こんな処理を考えてみて下さい。関数aを定義し、それを利用していますね。b = aとすると、変数bには、関数aそのものが入ります(aの結果ではありません)。そして c = a()とすると、変数cには関数aの実行結果("hello"というテキスト)が入ります。

つまり、()で引数をつければその関数の実行結果が返されるが、()を付けず、ただ変数名だけだと「関数そのもの」を値として扱うことができるのです。

関数は「値」。これは、しっかり頭に入れておいて下さい。Vue3では、関数を値として扱うことがよくあるのです。特に多用されるのが、この後の「アロー関数」を使ったやり方です。

アロー関数について

関数の中には、関数名を持たず、その場で使うだけのいわば「使い捨て」のものもあります。「アロー関数」と呼ばれるもので、以下のように記述します。

```
( 引数 )=>{ ……実行する処理……}
```

これは、関数を引数に関数を使うような場合に用いられます。

この関数は、普通にHTMLの中でちょこっとJavaScriptを使うような場合にはあまり使うことはないでしょう。が、これからVue3を学ぼうという皆さんは、ここでよく頭に入れておく必要があります。

Vue3では、このアロー関数があちこちで使われています。ですから、アロー関数を見たことがないと、「これ、なんだ？」と混乱してしまうでしょう。

アロー関数は、Vue3では非常に重要な役割を果たしますので、本編でも改めて説明することにします。なるべく早くアロー関数に慣れるようにしましょう。

関数を引数にする？

では、実際にアロー関数がどのように使われるのか、見てみましょう。ここでは、引数に「名前を返す関数」を用意するhello関数を作成して、これを利用してみます。

リストA-4

```
function hello(f){
  alert('こんにちは、' + f() + 'さん！')
}

hello(()=>{ return "太郎" })
hello(()=> "花子" )
```

ここでは、function hello(f){ ～というように関数が定義されています。引数には「f」という変数が用意されていますね。そして実行している処理の中では、f()というように、fを関数として実行しています。つまり、この引数fは関数でないといけないわけです。

これを利用しているのが、その下の文です。

```
hello(()=>{ return "太郎" })
```

ちょっとわかりにくいですが、これは引数に、()=>{ return "太郎" } という値が設定されています。これがアロー関数です。これは、単に "太郎" というテキストをreturnしているだけの単純な関数です。hello関数内のf()のところで、このアロー関数が実行され、"太郎"というテキストが表示されるようになっていた、というわけです。

その後の文は、もうちょっと簡単な書き方をしています。

```
hello(()=> "花子" )
```

これもアロー関数です。「()=> "花子"」と書かれていますね。単に何かの値を返すだけのアロー関数は、このように()=>の後にその値を書くだけでOKなのです。

関数はどう書いても同じ！

アロー関数は、これだけのものです。書き方、使い方がわかれば、そんなに難しいものではありません。また、よくわからなければ普通の関数として書いてもOKなんです。例えば、今のhello関数なら、

```
hello(function(){
  return "太郎"
})
```

このように書いても、全然問題ありません。これなら、見慣れた感じの書き方ですからそんなに難しくないでしょう。あるいは、更にこうすることもできます。

```
function taro(){
  return "太郎"
}
hello(taro)
```

あらかじめtaroという関数を用意しておいて、それを引数に代入して使ったっていいのです。これだって、「引数に関数を用意する」ということに変わりはありません。無理にアロー関数を使わなくてもいいんです。

アロー関数は、Vue3ではあちこちで使われているため、今から慣れておいたほうがいいのは確かです。が、「アロー関数ってよくわからない」というなら、普通の関数で書くこともできるんです。「関数はいろんな書き方ができる」ということはしっかり頭に入れておきましょう。

Chapter 1
Chapter 2
Chapter 3
Chapter 4
Chapter 5
Chapter 6
Addendum

オブジェクトをマスターしよう

 オブジェクトについて 

JavaScriptの基本的な文法について一通り頭に入れたところで、オブジェクトについての説明に進みましょう。

オブジェクトは、さまざまな値や処理(関数)をひとまとめにして扱えるようにしたものです。JavaScriptでは、このオブジェクトが多用されます。オブジェクトを使いこなすことが、JavaScriptを使いこなすことだ、といってもいいでしょう。

このオブジェクトは、以下のような形で記述します。

●オブジェクトのリテラル

```
{ 名前1 : 値1 , 名前2 : 値2 , …… }
```

●改行した書き方

```
{
  名前1 : 値1 ,
  名前2 : 値2 ,
  ……
}
```

これは、オブジェクトのリテラル(値を直接記述するときの書き方)です。この書き方は、最近、JSONというものでよく利用されから見たことのある人もいるでしょう。JSONというのは、構造を持った複雑なデータをテキストとして表すのによく使う書き方です。{}記号の中に、保管する値とその名前を「名前 : 値」という形でカンマで区切って書いていきます(この、オブジェクトに名前をつけて保管する値は「プロパティ」というものです。この後に説明します)。

この他、「new」というものを使って作成する方法もあります。

●オブジェクトの作成

```
var 変数 = new オブジェクト ()
```

JavaScriptではさまざまなオブジェクトが使われます。そのオブジェクト名の前に「new」をつけ、名前の後に()で引数を付けて呼び出せば、そのオブジェクトを作ることができます。

例えば、「Object」という名前のオブジェクトがあったとしましょう。これはこんな具合にして作れます。

```
const ob = new Object()
```

これで定数obにはObjectのオブジェクトが代入されます。「newをつけて、名前の後に()で引数をつける」、これがオブジェクト生成の基本です。

プロパティについて

オブジェクトには、さまざまな値を保管しておくことができます。これらは、「プロパティ」と呼ばれます。プロパティにはそれぞれ名前がつけられており、名前を指定して保管されている値を取り出したり変更したりできます。

これは、先に登場した「配列」をイメージすると捉えやすいでしょう。配列では、変数[1]というように、インデックス番号を指定して値をやり取りします。オブジェクトでは、そのインデックス番号の代りにプロパティの名前を指定して値をやり取りできるようになっている、というわけです。

このプロパティの値は、配列と同様に○○[プロパティ]と書いて取り出すこともできますが、ドットを使い、○○.プロパティ という形で記述することもできます。例えば、objというオブジェクトにある「abc」というプロパティならば、こんな具合です。

●値を取り出す

```
変数 = obj.abc
変数 = obj['abc']
```

●値を変更する

```
obj.abc = 値
obj['abc'] = 値
```

どちらがわかりやすいかといえば、圧倒的に「.名前」の書き方でしょう。というわけで、プロパティは[]を使った書き方をすることはほとんどありません。こちらは忘れてしまってOKです。

オブジェクトを使う

これだけではイメージしにくいでしょうから、実際にオブジェクトを作成して利用する処理を挙げておきましょう。

リストA-5

```
let ob = {
  red:255,
  green:125,
  blue:0
}

alert(ob.red + ob.green + ob.blue)
```

ここでは、変数obにオブジェクトを代入しています。そして変数obのred, green, blueといったプロパティの合計を計算し表示します。ここでは「380」と表示されるでしょう。

ここでは、まず以下のようにオブジェクトを用意しています。

```
let ob = {red:255, green:125, blue:0}
```

改行しないで書くとこうですね。オブジェクトリテラルを使ってオブジェクトを書いています。ここでは、red, green, blueという3つのプロパティを持ったオブジェクトを用意していますね。そして、これらの値の合計を表示しています。

```
alert(ob.red + ob.green + ob.blue)
```

これを実行すると、「380」と数字が表示されます。ob.red + ob.green + ob.blueとして、obオブジェクトの中にあるred, green, blueといったオブジェクトの値を取り出して、その合計を計算していたのでですね。

obというオブジェクトと、その中にあるプロパティがどのように利用されるか、これで少しだけわかりました。オブジェクトのプロパティは、例えばob.redというように、オブジェクト名の後にドットを付けてプロパティ名を記述すれば、その値を取り出したり変更したりできるのです。

Chapter 1
Chapter 2
Chapter 3
Chapter 4
Chapter 5
Chapter 6
Addendum

メソッドについて

オブジェクトのプロパティにはさまざまな値が代入できます。関数も入れることができます。JavaScriptでは、関数も値(オブジェクト)なのですから。

このように、関数を値として代入したプロパティのことを「メソッド」といいます。メソッドは、関数を値として保管するだけでなく、その関数をその場で実行することもできます。

では、利用例を挙げましょう。

リストA-6

```
let ob = {
  red:255,
  green:125,
  blue:0,
  total: function() {
    return this.red + this.green + this.blue
  }
}

alert(ob.total())
```

先ほどのobに、totalというメソッドを追加しました。このメソッドは、ob.total()というようにして実行することができます。呼び出し方は関数と同じで、ただ前にオブジェクト名がつく、という違いがあるだけです。

注意したいのは、「ob.total では処理は実行されない」という点です。ob.totalでは、totalに設定されている関数が値として取り出されてしまいます。処理を実行するためには、()部分を付けて記述しないといけません。

また、このtotalメソッドに用意されている処理を見ると、オブジェクトのプロパティを使うのに「this」というものを使っていることがわかります。thisは、そのオブジェクト自身を示す特別な値です。メソッドの中で、そのオブジェクト内にあるプロパティや他のメソッドを呼び出すときは、this.○○という形で記述します。

メソッドのfunctionは省略できる

このtotalメソッドは、実はもっとシンプルに記述することができます。以下のように記述しても全く同じように働きます。

リストA-7

```
let ob = {
  red:255, green:125, blue:0,
```

```
  total(){
    return this.red + this.green + this.blue
  }
}

alert(ob.total())
```

total: function(){ ～とする部分が、total(){ ～になっていますね。これでもちゃんと動きます。リストA-6の書き方のほうが、「これはこの関数を実行するメソッドだ」ということが明確にわかるので、この書き方をすることが多いでしょう。が、Vue3では、リストA-7の書き方もよく使われています。両方とも同じだ、ということは知っておくと良いでしょう。

クラスを使おう

{}によるオブジェクトリテラルは、たしかに便利ですが、{}の中にプロパティからメソッドまで全部を用意するので、内容が増えるとかなりわかりにくいものになってしまいます。

もっとすっきりとわかりやすいものにするため、JavaScriptでは「クラス」というものも用意されています。

このクラスは、以下のような形で記述します。

```
class クラス名 {

  constructor( 引数 ){
    this.プロパティ = 値
    ……必要なだけ初期化処理を用意……
   }

  メソッド ( 引数 ){
    ……実行内容……
  }

  ……必要なだけメソッドを用意……

}
```

クラスは、「class ○○」という形で作成します。その中には、constructorという名前のメソッドを用意します。これは特別な役割を与えられているメソッドです。このクラスを元にオブジェクトを作成するとき、自動的にこのconstructorが呼び出され、初期化処理を行うのです。

クラスにプロパティを用意するときは、constructorの中で、this.○○ = ×× というようにプロパティに値を代入する処理を用意しておけば、それらのプロパティが自動的に用意されます。

またメソッドですが、これはthis.○○ =〜といった書き方をする必要はありません。「function」もつけず、ただメソッドの名前と引数を指定して書くだけでOKです。こちらはコンストラクタ関数よりだいぶ簡単になりますね。

クラスを作る

では、簡単なオブジェクトをクラスとして定義して利用する例を挙げておきましょう。

リストA-8

```
class MyObj {
  constructor(r, g, b){
    this.red = r
    this.green = g
    this.blue = b
  }

  get total(){
    return this.red + this.green + this.blue
  }

  get hex(){
    return '#' + ('00' + this.red.toString(16)).substr(-2)
        + ('00' + this.blue.toString(16)).substr(-2)
        + ('00' + this.green.toString(16)).substr(-2)
  }

  get startP(){
    return '<p style="background-color:'
        + this.hex + '">'
  }

  get endP(){
    return '</p>'
  }

  writeP(){
    console.log(this.startP + this.total + this.endP)
  }
}
```

```
let ob = new MyObj(255,200,200)
ob.writeP()

let ob2 = new MyObj(0, 100, 170)
ob2.writeP()

alert(ob.total())
```

MyObjの定義が変わってはいますが、実際の利用はコンストラクタ関数と全く同じです。newでMyObjを作成し、引数でr, g, bの値を渡しています。

ここではwritePというメソッドで「console.log」という見慣れないものが使われていますが、これはJavaScriptの「コンソール」というところに値を書き出すためのものです。これは、Webブラウザのデベロッパーツールというものに用意されている、JavaScriptの動作を確認したりするのに使う開発者用ツールです。

要するに「JavaScriptで何か値を書いている」ものだ、というぐらいに考えて下さい。これは、あくまで「クラスの利用例」なので、そのへんは深く考える必要はありませんよ。

getとset

MyObjの内部を見ると、コンストラクタ関数とは違う部分が見えてきます。メソッドの中には、「get ○○」という形で書かれているものがあります。例えば、「total」などは、こうなっていますね。

```
get total(){……
```

そして、このtotalを利用している部分を見ると、このような書き方をしているのがわかります。

```
alert(this.total)
```

this.total() ではありません。this.total なのです。このgetがついたメソッドは、プロパティのように値を取り出して利用できます。また、「set ○○」というものもあり、これを使うと、プロパティに値を代入するようにしてメソッドを呼び出すことができます。

getとsetというものを利用することで、値を取り出したり変更したりする処理をプロパティと同じ感覚でできるようになっているのです。これは非常に便利な機能ですね。

クラスは見てわかればOK

このクラスは、比較的新しいJavaScriptの機能なので、無理に理解する必要はありません。「こういう機能があるんだ」という程度にごくざっと理解しておけばそれで十分です。

Vue3では、クラスを自分で作ったりすることはあまりありません。ただ、Vue3側でクラスとして機能が用意されている場合はあります。そうした意味で、「class ○○」といった記述があったら、「これはクラスを定義してるんだな」ということがわかれば、それで十分です。それ以上の知識は、Vue3を利用するだけなら特に必要になることはないでしょう。

Vue3でもっとも必要となるのは、「既に用意されているオブジェクトの使い方」です。Vue3には、さまざまな働きを持ったオブジェクトが用意されています。それらをどうやって利用するのか、それが一番大切です。

どんなに複雑なオブジェクトも、その中に入っているのは「プロパティ」と「メソッド」だけです。つまり、プロパティとメソッドをどんな具合に使えばいいのか、それさえきっちり頭に入っていれば、Vue3は使えるのです。

Vue3のために必要な知識とは？

……ということで、以上でJavaScriptのオブジェクト超入門は終わりです。「まだ全然JavaScriptを使えるようになってない！」という悲鳴が聞こえてきそうですね。でも最初にいったように、これは「Vue3を使うために必要となる最低限の知識」を身につけるための超入門です。JavaScriptをマスターするのが目的ではありません。

Vue3の入門を読むために必要になるJavaScriptの知識とは？ これはだいたい以下のようなものになるでしょう。

- **JavaScriptの基本文法。値や変数の基本、計算や文の書き方、基本的な制御構文など。**
- **関数についての基礎知識。基本的な関数だけでなく、「値」としての関数の使い方、アロー関数の使い方など。**
- **オブジェクトの基礎。オブジェクトのリテラルの書き方はとても重要。プロパティやメソッドの書き方と「どうやって使えばいいか」という知識も必要。**

この他、exportとimportという「外部のスクリプトを読み込んで使うための仕組み」についても知識が必要ですが、これは実際に使うときになったら説明することにしましょう。

以上の事柄が最低限わかっていないと、Vue3の説明を読んでも何が何だかわけがわからないでしょう。これらのことが最低限頭に入っていれば、とりあえず説明は読めるはずです。

もちろん、肝心のJavaScriptのプログラミングがまるでわからなかったらお話になりませんが、これは少しずつできるようになっていくしかありません。プログラミングの能力は、一朝一夕に身につくものではないのですから。

というわけで、本編に戻ってさっそくVue3の学習を始めることにしましょう！

Index

索引

Chapter 1
Chapter 2
Chapter 3
Chapter 4
Chapter 5
Chapter 6
Addendum

N

O

P

R

S

T

は行

ま行

ら行

著者紹介

掌田 津耶乃（しょうだ　つやの）

日本初のMac専門月刊誌「Mac+」の頃から主にMac系雑誌に寄稿する。ハイパーカードの登場により「ビギナーのためのプログラミング」に開眼。以後、Mac、Windows、Web、Android、iOSとあらゆるプラットフォームのプログラミングビギナーに向けた書籍を執筆し続ける。

■近著：

「Electronではじめるデスクトップアプリケーション開発」（ラトルズ）
「ブラウザだけで学べる シゴトで役立つやさしいPython入門」（マイナビ）
「Android Jetpackプログラミング」（秀和システム）
「Node.js超入門 第3版」（秀和システム）
「Python Django3超入門」（秀和システム）
「iOS/macOS UIフレームワーク SwiftUIプログラミング」（秀和システム）
「作りながら学ぶWebプログラミング実践入門」（マイナビ）

●著書一覧

http://www.amazon.co.jp/-/e/B004L5AED8/

●筆者運営のWebサイト

https://www.tuyano.com

●ご意見・ご感想

syoda@tuyano.com

ビュー ジェーエススリー ちょうにゅうもん
Vue.js3 超入門

発行日 2020年 12月25日 第1版第1刷

著　者 掌田 津耶乃（しょうだ つやの）

発行者 斉藤　和邦
発行所 株式会社　秀和システム
〒135-0016
東京都江東区東陽2-4-2　新宮ビル2F
Tel 03-6264-3105（販売）　Fax 03-6264-3094
印刷所 三松堂印刷株式会社

ISBN978-4-7980-6373-7 C3055